af l u e n t e s

MARGARET ATWOOD

El asesino ciego

EDICIONES **B**
GRUPO ZETA

Barcelona • Bogotá • Buenos Aires • Caracas • Madrid • México D.F. • Montevideo • Quito • Santiago de Chile

Título original: *The Blind Assassin*

Traducción: Dolors Udina

1.ª edición: septiembre 2001
1.ª reimpresión: noviembre 2001
2.ª reimpresión: febrero 2002

© 2000 by O.W.Toad Ltd.
© Ediciones B, S.A., 2001
   Bailén, 84 - 08009 Barcelona (España)
   www.edicionesb.com

La traducción de esta obra ha contado con una subvención de
The Canada Council for the Arts y del Canadian Department
of Foreign Affairs and International

Le Conseil des Arts du Canada
The Canada Council for the Arts

Printed in Spain
ISBN: 84-666-0246-1
Depósito legal: B. 6.883-2002

Impreso por LIBERDÚPLEX, S.L.
Constitució, 19 - 08014 Barcelona

MARGARET ATWOOD
El asesino ciego

Traducción de Dolors Udina

Imaginemos que el monarca Aga Mohammed Jan ordena matar o cegar a toda la población de la ciudad de Kerman, sin excepciones. Sus pretorianos se ponen a trabajar sin tregua. Alinean a los habitantes, cortan las cabezas de los adultos, vacían los ojos de los niños... Más tarde, procesiones de niños ciegos abandonan la ciudad. Algunos, en su recorrido por los campos, se pierden en el desierto y mueren de sed. Otros grupos llegan a colonias habitadas... y cantan canciones sobre la exterminación de los ciudadanos de Kerman...

RYSZARD KAPUSCINSKI

Nadaba, el mar era ilimitado, no veía la orilla.
Tánit, despiadada, escuchó mis súplicas.
Tú que te ahogas en el amor, acuérdate de mí.
Inscripción en una urna funeraria cartaginesa

El mundo es una llama que arde en un cristal oscuro.
SHEILA WATSON

I

I

El puente

Diez días después de terminar la guerra, mi hermana Laura se despeñó con el coche desde un puente en reparación: se llevó por delante la señal de peligro. El coche se precipitó unos treinta metros por el barranco, atravesó las mullidas copas de los árboles, cubiertos de hojas nuevas, y a continuación se incendió y rodó hasta el riachuelo del fondo. Sobre el coche cayeron varios cascotes del puente. De Laura no quedaron más que restos calcinados.

Del accidente me informó un policía: el coche era mío y habían comprobado la licencia. Su tono era respetuoso: sin duda había reconocido el nombre de Richard. Me dijo que probablemente los neumáticos hubiesen resbalado en las vías del tranvía, o que al coche le hubieran fallado los frenos, pero también se sintió obligado a comunicarme que dos testigos —un abogado retirado y el cajero de un banco, gente fiable— habían declarado haberlo visto todo. De acuerdo con su testimonio, Laura había dado un volantazo deliberado y había caído por el puente sin más sobresalto que si se hubiera bajado de la acera. Se habían fijado en las manos que sujetaban el volante porque llevaba guantes blancos.

No fueron los frenos, pensé. Tenía sus motivos. No se trataba de los mismos motivos que tienen todos los demás. En este sentido, era completamente inflexible.

—Supongo que quieren que alguien la identifique —dije—. Iré lo antes posible.

Percibí el tono calmo de mi propia voz, como si me llegara desde lejos. En realidad, apenas si podía pronunciar palabra; tenía la boca entumecida, la cara rígida de dolor. Me sentía como si hubiera ido al dentista. Estaba furiosa con Laura por lo que había hecho, pero también con el policía por insinuar que lo había hecho. Notaba alrededor de la cabeza un aire caliente que me erizaba los cabellos uno a uno, como cuando se vierte tinta en el agua.

—Me temo que se llevará a cabo una investigación, señora Griffen —anunció el policía.

—Naturalmente. Pero ha sido un accidente. Mi hermana nunca fue buena conductora.

Se me apareció la cara ligeramente ovalada de Laura, el cabello recogido en un moño perfecto, el vestido que debía de llevar en el momento de la caída: un camisero de cuello cerrado, de un color sobrio, penitenciario, azul marino, gris acero o verde de pasillo de hospital. El tipo de ropa que no se elige sino que una se encuentra metida en ella. Su solemne media sonrisa. Sus cejas enarcadas en una expresión de sorpresa, como si admirase el panorama.

Los guantes blancos: un gesto de Poncio Pilatos. Se lavaba las manos respecto de mí. De todos nosotros.

¿En qué debió de pensar cuando el coche saltó del puente, cuando quedó suspendido en la luz de la tarde, resplandeciente como una libélula en aquel instante de respiración contenida, antes de la caída en picado? En Alex, en Richard, en la mala fe, en nuestro padre y su ruina; acaso en Dios, y en su fatídica relación triangular. O en el montón de cuadernos de ejercicios escolares que debió de esconder aquella misma mañana en el cajón de la cómoda donde yo guardaba las medias, con el convencimiento de que los encontraría.

Cuando el policía se hubo ido, subí al piso de arriba para cambiarme. Para ir al depósito de cadáveres, necesitaba guantes y un sombrero con velo, algo que me tapase los ojos. Seguramente habría periodistas. Tenía que pedir un taxi. También debía llamar a Richard a su despacho: seguramente querría preparar una nota de pésame. Fui al vestidor; precisaba ropa negra y un pañuelo.

Abrí el cajón y vi los cuadernos. Quité la goma que los sujetaba. Noté que me castañeteaban los dientes y tenía todo el cuerpo helado. «Debe de ser la impresión», decidí.

Entonces me acordé de Reenie, de cuando éramos pequeñas. Era Reenie quien nos ponía tiritas en los arañazos, cortes y pequeñas lesiones; mi madre podía encontrarse descansando o haciendo buenas obras en otra parte, pero Reenie siempre estaba allí. Ella nos tomaba en brazos y nos sentaba en la mesa de formica blanca de la cocina, junto a la masa que estaba extendiendo, el pollo a medio cortar o el pescado a medio destripar, y nos daba un trozo de azúcar moreno para que nos callásemos. «Dime dónde te duele —decía—. Deja de berrear. Cálmate y dime dónde.»

Hay personas, empero, que son incapaces de decir dónde les duele. No pueden calmarse. Ni siquiera pueden dejar de berrear.

The Toronto Star, 26 de mayo de 1945

UN ACCIDENTE EN LA CIUDAD PLANTEA INTERROGANTES

ESPECIAL PARA *THE STAR*

La investigación del juez de instrucción ha concluido que el accidente mortal que ocurrió la semana pasada en la avenida St. Clair se debió a causas fortuitas. Laura Chase, de veinticinco años de edad, se dirigía hacia el oeste la tarde del 18 de mayo cuando su coche dio un brusco viraje hacia las barreras que protegían las obras de reparación del puente, se precipitó al vacío y se incendió. La señorita Chase murió en el acto. Su hermana, la esposa del prominente industrial Richard E. Griffen, declaró que la señorita Chase sufría de graves dolores de cabeza que le afectaban la visión. En respuesta a las preguntas, negó la posibilidad de intoxicación etílica, puesto que la señorita Chase no bebía.

La policía apuntó como factor decisivo el que los neumáticos patinaran en los raíles del tranvía. Tras el testimonio pericial del ingeniero municipal Gordon Perkins, se desestimó que existieran fallos en las medidas de seguridad adoptadas por la ciudad.

El accidente ha propiciado que se renovaran las protestas por el estado de las vías en ese tramo de la calzada. Herb T. Jolliffe, representante local de los contribuyentes, ha comunicado a los periodistas del *Star* que no se trataba del primer percance provocado por las vías en desuso. Rogamos encarecidamente al Ayuntamiento que tome nota.

El asesino ciego. Por Laura Chase

Reingold, Jaynes & Moreau, Nueva York, 1947

Prólogo: Plantas perennes para el jardín rocoso

Tiene una sola fotografía de él. La metió en un sobre marrón en el que había escrito «recortes» y escondió el sobre entre las páginas de *Plantas perennes para el jardín rocoso*, donde nadie miraría jamás.

Ha guardado celosamente esta foto porque es casi lo único que le queda de él. Es en blanco y negro, tomada con una de aquellas cámaras de flash de antes de la guerra que eran como una caja voluminosa, con fuelles y fundas de piel que parecían bozales, provista de tiras y complicadas hebillas. En la fotografía aparecen los dos, ella y su hombre, en un pícnic. Detrás pone «pícnic», con lápiz: ni el nombre de él ni el de ella, sólo «pícnic». Sabe los nombres, no le hace falta escribirlos.

Están sentados debajo de un árbol, posiblemente un manzano; no se fijó mucho en el árbol en aquel momento. Ella lleva una blusa blanca con las mangas recogidas hasta el codo y una falda holgada metida debajo de las rodillas. Debía de soplar un poco de brisa, porque la blusa parece hinchársele alrededor del cuerpo; o a lo mejor sólo se le pegaba, porque hacía calor. Si pone la mano sobre la fotografía, aún puede sentir el calor, semejante al que emite a medianoche una piedra calentada por el sol durante el día.

El hombre luce un sombrero de color claro. Lo lleva ladeado y le oculta parcialmente la cara. Debe de tenerla más bronceada que ella, que está medio vuelta hacia él y le sonríe como no recuerda haber sonreído a nadie desde entonces. En la fotografía se lo ve muy joven, demasiado, aunque en aquel momento a ella no se lo parecía. Él también sonríe —la blancura de sus dientes reluce igual que el destello de una cerilla al encenderse—, pero levanta la mano, como si la empujara jugando, o para protegerse de la cámara, de la persona que debía de estar allí tomando la fotografía, o de quienes lo mirasen en el futuro, de quienes lo mirasen a través de esta ventana cuadrada e iluminada de papel glaseado. Para protegerse de ella. Para protegerla a ella. En su mano, tendida en ademán bienhechor, se ve la colilla de un cigarrillo.

Cuando está sola, toma el sobre marrón y saca la foto de entre los recortes de periódico. La pone sobre la mesa y la mira igual que si mirara dentro de un pozo o de un charco, buscando, más allá de su propio reflejo, algo que pudiera habérsele caído o perdido, fuera de su alcance pero todavía visible, resplandeciente como una joya sobre la arena. Examina cada detalle. Los dedos de él blanqueados por el flash o por el resplandor del sol, los pliegues de la ropa, las hojas de los árboles y las pequeñas formas redondas que cuelgan: ¿son manzanas, después de todo? La hierba tosca en primer plano, amarilla a causa de la sequía.

A un extremo —al principio no se ve— hay una mano, cortada por el margen hasta la muñeca, como por unas tijeras, que se apoya sobre la hierba como si fuera un desecho. Abandonada a su suerte.

La nube que atraviesa el brillante cielo deja una estela que parece helado fundido sobre cromo. Sus dedos manchados de humo. El destello distante del agua. Todo ahogado.

Ahogado, pero reluciente.

II

II

El asesino ciego: El huevo duro

Qué será, entonces?, dice. ¿Esmóquines y romance, o naufragio en una costa yerma? Puedes elegir lo que quieras: selvas, islas tropicales, montañas. O bien otra dimensión del espacio: es lo que me sale mejor.

¿Otra dimensión del espacio? Oh, vaya.

No te rías, es una buena dirección. Allí puede pasar todo lo que quieras. Naves espaciales y uniformes ajustados, pistolas de rayos, marcianos con cuerpos de calamar gigante, esa clase de cosas.

Tú eliges, dice ella. Tú eres el profesional. ¿Qué tal un desierto? Siempre he querido viajar a un desierto. Con oasis, claro. Y algunas palmeras datileras también. Está descortezando el bocadillo. No le gusta la corteza del pan.

En los desiertos no hay muchas posibilidades. Ni rasgos distintivos, a menos que pongamos algunas tumbas. Así podríamos tener un grupo de mujeres desnudas que llevan tres mil años muertas, de figuras ágiles y curvilíneas, labios de rojo rubí, cabellos azulados con una espumosa cascada de rizos y ojos como hoyos llenos de serpientes. Pero no creo que se las pueda engatusar. Lo morboso no es tu estilo.

Nunca se sabe. A lo mejor me gustan.

Lo dudo. Son para gente del montón. Aunque tienen éxito en las portadas: se retuercen alrededor de quien sea y hay que golpearlas con la culata del fusil.

¿Podría ser otra dimensión del espacio, y también las tumbas y las mujeres muertas, por favor?

Es mucho pedir, pero veré si existe alguna posibilidad. También podría poner algunas vírgenes expiatorias, con petos de metal, cadenas de plata en los tobillos y túnicas transparentes. Y una manada de lobos voraces, también.

Veo que no te arredras ante nada.

¿Prefieres los esmóquines? ¿Cruceros, ropa de cama blanca, besamanos y sensiblería hipócrita?

No. Está bien. Lo que te parezca mejor.

¿Un cigarrillo?

Ella rehúsa la invitación con un movimiento de la cabeza. Él enciende el suyo, rascando la cerilla con la uña del pulgar.

Te vas a quemar, dice ella.

Hasta ahora nunca me he quemado.

Ella le mira la manga de la camisa, blanca o azul claro, luego la muñeca, la piel más morena de la mano. Él emite un resplandor, debe de tratarse del reflejo del sol. ¿Cómo es que no lo está mirando todo el mundo? Aun así, llama demasiado la atención para estar aquí fuera... al aire libre. Hay otras personas alrededor, sentadas en la hierba o medio tumbadas sobre un codo: otros domingueros, con sus ropas claras de verano. Todo es muy correcto. Y sin embargo, ella tiene la sensación de que están los dos solos; como si el manzano bajo el que se han sentado no fuera un manzano sino una tienda; como si en torno a ellos hubiese una línea marcada con tiza. Detrás de esa línea, son invisibles.

Pues el espacio, entonces, dice él. Con tumbas, vírgenes y lobos..., pero a plazos. ¿De acuerdo?

¿A plazos?

Sí, como los muebles.

Ella se ríe.

No, hablo en serio. ¿Cómo vas a negármelo? Podría durar días. Tenemos que volver a vernos.

Ella duda. Muy bien, concede. Si consigo arreglarlo.

Bien, dice él. Ahora he de pensar, añade en tono de despreocupación. Un exceso de apremio podría desanimarla.

En el planeta de... a ver. Saturno no, se encuentra demasiado cerca. En el planeta Zicrón, localizado en otra dimensión del espacio, hay una llanura sembrada de escombros. Al norte está el océano, que es de color violeta. Al oeste se alza una cadena de montañas donde se dice que a la puesta del sol las voraces mujeres no muertas salen de sus tumbas desmoronadas. Ya ves, he puesto las tumbas de buenas a primeras.

Muy aplicado por tu parte, dice ella.

Me atengo a lo acordado. Hacia el sur hay una ardiente extensión de arena y, hacia el este, varios valles profundos que en otro tiempo tal vez fueron ríos.

Supongo que se trata de canales, como en Marte.

Oh, canales y toda clase de cosas. Restos de una civilización antigua y altamente desarrollada, aunque ahora la región está apenas habitada por grupos de nómadas primitivos. En medio de la llanura hay un gran cúmulo de piedras. La tierra de alrededor es árida, con algunos matojos; no exactamente un desierto, pero casi. ¿Queda algún bocadillo de queso?

Ella hurga en la bolsa de papel. No, responde, pero hay un huevo duro. Nunca se había sentido tan feliz. Todo vuelve a empezar, todo está por representarse.

Justamente lo que me recetó el médico, señala él. Una botella de limonada, un huevo duro y tú. Frota el huevo entre las palmas, le rompe la cáscara y lo pela. Ella le mira la boca, la mandíbula, los dientes.

Junto a mí, cantando en el parque público, dice ella. Toma la sal.

Gracias. Estás en todo.

Nadie reclama la propiedad de esta árida llanura, prosigue él. O más bien la reclaman cinco tribus diferentes, pero ninguna lo bastante fuerte para aniquilar a las demás. Todas ellas pasan por delan-

te de esta montaña de piedra de vez en cuando, arreando a sus *thulks*
—unos animales azules, parecidos a ovejas, pero sanguinarios—,
o transportando mercancías de poco valor sobre sus bestias de carga, una especie de camellos de tres ojos.

El montón de piedras se llama, en sus distintas lenguas, la Guarida
de las Serpientes Voladoras, la Pila de Escombros, la Morada de las
Madres que Aúllan, la Puerta del Olvido y el Pozo de los Huesos Roídos. Cada tribu cuenta una historia similar acerca de él. Debajo de las
rocas, afirman, hay enterrado un rey sin nombre. No sólo el rey, sino
los restos de la magnífica ciudad que en su tiempo gobernó. La ciudad
quedó destruida en una batalla y el rey fue capturado y colgado de
una palmera datilera en señal de triunfo. A la luz de la luna, lo des-
cuartizaron, lo enterraron y apilaron las piedras para marcar el lugar.
En cuanto a los demás habitantes de la ciudad, todos, hombres, mujeres, niños, bebés, hasta los animales, murieron asesinados. Pasados
por la espada, cortados a tajos. No quedó ni un ser vivo.

Es espantoso.

Hundes una pala en la tierra, prácticamente en cualquier parte, y
lo que sale a la luz siempre es horrible. Buen material para negociar:
los huesos nos ayudan a prosperar; sin ellos, no habría historias.
¿Queda un poco de limonada?

No, responde ella. Nos la hemos bebido toda. Sigue.

Los conquistadores borraron de la memoria el verdadero nombre de la ciudad, por eso, aseguran los que cuentan la historia, ahora
el lugar sólo se conoce por el nombre de su destrucción. Así, el montón de piedras representa al mismo tiempo un acto de recuerdo deliberado y un acto de olvido intencional. En esta región cultivan las
paradojas. Cada una de las tribus afirma haberse alzado con la victoria. Las cinco recuerdan la matanza con entusiasmo, convencidas de
que la decretó su propio dios en venganza, por lo demás justificada,
por las prácticas pecaminosas que se llevaban a cabo en la ciudad. El
mal debe lavarse con sangre, dicen. Aquel día la sangre fluyó como el
agua, de modo que la ciudad debió de quedar muy limpia.

Cada pastor o mercader que pasa por delante añade una piedra
al montón. Es una antigua costumbre —se hace en recuerdo de los

muertos, de los muertos propios, se entiende— pero como nadie sabe quiénes son en realidad los muertos que hay debajo del montón, todos ponen piedras por si acaso. Lo resuelven diciendo que lo que pasó aquí debió de ser voluntad de su dios y que, dejándole una piedra, la honran.

También hay una historia según la cual la ciudad no fue destruida en absoluto, sino que, por medio de un hechizo que sólo conocía el rey, la ciudad y sus habitantes fueron ahuyentados y sustituidos por fantasmas de ellos mismos, y que éstos fueron quemados y masacrados. La ciudad real se encogió hasta hacerse diminuta, y la metieron en una cueva bajo el gran cúmulo de piedras. Todo lo que existió una vez sigue allí, incluidos los palacios y jardines llenos de árboles y flores, y hasta las personas, que son del tamaño de hormigas aunque siguen con sus vidas de antes, vestidas con sus ropitas, celebrando diminutos banquetes, entonando canciones...

El rey sabe lo que ha ocurrido, y le provoca pesadillas, pero el resto no sabe nada. Ignoran que se han vuelto tan pequeños. Ignoran que se les da por muertos. Ignoran incluso que han sido salvados. El techo de piedra les parece el cielo: la luz se filtra por un agujerito abierto entre las piedras, y ellos creen que se trata del sol.

Las hojas del manzano crujen. Ella levanta los ojos al cielo y luego mira el reloj. Tengo frío, dice. Además, llego tarde. ¿Podrías deshacerte de las pruebas? Ella misma recoge las cáscaras de huevo y hace una bola con el papel encerado.

No hay urgencia, ¿verdad? Aquí no hace frío.

Sopla una brisa procedente del agua, dice ella. Debe de haber cambiado el viento. Se inclina hacia delante y se dispone a levantarse.

No te vayas todavía, le pide él, demasiado rápido.

Tengo que hacerlo. Estarán buscándome. Si llego tarde, querrán saber dónde he estado.

Se alisa la falda, cruza los brazos, da media vuelta; las pequeñas manzanas verdes la miran como si fuesen ojos.

The Globe and Mail, 4 de junio de 1947

ENCUENTRAN A GRIFFEN
EN UN VELERO

ESPECIAL PARA *THE GLOBE AND MAIL*

Tras una ausencia inexplicable de varios días, el cuerpo del industrial Richard E. Griffen, de cuarenta y siete años, cuya candidatura conservadora progresista en la campaña de St. David, en Toronto, parecía tener grandes posibilidades, fue descubierto cerca de Avilion, su residencia de verano, en Port Ticonderoga, donde pasaba sus vacaciones. El señor Griffen fue encontrado en su velero, el *Water Nixie*, que estaba amarrado en su malecón privado del río Jogues. Las apariencias indican que sufrió una hemorragia cerebral. La policía ha informado de que no hay indicios de violencia.

El señor Griffen tuvo una distinguida carrera como cabeza de un imperio comercial que abarcaba sectores tan diversos como la industria de la confección y la fabricación de armamento ligero, y durante la guerra recibió elogios por sus esfuerzos para abastecer a los ejércitos aliados con piezas de uniforme y componentes de armas. Fue un participante asiduo de las Conferencias Pugwash y personaje destacado tanto del Empire Club como del Granite Club, así como buen jugador de golf y conocido miembro del Royal Canadian Yacht Club. El primer ministro, localizado por teléfono en Kingsmere, su residencia privada, comentó: «El señor Griffen era uno de los hombres más capaces de este país. Sentiremos profundamente su pérdida.»

El señor Griffen era cuñado de la difunta Laura Chase, que publicó póstumamente su primera novela esta primavera, y le sobreviven su hermana, Winifred (Griffen) Prior, famosa en los círculos de la alta sociedad, y su esposa Iris (Chase) Griffen, además de su hija de diez años, Aimee. El funeral se celebrará en la iglesia del Apóstol San Simón, en Toronto, el próximo miércoles.

El asesino ciego: El banco del parque

Por qué había gente en Zicrón? Me refiero a seres humanos como nosotros. Si se trata de otra dimensión del espacio, ¿los habitantes no deberían ser lagartos parlantes o algo así?

Sólo en la literatura barata, responde él. Son un invento. En realidad fue así: los zicronitas, que ejercitaron la capacidad de viajar de una dimensión espacial a otra en un periodo varios milenios posterior a la época de que hablamos, colonizaron la Tierra. Llegaron aquí hace ocho mil años. Trajeron muchas semillas con ellos, y por eso tenemos manzanas y naranjas, por no hablar de los plátanos: sólo con echarle un vistazo a un plátano reconoces al instante que vino del espacio exterior. También trajeron animales, como caballos, perros, cabras, etcétera. Fueron los constructores de la Atlántida. Pero eran demasiado inteligentes, por esa razón todo saltó por los aires. Nosotros somos descendientes de los rezagados.

Oh, dice ella. Así se explica. Qué conveniente para ti.

Servirá si es necesario. En cuanto a las otras peculiaridades de Zicrón, tiene siete mares, cinco lunas y tres soles, de distintas potencias y colores.

¿Qué colores? ¿Chocolate, vainilla y fresa?

No me tomas en serio.

Lo siento. Inclina la cabeza hacia él. Ahora te escucho. ¿Lo ves?

Antes de su destrucción, dice él, la ciudad —llamémosla por su antiguo nombre, Sakiel-Norn, que traducido aproximadamente es la Perla del Destino— estaba considerada la maravilla del mundo. Incluso quienes proclamaban que sus antepasados la habían arrasado, describían admirados su belleza. De las fuentes esculpidas en los patios embaldosados y los jardines de sus numerosos palacios fluían manantiales. Abundaban las flores, y el aire estaba lleno del canto de los pájaros. Alrededor había llanuras exuberantes donde pastaban rebaños de cebados *gnarr*, y huertos, y bosques de altos árboles que ningún mercader había talado todavía ni ningún enemigo malicioso había quemado. Los cañones ahora secos entonces eran ríos; los canales que salían de ellos regaban los campos que rodeaban la ciudad, y la tierra era tan rica que, se afirmaba, una semilla podía medir hasta ocho centímetros.

Los aristócratas de Sakiel-Norn recibían el nombre de snilfardos. Eran metalúrgicos experimentados e inventores de ingenios mecánicos cuyos secretos guardaban celosamente. Por aquella época habían inventado el reloj, la ballesta y la bomba de mano, aunque no habían llegado al motor de combustión interna y aún empleaban animales para el transporte.

Los hombres llevaban máscaras de malla de platino, las cuales, si bien se adaptaban perfectamente a la cara, les servían para ocultar sus verdaderas emociones. Las mujeres se cubrían el rostro con una tela parecida a la seda hecha con el capullo de la mosca *chaz*. Quienes no eran snilfardos tenían prohibido, so pena de muerte, cubrirse la cara, porque la inmunidad y el subterfugio eran patrimonio de la nobleza. Los snilfardos se vestían con todo lujo, cultivaban la música y tocaban distintos instrumentos para exhibir su buen gusto y habilidad. Se permitían intrigas cortesanas, ofrecían magníficos festines y se enamoraban exageradamente de la mujer del prójimo. Se batían en duelo por motivos como éste, aunque era más aceptable que el marido simulase no saber nada.

A los pequeños agricultores, siervos y esclavos se los conocía con el nombre de ygnirodos. Vestían gastadas túnicas grises que dejaban un hombro al descubierto, y también un pecho en el caso de las mujeres, que eran —huelga decirlo— presa fácil para los snilfardos. Los ygnirodos estaban descontentos con su suerte, pero lo ocultaban simulando estupidez. De vez en cuando organizaban una revuelta, que de inmediato era brutalmente reprimida. El estamento más bajo estaba formado por los esclavos, a quienes se podía comprar, intercambiar y matar a voluntad. La ley les prohibía leer, pero tenían códigos secretos que inscribían en la tierra valiéndose de piedras. Los snilfardos los ataban a los arados.

Si un snilfardo iba a la bancarrota, era degradado a ygnirodo, lo que podía evitar vendiendo a su esposa o hijos a fin de redimir la deuda. Mucho más raro era que un ygnirodo alcanzara la condición de snilfardo, ya que suele ser más arduo ascender por un camino que lo contrario; aunque fuese capaz de amasar la fortuna necesaria y adquirir una novia snilfarda para él o para su hijo, precisaría cierta cantidad para destinarla a sobornos, y pasaría mucho tiempo antes de que la sociedad de los snilfardos acabara por aceptarlo.

Supongo que el que habla es el bolchevique que llevas dentro, dice ella. Sabía que llegarías a esto, tarde o temprano.

Al contrario. La cultura que describo se basa en la antigua Mesopotamia. Está en el código de Hammurabi, las leyes de los hititas y todo eso. O parte de ello. La referente al velo, como mínimo, y lo de vender la esposa. Podría darte capítulo y verso.

Hoy, no, por favor, responde ella. No tengo fuerzas. Estoy languideciendo.

Es agosto, hace un calor excesivo. La humedad los envuelve en una niebla invisible. A las cuatro de la tarde, la luz es como mantequilla fundida. Están sentados en el banco de un parque, no muy cerca el uno del otro; por encima de ellos, las hojas exhaustas de un arce; bajo sus pies, la tierra agrietada; nada más que hierba alrededor. Un mendrugo picoteado por gorriones, papeles arrugados. No es la mejor zona. Cerca, una fuente de agua potable que gotea; tres niños mugrientos, una niña en bañador y dos niños en pantalón corto, conspiran junto a la fuente.

Ella luce un vestido amarillo pálido; un vello rubio cubre sus brazos, desnudos por debajo del codo. Se ha quitado los guantes de algodón y, con manos nerviosas, ha hecho con ellos una bola. A él no le importan sus nervios; le gusta pensar que le cuesta algún esfuerzo. Lleva también un sombrero de paja redondo, como de colegiala, y el cabello recogido, a excepción de un mechón. La gente solía cortarse mechones, los guardaba y los llevaba en un guardapelo; o, si se trataba de un hombre, cerca del corazón. Él no entendía por qué, claro que eso era antes.

¿Dónde has dicho que ibas? pregunta él.

A comprar. Mira la bolsa de la compra. Me he comprado unas medias, son muy buenas..., de la mejor seda. Es como no llevar nada. Apunta una sonrisa. Sólo tengo quince minutos.

Se le ha caído un guante, junto al pie. Él no le quita el ojo. Si se va y lo olvida, se lo quedará. Lo olerá en su ausencia.

¿Cuándo puedo verte?, inquiere él. Dime cuándo. Una película de sudor hace que la piel del escote resplandezca.

Todavía no lo sé, responde ella. Vuelve la cabeza y recorre el parque con la mirada.

No hay nadie por aquí, comenta él. Al menos nadie que conozcas.

Nunca se sabe cuándo aparecerán, dice ella. Nunca se sabe a quién conoces y a quién no.

Deberías comprarte un perro, sugiere él.

Ella se ríe. ¿Un perro? ¿Por qué?

De ese modo tendrías una excusa. Podrías llevarlo a pasear. A él y a mí.

El perro se pondría celoso. Y tú pensarías que lo prefiero a ti.

Pero no sería así, dice él. ¿Verdad que no?

Ella abre más los ojos. ¿Por qué no?

Los perros no hablan, responde él.

The Toronto Star, 25 de agosto de 1975

SOBRINA DE NOVELISTA VÍCTIMA
DE UNA CAÍDA
ESPECIAL PARA *THE STAR*

Aimee Griffen, de treinta y ocho años de edad, hija del eminente industrial, ya fallecido, Richard E. Griffen, y sobrina de la renombrada autora Laura Chase, fue hallada el miércoles con el cuello roto, como resultado de una caída, en su apartamento de Church Street, ubicado en un sótano. Parece ser que llevaba al menos un día muerta. Los vecinos Jos y Beatrice Kelley fueron alertados por la hija de cuatro años de Aimee Griffen, Sabrina, que a menudo iba a comer a su casa cuando no conseguían dar con su madre.

Se rumorea que Aimee Griffen libró una larga lucha contra la adicción a las drogas y el alcohol, motivo por el que debió ser hospitalizada en varias ocasiones. Su hija ha quedado al cuidado de Winifred Prior, su tía abuela, hasta que se obtengan los resultados de la investigación que se lleva a cabo. Tanto la señora Prior como la madre de Aimee Griffen, la señora Iris Griffen, de Port Ticonderoga, declinaron hacer comentarios.

Este lamentable suceso es un ejemplo más de la relajación actual de nuestros servicios sociales y de la necesidad de mejorar la legislación para aumentar la protección de los niños en situación de riesgo.

El asesino ciego: Las alfombras

La línea emite zumbidos y crujidos. Se oyen truenos, ¿o es que alguien escucha? Pero no pueden seguirle el rastro porque se trata de un teléfono público.

¿Dónde estás?, pregunta ella. No deberías llamarme aquí.

Él no la oye respirar. Ella quiere ponerse el auricular contra el cuello, pero él no se lo pedirá, todavía. Estoy en la esquina. A un par de manzanas. Puedo ir al parque, el pequeño, el que tiene el reloj de sol.

Oh, no creo...

Sal un momento. Di que necesitas tomar el aire. Él espera.

Lo intentaré.

A la entrada del parque hay dos grandes columnas de piedra, de cuatro lados, biseladas en lo alto, de estilo egipcio. Sin embargo, no hay inscripciones triunfales ni bajorrelieves de enemigos encadenados, de rodillas. Sólo pone «Prohibido holgazanear» y «Perros sueltos, no».

Ven aquí, le pide él. Lejos de la luz de la calle.

No puedo quedarme mucho.

Ya lo sé. Ven aquí detrás. La toma por el brazo y la guía; ella tiembla como un alambre.

Ahí, indica él. Nadie nos verá. No hay viejas damas paseando a sus caniches.

Ni policías con porras, dice ella. Suelta una risita. La luz de la farola se filtra entre las hojas y se refleja en el blanco de sus ojos. No debería estar aquí, añade. Es demasiado arriesgado.

Hay un banco de piedra protegido por unas matas. Él le pone la chaqueta alrededor de los hombros. Viejo tweed, tabaco viejo, olor a chamuscado. Un trasfondo de sal. La piel de él ha estado allí, cerca de la tela, y ahora lo está la de ella.

Así te sentirás más arropada. Desacataremos la ley. Holgazanearemos.

¿Y lo de «Perros sueltos, no»?

También lo desacataremos. No le pasa el brazo por los hombros. Él sabe que ella quiere que lo haga. Lo espera; presiente el tacto de antemano, como los pájaros presienten la sombra. Él tiene el cigarrillo encendido. Le ofrece uno; esta vez ella lo acepta. Una llama breve entre sus manos. Las puntas de los dedos se vuelven rojas.

Con un poco más de llama, veríamos los huesos, piensa ella. Es como los rayos X. No somos más que una especie de bruma, pura agua de color. El agua hace lo que quiere. Siempre va hacia abajo. Se le llena la garganta de humo.

Ahora te hablaré de los niños, anuncia él.

¿Los niños? ¿Qué niños?

La próxima entrega. Sobre Zicrón, sobre Sakiel-Norn.

Ah. Sí.

Hay niños allí.

No dijimos nada de niños.

Se trata de niños esclavos. Son necesarios. No puedo seguir sin ellos.

Me parece que no quiero que haya niños, dice ella.

Siempre estás a tiempo de pedirme que pare. Nadie te obliga. Eres libre de irte, como dice la policía si tienes suerte. Él habla en voz baja. Ella no se va.

Sakiel-Norn es ahora un montón de piedras, dice él, pero en otros tiempos fue un floreciente centro de comercio e intercambio. Estaba en el cruce de tres carreteras, una que llegaba por el este, otra por el oeste y la tercera por el sur. Hacia el norte, un ancho canal la conectaba con el mar, donde se erguía un puente bien fortificado. De esas excavaciones y muros defensivos no quedaban ni rastro; después de su destrucción, los enemigos o extranjeros se llevaron los bloques de piedra tallada para usarlos en sus corrales, abrevaderos y fuertes rudimentarios, o las olas y el viento los enterraron bajo la arena.

El canal y el puerto fueron construidos por esclavos, lo que no es sorprendente: Sakiel-Norn había conseguido su esplendor y poder gracias a ellos, aunque también era famosa por sus artesanías, especialmente por los tejidos. El secreto de los tintes utilizados en su fabricación se guardaba celosamente; sus telas brillaban igual que la miel líquida, igual que el zumo de la uva púrpura, que la sangre de toro vertida al sol. Sus delicados velos eran suaves como telas de araña y sus alfombras tan blandas y finas que uno creía andar por el aire, un aire que parecía de flores y cursos de agua.

Eso es muy poético, dice ella. Me sorprende.

Piensa en unos almacenes, le propone él. Si lo analizas a fondo, eran objetos comerciales de lujo. Entonces resulta menos poético.

Los esclavos que tejían las alfombras debían ser, invariablemente, niños, ya que sólo éstos poseían unos dedos lo bastante pequeños para una labor tan compleja. Pero el trabajo que se les exigía era tan meticuloso, a la vez que incesante que, hacia los ocho o nueve años de edad, los niños perdían la vista. La ceguera constituía el indicador según el cual los vendedores de alfombras valoraban y ensalzaban su mercancía. «Esta alfombra volvió ciegos a diez niños»; decían. «Ésta a quince... Ésta a veinte.» Como el precio subía en consecuencia, siempre exageraban. Era costumbre que el comprador se mofara de lo que le pedían. «Seguro que no fueron más de siete... más de nueve... más de dieciséis», replicaban mientras palpaban la alfombra. «Es más ordinario que un trapo de cocina. Es una simple manta de pobre. La hizo un gnarr.»

Cuando quedaban sin vista, los pequeños artesanos, de uno y

otro sexo, eran vendidos a los amos del burdel. Los servicios de los niños que habían quedado ciegos de ese modo reportaban grandes sumas; se decía que poseían un tacto tan suave y diestro que bajo sus dedos parecían abrirse las flores y brotar agua de la piel.

También eran muy hábiles a la hora de forzar cerraduras. Los que lograban escapar, ejercían la profesión de degolladores en la oscuridad, y tenían gran demanda como asesinos a sueldo. Su sentido del oído se agudizaba y eran capaces de andar sin hacer ruido y de colarse por la abertura más pequeña; por el olor sabían reconocer la diferencia entre el que dormía profundamente y el que soñaba inquieto. Mataban con la suavidad de la mosca que roza el cuello. Se los consideraba seres sin piedad. Eran muy temidos.

Las historias que los niños se contaban los unos a los otros —al tiempo que tejían sus interminables alfombras, antes de que perdieran la vista— trataban sobre esa vida futura posible. Tenían un dicho según el cual sólo los ciegos son libres.

Esto es demasiado triste, susurra ella. ¿Por qué me cuentas una historia tan triste?

Las sombras los envuelven por momentos. Al fin, él la rodea con los brazos. Tranquilo, piensa mientras lo hace. Nada de movimientos súbitos. Se concentra en su propia respiración.

Te cuento las historias que sé contar, explica él. Que son también las que te creerás. No te creerías una tontería blandengue, ¿a que no?

No. No me la creería.

Además, no es una historia triste del todo... Algunos se salvaron.

Pero se convirtieron en degolladores.

No tenían muchas opciones, la verdad. No podían convertirse en comerciantes de alfombras, ni en propietarios de burdeles. Carecían de capital. Por eso se veían obligados a hacer el trabajo sucio. Mala suerte.

No, dice ella. No es culpa mía.

Ni mía. Digamos que estamos atrapados por los pecados de nuestros padres.

Eso es de una crueldad innecesaria, replica ella con frialdad.

¿Cuándo es necesaria la crueldad?, dice él. ¿Y cuánta? Lee los periódicos, yo no he inventado el mundo. En cualquier caso, estoy del lado de los degolladores. Si tuvieras que degollar o morirte de hambre, ¿qué harías? Claro que siempre queda follar para vivir.

Ahora se ha pasado. Ha dejado traslucir su rabia. Ella se aleja de él. Vale, dice. Tengo que volver. Las hojas revolotean a su alrededor. Abre la mano, con la palma hacia arriba: caen unas gotas de lluvia. El trueno se acerca. Se desliza la chaqueta sobre los hombros. Él no la ha besado; esta noche no la besará. Ella lo siente como un insulto.

Ponte delante de la ventana, le indica él. En la ventana de tu habitación. Deja la luz encendida. Sólo ponte delante de la ventana.

La ha asustado. ¿Por qué? ¿Por qué demonios?

Quiero que lo hagas. Quiero asegurarme de que estás a salvo, añade, aunque la seguridad no tiene nada que ver con eso.

Lo intentaré, dice. Sólo un minuto. ¿Dónde estarás?

Bajo el árbol. El castaño. No me verás, pero estaré allí.

Sabe dónde está la ventana, piensa ella. Sabe qué tipo de árbol es. Debe de haber merodeado por ahí. Mirándola. Tiembla por un instante.

Está lloviendo, le advierte ella. Va a caer un chaparrón. Te mojarás.

No hace frío, dice él, esperaré.

The Globe and Mail, 19 de febrero de 1998

Prior, Winifred Griffen. Falleció a los noventa y dos años, en su casa de Rosedale, tras una prolongada enfermedad. Con la desaparición de tan destacada filántropa, la ciudad de Toronto ha perdido a una de sus más antiguas y leales benefactoras. Hermana del industrial fallecido Richard Griffen y cuñada de la eminente novelista Laura Chase, la señora Prior fue miembro del comité de la Orquesta Sinfónica de Toronto durante los años de su formación y, en años más recientes, del Comité Voluntario de la Galería de Arte de Ontario y la Sociedad Canadiense del Cáncer. También fue miembro activo del Granite Club, el Heliconian Club, la Liga Juvenil y el Festival de Teatro Dominion. La sobrevive su sobrina nieta Sabrina Griffen, que actualmente se encuentra de viaje por la India.

El funeral tendrá lugar el martes por la mañana en la iglesia de San Simón el Apóstol, e irá seguido del sepelio en el cementerio Mount Pleasant. Se ruega efectuar donaciones al hospital Princesa Margarita en lugar de enviar flores.

El asesino ciego: El corazón del pintalabios

Cuánto tiempo tenemos?, pregunta él.

Mucho, responde ella. Dos o tres horas. Todos se han ido a alguna parte.

¿Para qué?

No lo sé. Para ganar dinero. Para comprar cosas. Para hacer obras de caridad. Lo que sea. Ella se mete un mechón de pelo detrás de la oreja y se yergue en la silla. Se siente en guardia, como si alguien le silbase. Es una sensación rastrera. ¿De quién es el coche?, pregunta.

De un amigo, responde él. Soy una persona importante, tengo un amigo con coche.

Te burlas de mí, dice ella. Él no contesta. Ella juguetea con los dedos de un guante. ¿Y si nos ve alguien?

Sólo verán el coche. Este coche es de pobre, una ruina. Aunque te miren a la cara no te verán, porque no es normal que una mujer como tú aparezca muerta en un coche como éste.

A veces no te gusto mucho, dice ella.

Últimamente casi no pienso en otra cosa. Pero lo de gustar es diferente. Se necesita tiempo, y no tengo tiempo para que me gustes. No puedo concentrarme en ello.

Ahí no, le advierte ella. Mira la señal.

Las señales son para otros, dice él. Aquí... Por aquí.

El camino es poco más que un surco. Pañuelos de papel arrugados, envoltorios de chicle, preservativos usados semejantes a vejigas de peces. Botellas y piedras, fango seco, fracturado y cubierto de surcos.

Lleva unos zapatos inadecuados, con tacones inadecuados. Él le ofrece el brazo, la sujeta. Ella se aleja.

Prácticamente es campo abierto. Va a vernos alguien.

¿Alguien? ¿Quién? Estamos debajo del puente.

La policía. No. Todavía no.

La policía no husmea a plena luz del día, dice él. Sólo de noche, con linternas, en busca de pervertidos impíos.

Vagabundos, entonces, puntualiza ella. Maníacos.

Aquí, dice él. Aquí abajo. A la sombra.

¿Hay zumaque?

En absoluto. Te lo prometo. Tampoco hay más vagabundos ni maníacos que yo.

¿Cómo lo sabes? Me refiero a lo del zumaque. ¿Has estado aquí antes?

No te preocupes tanto, dice él. Échate hacia atrás.

No. Lo romperás. Espera un momento.

Ella oye su propia voz. No, no es su voz, suena demasiado entrecortada.

Sobre el cemento hay un corazón rojo trazado con pintalabios que encierra cuatro iniciales. En el centro hay una A: una A de amor. Sólo los implicados saben quién ha hecho esas iniciales, sólo ellos saben que han estado aquí, que han hecho eso. Proclamar el amor, ocultando los detalles.

Fuera del corazón, cuatro letras más, como los cuatro puntos cardinales:

J   O

D   E

La palabra desgranada, expuesta: la topografía implacable del sexo.

La boca le sabe a humo, a su propia sal; a su alrededor, olor de hierbas aplastadas y de felinos, de rincones ignorados. Humedad y fertilidad, tierra en las rodillas, sucias y lozanas; dientes de león zanquilargos que se estiran hacia la luz.

Debajo de donde yacen, las ondulaciones de un torrente. Encima, ramas frondosas, finas enredaderas con flores púrpuras; las altas columnas del puente que se elevan, las vigas de hierro, las ruedas que pasan por encima; el cielo azul astillado. Tierra dura bajo la espalda.

Él le acaricia la frente, le recorre la mejilla con un dedo. No deberías adorarme, dice. No tengo la única polla del mundo. Algún día lo descubrirás.

No se trata de eso, responde ella. En todo caso, no te adoro. Él ya empieza a empujarla, hacia el futuro.

Bueno, lo que sea; en cuanto yo desaparezca de tus cabellos encontrarás más de lo mismo.

¿Qué quieres decir, exactamente? No estás en mis cabellos.

Que hay vida después de la vida, contesta él. Después de nuestra vida.

Hablemos de otra cosa.

Muy bien. Tumbémonos de nuevo. Apoya la cabeza aquí. Aparta la camisa húmeda a un lado. Con un brazo alrededor de ella, busca con la otra mano los cigarrillos en el bolsillo y luego enciende la cerilla con el pulgar. Ella pone la oreja en el hueco de su hombro.

Bueno, ¿dónde estaba?, dice él.

Los tejedores de alfombras. Los niños ciegos.

Ah sí, ya me acuerdo.

La riqueza de Sakiel-Norn se basaba en los esclavos, dice, y sobre todo en los niños esclavos que tejían sus famosas alfombras. Pero hablar de ello traía mala suerte. Los snilfardos estaban seguros de que su riqueza no dependía de los esclavos, sino de su propia virtud y de su pensamiento correcto, es decir, de los sacrificios adecuados que hacían a los dioses.

Había muchos dioses. Los dioses siempre van bien, justifican casi cualquier cosa, y los dioses de Sakiel-Norn no constituían una excepción. Todos ellos eran carnívoros; les gustaban los sacrificios animales, pero nada valoraban más que la sangre humana. Cuentan que cuando se fundó la ciudad, tanto tiempo atrás que ya formaba parte de la leyenda, nueve padres devotos ofrecieron a sus propios hijos para que los enterraran bajo las nueve puertas como guardianes sagrados.

Cada una de las cuatro direcciones tenía dos puertas de ésas, una para salir y otra para entrar; salir por la misma puerta por la que se había entrado significaba una muerte temprana. La puerta de la novena entrada era una losa horizontal de mármol sobre una colina que se alzaba en el centro de la ciudad; se abría sin moverse y oscilaba entre la vida y la muerte, entre la carne y el espíritu. Se trataba de la puerta por la que entraban y salían los dioses; a diferencia de los mortales, ellos no necesitaban dos puertas, porque podían estar a ambos lados al mismo tiempo. Los profetas de Sakiel-Norn tenían un dicho: «¿Cuándo respira verdaderamente un hombre, cuando expira o cuando inspira?» Tal era la naturaleza de los dioses.

Esta novena puerta hacía también las veces de altar sobre el que se asperjaba la sangre del sacrificio. Se ofrecían niños varones al Dios de los Tres Soles, que regía el día, las luces brillantes, los palacios, las fiestas, las calderas, las guerras, el licor, los ingresos y las palabras; las niñas se ofrecían a la Diosa de las Cinco Lunas, patrona de la noche, la niebla, las sombras, el hambre, las cuevas, los partos, las retiradas y los silencios. Tras romperles la cabeza con un palo, echaban a los niños a la boca del dios, que conducía a un horno enfurecido. En cuanto a las niñas, les cortaban la garganta y con la sangre llenaban las cinco lunas menguantes, para evitar que se debilitaran y desapareciesen para siempre.

Se ofrecían nueve niñas al año, en honor de las nueve niñas enterradas en las puertas de la ciudad. A las sacrificadas, conocidas como «las doncellas de la diosa», se les ofrecían oraciones, flores e incienso para que intercedieran en nombre de los vivos. Se decía que los últimos tres meses del año eran «meses sin rostro»; en ellos no crecían los cultivos y la diosa parecía estar en ayunas. Durante ese tiempo dominaba el dios Sol en su modalidad de guerra y caldera, y las madres vestían a los niños con ropas de niña para protegerlos.

Según la ley, las familias de snilfardos más nobles debían sacrificar al menos a una de sus hijas. Como para la diosa suponía un insulto el que se le ofreciera a alguien que estuviese manchado o tuviera algún defecto, con el paso del tiempo los snilfardos empezaron a mutilar a sus niñas para no tener que sacrificarlas: les cortaban un pedazo de dedo o de oreja, u otra pequeña parte del cuerpo. Pronto la mutilación adoptó un carácter simbólico: un tatuaje azul alargado en el escote. El que una mujer que no fuese snilfarda poseyese esas señales de casta representaba una ofensa capital, pero los propietarios del burdel, siempre atentos al negocio, se las pintaban con tinta a aquellas de sus jóvenes putas que eran capaces de simular altivez. A los clientes les encantaba, pues imaginaban que estaban violando a una princesa snilfarda de sangre azul.

Al mismo tiempo, los snilfardos se pusieron a adoptar expósitas —sobre todo aquellos niños que eran fruto de la relación de una esclava con su amo— y los utilizaban para sustituir a sus hijas legítimas. Constituía una trampa, pero como las familias nobles eran poderosas, las autoridades cerraban los ojos.

Las familias nobles se volvían cada vez más perezosas. Cansadas ya del engorro que significaba criar a las niñas en sus casas, las entregaban al Templo de la Diosa y pagaban buenas sumas por su mantenimiento. Como la niña llevaba el nombre de la familia, en el momento del sacrificio el mérito se le adjudicaba a ésta. Era como tener un caballo de carreras. Esta práctica constituía una versión degradada del altruismo original, pero en aquella época todo estaba en venta en Sakiel-Norn.

Las niñas entregadas quedaban encerradas en el recinto del Templo, recibían los mejores alimentos para que se conservaran pulcras y sanas y se las preparaba con rigor para que cuando llegara el gran día cumplieran con su deber con decoro y sin temblar. En teoría, el sacrificio ideal debía ser como un baile: majestuoso y lírico, armonioso y delicado. No se trataba de animales a los que pudiera matarse de modo rudimentario; tenían que ofrecer sus vidas libremente. Muchas creían lo que les decían: que el bienestar de todo el reino dependía de su entrega desinteresada. Pasaban muchas horas rezando, intentando alcanzar el estado mental adecuado; les enseñaban a andar con la mirada baja, a sonreír con amable melancolía y a entonar las canciones de la diosa, que trataban de la ausencia y el silencio, del amor no satisfecho y el pesar nunca expresado, y de la mudez; eran canciones sobre la imposibilidad de cantar.

Pasó el tiempo. Ya sólo unas cuantas personas se tomaban en serio a los dioses, y se tildaba de chiflado a cualquiera que fuera demasiado piadoso y observante. Los ciudadanos seguían realizando los antiguos rituales porque siempre lo habían hecho, pero éstos ya no constituían la verdadera ocupación de la ciudad.

A pesar de su aislamiento, algunas niñas empezaron a darse cuenta de que las asesinaban en cumplimiento de un concepto anticuado. Algunas intentaban huir cuando veían el cuchillo. Otras se ponían a chillar cuando las agarraban por los pelos y las inclinaban sobre el altar, y las había incluso que maldecían al mismísimo rey, que en tales ocasiones ejercía de sumo sacerdote. Una hasta llegó a morderlo. Esas muestras intermitentes de pánico y furia molestaban al populacho, porque traían mala suerte. O podían traerla en el supuesto de que la diosa existiese. En cualquier caso, esos arrebatos malograban las celebraciones, y a todo el mundo le gustaban los sacrificios, aun a los ygnirodos y los esclavos, porque se les permitía tomarse el día libre, lo que aprovechaban para emborracharse.

Así pues, se instauró la práctica de cortar la lengua a las niñas tres meses antes del sacrificio. Los sacerdotes argumentaban que no se trataba de una mutilación sino de una mejora: ¿acaso había algo más adecuado para los sirvientes de la Diosa del Silencio?

Así, sin lengua, y henchida de palabras que nunca volvería a pronunciar, cada una de las niñas era llevada en procesión al son de la música solemne, envuelta en velos y engalanada con flores, hacia las escaleras que, trazando una curva, conducían a la novena puerta de la ciudad. Para emplear un símil actual, podría decirse que era como una novia de la alta sociedad.

Ella se sienta. Eso, francamente, no hacía ninguna falta, declara. Quieres incordiarme. Te encanta la idea de matar a esas pobres chicas con sus velos nupciales. Apuesto a que eran rubias.

A ti no, dice él. No como tal. En cualquier caso, no me lo estoy inventando todo, tiene una base histórica firme. Los hititas...

Estoy segura, pero no dejas de lamerte los labios por ello. Eres vengativo... no, eres celoso, Dios sabe por qué. No me importan los hititas ni la historia ni nada de eso... Es sólo una excusa.

Aguarda un momento. Estuviste de acuerdo en lo de las vírgenes sacrificadas, tú misma las incluiste en el orden del día. Yo me limito a obedecer. ¿Qué objeción tienes, el vestuario? ¿Demasiado tul?

No nos peleemos, pide ella. Está a punto de llorar y cierra los puños para impedirlo.

No quería incordiarte. Venga.

Ella le aparta el brazo. Sí que querías incordiarme. Te encanta saber que puedes hacerlo.

Pensaba que lo encontrabas divertido. Escuchar mi actuación, quiero decir. Mis malabarismos con los adjetivos. Tenerme de bufón.

Ella se baja la falda, se arregla la blusa. Niñas muertas con velos nupciales, ¿cómo pretendes que lo encuentre divertido? Con la lengua cortada... Debes de pensar que soy una bestia.

Retiraré lo dicho. Lo cambiaré. Volveré a escribir la historia para ti. ¿Qué te parece?

No puedes, replica ella. Se le ha escapado la palabra. No puedes eliminar ni media línea. Me voy. Ya está de rodillas, a punto de levantarse.

Tenemos mucho tiempo. Túmbate. La agarra por la muñeca.

No. Déjame. Mira dónde está ya el sol. Volverán. Puedo tener problemas, aunque supongo que para ti esa clase de problemas no son problemas en absoluto; no importa. Te da igual, lo único que quieres es un..., un...

Venga, escúpelo.

Ya sabes a qué me refiero, dice ella con voz cansada.

No es verdad. Lo siento. Soy yo el bestia, me he dejado llevar. En todo caso, no es más que una historia.

Apoya la cabeza en las rodillas de ella. Al cabo de un minuto, ella dice: ¿Qué voy a hacer? ¿Después..., cuando ya no estés aquí?

Lo superarás, responde él. Vivirás. Mira, te sacudiré.

No se irá sólo sacudiendo.

Te abrocharé los botones, dice él. No estés triste.

Boletín del Instituto Coronel Henry Parkman y de la Asociación de Alumnos del Instituto, Port Ticonderoga, mayo de 1998

PRESENTACIÓN DEL PREMIO EN MEMORIA DE LAURA CHASE
POR MYRA STURGESS, VICEPRESIDENTA DE LA ASOCIACIÓN DE ALUMNOS

El Instituto Coronel Henry Parkman ha sido galardonado con un valioso premio por el generoso legado de la difunta señora Winifred Griffen Prior, de Toronto, a cuyo célebre hermano Richard E. Griffen recordamos, pues a menudo pasaba sus vacaciones en Port Ticonderoga. Se trata del Premio de Escritura Creativa en memoria de Laura Chase, con un valor de doscientos dólares, que se concederá a un estudiante de último año por el mejor cuento y tendrá como jueces a tres miembros de la Asociación de Alumnos, que tomarán en consideración tanto los valores literarios como los morales. Nuestro director, el señor Eph Evans, declara: «Agradecemos a la señora Prior que nos haya incluido en sus numerosísimos actos de beneficencia.»

En su primera convocatoria, el premio, bautizado en honor de la famosa autora local Laura Chase, será presentado en el transcurso de la ceremonia de graduación que tendrá lugar en junio. La hermana de la señora Chase, la señora Iris Griffen, que tantas contribuciones hizo a nuestra ciudad en sus primeros tiempos, ha accedido amablemente a entregar el premio al afortunado ganador. Como todavía quedan varias semanas para el evento, les invitamos a convencer a sus hijos de que pongan manos a la obra y den rienda suelta a su creatividad.

La Asociación de Alumnos ofrecerá un té en el gimnasio inmediatamente después del acto de graduación, cuyas entradas pueden solicitarse a Myra Sturgess, de The Gingerbread House. Los beneficios se dedicarán a la compra de nuevos uniformes de fútbol, sin duda necesarios. Se agradecerá la donación de productos caseros, con los ingredientes claramente señalados.

III

III

La presentación

Esta mañana desperté con una sensación de terror. Al principio ignoraba el motivo, pero después lo recordé: había llegado el día de la ceremonia.

El sol estaba alto y hacía demasiado calor en la habitación. La luz se filtraba por las cortinas de encaje y quedaba suspendida en el aire, igual que el sedimento en un charco. Tenía la cabeza como un saco de pulpa. Todavía en camisón, pringosa del miedo que me había sacudido como si fuera una hoja, me incorporé y me levanté de la cama enmarañada, para obligarme a continuación a seguir los rituales matutinos habituales, las ceremonias que realizamos con el fin de procurarnos un aspecto sano y aceptable para los demás. Se impone peinarse después de las apariciones de cualquier tipo que durante la noche han hecho erizarse los cabellos. Lavarse la expresión de incredulidad de los ojos. Cepillarse los dientes, para dejarlos como son. Dios sabe los huesos que debo de haber roído mientras dormía.

A continuación me metí en la ducha, agarrada a la barra que Myra me hizo comprar, por si pisaba el jabón: me da aprensión resbalar. A pesar de todo, tengo que regarme el cuerpo, eliminar de la piel el olor de la oscuridad nocturna. Sospecho que despido un olor que ni yo misma soy capaz de detectar: una peste a carne podrida y orín turbio y viejo.

Una vez seca, tras aplicarme la loción y los polvos, y rociarme como si tuviera moho, me sentí restaurada en cierto sentido de la palabra, sólo que seguía teniendo una sensación de ligereza, o más bien de estar a punto de saltar a un precipicio. Cada vez que levantaba un pie, volvía a apoyarlo tentativamente en el suelo, como si éste fuera a desaparecer en cualquier momento debajo de mí. Sólo me mantenía en el sitio la tensión de la superficie.

El hecho de vestirme fue de gran ayuda. Sin esta suerte de andamio soy incapaz de mejorar. (Aunque, ¿qué se ha hecho de mis verdaderas prendas? Lo más probable es que esos vestidos sin forma, en tonos pastel, y esos zapatos ortopédicos pertenezcan a otra persona. Pero son míos; peor todavía, ahora me quedan bien.)

Luego vienen las escaleras. Me da mucho miedo caer rodando por ellas, romperme el cuello, quedarme tendida en ropa interior y luego fundirme en un charco purulento hasta que a alguien se le ocurra ir a buscarme. ¡Sería una manera tan torpe de morir! Abordo los escalones uno a uno, agarrada al pasamanos; luego atravieso el vestíbulo hasta la cocina, rozando la pared con los dedos de la mano izquierda, como el bigote de un gato. (Aún veo bien, en general. Aún soy capaz de andar. «Hay que agradecer los pequeños favores», diría Reenie. «¿Por qué? —preguntaría Laura—. ¿Por qué son tan pequeños?»)

No me apetecía desayunar. Bebí un vaso de agua y esperé con inquietud que pasara el tiempo. A las nueve y media, Walter vino a buscarme.

—¿Hace suficiente calor para ti? —preguntó; se trata de su frase habitual. En invierno es «suficiente frío». O «húmedo» o «seco», si es primavera u otoño.

—¿Cómo estás hoy, Walter? —pregunté, como siempre.

—Libre de daños —respondió, también como siempre.

—No podemos esperar nada mejor de ninguno de los dos —apunté. Él me ofreció su versión de una sonrisa, una fina hendedura en la cara, como cuando se seca el barro, me abrió la puerta del coche y me ayudó a instalarme en el asiento del acompañante—. Hoy es un gran día —comentó—. Ponte el cinturón de seguridad, que si no me arrestarán.

Lo dijo como si hiciera un chiste; es lo bastante viejo para recordar otros tiempos, más libres. Había sido de esos jóvenes que conducen con el codo apoyado en la ventanilla y la otra mano en la rodilla de su novia. Asombra pensar que ésta era, en realidad, Myra.

Alejó el coche de la acera con delicadeza y avanzamos en silencio. Walter es un hombre grande, cuadrado, como un plinto, con un cuello que tiene menos aspecto de cuello que de hombro adicional; despide un olor nada desagradable de botas de piel gastadas y gasolina. Al ver su camisa a cuadros y su gorra de béisbol deduje que no tenía previsto asistir a la ceremonia de graduación. No lee libros, lo que hace que ambos nos sintamos más cómodos; para él, Laura es mi hermana, y lamenta que esté muerta, eso es todo.

Debería haberme casado con alguien como Walter. Hábil con las manos.

No: no debería de haberme casado con nadie. Me habría evitado muchos problemas.

Walter detuvo el coche delante del instituto. Es un edificio moderno, de la posguerra, y aunque tiene cincuenta años, a mí todavía me parece nuevo: no consigo acostumbrarme a su monotonía, a su insulsez. Parece un cajón lleno. Por la acera y el césped llegaban, acompañados de sus padres, muchos jóvenes que franqueaban las puertas principales con ropas estivales, de todos los colores. Myra, que estaba esperándonos, nos saludó desde la escalera. Llevaba un vestido blanco estampado de grandes rosas rojas. Las mujeres con un trasero semejante no deberían usar estampados de flores grandes. Las fajas tienen su razón de ser, lo que no significa que desee que vuelvan. Había ido a la peluquería y lucía unos rizos grises y tan rígidos como si se los hubieran cocinado, que recordaban la peluca de un abogado inglés.

—Llegas tarde —le dijo a Walter.

—De eso, nada —replicó él—. Lo que ocurre es que los demás

han llegado pronto. No me ha parecido razonable tenerla aquí esperando, impacientándose.

Han adquirido la costumbre de hablar de mí en tercera persona, igual que si fuera una niña o un animal doméstico.

Walter puso mi brazo bajo la custodia de Myra y juntas subimos por las escaleras centrales como si lleváramos dos piernas atadas para participar en una carrera de tres pies. Por un instante sentí lo que debía de sentir la mano de Myra: un radio frágil cubierto flojamente de gachas y cuerdas. Debería haber llevado el bastón, pero no habría sabido cómo manejarlo mientras avanzaba hacia el escenario. Alguien podría haber tropezado y caído.

Myra me condujo hasta detrás del escenario y me preguntó si quería ir al lavabo —fue un detalle que se le ocurriera— y luego me dejó sentada en el vestidor. «Te llamamos en cualquier momento», dijo. Luego salió corriendo —su trasero daba botes—, para comprobar que todo estuviera en orden.

El espejo del vestidor estaba rodeado de bombillas pequeñas, como en los camerinos de los teatros, que proyectan una luz favorecedora. Sin embargo, yo no me veía para nada favorecida; parecía enferma, con la piel cubierta de manchas rojas, como carne empapada de agua. ¿Era producto del temor o estaba enferma de verdad? Desde luego, no me sentía al ciento por ciento.

Busqué el peine y me retoqué el peinado. Myra no deja de amenazarme con llevarme a «su chica», la de lo que ella todavía llama salón de belleza —Hair Port es el nombre oficial, con la palabra «unisex» a modo de reclamo añadido— pero yo sigo resistiéndome. Al menos, aún puedo decir que mi pelo es mío, aunque se me encrespa como si me hubieran electrocutado. Por debajo se ven pedazos de cráneo de un rosa grisáceo, como las patas de un ratón. Si alguna vez sopla un viento violento, mis pelos volarán como la pelusa del diente de león y mi cráneo, cubierto de marcas de viruela, quedará calvo por completo.

Myra me dejó uno de los bizcochos especiales que había preparado para el Té del Alumnado —un bloque de masa recubierto de chocolate— y un jarro de plástico con tapón de rosca lleno de su café con sabor a ácido de batería. No tenía ganas de beber ni de comer, pero ¿para qué hizo Dios los lavabos? Dejé unas cuantas migas marrones para demostrar que había comido.

Al cabo de unos minutos, Myra entró precipitadamente, me obligó a levantarme y me llevó de la mano hasta donde se encontraba el director, quien me agradeció el que hubiese ido. Luego me presentaron al subdirector, al presidente de la Asociación de Alumnos, a la jefa del Departamento de Lengua —una mujer con traje pantalón—, a la representante de la Cámara Juvenil de Comercio y, finalmente, al miembro local del Parlamento, gente que por nada del mundo se perdería un acto así. No había visto semejante exhibición de dientes blancos desde los días en que Richard se dedicaba a la política.

Myra me acompañó hasta la silla y me susurró al oído:

—Me quedaré aquí, a un lado.

La orquesta del instituto arrancó con chirridos y notas desafinadas, y cantamos *¡Oh, Canadá!*, cuya letra no consigo memorizar porque siempre están cambiándola. En la actualidad incluso cantan un trozo en francés, un hecho impensable en otros tiempos. Tras afirmar nuestro orgullo colectivo en algo que no podemos pronunciar, nos sentamos.

A continuación el capellán del instituto elevó una plegaria a Dios para comunicarle los muchos desafíos sin precedentes a los que se enfrentan los jóvenes de hoy en día. Seguramente no es la primera vez que Dios oye esta clase de cosas, y es probable que le aburran tanto como a nosotros. El capellán ha ido expresándolos uno a uno por turnos: el fin del siglo XX, dejar atrás lo antiguo, apuntarse a lo nuevo, ciudadanos del futuro, a ti acudimos con las manos vacías, etcétera. Me puse a divagar: era plenamente consciente de que lo único que se esperaba de mí era que no me desacreditase a mí misma. Era como cuando años atrás estaba junto al estrado, o en una de esas cenas interminables, sentada al lado de Richard, callada. Si me preguntaban algo, lo que ocurría raramente, solía responder que lo que más me gustaba era dedicarme a cuidar el jardín. Se trataba de una verdad a medias, en el mejor de los casos, aunque lo bastante aburrida para no tener que decir más.

Luego llegó el momento de entregar los diplomas a los graduados. Comenzaron a avanzar hacia nosotros, solemnes y radiantes. Los había de todas las medidas, y poseían, invariablemente, esa belleza que sólo es propia de los jóvenes. Hasta los feos eran bellos, hasta los hoscos, los gordos, los cubiertos de granos. Ninguno de ellos entiende lo bellos que son. Pero aun así los jóvenes son irritantes. Por lo general, su pose resulta atroz y, a juzgar por las canciones que berrean y bailan, ponen cara de circunstancias y lo soportan como si vivieran en la época del fox trot. No saben la suerte que tienen.

Apenas me miran. Debo de parecerles rara, aunque supongo que verse reducido a objeto de curiosidad por parte de quienes son más jóvenes que uno es el destino de todos. A menos que haya sangre en el suelo, claro está. La guerra, la peste, el asesinato, cualquier tipo de prueba dura o violenta, eso es lo que respetan. La sangre significa que íbamos en serio.

Seguidamente venían los premios: Informática, Física, murmullo, Técnica de Negocios, Literatura inglesa, algo que no pillé. Después el representante de la Asociación de Alumnos se aclaró la garganta y nos ofreció una pía perorata sobre Winifred Griffen Prior, auténtica santa en vida. ¡Cómo miente la gente cuando se trata de dinero! Supongo que la vieja bruja previó todo eso cuando redactó su testamento, mezquino donde los haya. Sabía que solicitarían mi presencia; quería que me retorciese ante los ojos de la ciudad mientras elogiaban su munificencia. Era como si hubiese dicho: «Gasten este dinero en mi recuerdo.» Me parecía detestable darle esa satisfacción, pero no tenía modo de eludir el compromiso sin que creyesen que estaba asustada o era culpable, o en todo caso indiferente. O peor aún: desmemoriada.

Enseguida llegó el turno de Laura. El político se encargó de hacerle los honores: había que ir con mucho tacto. Se habló de los orígenes locales de Laura, de su valentía, de su «dedicación a un objetivo elegido», que a saber lo que significa. Nada sobre el modo en que murió, cuando todo el mundo en esta ciudad considera —a pesar de las conclusiones de la investigación judicial— que se pareció tanto a un suicidio como maldecir se parece a jurar. Y nada en absoluto sobre el libro, que en opinión de la mayoría, seguramente, era mejor olvidar. Pero no lo era, no aquí, al menos; a pesar de que han transcurrido cincuenta años, conserva su aura de azufre y tabú. Difícil de entender, en mi opinión; tal como va lo de la carnalidad, no hay nada nuevo en él, el lenguaje no suena más soez que el que se oye en cualquier esquina y el sexo es tan decoroso como las bailarinas de cancán: caprichoso casi, como los ligueros.

Entonces, claro, la historia era diferente. Lo que la gente recuerda no es tanto el libro en sí como las reacciones que provocó: los clérigos lo denunciaron en las iglesias por obsceno, y no sólo aquí; se obligó a la biblioteca pública a retirarlo de sus estantes; la única librería local se negó a venderlo. Corría el rumor de que lo censurarían. La gente iba a comprarlo disimuladamente a Stratford o a London, incluso a Toronto, y conseguían ejemplares a hurtadillas, como solía ocurrir entonces con los condones. De regreso a casa, corrían las cortinas y leían, con desaprobación, con fruición, con avidez y júbilo..., incluidos aquellos que jamás habían pensado en leer una novela. No hay nada como una palada de mierda para promover la alfabetización.

(Sin duda se expresaron unos cuantos sentimientos amables. «No pude soportarlo... La historia no me decía nada. Pero la pobre chica era tan joven. Seguro que, de no haberse ido, habría escrito libros mejores.» Eso era lo mejor que se veían con ánimos de comentar acerca del libro.)

¿Qué querían encontrar? Lascivia, indecencia, la confirmación de sus peores sospechas. Pero quizás había algunos que, a pesar de sí mismos, querían ser seducidos. Quizá buscaban pasión, quizá se sumergieron en el libro como si se tratara de un paquete misterioso, una caja de regalo al fondo de la cual, oculto tras varias capas de papel crujiente, estaba lo que siempre habían deseado pero nunca habían logrado alcanzar.

No obstante, también querían reconocer a las personas reales que salían, además de Laura, claro. Tomaban por cierto su realismo. Querían cuerpos reales que encajaran con los cuerpos que las palabras evocaban. Querían una lujuria real. Por encima de todo querían saber: «¿Quién era el hombre?» El que se metió en la cama con la mujer joven, la mujer joven, encantadora y muerta, Laura. Algunos de ellos creían saberlo, claro. Habían corrido rumores. Para los que eran capaces de atar cabos, todo formaba parte de lo mismo. «Se comportaba como si fuese pura cual la nieve que cae. Como si no hubiera roto un plato en su vida. Lo cual sólo viene a demostrar que no es oro todo lo que reluce.»

Por entonces, sin embargo, Laura ya estaba fuera del mapa. Yo era la única que podía sentirse afectada. Empezaron las cartas anónimas. ¿Por qué había decidido yo que publicaran tanta mugre? Y encima en Nueva York, la Gran Sodoma. ¡Tanto estiércol! ¿Acaso no tenía vergüenza? Había permitido que mi familia —¡tan respetada!— fuese deshonrada, y con ella toda la ciudad. Laura nunca había estado bien de la cabeza, eso todo el mundo lo había sospechado siempre, y el libro lo demostraba. Debería haber protegido su recuerdo. Debería haber prendido fuego al manuscrito. Mirando la neblina de cabezas allí abajo, entre el público —las más viejas—, me imaginé que brotaba de ellas un miasma de maldad, de envidia y condena, como si se tratara de un pantano helado.

En cuanto al libro en sí, aún era innombrable, continuaba apartado de la vista cual un pariente mezquino y vergonzoso. Un libro tan pobre, tan inútil... Como comensal al que nadie había invitado a esa extraña fiesta, aleteaba en las esquinas del escenario igual que una inútil mariposa nocturna.

Mientras seguía soñando despierta, alguien me agarró del brazo, me levantó y me puso en las manos un sobre con bordes dorados que contenía el cheque. Anunciaron a la ganadora. No entendí su nombre.

Se acercó a mí; sus tacones retumbaban sobre el escenario. Era alta —todas las chicas jóvenes son muy altas hoy en día; debe de ser por la alimentación—, llevaba un vestido negro, austero entre tantos colores veraniegos, con hilos de plata intercalados, o perlas..., algo que brillaba en cualquier caso. Tenía una melena larga y oscura, el rostro ovalado y la boca pintada de color cereza, levemente apretada en gesto de concentración, decidido. La piel presentaba un matiz amarillento o cobrizo... ¿sería india, árabe o china? Hasta en Port Ticonderoga era eso posible: hoy en día todo el mundo está en todas partes.

El corazón me dio un vuelco: sentí una oleada de ansiedad, semejante a un calambre. Quizá mi nieta..., quizá Sabrina tenga ahora este aspecto, pensé. Quizá, o quizá no, ¿cómo saberlo? Es probable que ni siquiera la reconociese. ¡La han mantenido alejada de mí tanto tiempo! Y sigue lejos. ¿Qué puedo hacer?

—Señora Griffen —murmuró el político.

Me tambaleé y recuperé el equilibrio. ¿Qué era lo que tenía previsto decir?

—Mi hermana Laura se sentiría muy complacida. —A través del micrófono mi voz sonaba atiplada; temí que fuera a desmayarme—. Le gustaba ayudar a la gente. —Eso era verdad, había jurado no decir nada que no fuese cierto—. Le gustaba leer y le gustaban los libros. —También verdadero, hasta cierto punto—. Seguro que os habría deseado lo mejor para el futuro. —Igualmente exacto.

Me las compuse para entregarle el sobre; la chica tuvo que agacharse. Le susurré al oído, o pensé en hacerlo: «Que tengas suerte. Ve con cuidado.» Cualquier persona que pretenda lidiar con las palabras necesita una bendición, una advertencia. ¿Había hablado realmente, o me había limitado a abrir y cerrar la boca igual que un pez?

La chica sonrió y, al hacerlo, las pequeñas lentejuelas resplandecieron en su cara y sus cabellos. Era un efecto óptico debido a las luces del escenario, demasiado brillantes. Debería haberme puesto las gafas de sol. Me quedé allí parpadeando. A continuación, hizo algo inesperado: se inclinó hacia mí y me besó la mejilla. A través de sus labios sentí la textura de mi propia piel: suave como un guante de seda, arrugada, empolvada, anciana.

Susurró algo, pero no llegué a captarlo. ¿Sólo me daba las gracias, o se trataba de algún otro mensaje —¿era posible?—, en una lengua extranjera?

La chica se volvió. Emitía una luz tan refulgente que tuve que cerrar los ojos. No había oído nada, no veía nada. La oscuridad me rodeaba. Los aplausos me golpeaban los oídos como un batir de alas. Me fallaron las piernas y estuve a punto de caer.

Un funcionario atento me agarró del brazo y me depositó en mi silla. Regresé a la oscuridad. Regresé a la larga sombra que proyectaba Laura. A salvo.

Sin embargo, la vieja herida se ha abierto y mana de ella sangre invisible. Pronto me quedaré vacía.

La caja de plata

Los tulipanes anaranjados están brotando, apretujados y desiguales como los rezagados de un ejército que emprende el camino de regreso. Los saludo con alivio, tal que si los recibiera desde un edificio bombardeado; pero deberán abrirse camino como puedan, sin demasiada ayuda por mi parte. A veces asomo la cabeza entre los escombros del jardín y arranco los tallos secos y las hojas caídas, pero eso es lo máximo que hago. Me cuesta bastante arrodillarme, y ya no puedo meter las manos en la tierra.

Ayer fui al médico por lo de los mareos. Me explicó que mi corazón estaba bastante deteriorado, como si yo no lo supiera. A pesar de todo, parece que no voy a vivir para siempre; cada vez me encogeré más y me pondré más gris y polvorienta, como el genio de la lámpara. Hace mucho tiempo murmuré «Quiero morir», y de pronto me doy cuenta de que ese deseo se verá irremediablemente cumplido, y más pronto que tarde. No importa que haya cambiado de idea al respecto.

Me he envuelto en un chal para sentarme fuera, protegida por el alero del porche trasero, a una mesa de madera cubierta de marcas que pedí a Walter que me trajera del garaje. Éste estaba lleno de las cosas habituales, restos de anteriores propietarios: varias latas de pintura seca, un montón de placas de asfalto, un jarro medio lleno de clavos oxidados, un rollo de cable. Gorriones momificados, nidos de ratones hechos de estopa de colchón. Walter la lavó bien con lejía, pero todavía huele a ratón.

Tengo ante mí una taza de té, una manzana cortada a trozos y una libreta cuyas páginas, con renglones azules, recuerdan los antiguos pijamas de hombre. También me he comprado un bolígrafo, barato, de plástico negro con punta redonda. Recuerdo mi primera estilográfica; qué elegante se veía, qué azules me ponía los dedos la tinta... Era de baquelita, con un adorno de plata. Corría el año 1929. Yo tenía trece años. Laura agarró mi pluma —sin pedírmela, como siempre— y la rompió, sin esfuerzo alguno. Yo la perdoné, claro. Siempre la perdonaba, tenía que hacerlo, porque sólo éramos nosotras dos. Nosotras dos en una isla rodeada de zarzas, en espera del rescate, mientras todos los demás estaban en tierra firme.

¿Para quién escribo esto? ¿Para mí misma? Creo que no. No me imagino leyéndolo en un futuro, si se considera lo problemático que ese futuro se ha vuelto. ¿Para alguien desconocido, cuando yo haya muerto? No tengo semejante ambición, ni semejante esperanza.

A lo mejor no escribo para nadie. A lo mejor escribo para la misma persona a quien escriben los niños cuando garabatean su nombre en la nieve.

No soy tan rápida como antes. Mis dedos se han vuelto rígidos y torpes, el bolígrafo tiembla y se desvía, me lleva mucho tiempo dar forma a las palabras. Y sin embargo persisto, encorvada como si cosiera a la luz de la luna.

Cuando me miro en el espejo veo a una mujer vieja; o vieja no, que ahora ya no está permitido ser viejo, sino anciana, quizá. A veces veo a una mujer anciana que podría parecerse a la abuela que nunca conocí, o a mi propia madre si hubiera alcanzado esta edad. Otras veces, sin embargo, veo en su lugar la cara de la niña que tanto tiempo me llevó reordenar y deplorar, ahogada y flotando justo por debajo de mi cara actual, que se ve —sobre todo por las tardes, con la luz sesgada— tan holgada y transparente que podría arrancársele la piel como si se tratara de una media.

El médico me indica que debo andar: todos los días, dice, a causa del corazón. Yo preferiría no hacerlo. No es la idea de andar lo que me preocupa, sino la de salir: me siento demasiado expuesta. ¿Son imaginaciones mías, las miradas, los susurros? Tal vez, o tal vez no. Al fin y al cabo soy parte de la ciudad, como un solar vacío cubierto de cascotes en el que antes se alzaba un edificio importante.

La tentación es quedarme dentro, convertirme en la clase de reclusa de la que los niños del barrio se burlan al tiempo que temen, dejar crecer los setos y las malas hierbas, y que las puertas se oxiden, cerradas, tumbarme en la cama, cubierta con cualquier tela que haga las veces de camisón, y dejarme crecer el pelo para extenderlo sobre la almohada y las uñas hasta convertirse en garras, mientras la cera de la vela gotea en la alfombra. Sin embargo, hace mucho tiempo que me decidí por el clasicismo en detrimento del romanticismo. Prefiero estar erguida y contenida; como una urna a la luz del día.

Tal vez no debería haber venido a vivir aquí. Pero en aquel momento no se me ocurrió ningún otro sitio. Como solía decir Reenie: «Mejor malo conocido...»

Hoy hice el esfuerzo. Salí, caminé. Me fui andando hasta el cementerio; se necesita un objetivo para esas excursiones por otro lado estúpidas. Me puse mi sombrero de paja de ala ancha, para evitar el resplandor del sol, y las gafas negras, y tomé el bastón para ir tanteando las aceras. También llevaba una bolsa de plástico.

Recorrí la calle Erie, pasé por delante de una lavandería, de un fotógrafo retratista, de las pocas tiendas de la calle principal que han conseguido sobrevivir a la sequía provocada por los centros comerciales que hay en el extremo de la ciudad. Luego, del restaurante Betty's, que vuelve a tener nuevos propietarios; más tarde o más temprano se hartarán, o se morirán, o se trasladarán a Florida. Ahora Betty's tiene un patio donde los turistas pueden sentarse al sol y freírse hasta quedar crujientes; está detrás, en el pequeño círculo de cemento resquebrajado donde solían dejar los cubos de la basura. Ofrecen *tortellini* y *cappuccini*, claramente anunciados en el escaparate como si todo el mundo en la ciudad supiese de qué se trata. Bueno, ahora ya lo saben; los han probado, aunque sólo sea para desdeñarlos con conocimiento de causa. «Yo no necesito esta pelusa en mi café. Parece crema de afeitar. Bebes un poco y te queda la boca llena de espuma.»

Antes, la especialidad eran los estofados de pollo, pero de eso hace mucho tiempo. En cuanto a las hamburguesas, Myra dice que es mejor evitarlas. Según ella son precongeladas y están hechas de polvo de carne. Sí, polvo de carne; es lo que se rasca del suelo después de haber cortado las vacas congeladas con una sierra eléctrica. Lee muchas revistas, en la peluquería.

El cementerio tiene una puerta de hierro forjado con una voluta en arco encima y una inscripción: «Aunque camine por el valle en sombras de la muerte no temeré el mal, porque Tú estás conmigo.» Desde luego, parece más seguro siendo dos; pero «Tú» es un personaje escurridizo. Cada Tú que he conocido tiene su propia manera de esfumarse. Desaparecen del mapa o se vuelven pérfidos, o caen como moscas y entonces, ¿dónde te encuentras?

Pues exactamente aquí.

Es difícil dejar de ver el monumento a la familia Chase: supera en altura a todo lo demás. Con sus dos ángeles de mármol blanco, es victoriano, sentimental, pero bastante bien construido, teniendo en cuenta lo que hay, sobre un gran cubo de piedra con las esquinas en voluta. El primer ángel está de pie, con la cabeza inclinada hacia un lado en actitud de duelo y una mano tiernamente colocada sobre el hombro del segundo. Éste está arrodillado, encorvado sobre el muslo del otro, con la vista fija al frente, acunando un ramillete de azucenas. Tienen un cuerpo decoroso, y aunque sus perfiles se hallan envueltos en pliegues de mineral impenetrable, suavemente drapeado, está claro que se trata de hembras. La lluvia ácida se cobra su precio: los ojos, antes bien delineados, aparecen difuminados, porosos, como si tuvieran cataratas. Pero quizá sólo sea que cada vez veo menos.

Laura y yo solíamos venir aquí. Al principio nos traía Reenie, quien pensaba que visitar las tumbas de la familia era bueno para los niños, pero después empezamos a venir solas: constituía una excusa piadosa y por lo tanto aceptable para huir. Cuando era pequeña, Laura solía decir que los ángeles éramos nosotras, las dos. Yo replicaba que eso no podía ser verdad, porque mi abuela había puesto aquí estos ángeles antes de que nosotras naciéramos. Pero Laura nunca prestó mucha atención a esta clase de razonamientos. Le interesaban más las formas, lo que las cosas eran en sí mismas, no lo que no eran. Ella quería esencias.

Con el tiempo, venir al menos dos veces al año, para limpiarlo, aunque sea, se ha convertido en un hábito para mí. Antes conducía, pero ya no lo hago; estoy muy mal de la vista. Me agacho dolorosamente, retiro las flores marchitas que han dejado los admiradores anónimos de Laura y se han ido acumulando, y las meto en una bolsa de plástico. Hay menos de estas ofrendas que antes, aunque todavía hay unas cuantas. Algunas de las de hoy aún están frescas. De vez en cuando encuentro palitos de incienso, y velas, como si alguien hubiera invocado a Laura.

Después de arreglar los ramos, rodeo el monumento y leo la lista de difuntos de la familia Chase grabados a los lados del cubo. «Benjamin Chase y su querida esposa Adelia; Norval Chase y su querida esposa Liliana. Edgar y Percival, no envejecerán como nosotros, que seguimos aquí envejeciendo.»

Y Laura, que está aquí como en todas partes. En esencia.

Polvo de carne.

La semana pasada salió una fotografía suya en el periódico local, junto con una reseña sobre el premio. Era la fotografía de siempre, la de la solapa del libro, la única que se imprimió jamás porque es la única que les di. Se trata de una fotografía de estudio; en ella tiene el tronco echado un poco a un lado desde la perspectiva del fotógrafo y la cabeza hacia atrás para dar una delicada inclinación al cuello. «Un poco más, ahora mira hacia arriba, hacia mí, muy bien, a ver esa sonrisa.» Su cabello es rubio, largo y muy rubio, igual que el mío entonces, casi blanco, como si los tonos rojizos —el hierro, el cobre y los metales duros— se hubieran ido diluyendo al lavarlos. La nariz es recta, la cara en forma de corazón, los ojos grandes y luminosos, sin malicia, las cejas arqueadas, con un signo de perplejidad en los extremos interiores. En la mandíbula es posible percibir un matiz de obstinación, pero de eso sólo se daba cuenta el que lo sabía. No lleva maquillaje, lo que confiere a su rostro un extraño aspecto de desnudez; si se mira la boca, no se ve más que carne.

Guapa, incluso bella, enternecedoramente intacta. Un anuncio de jabón, todo ingredientes naturales. La cara, inexpresiva, tiene esa impermeabilidad vaga, afectada, de todas las muchachas bien educadas de la época. Es una tabla rasa que no espera escribir, sino que escriban sobre ella.

Ahora, sólo el libro la hace memorable.

Laura volvió en una caja pequeña, plateada como una petaca. Yo conocía los comentarios de la ciudad al respecto, tal que si los hubiera oído. «Claro que no es ella, sino sus cenizas. Jamás hubiera pensado que los Chase fueran partidarios de la incineración; nunca lo fueron, en sus buenos tiempos ni se les habría ocurrido, aunque en realidad no hicieron más que terminar el trabajo, puesto que ya estaba bastante quemada. De todos modos, supongo que pensaron que tenía que descansar con la familia, en ese gran monumento suyo, con los dos ángeles. Nadie más tiene dos, pero eso era cuando el dinero les quemaba en los bolsillos. Querían exhibirse, causar revuelo; ser los primeros, como si dijésemos. Comportarse como los peces gordos. Sin duda ejercieron su influencia en otros tiempos.»

Siempre oigo esta clase de cosas en la voz de Reenie. Ella era nuestra intérprete de la ciudad, mía y de Laura. ¿Quién iba a respaldarnos si no?

En la parte de detrás del monumento hay un espacio vacío. Es una especie de lugar reservado, como el que intentó conseguir Richard en el Teatro Real Alexandra. Se trata de mi sitio: en él regresaré a la tierra.

La pobre Aimee está en Toronto, en el cementerio Mount Pleasant, junto con los Griffen, con Richard y Winifred y su megalito chillón de granito pulido. Winifred se aseguró de ello: reivindicó sus derechos ante Richard y Aimee y se apresuró a encargar los ataúdes. Quien paga a la empresa de pompas fúnebres lleva la voz cantante. Si hubiera podido, me habría prohibido que asistiera a sus funerales.

Sin embargo, Laura fue la primera, ya que Winifred aún no había perfeccionado el hábito de apoderarse de los cadáveres. «Ella vuelve a casa»; eso fue todo. Esparcí las cenizas sobre la tierra, pero me quedé con la caja plateada.

Fue una suerte que no la enterrara: a estas alturas ya se la habría llevado algún admirador. Esa gente no birla cualquier cosa. Hace un año pillé a uno con un bote de mermelada y una paleta, recogiendo polvo de la tumba.

Pienso en Sabrina, me pregunto dónde terminará. Es la última de nosotros. Presumo que todavía está sobre la tierra: no he oído nada que lo desmienta. Queda por ver con qué parte de la familia elegirá que la entierren, o si se instalará en un rincón, lejos de todos nosotros. No seré yo quien se lo reproche.

La primera vez que se fue tenía trece años. Winifred me llamó, enfurecida, y me acusó de haberla ayudado e instigado, aunque no llegó al punto de decir «secuestrado». Quería saber si Sabrina había recurrido a mí.

—No tengo ninguna obligación de decírtelo —respondí para atormentarla. Cada cosa en su sitio: hasta el momento, la mayor parte de las oportunidades de atormentar habían caído de su lado. Solía devolverme las postales, las cartas y los regalos de cumpleaños que le enviaba a Sabrina con la frase «Devuélvase al remitente» escrita en su gruesa letra de tirana—. Al fin y al cabo, soy su abuela. Puede recurrir a mí cuando quiera. Siempre será bien recibida.

—Supongo que no hace falta que te recuerde que soy su tutora legal.

—Si lo supones, ¿por qué me lo recuerdas?

Pero Sabrina no recurrió a mí. Nunca lo hizo. No es difícil adivinar por qué. Dios sabe lo que le habrán dicho de mí. Nada bueno, seguro.

La Fábrica de Botones

El calor del verano ha llegado en serio y se ha instalado sobre la ciudad como una sopa cremosa. En otros tiempos habría sido tiempo de malaria, de cólera. Los árboles entre los que paseo son sombrillas marchitas, el papel está húmedo bajo mis dedos, los bordes de las palabras que escribo se empluman como el pintalabios en una boca envejecida. Sólo de subir por las escaleras, se me forma un fino bigote de sudor.

No debería ponerme a andar con el calor que hace, me produce taquicardia. Lo constato con malicia. No debería someter mi corazón a esa clase de pruebas ahora que me han informado de sus imperfecciones; sin embargo, me produce un deleite perverso hacerlo, como el bravucón que desprecia la debilidad del pequeño que llora.

Por las noches se oyen truenos, un retumbo lejano, como si Dios celebrase un festín sombrío. Me levanto a orinar, vuelvo a la cama, me debato entre las sábanas húmedas escuchando el monótono zumbido del ventilador. Myra dice que debería ponerme aire acondicionado, pero yo no quiero. Además, no puedo permitírmelo. «¿Quién va a pagarlo?», le pregunto. Debe de creerse que tengo un diamante escondido en la frente, como los sapos de los cuentos de hadas.

Hoy el objetivo de mi paseo era la Fábrica de Botones, donde tenía intención de tomarme el café matutino. El médico me ha prevenido contra el café, pero sólo tiene cincuenta años: sale a correr todas las mañanas y exhibe sin pudor sus piernas peludas. Se cree que lo sabe todo, pero no es verdad. Si no me mata el café, me matará otra cosa.

La calle Erie hervía de turistas, la mayoría de mediana edad, curioseando en las tiendas de recuerdos, escudriñando en la librería, sin nada más que hacer que ir después de comer al festival de teatro de verano más cercano para relajarse durante unas horas con traiciones, sadismo, adulterio y asesinato. Algunos de ellos iban en la misma dirección que yo: a la Fábrica de Botones, a ver qué baratijas podían adquirir para conmemorar su alejamiento del siglo xx por una noche. Meros receptores de polvo, habría llamado Reenie a esos objetos, y habría aplicado el mismo término a los turistas.

En su compañía de color pastel llegué hasta la esquina de la calle Erie con la calle Mill, que discurre paralela a la orilla del Louveteau. Port Ticonderoga tiene dos ríos, el Jogues y el Louveteau: los nombres son reliquias del establecimiento comercial francés situado antiguamente en este cruce, aunque aquí no los pronunciemos en francés; para nosotros son el Jogs y el Lovetow. El Louveteau, con su rápida corriente, atrajo los primeros molinos y, más tarde, las plantas de electricidad. El Jogues, por su parte, es lento y profundo, lo que lo hace navegable hasta unos cuarenta y cinco kilómetros más arriba del lago Erie. Enviaban río abajo la piedra caliza que, gracias a los grandes depósitos que habían dejado allí los mares interiores al retirarse, era la principal industria de la ciudad. (¿Del pérmico, del jurásico? En otro tiempo lo sabía.) La mayor parte de las casas de la ciudad, incluida la mía, están hechas de esta piedra caliza.

Todavía hay canteras abandonadas en los alrededores, círculos profundos y alargados cortados en la roca. Es como si todos los edificios hubiesen sido extraídos de ella y hubieran dejado el vacío de sus formas. A veces me imagino toda la ciudad elevándose del océano prehistórico, desplegándose como una anémona de mar o los dedos de un guante de goma cuando uno sopla en su interior, echando brotes a sacudidas, lo que recordaba aquellas imágenes, granulosas y de color marrón, de flores abriéndose que solían poner en el cine —¿cuándo era eso?— antes del pase de la película. Los cazadores de fósiles merodean el lugar en busca de peces extintos, hojas antiguas, volutas de coral, y allí es donde acuden los adolescentes cuando quieren armar jarana. Encienden hogueras, beben en exceso, fuman porros, se soban mutuamente por encima de la ropa como si acabaran de inventarlo y en el camino de regreso abollan el coche de sus padres.

Mi propio jardín está junto a la garganta del Louveteau, donde el río se estrecha y se precipita en picado. La caída es lo bastante abrupta para producir niebla, y un poco de miedo. Los fines de semana de verano, los turistas pasean por el camino que bordea el precipicio o se acercan hasta el borde para tomar fotografías; puedo ver sus inocuos e irritantes sombreros blancos de lona. La tierra está suelta y es peligrosa, pero la ciudad no tiene ninguna intención de gastar dinero en una valla, y la opinión general es que si uno hace una estupidez, merece las consecuencias sean cuales sean. En los remolinos de abajo se amontonan los vasos de cartón de la tienda de rosquillas, y cuando encuentran un cadáver, lo que ocurre de vez en cuado, cuesta determinar si la víctima cayó como consecuencia de un resbalón, si la empujaron o si decidió saltar, a menos, desde luego, que haya una nota.

La Fábrica de Botones se alza en la orilla este del Louveteau, a unos cuatrocientos metros río arriba desde la garganta. Pasó varias décadas abandonada y en ruinas, con las ventanas rotas y el techo agujereado, convertida en refugio de ratas y borrachos, hasta que un enérgico comité de ciudadanos rescató el edificio de la demolición y lo convirtió en un centro comercial. Se han restaurado los arriates, se ha remozado la fachada y se han reparado los estragos del tiempo y el vandalismo, aunque todavía se ven manchas oscuras de hollín alrededor de las ventanas inferiores, recuerdo del incendio que se declaró hace más de sesenta años.

El edificio es de ladrillo rojizo y tiene esos grandes ventanales de muchos paneles que se ponían en las fábricas para ahorrar luz. Es bastante bonito para tratarse de una fábrica, con sus adornos de guirnaldas, cada una con una rosa de piedra en el centro, sus ventanas de gablete y su tejado abuhardillado de pizarra verde y púrpura. Al lado hay un aparcamiento muy cuidado. «La Fábrica de Botones da la bienvenida a sus visitantes», reza el cartel, con una tipografía al estilo antiguo; y, en letras pequeñas: «Prohibido dejar el coche aparcado toda la noche.» Debajo, alguien, evidentemente airado, escribió con un rotulador negro: «Tú no eres Dios y la Tierra no es tu puto patio.» El auténtico toque local.

Han ampliado la entrada, han instalado una rampa para sillas de ruedas y han sustituido las pesadas puertas originales por unas dobles de cristal: Entrada y Salida, Empuje y Tire, los tiranos cuatrillizos del siglo XX. Dentro se oye música, violines campestres, el uno-dos-tres de algún vals lleno de brío y desconsuelo. Hay un tragaluz sobre una zona empedrada con adoquines de imitación, en la que hay bancos recién pintados de verde y tiestos que contienen unos cuantos matojos contrariados. Alrededor se encuentran las distintas tiendas; ciertamente, produce el efecto de un centro comercial. Las paredes de ladrillo están decoradas con ampliaciones gigantes de viejas fotos de los archivos de la ciudad. Primero hay una cita de un periódico —no uno nuestro sino de Montreal— con fecha de 1899:

No debe uno imaginarse los oscuros y satánicos molinos de la vieja Inglaterra. Las fábricas de Port Ticonderoga se alzan en medio de una vegetación exuberante perlada de alegres flores y acompañada del sonido del agua que fluye; están limpias y bien ventiladas, y los trabajadores son joviales y eficientes. A la puesta del sol, desde el bello puente del Jubileo, de reciente construcción, que se cierne sobre las efusivas cascadas del río Louveteau, como un arco iris de encaje de hierro forjado, puede contemplarse una vista encantadora, de cuento de hadas, cuando las luces de la fábrica de botones Chase se encienden y se reflejan en las aguas burbujeantes.

En el momento en que se escribió era bastante cierto. Durante un tiempo, al menos hubo prosperidad suficiente para todos.

A continuación está mi abuelo, con levita, sombrero y bigote blanco, esperando, con un grupo de dignatarios igualmente lustrosos, la llegada del duque de York durante la gira que hizo en 1901 por Canadá. Después viene mi padre, que sostiene una corona de flores delante del monumento a los caídos en la guerra, día de la inauguración de éste. De cerca, ese hombre alto, de rostro solemne, con bigote y parche en el ojo, es poco más que una serie de puntos negros. Me alejo un poco para enfocarlo mejor —intento captar su ojo bueno—, pero no me mira sino que dirige la vista hacia el horizonte, con la espalda recta y los hombros echados hacia atrás, como si se enfrentara a un pelotón de fusilamiento. Inquebrantable, diría.

Luego hay una foto de la propia fábrica, en 1911 según informa el pie. En ella aparecen ruidosas máquinas con brazos como patas de saltamontes, piñones de hierro y ruedas dentadas, pistones que suben y bajan perforando las formas; largas mesas con hileras de operarios inclinados haciendo algo con las manos. Las máquinas son manipuladas por hombres con visera, chaleco y las mangas recogidas; los trabajadores que hay delante de la mesa son mujeres con moño y delantal. Ellas eran las que seleccionaban los botones y los metían en cajas o los cosían en cartones en los que iba impreso el nombre de Chase; seis, ocho o doce botones en cada cartón.

Al fondo del espacio abierto de adoquines hay un bar, Whole Enchilada, donde ofrecen cerveza de los pequeños fabricantes locales, afirman, y, los sábados, música en vivo. La decoración consiste en tableros de madera sobre barriles, que hacen las veces de mesas, y reservados de pino a un lado, como en los primeros tiempos. En el menú que se exhibe en el escaparate —nunca he entrado— anuncian platos que encuentro exóticos: hamburguesas rellenas, pieles de patata, nachos, los alimentos grasientos que consumen los jóvenes menos respetables, o al menos eso es lo que afirma Myra, que siempre se entera de lo que sucede en Whole Enchilada porque tiene una tienda justo al lado. Dice que suele ir a comer allí un chulo, y también un camello, ambos a plena luz del día. Alguna vez me los ha señalado, con murmullos de emoción. El chulo vestía terno y parecía un corredor de bolsa. El camello llevaba bigote gris y ropa de tela vaquera, como los sindicalistas de los viejos tiempos.

La tienda de Myra se llama The Gingerbread House, Regalos y Objetos para Coleccionistas. Huele a especias —a ambientador con olor a canela o algo así—. Y en ella se venden muchas cosas: botes de mermelada con la tapa cubierta con una tela de algodón; cojines en forma de corazón rellenos de hierbas secas que huelen a heno; cajas labradas por «artesanos tradicionales» con dudosas bisagras; mantas supuestamente tejidas por menonitas; cepillos para limpiar la taza del váter con mangos en forma de pato sonriente. Es la idea que tiene Myra sobre lo que la gente de la ciudad cree que es la vida en el campo, la vida de sus bucólicos antepasados campesinos... Un poco de historia para llevarse a casa. Pero la historia, según la recuerdo, nunca fue tan encantadora, y sobre todo no tan limpia, pero lo real no vende; la mayoría de la gente prefiere un pasado en el que nada huela mal.

A Myra le gusta hacerme regalos de su alijo de tesoros. Dicho de otro modo: se deshace de los objetos que nadie le compra regalándomelos a mí. Tengo una corona asimétrica de ramitas, un juego completo de servilleteros de madera adornados con sendas piñas en miniatura, una gruesa vela aromatizada con lo que parece ser queroseno. Por mi cumpleaños me dio un par de manoplas de cocina en forma de garras de langosta. Estoy segura de que lo hizo con buena intención. O a lo mejor está intentando ablandarme: es baptista y le gustaría que yo encontrara a Jesús, o viceversa, antes de que sea demasiado tarde. Esta clase de cosas no le vienen de familia; su madre, Reenie, casi nunca mentaba a Dios. Se respetaban mutuamente y en caso de problemas acudía a él con naturalidad, igual que se acude a un abogado; pero, como con éste, el problema tenía que ser grave. De lo contrario, no valía la pena involucrarlo en exceso. Desde luego, no quería la presencia de Dios en la cocina; ya tenía suficiente tal como estaba.

Después de meditarlo bien, me compré un pasta en The Cookie

Gremlin —de avena con chocolate— y una taza de café espumoso, y me senté en uno de los bancos del parque para beber a pequeños sorbos el café y lamerme los dedos mientras descansaba los pies y escuchaba el ritmo cadencioso y lastimero de la música enlatada.

Fue mi abuelo Benjamin quien construyó la fábrica, a principios de los años setenta del siglo XIX. Había mucha demanda de botones, así como de ropa y todo lo relacionado con ella —la población del continente crecía a un ritmo impresionante—, y los botones eran baratos de hacer y de vender, lo cual (dijo Reenie) le iba como anillo al dedo a mi abuelo, que vio la oportunidad y utilizó el cerebro que Dios le había dado.

Sus antepasados habían llegado a Pensilvania en los años veinte del siglo XIX y se aprovecharon del bajo precio de la tierra y de las oportunidades a la hora de construir: la ciudad se había incendiado durante la guerra de 1812 y había mucho que poner de nuevo en pie. Eran gente un poco germánica y sectaria, cruzada con puritanos de séptima generación —una mezcla laboriosa pero ferviente que produjo, además de la serie habitual de granjeros tan virtuosos como míseros, dos predicadores itinerantes, dos ineptos especuladores en bienes raíces y un desfalcador de tres al cuarto—, oportunistas con una vena visionaria y un ojo puesto en el horizonte. En mi abuelo, eso se reflejó en las apuestas, aunque nunca apostó otra cosa que a sí mismo.

Su padre había sido propietario de uno de los primeros molinos de Port Ticonderoga, un molino modesto, en los tiempos en que todo era accionado por agua. Cuando murió de apoplejía, como lo llamaban entonces, mi abuelo tenía veintiséis años. Heredó el molino, pidió dinero prestado e importó de Estados Unidos la maquinaria necesaria para fabricar botones. Los primeros que produjo eran de madera, de hueso y, los mejores, de cuerno de vaca. Los dos últimos materiales se obtenían prácticamente por nada en varios mataderos de la vecindad, y en cuanto a la madera, la había por todas partes, hasta el punto de que la gente la quemaba sólo para sacársela de encima. Con materia prima barata, mano de obra barata y un mercado en expansión, ¿cómo no iba a prosperar?

Los botones que fabricaba mi abuelo no eran los que más me gustaban de pequeña. No había de aquellos pequeños de nácar, ni de delicado azabache, ni tampoco de piel, blancos para los guantes de señora. Los botones de la familia eran a los botones lo que que los zapatos de goma son a los zapatos: botones imperturbables, prácticos, para monos, abrigos y camisas de trabajo, algo toscos e incluso ordinarios. No costaba imaginarlos en la ropa interior de invierno, abrochando un faldón por detrás o en las braguetas de los pantalones de hombre. Lo que ocultaban eran cosas colgantes, vulnerables, vergonzosas, inevitables: la clase de objetos que el mundo tiene necesidad de despreciar.

Cuesta imaginar en qué consistía el atractivo de las nietas de un hombre que hacía semejantes botones, a no ser por el dinero. Pero el dinero, o aun el rumor de su existencia, proyecta siempre algún tipo de resplandor, por lo que Laura y yo crecimos rodeadas de cierta aura. Y en Port Ticonderoga nadie creía que los botones de la familia fueran raros o despreciables. Allí, se los tomaban muy en serio; y no podía ser de otro modo, puesto que de ellos dependía el trabajo de demasiadas personas.

A lo largo de los años, mi abuelo compró otros molinos y también los convirtió en fábricas. Tenía una de camisetas y combinaciones, otra de calcetines y otra en la que se hacían pequeños objetos de cerámica, como ceniceros. Estaba orgulloso de las condiciones de trabajo de sus fábricas; escuchaba las quejas cuando alguien tenía la valentía de formularlas, y lamentaba los perjuicios que hubiese podido causar cuando llegaban a sus oídos. Siguió imponiendo mejoras mecánicas, y no sólo mecánicas sino de todo tipo. Fue el primer propietario de una fábrica de la ciudad que introdujo la luz eléctrica. Para él, los arriates contribuían a fortalecer la moral de los trabajadores; las zinnias y las bocas de dragón estaban entre sus preferidas, porque eran baratas y vistosas y duraban mucho tiempo. Proclamaba que, en su fábrica, las mujeres estaban tan seguras como en la sala de sus propias casas. (Daba por sentado que tenían sala en casa. Daba por sentado que esas salas eran seguras. Le gustaba pensar bien de todo el mundo.) Se negaba a tolerar la embriaguez en el trabajo, el lenguaje soez o la conducta relajada.

Eso al menos era lo que se decía de él en *Historia de las Industrias Chase,* un libro que mi padre encargó escribir en 1903 e imprimió privadamente, con cubiertas de cuero verde en las que relucía no sólo el título sino su propia firma, clara, gruesa y repujada en oro, en el centro. Solía regalar ejemplares de esta crónica inútil a sus socios, que debían de quedar sorprendidos, aunque quizá no. A lo mejor estaba bien visto, porque de lo contrario mi abuela Adelia no se lo habría permitido.

Estaba sentada en el banco del parque dispuesta a comerme la pasta. Era grande, parecía una boñiga de vaca, tal como las hacen ahora —sin sabor, de miga suelta, grasienta—, y me dio la impresión de que no lograría terminármela nunca. No era lo más adecuado para el calor que hacía. Incluso me sentía un poco mareada, tal vez por culpa del café.

Al dejar el vaso a un lado, el bastón, que había apoyado contra el banco, cayó al suelo. Me incliné para recogerlo, pero no llegaba. Entonces perdí el equilibrio y el café se me derramó encima. Estaba caliente y me empapó la ropa. Al levantarme tenía una mancha marrón, como si sufriera de incontinencia, que era, con seguridad, lo que imaginaría la gente.

¿Por qué en momentos como ése pensamos que todo el mundo está mirándonos? Por lo general no nos mira nadie. Aunque Myra sí. Sin duda me había visto entrar y debía de estar vigilando. Salió corriendo de su tienda y exclamó:

—¡Estás blanca como el papel! Pareces hecha polvo. ¡Primero limpiemos eso! Por Dios, ¿has venido hasta aquí andando? No puedes regresar a pie. Será mejor que llame a Walter, él te llevará a casa.

—Puedo apañármelas —repuse—. No me pasa nada.

Sin embargo, dejé que lo hiciera.

Avilion

Han vuelto a dolerme los huesos; me ocurre cuando el clima es húmedo. Duelen como la historia: cosas hace ya tiempo terminadas cuyo dolor todavía reverbera. Si el dolor es muy fuerte, no logro conciliar el sueño. Todas las noches anhelo dormir, y aun cuando lucho por conseguirlo, el sueño revolotea ante mí como una cortina tiznada. Existen los somníferos, claro, pero el médico me los ha prohibido.

Ayer por la noche, tras lo que me parecieron horas de sudor y agitación, me levanté y descendí descalza las escaleras, iluminada por el pálido resplandor de la farola de la calle, que entraba por la ventana del hueco de la escalera. Una vez abajo, sana y salva, me dirigí a la cocina y curioseé un poco en el brillo empañado de la nevera. No había nada que me apeteciera comer: restos terrosos de un manojo de apio, un pedazo azulado de pan, un limón reblandecido. Un trozo de queso, envuelto en un papel grasiento, duro y translúcido como una uña. He sucumbido a los hábitos del solitario: como lo que encuentro y a cualquier hora. Refrigerios, festines y pícnics furtivos. Me decidí por un poco de mantequilla de cacahuete, que saqué directamente del bote con el dedo índice; ¿para qué ensuciar una cuchara?

Por la noche, la casa se me hacía más extraña que nunca. Me paseé por las habitaciones de delante, el comedor y la sala, palpando la pared para no perder el equilibrio. Mis distintas posesiones flotaban en sus propios charcos de sombra, alejadas de mí, negándome mi propiedad sobre ellas. Las miré con ojos de ladrona, como si decidiera qué valía la pena robar y qué sería mejor dejar. Los ladrones se llevarían las cosas obvias: la tetera de plata que perteneció a mi abuela, acaso la porcelana pintada a mano. Las cucharas con iniciales que quedan. El aparato de televisión. Nada de ello me interesa realmente.

Todo deberá someterse a examen, alguien tendrá que quitárselo de encima cuando yo muera. Myra se encargará, sin duda; cree que me ha heredado de Reenie. Le encantará desempeñar el papel de persona de confianza de la familia. No la envidio: toda vida es un cubo de la basura mientras se vive, y después todavía más. Pero si es un cubo de la basura, sorprende por lo pequeño; cuando una ha tenido que disponer de las cosas de un muerto, sabe cuán pocas bolsas de basura necesitará en el momento en que le llegue la hora.

El cascanueces con forma de caimán, el solitario gemelo de madreperla, el peine de carey con varias púas rotas. El mechero de plata roto, la taza sin platillo, las angarillas sin el recipiente para el vinagre. Los huesos esparcidos del hogar, los harapos, las reliquias. Fragmentos que llegan a la orilla tras un naufragio.

Hoy Myra me ha convencido de comprar uno de esos ventiladores de columna, altos, mejores que el aparato chirriante de que dispongo. El tipo de ventilador que Myra tenía en mente estaba en venta en los nuevos almacenes que hay al otro lado del puente sobre el Jogues. Me llevará en coche; como ella pensaba ir de todos modos, no supone ningún problema. Es desalentadora la manera en que inventa pretextos.

El camino nos lleva más allá de Avilion, o lo que antes era Avilion, tan tristemente transformada ahora. Valhala, se llama. ¿Qué burócrata imbécil decidió que se trataba del nombre adecuado para una residencia de ancianos? Por lo que recuerdo, el Valhala era el lugar al que se iba después de la muerte, no inmediatamente antes. Pero a lo mejor ahí está la gracia.

La ubicación es excelente; se alza en la orilla este del río Louveteau, donde confluye con el Jogues, combinando de este modo una visión romántica de la garganta con un embarcadero. La casa es grande, pero ahora parece llena, y está rodeada por los endebles barracones que construyeron en el terreno después de la guerra. Había tres mujeres mayores sentadas en el porche, una de ellas en silla de ruedas, fumando furtivamente, como adolescentes traviesas que se escondieran en el cuarto de baño. Un día de éstos van a quemarlo todo.

No he vuelto a entrar en Avilion desde que la reconvirtieron; seguro que apesta a polvos de talco, orín agrio y patatas hervidas del día anterior. Prefiero recordarla como era, incluso en la época en que la conocí, cuando ya había comenzado su decadencia: las salas frías y espaciosas, el suelo encerado de la cocina, el cuenco de Sèvres, lleno de pétalos secos, en la pequeña mesa redonda de madera de cerezo de la sala de delante. Arriba, en la habitación de Laura, la repisa de la chimenea está astillada porque un leño le había caído encima; ¡tan típico de ella! Soy la única persona que lo sabe, ya. Como tenía el aspecto que tenía —la piel clara, un aire de flexibilidad, el cuello largo, de bailarina—, la gente pensaba que era delicada.

Avilion no es la típica casa de piedra caliza. Quienes la planificaron querían algo especial, y por eso mezclaron con el cemento guijarros redondos procedentes del río. Desde lejos parece defectuosa, como la piel de un dinosaurio o los pozos de los deseos de los libros ilustrados. Un mausoleo de la ambición, la llamaría ahora.

No es una casa especialmente elegante, aunque hubo una época en que se la consideraba imponente a su modo: un palacio de comerciantes, con una avenida que, trazando una curva, conducía hasta la puerta principal, un torreón gótico achaparrado y una galería semicircular con vistas a los dos ríos, donde en las lánguidas tardes de verano, a finales del siglo XIX, se servía el té a damas tocadas con sombreros floreados. En ocasiones, allí se instalaban cuartetos de cuerda para amenizar las fiestas que se celebraban en el jardín; mi abuela y sus amigas lo utilizaban como escenario para representar obras de teatro aficionado, al anochecer, a la luz de las antorchas; Laura y yo solíamos escondernos debajo. Ahora, la galería ha empezado a combarse y necesita una mano de pintura.

En otro tiempo había una glorieta y un huerto tapiado, varios arriates con flores ornamentales, un estanque de nenúfares con peces y un invernadero con los cristales empañados, ahora demolido, en el que crecían helechos, fucsias, unos pocos limoneros altos y desgarbados, y algún que otro naranjo amargo. Había una sala de billar, una sala de dibujo, un comedor de diario y una biblioteca con una Medusa de mármol sobre la chimenea. (Era la clase de Medusa típica del siglo XIX, con una mirada encantadoramente impenetrable y las serpientes saliéndole de la cabeza como pensamientos angustiados.) La repisa de la chimenea era francesa; habían pedido una diferente, algo relacionado con Dionisos y las parras, pero les llegó la de la Medusa y, como Francia estaba muy lejos para devolverla, se la quedaron.

El comedor principal, enorme y en semipenumbra, estaba empapelado con un motivo de fresas estilo William Morris. En él había un candelabro de bronce en forma de lirios entrelazados y tres altas vidrieras, llegadas de Inglaterra, que mostraban episodios de la historia de Tristán e Isolda (el ofrecimiento de la poción de amor, en una copa de color rojo rubí; los amantes, Tristán con una rodilla hincada, Isolda junto a él, con su cascada de cabellos amarillos; no es fácil plasmarlo en el cristal, se parece demasiado al manojo de una escoba: Isolda sola, abatida, con ropas púrpuras, un arpa cerca).

Fue mi abuela quien supervisó la planificación y decoración de esta casa. Murió antes de que yo naciese, y por lo que he oído era más fina que la seda y más fría que el hielo, aunque con una voluntad de hierro. Además, estaba a favor de la cultura, lo que le confería cierta autoridad moral. Ahora no sería así, pero entonces la gente creía que la cultura hacía mejores a las personas, que podía elevarlas, o al menos eso pensaban las mujeres. Todavía no habían visto a Hitler en la ópera.

El apellido de soltera de Adelia era Montfort. Pertenecía a una familia de buena reputación, o lo que se tenía como tal en Canadá: cruce de inglés de Montreal, de segunda generación, con francesa hugonote. Esos Montfort habían sido prósperos —habían hecho una fortuna con el ferrocarril— pero la desidia y una serie de especulaciones arriesgadas los pusieron al borde de la ruina. Así, cuando fue pasando el tiempo sin que apareciera ningún marido realmente aceptable, Adelia se casó con el dinero: dinero vulgar, procedente de los botones. Su función sería refinarlo.

(No se casó, la casaron, decía Reenie mientras amasaba las galletas de jengibre. Sus padres lo arreglaron. Es lo que se hacía en esas familias, y ¿quién puede decir que sea peor o mejor que elegir uno mismo? En todo caso, Adelia Montfort hizo lo que debía, y tuvo suerte de que se le presentara la oportunidad, porque ya empezaba a considerársela entrada en años; debía de tener unos veintitrés, lo que en aquellos tiempos equivalía a estar para el arrastre.)

Todavía tengo una foto de mis abuelos, en un marco de plata en forma de flores de enredadera; se la tomaron poco después de casarse. Al fondo hay una cortina de terciopelo con flecos y dos helechos sobre un pedestal. La abuela Adelia está reclinada en una silla. Es una mujer atractiva de ojos grandes, con muchas ropas, un largo collar de perlas y un escote profundo ribeteado de encaje. Sus antebrazos son blancos, y en apariencia tan desprovistos de huesos como un redondo de pollo. El abuelo Benjamin está sentado detrás de ella. Luce traje de etiqueta y se lo ve seguro pero incómodo, como si se hubiera acicalado para la ocasión. Los dos parecen encorsetados.

Cuando tuve edad para ello —trece, catorce años—, me formé una idea romántica de Adelia. Por la noche, miraba por la ventana los prados y arriates bañados por la luna y la veía, con un vestido de encaje blanco, caminar con expresión de añoranza. Le adjudiqué una sonrisa lánguida, ligeramente socarrona, como quien está harto del mundo. Pronto le añadí un amante. Se encontraría con él fuera del invernadero, que en aquella época estaba abandonado —a mi padre no le interesaban para nada los naranjos recalentados—, pero yo lo restauraba mentalmente y lo llenaba de flores. Orquídeas, pensaba, o camelias. (No sabía qué era una camelia, pero había leído sobre ellas.) ¿Mi abuela y su amante desaparecían en el interior y lo hacían? No estaba segura.

En realidad, las posibilidades de que Adelia tuviese un amante eran nulas. La ciudad era demasiado pequeña y su moral excesivamente provinciana. Habría supuesto caer desde demasiado alto. No tenía un pelo de idiota. Además, no disponía de dinero propio.

Como anfitriona y ama de casa, Adelia supo complacer a Benjamin Chase. Estaba orgullosa de su propio gusto, y mi abuelo lo respetaba, porque constituía una de las razones por las que se había casado con ella. Él tenía cuarenta años por entonces; había trabajado mucho para amasar su fortuna y pretendía sacar partido del dinero, lo que equivalía a que su esposa lo tratase con condescendencia en lo relativo a su vestuario y lo reconviniese por sus maneras en la mesa. A su modo, él también quería cultura, o al menos su demostración palpable. Deseaba la vajilla adecuada.

La consiguió, y las cenas de doce platos que la acompañaban: apio y frutos secos salados para empezar, chocolates al final. Consomé, croquetas, timbales, pescado, asado, queso, fruta; racimos de uva de invernadero en un centro de mesa de cristal esmerilado. Comida de compañía ferroviaria, me parece ahora; comida de crucero. Cuando algún primer ministro venía a Port Ticonderoga —en aquella época la ciudad tenía varios industriales prominentes cuyo apoyo a los partidos políticos se valoraba mucho—, era en Avilion donde se hospedaba. Había tres fotografías del abuelo Benjamin con otros tantos primeros ministros sucesivos, enmarcadas en oro y colgadas en la biblioteca: sir John Sparrow Thompson, sir Mackenzie Bowell y sir Charles Tupper. Debían de preferir la comida de allí a las otras posibilidades que se les ofrecían.

La tarea de Adelia seguramente consistía en planificar y organizar esas comidas, y luego impedir que la viesen devorándolas. La etiqueta dictaba que, en compañía, apenas probara bocado; masticar y tragar eran actividades en exceso carnales. Supongo que después le llevaban una bandeja a su habitación. Y daba cuenta de ella sin emplear los cubiertos siquiera.

Avilion quedó terminada en 1889, y fue Adelia quien la bautizó. Sacó el nombre de Tennyson:

> *La isla del valle de Avilion,*
> *donde no cae granizo, ni lluvia, ni nieve alguna,*
> *a la que los vientos fuertes nunca azotan*
> *y yace, feliz, en el fondo de los prados,*
> *con sus bellos huertos*
> *y sus hondonadas emparradas*
> *coronadas por el mar del verano...*

Hizo imprimir esta cita en la cara interior izquierda de sus tarjetas de Navidad. (Tennyson estaba un poco pasado de moda para el gusto inglés —lo que privaba era Oscar Wilde, al menos entre los jóvenes—, aunque también es cierto que en Port Ticonderoga todo estaba un poco pasado de moda.) La gente —la de la ciudad— debía de reírse de ella por esta cita; hasta los que tenían pretensiones sociales se referían a ella como Su Señoría o la Duquesa, aunque se sentían de lo más heridos si los tachaba de sus listas de invitados. De aquella tarjeta de Navidad, debieron de decir: «Bueno, no ha tenido suerte con el granizo y la nieve. Debería hablar con Dios al respecto.» O abajo, en las fábricas: «¿Has visto alguna hondonada emparrada por aquí, que no sea la de la pechera de su vestido?» Conozco su estilo, y dudo que hayan cambiado mucho.

La tarjeta de Navidad constituía una fanfarronada, pero creo que había algo más. Avilion era donde había ido a morir el rey Arturo. Seguramente, el que Adelia hubiese elegido ese nombre es una demostración de hasta qué punto ella misma se consideraba en el exilio y el desconsuelo que eso le producía; tal vez a fuerza de voluntad fuese capaz de evocar un facsímil mezquino de una isla feliz, pero nunca sería la realidad. Quería un salón, quería gente con veleidades artísticas, poetas, compositores, pensadores científicos y cosas así, como los que había visto en Inglaterra en ocasión de una visita a unos primos lejanos, cuando su familia todavía tenía dinero. Una vida regalada, en definitiva, con grandes extensiones de césped.

Pero en Port Ticonderoga no se encontraba gente así, y Benjamin se negaba a viajar. Decía que necesitaba estar cerca de sus fábricas, aunque lo más probable es que no quisiera verse arrastrado por un grupo de personas que lo mirarían con desdén por fabricar botones, o encontrarse con cubiertos desconocidos para él y hacer que Adelia se avergonzara por su culpa.

Mi abuela decidió que no viajaría sin él, ni a Europa ni a ninguna parte. No deseaba sentirse tentada... de no volver. Vagar por el mundo despilfarrando poco a poco el dinero, como un globo que se desinfla, a merced de canallas y sinvergüenzas deliciosos, hundiéndose en lo innombrable... Con un escote como el suyo, habría podido ocurrirle.

Entre otras cosas, a Adelia le gustaba la escultura. Había sendas esfinges de piedra a los lados del invernadero —Laura y yo solíamos subirnos a sus hombros— y un fauno dando brincos que aparecía por detrás de un banco de piedra, con las orejas puntiagudas y una gran hoja de parra sobre sus partes íntimas, como si fuera la insignia de su cargo. Sentada junto al estanque de nenúfares había una ninfa de mármol, una muchacha pudorosa con pechos pequeños, de adolescente, y una trenza sobre el hombro, a punto de sumergir un pie en el agua. Solíamos sentarnos a su lado a comer manzanas y mirar a los peces que le picoteaban los dedos del pie.

(Decían que aquellas estatuas eran «auténticas», pero ¿auténticas en qué sentido? Y ¿cómo las había conseguido Adelia? Sospecho una cadena de hurtos: un oscuro intermediario europeo debió de adquirirlas por una bicoca y, tras falsear su procedencia, seguramente engatusó a larga distancia a Adelia y se embolsó la diferencia, con la suposición, acertada, de que una americana rica —porque así debía de llamarla—, no caería en la cuenta.)

Adelia también diseñó el monumento del panteón familiar, con sus dos ángeles. Quería que mi abuelo exhumase a sus antepasados y los colocara ahí a fin de que diera la impresión de una dinastía, pero nunca lo consiguió. Al final, ella fue la primera en ocupar el panteón.

¿Soltó el abuelo Benjamin un suspiro de alivio cuando Adelia se fue? Es posible que le doliera la imposibilidad de alcanzar el exigente nivel de ella, aunque estaba claro que la admiraba hasta la intimidación. No introdujo ninguna innovación en Avilion; por ejemplo, no cambió de sitio ni una sola pintura, ni un mueble. A lo mejor consideraba que el verdadero monumento a su esposa era la casa en sí.

Y fue ella la que nos educó a Laura y a mí. Crecimos entre las paredes de su casa; es decir, en el marco de su concepto de sí misma, y en el del concepto de quiénes debíamos llegar a ser, y no fuimos. Como para entonces ya había muerto, no hubo discusiones.

Mi padre era el mayor de tres hermanos, cada uno de los cuales recibió un nombre altisonante según la idea de Adelia al respecto: Norval, Edgar y Percival, una actualización de la leyenda artúrica con un toque de Wagner. Supongo que debían sentirse agradecidos de no llamarse Uther, Sigmund o Ulric. El abuelo Benjamin adoraba a sus hijos y quería que aprendiesen el negocio de los botones, pero Adelia tenía metas más altas. Los envió a la escuela del Trinity College, en Port Hope, un lugar en el que Benjamin y su maquinaria no lograrían embrutecerlos. Reconocía que la riqueza de su esposo era útil, pero prefería encubrir sus fuentes.

Los hijos volvían a casa para las vacaciones de verano. Primero en el internado, y luego en la universidad, habían aprendido a cultivar un desprecio jovial por su padre, que a diferencia de ellos no sabía leer latín, ni siquiera mal. Hablaban de personas que él desconocía, cantaban canciones que no había oído jamás, contaban chistes que nunca entendía. Salían a navegar a la luz de la luna en un pequeño yate que Adelia había bautizado *Water Nixie* —otro de sus goticismos nostálgicos—. Tocaban la mandolina (Edgar) y el banjo (Percival), bebían cerveza furtivamente, armaban un lío con los aparejos y los dejaban así para que su padre los arreglase. Iban por todas partes en uno de los dos coches nuevos de éste, aunque la mitad del año los caminos de los alrededores de la ciudad estaban tan intransitables —por culpa de la nieve, luego el barro, más tarde el polvo— que no había muchos sitios adonde ir. Corrían rumores de chicas disolutas, al menos en lo que a los dos más jóvenes se refería, y de ofrecimientos de dinero —bueno, al menos era un signo de decencia pagar a estas chicas para que lo solucionaran y además, ¿quién quería un montón de niños Chase no autorizados correteando por la casa?—, pero como no eran chicas de nuestra ciudad, no se las tomaba en cuenta; más bien al contrario, sobre todo entre los hombres. La gente se reía de ellos, pero no mucho: decían que eran bastante sanos y que tenían el don de saber tratar con la gente corriente. A Edgar y Percival los llamaban Eddie y Percy, pero mi padre, más tímido y solemne, fue siempre Norval. Eran niños agradables, un poco salvajes, como tenían que ser los niños. ¿Qué quería decir exactamente «salvajes»?

—Eran unos granujas —me dijo Reenie—, pero nunca fueron sinvergüenzas.

—¿Qué diferencia hay? —pregunté.

Ella suspiró.

—Espero que nunca lo descubras —respondió.

Adelia murió en 1913, de cáncer: una variedad no identificada y, por tanto, probablemente ginecológica. Durante el último mes, la madre de Reenie vino a echar una mano en la cocina y se trajo a su hija con ella; Reenie tenía trece años entonces, y todo lo que vio le causó una honda impresión. «El dolor era tal que tenían que suministrarle morfina cada cuatro horas, y las enfermeras no se separaban ni por un instante de su lado. Pero no quería quedarse en cama, de modo que hacía de tripas corazón, se levantaba y se vestía, tan impecablemente como siempre, aunque saltaba a la vista que tenía la cabeza en otra parte. Yo la veía pasear de un lado a otro por la casa, siempre con colores pálidos y un sombrero grande provisto de velo. Su porte era maravilloso, y tenía más agallas que muchos hombres. Al final hubieron de atarla a la cama, por su propio bien. Tu abuelo estaba destrozado; aquello le partía el alma.» Cuando pasó el tiempo e impresionarme resultaba cada vez más difícil, Reenie comenzó a añadir a esta historia susurros, lamentos y maldiciones en el lecho de muerte. Nunca supe exactamente cuál era su intención; ¿estaba diciéndome que debía hacer gala de una fortaleza similar —la misma actitud de desafío ante el dolor, el mismo coraje— o se limitaba a revelar los detalles más escabrosos? Ambas cosas, sin duda.

Cuando Adelia murió, los tres chicos ya eran casi mayores. ¿Echaban de menos a su madre, lloraron su muerte? Desde luego que sí. ¿Cómo podían dejar de agradecerle su dedicación a ellos? Sin embargo, siempre los había tenido atados con la cuerda muy corta, o lo más corta posible. Seguramente se aflojaron muchas cuerdas en cuanto hubo recibido sepultura.

Ninguno de sus tres hijos quería dedicarse al negocio de los botones; habían heredado el desdén de su madre al respecto, pero no su realismo. Si bien sabían que el dinero no crecía en los árboles, no tenían una idea muy clara de dónde salía. Norval —mi padre— pensó en estudiar para abogado, y finalmente se hizo político, porque tenía planes para mejorar el país. Los otros dos querían viajar: en cuanto Percy terminó la universidad, intentaron organizar una expedición a Suramérica en busca de oro. Les atraía la aventura.

¿Quién, pues, iba a encargarse de las Industrias Chase? ¿No habría un Chase e Hijos? Entonces, ¿para qué se había dejado Benjamin la piel trabajando? En esa época estaba convencido de que lo había hecho por alguna razón más que por sus ambiciones y deseos, que existía un fin noble. Había construido un legado, quería transmitirlo, de generación en generación.

Ése debía de ser el motivo de los velados reproches que se hacían en el transcurso de más de una discusión alrededor de la mesa del comedor, delante de una copa de oporto. Pero los chicos se cerraron en banda. No se puede obligar a un joven a que dedique su vida a fabricar botones si no es lo que quiere. No pretendían decepcionar a su padre, no lo hacían a propósito, pero tampoco querían soportar la incómoda y agobiada carga de lo mundano.

El ajuar

Ya tengo el nuevo ventilador. Las piezas llegaron en una gran caja de cartón y Walter, que se trajo su caja de herramientas, lo montó y le puso todos los tornillos. Cuando terminó, dijo:

—Ya está lista.

Para Walter, cualquier objeto que un hombre sea capaz de reparar con sus manos y dejar casi como nuevo, es femenino, incluidos botes o motores de coches averiados. ¿Por qué encuentro este hecho tranquilizador? A lo mejor porque, en algún rincón infantil y lleno de fe de mí misma, creo que Walter podría sacar sus alicates y su trinquete y hacer lo mismo conmigo.

El ventilador alto está instalado en la habitación. He bajado el otro al porche, donde lo tengo enfocado hacia mi nuca. La sensación es placentera y a la vez un poco incómoda, como si una mano de aire fresco se posara suavemente en mi hombro. Así aireada, me siento a mi mesa de madera y me pongo a rascar el papel con el bolígrafo. No, no lo rasco, porque los bolígrafos ya no rascan. Las palabras se deslizan con fluidez y sin ruido a través de la página; lo que cuesta es hacerlas bajar por el brazo, soltarlas de los dedos.

Ya casi es de noche. No hay viento; el sonido de las corrientes que atraviesan el jardín es como una larga inspiración. Las flores azules se funden en el aire, las rojas son negras, las blancas brillan, fosforescentes. Los tulipanes han soltado sus pétalos y han dejado desnudos los pistilos, negros, semejantes a hocicos, sexuales. Las peonías están prácticamente marchitas, desfallecidas y blandas como papel mojado, pero han brotado las azucenas; también el polemonio. Las últimas naranjas amargas ya han soltado sus flores y han dejado sobre la hierba una hilera blanca de confeti.

En julio de 1914, mi madre se casó con mi padre. Yo sentía que, dadas las circunstancias, aquello exigía una explicación.

Mi mayor esperanza era Reenie. Cuando tuve edad para interesarme por esas cosas —diez, once, doce, trece años—, solía sentarme a la mesa de la cocina y forzarla como si de una cerradura se tratara.

Reenie tenía menos de diecisiete años cuando dejó su casa adosada en la orilla sureste del Jogues, donde vivían los trabajadores de la fábrica, para instalarse en Avilion. Decía que era medio escocesa y medio irlandesa, pero para nada católica, claro, lo que significaba que sus abuelas lo eran. Había empezado como mi niñera, pero, debido a las renovaciones y el desgaste, llegó a convertirse en nuestro pilar. ¿Cuántos años tenía? «No es asunto tuyo. En cualquier caso, era lo bastante mayor para saber lo que hacía. Y no hablemos más de eso.» Si la pinchaba sobre su vida, se volvía muy poco comunicativa. «Mis cosas son mis cosas», decía. Qué prudente me pareció eso hace tiempo. Qué lamentable me parece ahora.

Pero conocía historias de la familia, o al menos algo acerca de ellas. Lo que me decía variaba de acuerdo con mi edad, y también de acuerdo con lo distraída que estuviese ella en aquel momento. Sin embargo, de ese modo fui reuniendo suficientes fragmentos del pasado para reconstruir algo que debía de tener tanta relación con la realidad como un retrato de mosaico con el original. De todos modos, yo no quería realismo, sino cosas que tuvieran mucho color, con un perfil simple, sin ambigüedades, que es lo que quieren la mayoría de los niños cuando se trata de la historia de sus padres: una postal.

Mi padre se había declarado a mi madre (según Reenie) en una fiesta de patinaje. Había una ensenada —la laguna del viejo molino— aguas arriba de la cascada, donde la corriente era más lenta. Cuando los inviernos eran fríos de verdad, se formaba una lámina de hielo lo bastante gruesa para patinar. Allí se reunían grupos de distintas iglesias en lo que se conocía con el nombre de excursiones.

Mi madre era metodista, pero mi padre era anglicano, lo cual significaba que el nivel social de ella estaba por debajo del de él, y entonces se prestaba mucha atención a esa clase de cosas. (Si mi abuela Adelia hubiera vivido, nunca habría permitido que se casaran, o al menos es lo que decidí más tarde. Para ella, mi madre estaba demasiado abajo en la escala social: era demasiado mojigata, demasiado seria, demasiado provinciana. Adelia se habría llevado a mi padre a Montreal y, como mínimo, lo habría enganchado con alguna joven a la que acababan de presentar en sociedad. Con alguien que vistiese mejor.)

Por entonces mi madre sólo tenía dieciocho años, pero, según Reenie, no era para nada tonta ni veleidosa. Había dado clases en la escuela; se puede ser maestra antes de los veinte años. No es que lo hiciera por necesidad, ya que su padre era hacía tiempo abogado de Industrias Chase, y estaban en buena posición económica; pero mi madre se tomaba muy en serio la religión, al igual que en su día su madre, que había muerto cuando ella tenía nueve años. Creía que había que ayudar a quienes eran menos afortunados que uno. Así pues, se había dedicado a enseñar a los pobres como si fuese una misionera, decía Reenie con admiración. (Reenie a menudo admiraba actos de mi madre que ella misma jamás habría hecho por juzgarlos una estupidez. En cuanto a los pobres, había crecido entre ellos y los consideraba unos irresponsables. En su opinión, por mucho que uno se empeñara en enseñarles, con la mayoría era como darse cabezazos contra una pared de ladrillos. «Pero tu madre, que tenía tan buen corazón, nunca fue capaz de verlo.»)

Hay una fotografía de mi madre, sacada en la Escuela Normal de London, Ontario, en la que aparece con otras dos chicas; las tres están de pie ante las escaleras del internado, riendo, tomadas del brazo. Es invierno y hay nieve apilada a los lados; del techado gotean carámbanos. Mi madre viste un abrigo de piel de foca; por debajo de su sombrero asoman las puntas de sus finos cabellos. Ya debía de usar los quevedos que precedieron a las gafas que yo recuerdo —fue miope muy pronto—, pero en este retrato no los lleva. Se le ve un pie, calzado con una bota de piel, el tobillo torcido con coquetería. Parece valiente, arrojada incluso, como un bucanero.

Después de licenciarse, aceptó un puesto en una escuela pequeña más al oeste y al norte, en lo que entonces era la parte más atrasada del país. La experiencia la sorprendió: por la pobreza, la ignorancia, los piojos. A los niños les cosían la ropa interior por encima del cuerpo a principios de otoño y no se la quitaban hasta la primavera, un detalle que me ha quedado grabado como especialmente sórdido. «Desde luego —decía Reenie—, no era sitio para una señora como tu madre.»

Pero mi madre tenía la sensación de que conseguía algo —de que hacía algo— para algunos de aquellos niños desgraciados, o al menos eso esperaba. Cuando regresaba a casa por Navidad, todos comentaban lo pálida y delgada que estaba; sus mejillas necesitaban colorete. Así pues, se hallaba, acompañada de mi padre, en la fiesta de patinaje que se celebraba en la helada laguna del molino. Primero él le abrochó los patines, rodilla en tierra.

Se conocían desde hacía un tiempo, debido a la relación que mantenían sus respectivos padres. Habían tenido encuentros previos, siempre decorosos. Habían actuado juntos en la última obra de teatro representada en el jardín de Adelia; él hacía de Fernando y ella de Miranda, en una versión expurgada de *La tempestad* de la que se habían eliminado tanto cualquier alusión al sexo como el personaje de Calibán. De acuerdo con Reenie, mi madre, que lucía un vestido de color rosado y una corona de rosas, declamaba el texto a la perfección, exactamente como un ángel. «¡Oh, nuevo mundo feliz en el que hay personas tales!» Y la mirada desenfocada de sus ojos deslumbrados, límpidos y miopes... Era fácil imaginar cómo había ocurrido todo.

Mi padre habría podido buscarse una esposa con más dinero, en otra parte, pero seguramente deseaba alguien de calidad contrastada, que mereciera toda su confianza. Reenie decía que, a pesar de estar lleno de vida —por lo visto en otro tiempo lo había estado—, era un joven serio, con lo que debía interpretarse como que en otro caso mi madre lo habría rechazado. En realidad, los dos eran serios a su modo; ambos querían conseguir algún que otro objetivo valioso, cambiar el mundo para hacerlo mejor. ¡Eran unos ideales tan atractivos, tan peligrosos!

Después de dar varias vueltas al lago patinando, mi padre le pidió a mi madre que se casara con él. Supongo que lo hizo con torpeza, pero entonces la torpeza en los hombres se consideraba señal de sinceridad. En aquel instante, aunque sus hombros y caderas debieron de rozarse, ninguno de los dos miraba al otro; estaban de lado, las manos derechas unidas por delante, las izquierdas por detrás. (¿Qué ropa llevaba ella? Reenie también lo sabía: una bufanda azul de lana —que ella misma había tejido—, y guantes y boina escocesa a juego y abrigo de invierno, largo y verde. De la bocamanga asomaba un pañuelo, algo que, según Reenie, jamás olvidaba, a diferencia de alguien que prefería no mencionar.)

¿Qué hizo mi madre en ese momento crucial? Se quedó mirando el hielo. No respondió de inmediato, lo que significaba que sí.

Alrededor de ellos todo era blanco, las piedras cubiertas de nieve, los carámbanos... Bajo sus pies estaba el hielo, que también era blanco y, debajo de éste, el agua del río, con sus remolinos y su corriente oscura pero invisible. Así era cómo me imaginaba aquel tiempo, el tiempo anterior a que naciéramos Laura y yo: así de negro, de inocente, sólido en apariencia, mas hielo delgado de todos modos. Bajo la superficie de las cosas, lo inexpresado hervía lentamente.

Más tarde vino el anillo y el anuncio en los periódicos; y luego —una vez que madre hubo terminado el año escolar, como era su deber— se celebraron los tés de rigor. Estaban muy bien provistos; en ellos se servían sándwiches enrollados de espárragos, sándwiches con berros, y tres tipos de pastel —uno claro, uno oscuro y uno de fruta—, además del té, en servicios de plata, con rosas sobre la mesa, blancas o rosadas, o acaso de amarillo pálido, pero nunca rojas. El rojo estaba prohibido cuando de la formalización de un compromiso se trataba. ¿Por qué? «Ya lo descubrirás más tarde», me dijo Reenie.

Después vino el ajuar. A Reenie le encantaba enumerar los detalles: los camisones, las batas, los tipos de encaje, las fundas de las almohadas bordadas con las iniciales, las sábanas y enaguas. Hablaba de armarios y cómodas llenos de lino, y de todo lo que se guardaba en ellos perfectamente doblado. No hacía mención de los cuerpos que esos tejidos acabarían envolviendo; para Reenie, las bodas eran más que nada una cuestión de ropa, al menos en apariencia.

Luego vino la confección de la lista de invitados, el envío de participaciones, la selección de las flores y todo eso, hasta llegar a la boda.

Y entonces, después de la boda, llegó la guerra. Amor, matrimonio y, a continuación, catástrofe. Tal como lo contaba Reenie, parecía inevitable.

La guerra empezó en agosto de 1914, poco después de que mis padres se casaran. Los tres hermanos se alistaron de inmediato, sin dudarlo. Causa asombro pensar ahora en esa ausencia de cuestionamiento. Hay una foto de ellos, forman un trío magnífico, con su uniforme, la frente grave e inocente y el bigote tierno, una sonrisa despreocupada, la mirada decidida, posando como los soldados en que aún no se habían convertido. Mi padre es el más alto. Siempre tuvo esta fotografía sobre la mesa de su despacho.

Se alistaron en el Real Regimiento Canadiense, que era en el que había que alistarse si se era de Port Ticonderoga. Casi de inmediato los enviaron a las Bermudas a relevar al regimiento británico estacionado allí, por lo que durante el primer año de guerra se dedicaron a desfilar y a jugar al críquet. También a consumirse de impaciencia, según confesaban en sus cartas.

El abuelo Benjamin leía esas cartas con avidez. A medida que pasaba el tiempo sin una victoria para ninguno de los dos bandos, se mostraba más nervioso e inseguro. Las cosas no iban por buen camino. Lo irónico, sin embargo, era que sus negocios estaban en alza. Poco antes se había introducido en el campo del celuloide y la goma, para emplearlos en la fabricación de botones, desde luego, y eso le permitía un mayor volumen de producción; además, gracias a los contactos políticos que Adelia le había ayudado a establecer, sus fábricas recibían gran número de pedidos para proveer a las tropas. Era honesto como lo había sido siempre, no entregaba objetos de mala calidad ni se aprovechaba de la situación en este sentido, pero no puede decirse que no se beneficiara.

Las guerras son buenas para el comercio de botones. En ellas se pierden muchos botones, que deben reemplazarse: cajas repletas de ellos, cargamentos enteros cada vez. Vuelan en pedazos, quedan sepultados bajo tierra, se queman. Lo mismo cabe afirmar de la ropa interior. Desde un punto de vista financiero, la contienda era una hoguera milagrosa, una inmensa conflagración alquímica cuyo humo se transformaba en dinero. Así al menos fue para mi abuelo. Pero este hecho ya había dejado de alegrarlo o de afianzar en él su sentido de la rectitud, como le había ocurrido en años anteriores, cuando se sentía más satisfecho en lo personal. Quería que volvieran sus hijos. No es que los hubieran enviado a un sitio peligroso, por el momento; seguían en las Bermudas, desfilando bajo el sol.

Después de su luna de miel (fueron a los lagos Finger, en el estado de Nueva York), mis padres se establecieron en Avilion hasta que montaran su propio hogar, y allí se quedó madre, para encargarse de llevar la casa de mi abuelo. Había poco personal, porque todas las manos hábiles se necesitaban para las fábricas o para el ejército, pero también porque se tenía la sensación de que Avilion tenía que dar ejemplo reduciendo gastos. Madre insistía en las comidas sencillas —asado el miércoles, judías el domingo por la noche—, y mi abuelo se mostraba de acuerdo. Nunca se había sentido del todo cómodo con los sofisticados menús de Adelia.

En agosto de 1915, el Real Regimiento Canadiense recibió órdenes de volver a Halifax para zarpar hacia Francia. Se quedaron en el puerto más de una semana, reuniendo suministros y nuevos reclutas y cambiando los uniformes tropicales por ropas más abrigadas. Los hombres recibieron unos rifles Ross que más tarde se atascarían a causa del barro y los dejarían indefensos.

Mi madre tomó el tren hacia Halifax para ver partir a mi padre.

Estaba repleto de hombres camino del frente; como no consiguió
una litera, tuvo que viajar sentada. Había pies en los pasillos, y bul-
tos, y escupideras; toses, ronquidos... de borrachos, sin duda. Al ob-
servar los rostros juveniles que la rodeaban, la guerra se le hizo real,
dejó de ser una idea para transformarse en una presencia física. Su
joven marido podía morir, quedar mutilado, desgarrado, convertido en parte del sacrificio que —de pronto lo vio claro— tenía que
hacerse. Junto con la constatación llegó la desesperación y un terror
paralizador, pero también —estoy segura—, cierto orgullo funesto.

No sé dónde estuvieron los dos en Halifax, o cuánto tiempo. ¿Era
un hotel respetable o, como había pocas habitaciones disponibles,
un antro barato o un albergue para vagabundos junto al puerto? ¿Pasaron juntos unos días, una noche, unas horas? ¿Qué sucedió entre
ellos, qué se dijeron? Lo habitual, supongo, pero ¿qué? Ya no hay
forma de saberlo. El barco que transportaba al regimiento zarpó
—era el *S.S. Caledonian*— y mi madre se quedó en el muelle con las
demás mujeres, despidiéndose con la mano y llorando. O quizá no
lloró; quizá lo consideraba una muestra de flaqueza.

«En algún lugar de Francia. No puedo describir lo que está ocurriendo aquí —escribía mi padre—, por lo que no lo intentaré. Sólo
nos resta confiar en que esta guerra sea para bien y que sirva para
conservar la civilización y hacerla avanzar. Los heridos son —palabra tachada— numerosos. Hasta ahora no sabía de qué eran capaces
los hombres. Lo que tenemos que soportar supera —palabra tachada—. Pienso en todos los de casa todos los días, y especialmente en
ti, querida Adelia.»

En Avilion, mi madre desplegó toda su fuerza de voluntad. Creía
en el servicio público; sentía la obligación de remangarse para contribuir al esfuerzo bélico. Organizó un Círculo de Ayuda, que recogía dinero mediante la venta de objetos usados. El dinero se des-
tinaba a comprar cajas de tabaco y caramelos, que se enviaban a las
trincheras. Todo Avilion, que (según Reenie) tenía la moral por los
suelos, se volcó en esa actividad. Además de las ventas de objetos

usados, los martes por la tarde el grupo se reunía en la sala y se dedicaba a tejer para los soldados: manoplas para los novatos, bufandas para los que llevaban un tiempo en el frente, pasamontañas y guantes para los veteranos. Pronto se sumó otro batallón de reclutas, los jueves; eran mujeres de más edad, menos cultas, del sur del Jogues, capaces de hacer punto aun durmiendo. Tejían ropa de bebé para los armenios, que según ellas se morían de hambre, y para algo llamado Refugiados de Ultramar. Después de dos horas de trabajo, se servía un té frugal en el comedor, bajo la lánguida mirada de Tristán e Isolda.

Cuando empezaron a aparecer soldados mutilados en las calles y en los hospitales de las ciudades cercanas —Port Ticonderoga aún no tenía hospital—, mi madre iba a verlos. Decidió dedicarse a los peores casos —hombres que, en palabras de Reenie, jamás habrían ganado un concurso de belleza—, y regresaba de esas visitas agotada y decaída. A veces incluso se echaba a llorar, en la cocina, mientras tomaba el chocolate que Reenie le preparaba para animarla. Era muy exigente consigo misma, decía ésta. Dejó la salud en ello. Lo que hacía superaba sus fuerzas, sobre todo si se tenía en cuenta su estado.

¡Cuánta virtud iba unida antes a esta idea de ir más allá de las propias energías, de no escatimar esfuerzos, de dejar la salud en ello! Nadie nace con esta clase de desprendimiento: sólo puede adquirirse mediante la disciplina más implacable, reprimiendo cualquier inclinación natural, lo cual en mi época ya debía de haber perdido todo su misterio o su gracia. O a lo mejor no lo intenté, después de sufrir los efectos que esto había producido en mi madre.

En cuanto a Laura, no era desprendida en absoluto. Desinteresada sí, pero se trata de algo muy diferente.

Yo nací a principios de junio de 1916. Poco después, Percy murió en Ypres, durante un bombardeo. En julio, murió Eddie, en el Somme. O se le dio por muerto: un gran cráter se abrió en el último lugar donde lo habían visto. Fueron noticias duras para mi madre, pero mucho más todavía para mi abuelo. En agosto, tuvo un ataque devastador que le afectó el habla y la memoria.

Aunque no de manera oficial, mi madre era quien se encargaba de llevar las fábricas. Se interponía entre mi abuelo —supuestamente convaleciente— y todos los demás, y se reunía a diario con el secretario y los distintos capataces de la fábrica. Como era la única persona capaz de entender lo que decía mi abuelo, o que aseguraba entenderlo, se convirtió en su intérprete; y, como era también la única a quien él permitía que lo tomase de la mano, se encargaba de guiársela cada vez que tenía que estampar su firma; ¿y quién aseguraría que no usó su propio juicio en ocasiones?

No es que no hubiese problemas. Cuando empezó la guerra, las mujeres constituían la sexta parte de los trabajadores. Al final, alcanzaban los dos tercios. Los hombres que quedaban eran viejos, o parcialmente mutilados, o ineptos para la guerra de un modo u otro. Esos hombres veían con resentimiento el ascendiente de las mujeres y las convertían en objeto de sus quejas o sus chistes vulgares, y ellas, a su vez, los consideraban peleles o vagos y los trataban con mal disimulado desprecio. El orden natural de las cosas —o lo que mi madre consideraba como tal— empezaba a zozobrar. Sin embargo, los sueldos eran buenos, el dinero engrasaba los engranajes y, en general, mi madre fue capaz de conseguir que las cosas siguieran funcionando de forma aceptable.

Me imagino a mi abuelo, sentado por la noche en su biblioteca, en la butaca de cuero verde con tachuelas de hierro, ante su escritorio de caoba.

Tiene los dedos de las manos agarrotados, incluidos los de la que ha perdido sensibilidad. Está escuchando a alguien. La puerta se halla entreabierta; ve una sombra en el exterior. Dice, o intenta decir, «Adelante», pero nadie entra ni responde.

Llega la malhumorada enfermera. Le pregunta en qué piensa, allí sentado solo en la oscuridad. Él oye un ruido, pero no de palabras, sino semejante a un graznido; no responde. Ella lo toma por el brazo, lo levanta fácilmente de la butaca y lo conduce a la cama. La falda blanca de la enfermera hace frufrú. Él oye un viento seco soplar en los campos otoñales cubiertos de hierbajos. Ahora oye el susurro de la nieve.

¿Sabía que sus dos hijos habían muerto? ¿Deseaba que volvieran a la vida, que estuvieran a salvo en casa? ¿Habría sido su fin más triste si semejante deseo se hubiera hecho realidad? Posiblemente —ocurre a menudo—, pero son pensamientos que no consuelan.

El gramófono

Anoche estuve viendo el canal del tiempo, como tengo por costumbre. En todo el mundo hay inundaciones: aguas fuera de su curso, vacas hinchadas flotando en ellas, supervivientes amontonados en los tejados. Miles de personas se han ahogado. Se culpa de ello al calentamiento del planeta: la gente tiene que dejar de quemar cosas, explican: gasolina, petróleo, bosques enteros. Pero no deja de hacerlo. La avaricia y el hambre la fustigan, como siempre.

¿Dónde estaba? Vuelvo a la página anterior: la guerra sigue causando estragos. «Estragos» es lo que solían decir cuando hablaban de guerras; todavía lo dicen, me parece. Pero en esta página, una página limpia, en blanco, haré que termine la guerra: yo sola, con un golpe de mi pluma negra de plástico. Lo único que tengo que hacer es escribir: «11 de noviembre de 1918. Día del armisticio.»

Ya. Ha terminado. Las armas han callado. Los hombres que quedan con vida miran al cielo con la cara sucia y la ropa empapada; salen de sus hoyos y de sus asquerosas madrigueras. Ambos bandos tienen la sensación de haber perdido. En las ciudades, en el campo, a este lado y al otro del océano, empiezan a sonar las campanas de las iglesias. (Me acuerdo de eso, del tañido de las campanas. Es uno de mis primeros recuerdos. ¡Era tan extraño; el aire estaba lleno de sonidos y al mismo tiempo tan vacío! Reenie me llevaba fuera a escuchar. Resbalaban lágrimas por su cara. «Gracias a Dios», dijo. Era un día muy frío, las hojas caídas estaban cubiertas de escarcha y había una capa de hielo en el estanque. Lo rompí con un palo. ¿Dónde estaba madre?)

A padre lo habían herido en el Somme, pero se había recuperado y lo habían ascendido a teniente. Volvieron a herirlo en la cresta de Vimy, aunque no gravemente, y lo hicieron capitán. Lo hirieron de nuevo en el bosque de Bourlon, esta vez de cierta gravedad. Mientras se encontraba en Inglaterra, recuperándose, terminó la guerra.

Se perdió el jubiloso recibimiento que se brindó en Halifax a los soldados que regresaban, los desfiles de la victoria y todo eso, pero en Port Ticonderoga hubo una recepción especial sólo para él. El tren se detuvo. Estallaron los vítores. Todas las manos se elevaron para ayudarlo a bajar, y luego vacilaron. Descendió. Sólo tenía un ojo y una pierna en buenas condiciones, y una expresión de fanático en el rostro demacrado, cubierto de cicatrices.

Las despedidas suelen ser demoledoras, pero los regresos sin duda son peores. La carne sólida nunca puede compararse con la sombra brillante que proyecta su ausencia. El tiempo y la distancia difuminan los bordes; entonces, de pronto, llega el amado, y es el mediodía, con su luz implacable, y cada punto, cada poro, cada arruga y cada pelo se ven con toda claridad.

Eso les ocurrió a mi madre y a mi padre. ¿Cómo iba cualquiera de los dos a perdonar al otro por haber cambiado tanto, por no llegar a ser lo que cada uno de ellos esperaba? ¿Cómo no iba a haber agravios? Agravios soportados en silencio e injustamente, porque nadie tenía la culpa, o al menos nadie a quien pudiera señalarse con el dedo. La guerra no era una persona. ¿Por qué culpar a un huracán?

Ahí están todos, en el andén. Toca la banda de la ciudad, integrada en su mayor parte por instrumentos de viento. Él lleva uniforme; sus medallas son como agujeros de disparos en la tela, a través de los cuales se ve el apagado resplandor de su verdadero cuerpo de metal. A su lado, invisibles, se encuentran sus hermanos, los dos chicos que él siente que ha perdido. Mi madre luce su mejor vestido, uno con cinturón y solapas, y un sombrero con una cinta crespa. Sonríe temblorosa. Nadie sabe muy bien qué hacer. La cámara del periódico los ilumina con su flash; ellos abren los ojos asustados, como si los hubiesen sorprendido cometiendo un delito. Mi padre lleva un parche sobre el ojo derecho. El izquierdo reluce torvamente. Debajo del parche, todavía no revelada, hay una tela de araña de piel cicatrizada en la que la araña es el ojo que ha perdido.

«Vuelve el héroe y heredero de Chase», anunciará el periódico. Ésa es otra: ahora mi padre es el heredero, lo que equivale a decir que se ha quedado sin padre y sin hermanos. Tiene el reino en sus manos. Parece maleable.

¿Lloró mi madre? Es posible. Debieron de besarse con torpeza, como si se encontraran en una reunión social a la que él hubiese acudido por error. No era eso lo que él recordaba, esa mujer eficiente y agobiada por las preocupaciones, con unos relucientes quevedos de solterona en la cadena de plata que llevaba alrededor del cuello. Eran como extraños y —seguro que se les ocurrió pensarlo— siempre lo habían sido. ¡Qué luz tan violenta! ¡Qué viejos se habían hecho! No había ni rastro del joven que se había arrodillado con deferencia en el hielo para abrocharle los patines ni de la joven que había aceptado encantada ese homenaje.

Entre ellos se materializó, como una espada, algo más. Desde luego, él había conocido a otras mujeres, de la clase que merodean por los campos de batalla con la intención de sacar provecho. Putas, para definirlas con una palabra que mi madre nunca habría empleado. Seguramente era capaz de recordar la primera vez que él le había puesto la mano encima; la timidez, la veneración, habrían desaparecido. Probablemente había conseguido vencer la tentación en las Bermudas y, después, en Inglaterra, al menos hasta el momento en que Eddie y Percy murieron y él cayó herido. Después de eso se aferró a la vida, al menor puñado de ésta que tuviese a su alcance. ¿Cómo era posible que ella no entendiese esa necesidad, dadas las circunstancias?

Ella lo entendía, o al menos entendía lo que se suponía que debía entender. Lo entendía y no dijo nada al respecto, rezó para conseguir el poder de perdonar, y perdonó. Pero para él no debía de ser nada fácil vivir con su perdón. El desayuno en una neblina de perdón: el café con perdón, los cereales con perdón, perdón en las tostadas con mantequilla. Él debía de sentirse impotente ante ello, porque, ¿cómo negar algo que no ha sido expresado? A ella también le molestaba la enfermera, o las muchas enfermeras que habían cuidado de mi padre en los distintos hospitales. Ella quería ser la única a quien, gracias a su dedicación y sus cuidados, le debiera el que se hubiese recuperado. Ésa es la otra cara del desprendimiento: su tiranía.

Sin embargo, mi padre no había sanado en absoluto. En realidad, estaba destrozado, como lo demostraban sus gritos en la oscuridad, las pesadillas, los ataques de rabia repentinos, la taza o el vaso que arrojaba contra la puerta o la pared, aunque nunca contra mi madre. Estaba roto y necesitaba que lo reparasen; por lo tanto, ella quizá le fuese útil todavía. Creó un ambiente de tranquilidad en torno a él, se lo permitía todo, lo mimaba, ponía flores en la mesa del desayuno y le preparaba sus comidas favoritas. Al menos no había contraído ninguna enfermedad fatal.

No obstante, había ocurrido algo mucho peor: mi padre se había vuelto ateo. En las trincheras, Dios se había deshinchado como un globo y no quedaba de él más que pequeños y mugrientos pedacitos de hipocresía. La religión no era más que un palo con el que golpear a los soldados, y cualquier persona que opinase de otro modo le parecía víctima de una estupidez piadosa. ¿Cuál había sido el resultado del heroísmo de Percy y Eddie, de su valor, de su espantosa muerte? ¿Qué se había conseguido? Habían muerto por culpa de los errores de un grupo de viejos criminales e incompetentes que merecían que se los degollara y lanzase por la borda del *S.S. Caledonian*. Lo de luchar por Dios y la civilización le producía náuseas.

Mi madre estaba consternada. ¿Pretendía decir mi padre que Percy y Eddie habían muerto inútilmente? ¿Que todos aquellos pobres soldados habían muerto para nada? En cuanto a Dios, ¿quién más los había ayudado en ese tiempo de prueba y sufrimiento? Le

99

suplicó que al menos se guardara su ateísmo para sí. Luego se sintió profundamente avergonzada por habérselo pedido, como si lo que más le importase a ella fuera la opinión de sus vecinos y no la relación que el alma de mi padre mantenía con Dios.

Él, sin embargo, respetó su voluntad. Le pareció necesario. En todo caso, sólo decía esas cosas cuando bebía. Antes de la guerra no solía beber, al menos de manera regular y decidida, pero ahora sí. Bebía e iba de un lado a otro arrastrando la pierna mala. Al cabo de un tiempo empezó a temblar. Mi madre intentaba tranquilizarlo, pero él no quería tranquilizarse. Subía al torreón achaparrado de Avilion con la excusa de que iba a fumar. En realidad, lo hacía para estar a solas. Allí arriba podía hablar consigo mismo, dar puñetazos contra la pared y beber hasta perder el sentido. Si para ello huía de la presencia de mi madre se debía a que, desde su punto de vista, todavía era un caballero, o a que se aferraba a los jirones de la costumbre. No quería asustarla. Además, supongo que debía de dolerle el modo en que reaccionaba ante los cuidados bien intencionados de ella.

Paso rápido, paso lento, paso rápido, paso lento, como un animal con un pie en la trampa. Gruñidos y gritos apagados. Vidrios rotos. Esos sonidos me despertaban: el suelo del torreón estaba encima de mi dormitorio.

Luego venían sus pasos al bajar por la escalera; a continuación el silencio, y una sombra negra que pasaba por delante de la forma alargada de la puerta de mi habitación. No podía verlo, pero lo sentía: un monstruo triste y desgarbado, con un solo ojo. Me había acostumbrado a esos ruidos, y aunque no creía que fuese capaz de herirme, de todos modos lo trataba con cautela.

No quiero dar la impresión de que hacía eso noche tras noche. Además, esas sesiones —acaso ataques— eran cada vez menos violentas y se fueron distanciando con el tiempo. Aun así, uno advertía que se avecinaban por el rictus de tensión en la boca de mi madre. Tenía una especie de radar que le permitía detectar las ondas de rabia que crecían dentro de él.

¿Significa esto que no la quería? En absoluto. La quería; en cierta manera era devoto de ella. Pero no podía alcanzarla, y lo mismo le ocurría a mi madre. Era como si hubieran bebido una poción fatal que los mantendría alejados para siempre, aunque vivieran en la misma casa, comieran en la misma mesa y durmieran en la misma cama.

¿Cómo debe de ser añorar, anhelar a alguien que está delante de tus ojos día tras día? Nunca lo sabré.

Al cabo de unos meses, mi padre empezó con sus excursiones de moralidad dudosa, aunque no en nuestra ciudad, al menos al principio. Tomaba el tren hacia Toronto, en viaje «de negocios», y se dedicaba a beber y calaverear, como se decía entonces. El rumor comenzó a propagarse con una rapidez sorprendente, como suele ocurrir con los escándalos. Por raro que parezca, tanto mi madre como mi padre eran vistos con más respeto a causa de ello. Al fin y al cabo, ¿quién podía culparlo? En cuanto a ella, a pesar de lo que había tenido que aguantar, jamás salió de sus labios una sola palabra de queja. Era exactamente como debía ser.

(¿Cómo sé todo eso? No lo sé, al menos de la forma en que suelen saberse las cosas. Pero, en casas como la nuestra, a menudo los silencios son más elocuentes que las palabras: los labios cerrados, la cabeza vuelta, las miradas siempre de soslayo. Los hombros caídos como si llevaran una pesada carga. No me extraña que Laura y yo nos aficionásemos a escuchar detrás de las puertas.)

Mi padre poseía una colección de bastones con mangos especiales, de marfil, plata, ébano... Tenía por norma vestirse con pulcritud. Nunca había pensado que terminaría dirigiendo el negocio familiar, mas, dado que no quedaba otro remedio, estaba decidido a hacerlo bien. Podría haber vendido la fábrica, pero por entonces no había compradores dispuestos a pagar lo que él pedía. Además, sentía una obligación, si no hacia la memoria de su padre, sí para con la de sus hermanos muertos. Cambió el nombre por el de Chase e Hijos, aunque él era el único hijo que quedaba. Quería tener descendencia, dos niños, a ser posible, para sustituir a los perdidos. Quería perseverar.

Al principio los operarios lo adoraban, y no sólo por las medallas. En cuanto terminó la guerra, las mujeres fueron despedidas o renunciaron a sus puestos de trabajo, que ocuparon los hombres que volvían, o al menos aquellos que todavía estaban en condiciones de trabajar. Sin embargo, no había empleo para todos: la demanda propia de los tiempos de guerra había terminado. Se generalizaban los cierres y despidos, pero no en las fábricas de mi padre. Él no paraba de contratar gente, sobre todo veteranos. Decía que la ingratitud del país era despreciable y que los hombres de negocios tenían la obligación de devolver lo que debían. Pero muy pocos lo hicieron. La mayoría se comportaban como si fueran ciegos, mientras que mi padre, que era tuerto, no podía cerrar los ojos. Así empezó su reputación de renegado y un poco loco.

Mi aspecto delataba que era hija de mi padre. Cada vez me parecía más a él; había heredado su ceño, su escepticismo obcecado. (Así como, con el tiempo, sus medallas, pues fue a mí a quien se las dejó.) Cada vez que yo hacía gala de mi terquedad, Reenie decía que era dura por naturaleza y que ella sabía muy bien de dónde me venía. Laura, en cambio, era como mi madre. Había heredado su compasión, en cierto modo; tenía la frente alta y despejada.

Las apariencias, no obstante, engañan. Yo nunca me habría tirado por un puente. Mi padre, sí. Mi madre, no.

Es el otoño de 1919, y los tres juntos —mis padres y yo— nos esforzamos. Corre el mes de noviembre y es casi la hora de acostarse. Estamos sentados en el comedor de diario de Avilion; en la chimenea arde un fuego, porque ha refrescado mucho. Mi madre está recuperándose de una reciente y misteriosa enfermedad que, según afirman, guarda cierta relación con los nervios. Está cosiendo. No tendría por qué hacerlo —podría contratar a alguien— pero se obstina; le gusta tener las manos ocupadas. Está pegando un botón de uno de mis vestidos; dicen que estropeo mucho la ropa. Junto a su codo, sobre la mesa redonda, se halla el costurero tejido por indios con una cenefa de hierbas aromáticas que contiene carretes de hilo, las tijeras y el huevo de madera para zurcir, así como las nuevas gafas redondas, que permanecen a la espera. Para ver de cerca no las necesita.

Lleva un vestido azul cielo de cuello blanco abierto y puños, también blancos, de piqué. Se le ha empezado a caer el pelo, prematuramente. Para ella, la idea de teñírselo era tan extraña como la de perder una mano, y por eso tiene un rostro de mujer joven en medio de un nido de vilanos. Lleva raya en medio y el cabello echado hacia atrás en ondas amplias y mullidas que forman un intrincado nudo de espirales en la nuca. (En el momento de su muerte, cinco años después, llevaba melena, más a la moda, menos persuasiva.) Tiene los párpados caídos, las mejillas redondeadas, como el vientre; su media sonrisa es tierna. La sombra de la luz eléctrica, de un rosado amarillento, confiere un suave resplandor a su rostro.

Delante de mi madre está mi padre, recostado en un sofá, reclinado pero inquieto. Tiene la mano sobre la rodilla de su pierna mala, que se sacude incontroladamente. (La pierna buena, la pierna mala: esos términos me interesan. ¿Qué ha hecho la pierna mala para que la llamen así? ¿Es un castigo su estado oculto y de mutilación?)

Yo estoy sentada a su lado, aunque no demasiado cerca. Pone el brazo en el respaldo del sofá, detrás de mí pero sin tocarme. Tengo delante mi abecedario; estoy leyendo en voz alta para que vea que ya sé leer. Pero no sé, sólo he memorizado las formas de las letras y las palabras que van con las ilustraciones. A un extremo de la mesa hay un gramófono, con una bocina encima que semeja una enorme flor de metal. Mi voz me suena como la que a veces sale de él: pequeña, fina y lejana; algo que puede apagarse con un dedo.

> *La A es de abeto,*
> *su ramaje es desigual.*
> *Crece en los montes más altos,*
> *se ilumina en Navidad.*

Echo un vistazo a mi padre para comprobar si me presta atención. En ocasiones, cuando se le habla, no escucha. Advierte que lo miro y esboza una sonrisa.

La B es de bebé,
rechoncho y tragón,
su mamá le da el biberón
y él satisfecho se duerme.

Mi padre ha vuelto a mirar por la ventana. (¿Se ha puesto alguna vez al otro lado de esta ventana para mirar hacia adentro, como un huérfano excluido para siempre, un trotamundos nocturno? Al principio, él luchaba por este idilio a la vera del fuego, esta escena confortable sacada de un anuncio de cereales: la esposa rubicunda y satisfecha, tan buena y tierna, la niña obediente y devota. La misma rotundidad, el mismo aburrimiento. ¿Sería posible que sintiese cierta nostalgia de la guerra, a pesar de su hedor y sus matanzas sin sentido? ¿Y de aquella vida incuestionable del instinto?)

La F es de fuego,
buen amo y servidor.
Si a su aire se lo deja arder,
todo lo echará a perder.

La imagen que aparece en el libro es la de un hombre que salta envuelto en llamas; le salen alas de fuego de los talones y los hombros, y unos cuernos feroces le brotan de la cabeza. Está mirando por encima del hombro con una sonrisa atractiva y maliciosa que no oculta nada. El fuego no puede herirlo; nada puede herirlo. Por eso estoy enamorada de él. He añadido unas cuantas llamas con mis lápices de colores.

Mi madre hunde la aguja a través del botón y corta el hilo. Yo sigo leyendo, en un tono de creciente ansiedad, las melosas M y N, la extravagante Q, la dura R y las amenazas sibilantes de la S. Mi padre contempla las llamas y ve cómo los campos, las maderas, las casas, las ciudades, los hombres y los hermanos se reducen a humo, mientras la pierna mala sigue moviéndose sola como si se tratara de un perro que huye en sueños. Eso es su casa, este castillo sitiado. Al otro lado de la ventana, la puesta de sol de color limón se torna gris. Todavía no lo sé, pero Laura está a punto de nacer.

Día de pan

No ha llovido bastante, dicen los granjeros. Las cigarras agujerean el aire con su canto agudo y monocorde; el polvo se arremolina en los caminos; en la hierba que crece a los lados zumban los saltamontes. Las hojas de los arces cuelgan de las ramas como guantes flácidos; en la acera cruje mi sombra.

Salgo a pasear a primera hora, antes de que el sol resplandezca al máximo. El médico me azuza: asegura que hay que dejar que todo siga su curso, pero ¿hacia qué? Pienso en mi corazón como en un compañero de mi marcha interminable, los dos atados, conspiradores mal dispuestos de algún guión o táctica que no sabemos manejar. ¿Adónde vamos? Hacia el día siguiente. No se me escapa que el objeto que me mantiene en vida es el mismo que me matará. En eso es como el amor, o cierta clase de amor.

Hoy he vuelto a ir al cementerio. Alguien ha dejado un ramo de zinnias anaranjadas y rosadas en la tumba de Laura; son flores de colores intensos, pero nada consoladoras. Cuando llego ya están marchitas, aunque siguen despidiendo su olor a pimienta. Sospecho que las han robado de los arriates que hay delante de la Fábrica de Botones, un admirador tacaño o medio loco; pero es verdad que se trata del tipo de acto que habría hecho la propia Laura, cuya noción de la propiedad era muy vaga.

En el camino de regreso me he parado en la tienda de rosquillas; necesitaba un poco de sombra, porque fuera hacía mucho calor. La tienda no es para nada nueva; en realidad, es casi sórdida, a pesar de su vistosa modernidad: azulejos de un amarillo pálido, mesas blancas de plástico pegadas al suelo, sillas moldeadas. Me recuerda una institución; una guardería de barrio pobre, quizá, o un centro de día para discapacitados mentales. No hay muchas cosas que puedan servir para apuñalar; hasta los cubiertos son de plástico. Huele a aceite de freír alto en grasas mezclado con desinfectante de olor a pino y un poco de café tibio por encima.

He pedido un té helado pequeño y una rosquilla glaseada que me daba tanta dentera como el café cremoso. Después de comerme la mitad, que era lo máximo que me cabía, me he dirigido a través del suelo resbaloso hacia el lavabo de mujeres. En el curso de mis paseos he ido trazando un mapa mental de todos los lavabos accesibles de Port Ticonderoga —tan útiles si se tiene una urgencia—, y en la actualidad mi preferido es el de la tienda de rosquillas. No es que esté más limpio que el resto, ni que las probabilidades de que tenga papel higiénico sean mayores, pero ofrece grafitos. Aunque los hay en todos los lavabos, en la mayoría de locales los borran con frecuencia, mientras que en la tienda de rosquillas los dejan por mucho más tiempo. De ese modo, no sólo es posible leer el grafito, sino los comentarios que suscita. La mejor secuencia por el momento es la del cubículo central. La primera frase está escrita a lápiz, con letras redondas como las de las tumbas romanas, grabadas profundamente en la pintura: «No comas nada que no estés dispuesto a matar.»

Luego, en rotulador verde: «No mates nada que no estés dispuesto a comer.»

Debajo, en bolígrafo: «No mates.»

Debajo, en rotulador púrpura: «No comas.»

Y debajo, la última frase hasta la fecha, con letras negras y trazo vigoroso: «Al carajo los vegetarianos. "Todos los dioses son carnívoros", Laura Chase.»

Así sigue viviendo Laura.

«A Laura le tomó mucho tiempo nacer a este mundo —dijo Reenie—. Era como si no acabara de decidir si le parecía una buena idea o no. Al principio se puso enferma y casi la perdimos... Supongo que todavía estaba pensándoselo. Pero al final resolvió intentarlo, se aferró a la vida y se puso un poco mejor.»

Reenie creía que cada persona decidía cuándo llegaba su momento de morir; de manera similar, cada uno podía decidir si iba a nacer o no. En cuanto alcancé la edad suficiente para responder, solía decirle: «Yo nunca pedí nacer», como si fuera un argumento contundente; y Reenie me contestaba: «Claro que sí. Igual que todos los demás.» Tal como ella lo veía, una vez viva, ya no tenías remedio.

Tras el nacimiento de Laura, mi madre se sentía más cansada de lo habitual. Perdió estatura, perdió resistencia. Le flaqueaba la voluntad; iba pasando los días con dificultad. El médico le decía que tenía que descansar más. «No está sana», le dijo Reenie a la señora Hillcoate, que venía a ayudar con la colada. Era como si los elfos me hubiesen robado a mi antigua madre, y esa otra —más gris, más vieja, más decaída y desanimada— hubiera ocupado su lugar. Por entonces yo sólo tenía cuatro años, y el cambio que veía en ella me asustaba tanto que necesitaba que me abrazasen y protegieran; pero mi madre ya no tenía energía para eso. (¿Por qué digo «ya»? Su comportamiento como madre siempre había sido más instructivo que afectuoso. En su corazón, seguía siendo una maestra.)

Pronto descubrí que, si me quedaba muy quieta, si prescindía de pedir atención a gritos y, por encima de todo, si podía ser útil —en especial con el bebé, con Laura, si permanecía a su lado y mecía la cuna para que se durmiera, algo que no resultaba fácil ni hacía por mucho rato—, permitían que me quedara en la misma habitación que mi madre. Si no, me echaban. De ese modo, pues, mediante el silencio y la utilidad, me acomodé.

Debería haber chillado. Debería haber tenido berrinches. La rueda que chirría es la que se engrasa, como solía decir Reenie.

(Yo estaba encima de la mesita de noche de madre, en un marco de plata, con un vestido oscuro de cuello de encaje blanco, una mano visible agarrada con fuerza y torpeza a la manta blanca de ganchillo, acusando con la mirada a la cámara o a quienquiera que la sostuviese. En esta fotografía, no se ve de Laura más que la parte superior de su cabeza aterciopelada y una manita pequeña, con los dedos cerrados alrededor del pulgar. ¿Estaba enfadada porque me habían dicho que cogiera a la niña, o en realidad estaba defendiéndola, escudándola..., reacia a soltarla?)

Laura fue un bebé muy inquieto, aunque más ansioso que rebelde. También de pequeña era difícil. Le preocupaban las puertas de los armarios y los cajones de los pupitres. Era como si siempre estuviera escuchando algo, a distancia o bajo el suelo, que se acercaba sigilosamente, como un tren de viento. Tenía crisis incomprensibles: le hacía llorar ver un cuervo muerto, un gato atropellado por un coche, una nube oscura en un cielo claro. Por otro lado, poseía una extraña resistencia al dolor físico: si se quemaba la boca o se cortaba, no vertía una lágrima. Era la inquina, la inquina del universo, lo que la afligía.

La alarmaban particularmente los veteranos mutilados que veía en las esquinas: los haraganes, los vendedores de lápices, los pordioseros, los que estaban demasiado destrozados para trabajar en nada. Había un hombre de cara roja y reluciente, que no tenía piernas y se arrastraba sobre un cartón, que la sacaba de sus casillas. Quizá fuese a causa de la ira que reflejaban sus ojos.

Como la mayoría de los niños pequeños, Laura creía que las palabras tenían un valor literal, pero ella lo llevaba hasta el extremo. No se le podía decir «Piérdete» o «Ve y tírate al lago», sin atenerse a las consecuencias. «¿Qué le has dicho a Laura? ¿Es que no aprenderás nunca?», me reñía Reenie. Pero ni siquiera Reenie estaba libre de error. Una vez le dijo a Laura, que no paraba de hacer preguntas, que se mordiera la lengua; después de eso mi hermana se pasó varios días sin poder comer.

Llego ahora a la muerte de mi madre. Sería un lugar común decir que este acontecimiento lo cambió todo, pero como resulta que así fue, por eso lo escribo:

«Este acontecimiento lo cambió todo.»

Ocurrió un martes. Un día de pan. Todo nuestro pan —una hornada para toda la semana— se hacía en la cocina de Avilion. Aunque entonces había un pequeño horno en Port Ticonderoga, Reenie decía que el pan del horno era para los perezosos y que el panadero añadía tiza para alargar la harina y levadura extra para hinchar las hogazas y dar impresión de mayor volumen. Y por eso preparaba ella misma el pan.

La cocina de Avilion no era oscura, como debió de serlo treinta años antes la caverna victoriana cubierta de hollín. Era blanca —paredes blancas, mesas blancas de cerámica, cocina económica de madera blanca, suelo de baldosas blancas y negras— con cortinas color amarillo narciso y ventanas nuevas y ampliadas. (La habían remozado después de la guerra, fue uno de los tímidos regalos propiciatorios que mi padre le hizo a mi madre.) Reenie consideraba que aquella cocina era el último grito, y como mi madre le había enseñado qué eran los gérmenes, sus malas maneras y sus escondites, la tenía impecablemente limpia.

Los días de pan, Reenie nos daba trozos de masa para hacer con ellos figuras en forma de hombre, con uvas en lugar de ojos y en el trasero. Después las metía en el horno. Yo me comía mi hombre de pan, pero Laura se lo guardaba. En una ocasión, Reenie encontró toda una hilera en el cajón superior de aquélla, envueltos en un pañuelo. Eran como pequeñas momias con cara de bollo. Reenie dijo que atraerían a los ratones y que los tiraría a la basura, pero Laura la convenció de hacer un entierro en el huerto, detrás de una mata de ruibarbo. Dijo que teníamos que rezarles oraciones. En otro caso, nunca más volvería a comer. Siempre fue muy buena negociadora, cuando se ponía a ello.

Reenie cavó el agujero. Utilizó la pala del jardinero, que ese día libraba, a pesar de que nos lo tenía prohibido, pero era un caso de emergencia.

—Que Dios se apiade de su marido —dijo Reenie mientras Laura colocaba los hombres de pan en hilera—. Es más terca que una mula.

—Da igual, porque no voy a casarme nunca —replicó Laura—. Pienso vivir sola en el garaje.

—Yo tampoco voy a casarme —intervine para no ser menos.

—Pues mal os veo —dijo Reenie—. Os gusta la cama blanda. Deberéis dormir sobre el cemento y taparos con grasa y aceite.

—Pienso vivir en el conservatorio —señalé.

—Ya no hay calefacción —repuso Reenie—. En invierno te morirás de frío.

—Yo dormiré en un coche —dijo Laura.

Aquel martes horrible desayunamos en la cocina, con Reenie. Había gachas de avena y tostadas con mermelada. A veces desayunábamos con madre, pero ese día estaba demasiado cansada. Madre era más estricta, y nos hacía sentar rectas y comernos las cortezas. «Acordaos de los armenios que se mueren de hambre», decía.

A lo mejor los armenios ya no se morían de hambre, entonces. La guerra había terminado hacía tiempo y se había restaurado el orden. Pero sus dificultades debían de haberse fijado en la mente de madre como una especie de eslogan. Un eslogan, una invocación, una plegaria, un hechizo. Teníamos que comernos las cortezas de las tostadas en recuerdo de aquellos armenios, fueran quienes fueren; no hacerlo constituía un sacrilegio. Laura y yo nunca entendimos dónde residía la fuerza de semejante hechizo, pero jamás falló.

Aquel día madre no se comió sus cortezas. Lo recuerdo muy bien. Laura la interpeló por ello —«¿Y las cortezas, y los armenios que se mueren de hambre?»— hasta que al final madre admitió que no se encontraba bien. Cuando lo dijo, sentí un escalofrío en todo el cuerpo, porque lo sabía. Lo sabía hacía rato.

Reenie dijo que Dios hacía a la gente del mismo modo que ella hacía el pan, y que era por eso por lo que las barrigas de las madres se hinchaban igual que la masa cuando iban a tener un bebé. Decía que sus hoyuelos eran las huellas de Dios. Decía que ella tenía tres hoyuelos y que había gente que no tenía ninguno, porque Dios no hacía la misma marca a todos para no acabar aburrido, y por eso terminaba las cosas de manera desigual. No parecía justo, pero en el fondo era razonable.

En la época que estoy recordando Laura tenía seis años. Yo, nueve, y sabía que los bebés no se hacían de masa de pan. Esa historia era para niñas pequeñas como Laura; sin embargo, no se me había ofrecido una explicación detallada.

Por las tardes, madre se sentaba en la glorieta a hacer punto. Estaba tejiendo un jersey pequeño, como los que todavía hacía para los Refugiados de Ultramar. ¿Era ése también para un refugiado? A lo mejor, respondió con una sonrisa. Al cabo de un rato se durmió; cerró los ojos con tanta fuerza que se le resbalaron las gafas. Nos decía que tenía ojos en la parte de atrás de la cabeza y que por eso sabía cuando hacíamos algo malo. Yo me imaginaba esos ojos planos y brillantes, sin color, como las gafas. No era propio de ella dormir tanto por la tarde. De hecho, había muchas cosas que no eran propias de ella. Laura no estaba preocupada, pero yo sí. Iba encajando todas las piezas, lo que me habían dicho y lo que había oído. Lo que me habían dicho: «Tu madre necesita descansar, procura que Laura no la moleste.» Lo que había oído (Reenie a la señora Hillcoate): «El médico está preocupado. No se encuentra bien. Claro que no dirá una sola palabra, pero no está sana. Hay hombres que no son capaces de dejar a sus mujeres en paz.» Así pues, sabía que mi madre corría un peligro de algún tipo, algo relacionado con su salud y a la vez con padre, pero no sabía a ciencia cierta de qué peligro se trataba.

He dicho que Laura no estaba preocupada, pero buscaba la presencia de madre más de lo normal. Cuando ésta descansaba, se sentaba con las piernas cruzadas en el espacio fresco que había debajo de la glorieta, o detrás de su silla si se ponía a escribir cartas. Cuando madre estaba en la cocina, a Laura le gustaba ponerse debajo de la mesa. Arrastraba hasta allí un cojín y su abecedario, el que antes había sido mío. Tenía muchas cosas que me habían pertenecido.

A esas alturas Laura ya sabía leer, o al menos sabía leer el abecedario. Su letra favorita era la L, porque era la suya, la de su nombre, «L de Laura». Mi letra favorita nunca fue la primera de mi nombre —«I de Iris»—, porque la I en inglés era la letra de todo el mundo.*

> *La L es de luz,*
> *tan blanca y pura;*
> *la noche cierra*
> *y abre el día.*

La ilustración del libro presentaba a dos niños con anticuados gorritos de paja, cerca de un nenúfar sobre el que había un hada sentada; estaba desnuda, y sus alas de malla despedían luz. Reenie solía decir que, si llegaba a encontrarse una cosa como ésta, la perseguiría con el matamoscas. Se dirigía a mí, y en broma, porque si Laura lo oía podía tomárselo en serio y preocuparse.

Laura era diferente. Diferente significa «rara». Yo lo sabía, pero le daba la lata a Reenie:

—¿Qué quiere decir diferente?

—Que no es como las demás personas —respondía Reenie.

Sin embargo, a lo mejor Laura no era en absoluto diferente de las demás personas. A lo mejor era igual: el mismo elemento raro y sesgado que la mayoría de la gente mantiene oculto pero ella no, y por eso precisamente asustaba a todos. Porque ella los asustaba o, si no los asustaba, los alarmaba de algún modo; claro que sobre todo cuando se hizo mayor.

El martes por la mañana, pues, en la cocina. Reenie y madre estaban preparando el pan. No: aquélla estaba preparando el pan y ésta tomaba una taza de té. Reenie le había dicho a madre que no le sor-

---

* *I* significa «yo» en inglés. (*N. de la T.*)

prendería que se pusiera a tronar, de tan cargado que estaba el aire, y que sería mejor que madre se pusiera a cubierto o se tumbara; pero madre repuso que no le gustaba estar sin hacer nada. Añadió que se sentía inútil, y que prefería hacerle compañía.

Por lo que a Reenie respectaba, madre podía andar sobre el agua si quería, y, en todo caso, no tenía autoridad para darle órdenes. De modo que madre se quedó tomando el té mientras Reenie amasaba el pan, apretando la mezcla con las dos manos, doblándola, dándole la vuelta, alisándola. Tenía las manos cubiertas de harina; parecía que llevara guantes blancos. También tenía harina en la pechera del delantal. Debajo de los brazos se le habían formado unos semicírculos de sudor que oscurecían las margaritas de su bata. Ya tenía algunas hogazas preparadas y dispuestas en sus respectivas bandejas, cada una de ellas cubierta con un trapo limpio y húmedo. Un olor a hongos húmedos impregnaba el aire.

En la cocina la atmósfera era sofocante, no sólo porque el horno necesitaba un buen lecho de carbón, sino porque había una ola de calor. La ventana estaba abierta, y éste entraba por ella. La harina para el pan se encontraba en el gran tonel de la despensa, al cual teníamos prohibido subirnos porque se nos podía llenar la nariz y la boca de harina y asfixiarnos. Reenie sabía de un bebé al cual sus hermanos y hermanas tuvieron metido boca abajo en un tonel lleno de harina y le faltó poco para morir.

Laura y yo estábamos debajo de la mesa de la cocina. Yo leía un libro ilustrado para niños titulado *Grandes hombres de la historia*. Napoleón se hallaba en la isla de Santa Elena, exiliado, de pie sobre una colina y con la mano dentro del abrigo. Pensé que debía de dolerle el estómago.

Laura se mostraba inquieta. Salió de debajo de la mesa para ir a buscar un vaso de agua.

—¿Quieres un poco de masa para hacer un hombre de pan? —le preguntó Reenie.

—No —respondió Laura.

—Se dice «no, gracias» —apuntó madre.

Laura volvió a gatas debajo de la mesa. Desde allí veíamos los dos

113

pares de pies, los estrechos de madre y los más anchos de Reenie, con sus zapatos sólidos y resistentes, y las piernas delgadas de madre y las gruesas de Reenie, embutidas en sus medias de un marrón rosáceo. Oíamos el ruido sordo de la masa al ser golpeada. Entonces, de pronto, la taza de té se rompió, madre cayó al suelo y Reenie se arrodilló a su lado.

—Oh, Dios mío —murmuró—. Iris, ve a buscar a tu padre.

Corrí a la biblioteca. Sonaba el teléfono, pero padre no se encontraba allí. Subí por las escaleras al torreón, normalmente un lugar prohibido. La puerta estaba abierta; en la estancia sólo había una silla y varios ceniceros. No lo encontré en la sala de delante, tampoco en el comedor de diario, ni en el garaje. Debía de haber ido a la fábrica, pensé, pero no estaba segura de conocer el camino y, además, era demasiado lejos. No sabía dónde más mirar.

Volví a la cocina y me metí debajo de la mesa, donde Laura permanecía sentada con los brazos alrededor de las rodillas. No lloraba. En el suelo había algo que parecía sangre, un reguero de sangre, manchas de un rojo oscuro sobre las baldosas blancas. Me mojé un dedo y le pasé la lengua: era sangre. Tomé un trapo y la limpié.

—No mires —le advertí a Laura.

Al cabo de un rato, Reenie bajó por las escaleras de detrás, descolgó el auricular y telefoneó al médico: no estaba, había salido a alguna parte, como siempre. Luego llamó a la fábrica y pidió por padre. No consiguieron localizarlo.

—Búsquenlo, por favor. Díganle que es una emergencia —pidió.

Luego volvió corriendo arriba. Se había olvidado por completo del pan, la masa subió demasiado, reventó y se estropeó.

—No debería haberse quedado en la cocina, con tanto calor —le dijo Reenie a la señora Hillcoate—, con este clima y una tormenta en ciernes; pero no ha querido escucharme, no se le puede decir nada.

—¿Se encontraba muy mal? —preguntó la señora Hillcoate, en un tono de preocupación e interés.

—Podría estar peor —apuntó Reenie—. Agradezcamos a Dios sus pequeños favores. Ha caído como si fuera un gatito, aunque es verdad que ha sangrado mucho. Tendremos que quemar el colchón, no creo que pueda limpiarse.

—Oh Dios mío, bueno, siempre puede tener otro —comentó la señora Hillcoate—. Debe de ser para bien. Quizás éste tenía algo mal.

—No, por lo que he oído, no puede —dijo Reenie—. En opinión del médico es mejor que desista, porque otro la mataría; éste casi lo consigue.

—Hay mujeres que no deberían casarse —señaló la señora Hillcoate—. No son aptas. Hay que ser fuerte. Mi madre tuvo diez, y ni siquiera pestañeó. Tampoco es que vivieran todos.

—La mía tuvo once —dijo Reenie—, y eso la llevó directa a la tumba.

Yo sabía, por experiencias anteriores, que eso era el preludio de un concurso sobre lo dura que había sido la vida de sus respectivas madres, y que pronto pasarían al tema de la ropa. Tomé a Laura de la mano y subimos por las escaleras de detrás. Estábamos preocupadas, pero teníamos curiosidad: queríamos descubrir qué le había pasado a madre, y también ver al gatito. Ahí estaba, debajo de un montón de sábanas empapadas de sangre junto a la puerta de la habitación de madre, en una jofaina esmaltada. Pero no se trataba de un gatito. Era gris, como una patata vieja cocida, con la cabeza demasiado grande, todo retorcido. Tenía los ojos pegados, como si no pudieran soportar la luz.

—¿Qué es? —susurró Laura—. No tiene pinta de gatito. —Se agachó para mirarlo.

—Vamos abajo —la urgí. El médico todavía se encontraba en la habitación, se oían sus pasos. No quería que nos pillaran porque sabía que aquella criatura nos estaba prohibida; sabía que no deberíamos haberla visto. Sobre todo Laura: era la clase de visión, como la de un animal descuartizado, que solía hacerla chillar, y luego me echarían a mí la culpa.

—Es un bebé —dijo Laura—. No está terminado. —Mostraba una calma sorprendente—. Pobrecito. No quería nacer.

Por la tarde, Reenie nos llevó a ver a madre. Yacía en cama con la cabeza apoyada sobre dos almohadas: tenía los delgados brazos por encima de la sábana; estaba tan blanca que parecía transparente. El anillo de casada relucía en su mano izquierda, los puños se aferraban a los bordes de la sábana. Tenía los labios apretados, como si estuviese reflexionando; era la cara que ponía cuando confeccionaba listas. Tenía los ojos cerrados. Cubiertos por los párpados parecían aún más grandes que cuando permanecían abiertos. Las gafas se hallaban sobre la mesita de noche, junto al jarro de agua; sus redondos ojos aparecían relucientes y vacíos.

—Está dormida —musitó Reenie—. No la toquéis.

Madre abrió los ojos. Movió la boca, desplegó los dedos de la mano más cercana a nosotras.

—Podéis abrazarla —agregó Reenie—, pero no muy fuerte.

Yo hice lo que me decían. Laura acercó la cabeza a madre rápidamente y la metió bajo su brazo. Las sábanas olían a lavanda, el perfume del jabón de madre, y por debajo se percibía un olor caliente de óxido mezclado con el aroma dulce y ácido de las hojas húmedas pero humeantes.

Madre murió cinco días después. De fiebre; también de debilidad, porque no logró recuperar las fuerzas, según Reenie. Durante ese periodo, el médico no dejó de entrar y salir, y una sucesión de limpias y frágiles enfermeras ocupó la butaca de la habitación. Reenie se pasaba el día subiendo y bajando por las escaleras con jofainas, toallas, tazas de caldo. Padre iba y volvía de casa a la fábrica sin sosiego, y a la hora de cenar se presentaba demacrado como un mendigo. ¿Dónde se había metido aquella tarde en que no lo encontraron por ninguna parte? Nadie lo dijo.

Laura estaba agachada en el pasillo de arriba. Me indicaron que jugase con ella para mantenerla alejada, pero no quería jugar. Estaba sentada con los brazos alrededor de las rodillas y la barbilla sobre éstas, con una expresión pensativa y reservada, como si chupara un caramelo. No nos dejaban comer caramelos. Pero cuando la obligué a enseñármelo, comprobé que era sólo una piedra blanca y redonda.

Durante esa última semana me dejaron ver a madre cada mañana, aunque sólo unos minutos. No podía hablar con ella, porque (explicó Reenie) estaba dando un paseo. Eso significaba que se creía que estaba en otra parte. Cada día quedaba un poco menos de ella. Tenía los pómulos prominentes, olía a leche y a algo crudo, rancio, como el papel marrón en el que venía envuelta la carne.

A mí, esas visitas me enfurruñaban. Me daba cuenta de lo enferma que estaba, y me afectaba. En cierto modo me sentía traicionada, me parecía que eludía sus responsabilidades, que había abdicado. Ni por un instante se me ocurrió que podía morirse. Había temido otras veces esa posibilidad, pero entonces estaba tan asustada que deseché la idea.

La última mañana, que yo no sabía que iba a ser la última, madre parecía ser más ella misma. Estaba más frágil, pero al mismo tiempo más compacta, más densa. Me miró como si me viera.

—¡Hay demasiada luz aquí dentro! —susurró—. ¿Podrías correr las cortinas?

Hice lo que me pedía y volví junto a su cama, retorciendo el pañuelo que Reenie me había dado por si me venían ganas de llorar. Mi madre me tomó la mano; la noté caliente y seca, los dedos parecían de alambre blando.

—Sé buena chica —añadió—, y espero que te comportes con Laura como una buena hermana. Sé que lo intentarás.

Asentí. No sabía qué decir. Me sentía víctima de una injusticia: ¿por qué siempre tenía que ser yo la hermana buena y no al revés? Sin duda mi madre quería a Laura más que a mí.

Quizá no, quizá nos quería a las dos por igual. O quizá ya no tenía energías para amar a nadie; se había ido más allá y había entrado en la estratosfera de hielo, lejos del cálido y denso campo magnético del amor. Pero me resultaba imposible imaginar algo así. Su amor hacia nosotras era un hecho, y tan sólido y tangible como un pastel. La única pregunta era cuál de las dos se llevaba el trozo más grande.

(Menuda invención son las madres. Espantapájaros, muñecos de cera para que les clavemos agujas, simples gráficos. Les negamos una existencia propia, las adaptamos a nuestros antojos: a nuestra propia hambre, a nuestros propios deseos, a nuestras propias deficiencias. Como he sido madre, lo sé.)

Mi madre me escrutó con su mirada azul cielo. ¡Qué esfuerzo debía representar para ella mantener los ojos abiertos! ¡Qué lejos debía de parecerle yo, una mancha rosada en la lejanía! ¡Qué difícil debía de resultarle concentrarse en mí! Sin embargo, no capté en absoluto su estoicismo, si de eso se trataba.

Quería decirle que estaba equivocada conmigo, con mis intenciones. Yo no intentaba siempre ser buena hermana; más bien al contrario. A veces le decía a Laura que era una pesada y que no volviera a molestarme. La semana anterior, sin ir más lejos, me la había encontrado lamiendo la solapa de un sobre para cerrarlo —era uno de mis sobres especiales, para tarjetas de agradecimiento—, y le había dicho que la cola que llevaban estaba hecha con caballos hervidos, lo que le provocó arcadas y la obligó a sorberse los mocos. En ocasiones me escondía dentro de una mata de lilas hueca que crecía junto al invernadero para que no me encontrara, me tapaba los oídos con los dedos y me ponía a leer mientras ella iba de un lado a otro buscándome y llamándome inútilmente. O sea que muchas veces, cuando podía, eludía mis responsabilidades.

Sin embargo, no encontraba las palabras para expresar mi desacuerdo con la versión que mi madre tenía de las cosas. No sabía que estaba a punto de quedarme con su idea de mí; con su idea de mi bondad prendida sobre mí como una insignia, y sin posibilidad de devolvérsela (como habría ocurrido si nuestra relación hubiese sido la normal entre una madre y su hija, si ella hubiera vivido mientras yo iba haciéndome mayor).

Lazos negros

Esta tarde hay una puesta de sol refulgente que tarda mucho en apagarse. Al este, los rayos parpadean sobre el cielo cubierto, luego se oye un trueno, que recuerda un portazo abrupto. La casa es como un horno, a pesar del nuevo ventilador. He sacado una lámpara al exterior; a veces veo mejor en la penumbra.

La semana pasada no escribí nada. Perdí las ganas. ¿Por qué escribir sobre acontecimientos tan tristes? Pero veo que he vuelto a empezar. He tomado nuevamente la pluma para trazar mis letras negras, que se despliegan a través de la página en una larga hilera de tinta oscura, enmarañada pero legible. ¿Pretendo dejar huella, después de todo? Después de todo lo que he hecho para evitarlo, «Iris, su huella», medio truncada: unas iniciales escritas con tiza en la acera, o la X marcada en el mapa por un pirata que indica la playa donde se enterró el tesoro.

¿Por qué tenemos tanto interés en inmortalizarnos? Incluso cuando todavía vivimos. Deseamos reafirmarnos, como los perros que orinan en las bocas de incendios. Exhibimos fotografías enmarcadas, nuestros diplomas de pergamino, nuestras tazas de plata; bordamos nuestras letras en las sábanas, grabamos nuestros nombres en los árboles, los garabateamos en las paredes de los retretes. Todo responde al mismo impulso. ¿Qué esperamos de ello? ¿Aplausos, envidia, respeto? ¿O sencillamente atención, de la clase que sea?

Como mínimo, queremos un testigo. No soportamos la idea de que nuestras voces se callen para siempre, como una radio que se apaga.

El día después del funeral de madre, me enviaron al jardín con Laura. Reenie nos hizo salir, dijo que necesitaba poner los pies en alto porque estaba agotada. «Me he quedado sin fuerzas», explicó. Tenía unas ojeras azuladas, e imaginé que había estado llorando, en secreto para no molestar a nadie, y que lloraría un poco más en cuanto saliéramos.

—Nos portaremos bien —le prometí. No quería salir de la casa, todo brillaba demasiado, resplandecía demasiado, y yo tenía los párpados hinchados y rosados, pero Reenie dijo que teníamos que salir y que, además, el aire fresco nos sentaría bien. No nos dijo que fuéramos a jugar, porque habría sido una falta de respeto considerando lo reciente que era la muerte de madre. Sólo nos ordenó que saliéramos.

La recepción del funeral había tenido lugar en Avilion. No había sido un velatorio; los velatorios se hacían al otro lado del Jogues, y eran escandalosos y de reputación dudosa, con abundancia de alcohol. No: lo nuestro era una recepción. Al funeral acudió una verdadera multitud —los operarios, sus esposas y sus hijos, y desde luego, los notables de la ciudad: banqueros, curas, abogados y médicos—, pero la recepción en sí no era para todos, aunque pudo haberlo sido. Reenie le dijo a la señora Hillcoate, a quien había contratado como ayudante, que desde luego Jesús había multiplicado los panes y los peces, pero que el capitán Chase no era Jesús y de ningún modo podía alimentar a tanta gente, aunque, como siempre, no había sabido dónde trazar la línea, y lo único que cabía esperar era que la aglomeración no provocase disgustos.

Los invitados habían entrado en la casa, deferentes, lúgubres, ávidos de curiosidad. Reenie contó las cucharas tanto antes como después, y dijo que habría sido mejor no poner las mejores, que había gente capaz de llevarse cualquier cosa que no estuviera atada sólo para hacerse con un recuerdo y que, en cualquier caso, teniendo en cuenta cómo comían, más le hubiera valido poner palas en lugar de cucharas.

A pesar de eso, había sobrado un poco de comida —medio jamón, algunas galletas, varios trozos de diversos pasteles—, y Laura y yo nos colamos en la despensa a hurtadillas. Reenie sabía que estábamos allí, pero no se sentía con fuerzas suficientes para impedírnoslo —para decirnos: «Después no cenaréis», o «Como no dejéis de mordisquear en la despensa os convertiréis en ratones», o «Comeos un pedacito más y reventaréis»—, o para expresar cualquiera de las otras advertencias o predicciones que siempre me procuraban un íntimo consuelo.

Esta vez dejaron que nos atiborrásemos. Yo había comido demasiadas galletas y demasiadas virutas de jamón, además de un buen trozo de pastel de fruta. Todavía llevábamos los vestidos negros, que daban mucho calor. Reenie nos había peinado con dos trenzas, sujetas con sendos lazos negros, rígidos y de una tela gruesa, en lo alto y en el extremo: cuatro mariposas, severas y oscuras, para cada una de las dos.

Fuera, la luz del sol me hizo parpadear. Me deslumbraba el verde intenso de las hojas, el amarillo y el rojo de las flores, su seguridad, su exhibición centelleante, como si reclamaran su derecho. Pensé en decapitarlas, en arrasarlas. Estaba desolada, y también enfadada y abotargada. El azúcar me zumbaba en la cabeza.

Laura quería que subiésemos a las esfinges que había a los lados del invernadero, pero me negué. Luego quería ir a sentarse junto a la ninfa de piedra para mirar a los peces. No vi nada malo en ello. Laura se dirigió hacia el jardín, delante de mí. Estaba enojosamente alegre, como si no tuviera una sola preocupación en el mundo, y así se había pasado todo el funeral de madre. El dolor de quienes la rodeaban parecía confundirla. Lo que me dolía aun más era que, debido a esto, la gente se mostraba más apenada por ella que por mí.

—Pobrecita —murmuraban—. Es tan pequeña que no se da cuenta de nada.

—Madre está con Dios —decía Laura. Es cierto que ésa era la versión oficial, el propósito de todas las oraciones que se habían rezado; pero Laura tenía su propia manera de creer en tales cosas, no con el doble sentido que les dábamos los demás, sino con una determinación que me hacía sentir deseos de zarandearla.

Nos sentamos en el borde del estanque; los nenúfares relucían al sol como si fueran de goma verde. Había tenido que ayudar a Laura a subir. Apoyada en la ninfa de piedra, balanceaba las piernas, metía los dedos en el agua y tarareaba una canción.

—No deberías cantar —le advertí—. Madre ha muerto.

—No, no es verdad —replicó con suficiencia—. No está muerta de verdad. Está en el cielo con el bebé pequeñito.

La empujé. No hacia el estanque, no soy tan insensata, sino hacia la hierba. No era muy alto, y el suelo era blando, de modo que no podía hacerse mucho daño. Cayó de espaldas, y luego dio media vuelta y se quedó mirándome con los ojos muy abiertos, como si no pudiera creer lo que le acababa de hacer. Abrió la boca formando una perfecta O, como un niño que sopla las velas de cumpleaños en un libro de dibujos. Después se echó a llorar.

(Admito que me sentí gratificada. Mi deseo era que ella sufriera tanto como yo. Estaba cansada de que se librara de todo por ser tan pequeña.)

Laura se levantó y echó a correr hacia la cocina, chillando como si le hubiera clavado un cuchillo; yo fui tras ella; sería mejor estar presente cuando encontrase a alguien, por si me acusaba. Corría de una manera rara: los brazos se le movían de forma desigual, las piernas larguiruchas avanzaban de lado, los rígidos lazos de los extremos de las trenzas subían y bajaban, la falda negra iba de un lado a otro. Cayó una vez, y esta vez sí que se hizo daño: un rasguño en la mano. Cuando lo vi, me sentí aliviada; un poco de sangre ocultaría mi malicia.

El refresco

En algún momento del mes en que murió madre —no recuerdo cuándo exactamente—, padre anunció que me llevaría a la ciudad. Nunca me había prestado mucha atención, y a Laura tampoco —nos había dejado al cuidado de madre, y luego de Reenie—, por lo que su propuesta me asombró.

No llevó a Laura. Ni siquiera lo sugirió.

Anunció la excursión inminente a la hora del desayuno. Había insistido en que desayunásemos con él en lugar de hacerlo en la cocina con Reenie, como antes. Laura y yo nos sentábamos a un extremo de la larga mesa y él al otro. Apenas nos hablaba: se ponía a leer el periódico, y nosotras nos sentíamos tan sobrecogidas que no nos atrevíamos a interrumpirlo. (Lo adorábamos, claro. Era eso u odiarlo. No invitaba a emociones más moderadas.)

El sol que entraba por la vidriera proyectaba luces de colores sobre él, que parecía sumergido en tinta. Todavía recuerdo el cobalto de su mejilla, el refulgente rojo arándano de sus dedos. Laura y yo también teníamos esos colores a nuestra disposición. Movíamos el plato un poco a la izquierda, o un poco a la derecha, de modo que hasta las grises y aburridas gachas de avena se transformaban en verdes, azules, rojas o violetas; comida mágica, encantada o envenenada, según mi capricho o el humor de Laura. Luego nos dedicábamos a hacernos muecas, pero en silencio, siempre en silencio. El objetivo era seguir haciéndolo sin que él lo advirtiese. Bueno, de algún modo teníamos que divertirnos.

Aquel día tan poco habitual, padre volvió pronto de la fábrica y nos fuimos a la ciudad. No era muy lejos; en aquel tiempo, nada en la ciudad lo era. Padre prefería andar a conducir, o a pedir que lo llevasen. Supongo que se debía a la pierna mala: quería demostrar que era capaz. Le gustaba andar por la ciudad a grandes zancadas, y realmente las daba, a pesar de la cojera. Yo corría a su lado intentando adaptarme a su ritmo desigual.

—Vamos al Betty's —dijo—. Te compraré un refresco.

Ninguna de esas dos cosas había ocurrido antes. El bar y restaurante Betty's era para la gente de la ciudad, no para unas chicas como Laura y yo, decía Reenie. No estaba bien que nos rebajásemos. Además, los refrescos eran un lujo ruinoso y estropeaban los dientes. Que padre me ofreciera a la vez esas dos cosas tan prohibidas, y con tanta indiferencia, casi me hizo sentir pánico.

En la calle principal de Port Ticonderoga había cinco iglesias y cuatro bancos, todos de piedra, todos macizos. A veces había que leer los carteles para saber qué era lo uno y qué lo otro, aunque los bancos no tenían campanario.

El Betty's estaba al lado de uno de estos últimos. Tenía un toldo de rayas verdes y blancas, y en el escaparate había una fotografía de un estofado de pollo que parecía un gorro de bebé hecho de hojaldre con volantes alrededor. Dentro, la luz era amarilla y el aire olía a vainilla, café y queso fundido. El techo era de hojalata troquelada, y de él colgaban ventiladores con aspas que semejaban hélices de avión. Había varias mujeres con sombrero sentadas alrededor de las pequeñas y ornamentadas mesas blancas; mi padre las saludó y ellas le devolvieron el saludo.

A un lado había compartimientos de madera oscura. Mi padre se sentó en uno de ellos y yo me senté delante de él. Me preguntó qué refresco quería, pero para mí era algo nuevo eso de estar sola con él en un lugar público, y me moría de vergüenza. Además, no sabía qué clase de refrescos había. Así pues, pidió uno de fresa para mí y una taza de café para él.

La camarera llevaba un traje negro y un gorro blanco, las cejas depiladas en finas curvas y su boca roja era brillante como la mermelada. Llamaba a mi padre «capitán Chase», y él la llamaba «Agnes». Por eso, y por la manera de apoyar los codos sobre la mesa, me di cuenta de que debía de ser asiduo del local.

Agnes le preguntó si yo era su hijita, y dijo qué mona, pero me echó una mirada de desagrado. Le sirvió su café casi de inmediato, bamboleándose un poco sobre los tacones altos, y cuando dejó la taza sobre la mesa, le rozó suavemente la mano. (Tomé nota de este hecho, aunque todavía no estaba en condiciones de interpretarlo.) Después me trajo el refresco, en un vaso cónico como un capirote puesto del revés; venía con dos pajitas. Las burbujas se me subían por la nariz y me provocaban lágrimas.

Mi padre echó un terrón de azúcar en el café, lo revolvió y dejó la cuchara a un lado de la taza. Yo lo observaba por encima del borde de mi vaso de refresco. De pronto lo vi diferente; se parecía a alguien desconocido para mí: más tenue, menos sólido, de algún modo, aunque más detallado. Rara vez lo había visto tan de cerca. Llevaba el pelo peinado hacia atrás y recortado a los lados, y tenía entradas en las sienes; el ojo bueno era de un azul plano, como de papel. Su cara, maltrecha aunque atractiva, presentaba el mismo aire de ensimismamiento que lucía a menudo por las mañanas, a la hora del desayuno, como si estuviera escuchando una canción o una explosión distante. Tenía el bigote más gris de lo que se lo había visto antes, y cuando me puse a pensar en ello me pareció raro que a los hombres les crecieran aquellos pelos en la cara y a las mujeres no. Incluso su ropa, que no difería de la que llevaba siempre, se había vuelto misteriosa bajo aquella luz tenue con olor a vainilla, como si perteneciera a otra persona que se la había prestado. El traje le iba demasiado grande, era eso. Mi padre se había encogido. Pero, al mismo tiempo, era más alto.

Me sonrió y me preguntó si me gustaba el refresco. Después se quedó callado y pensativo. Extrajo un cigarrillo de la pitillera de plata que siempre llevaba consigo, lo encendió y exhaló el humo.

—Si pasa algo —dijo finalmente—, debes prometerme que cuidarás de Laura.

Asentí con expresión solemne. ¿Qué era ese algo? ¿Qué podía ocurrir? Me temí una mala noticia, aunque no conseguí imaginar cuál. Tal vez tuviera que irse... a ultramar. Las historias de la guerra no me eran ajenas. De todos modos, permanecí en silencio.

—¿Cerramos el pacto? —añadió. Nos dimos la mano por encima de la mesa; la suya era igual de dura y seca que el asa de cuero de una maleta. Su ojo bueno me estudiaba, como preguntándose si debía fiarse de mí. Yo levanté la barbilla y enderecé los hombros. Quería desesperadamente ser merecedora de su opinión favorable.

—¿Qué se puede comprar con una moneda de cinco centavos? —inquirió entonces. La pregunta me tomó tan por sorpresa que me dejó muda; no tenía ni idea. Laura y yo nunca habíamos dispuesto de nuestro propio dinero para gastar, porque Reenie decía que debíamos ganárnoslo.

Del bolsillo interior de su traje oscuro padre sacó una agenda con tapas de piel de cerdo y arrancó una hoja. Entonces se puso a hablar de botones. Nunca era pronto, dijo, para aprender los principios básicos de la economía, que necesitaría conocer si pretendía actuar de manera responsable cuando fuera mayor.

—Imagínate que tienes dos botones —dijo, y añadió—: los gastos serían lo que me costase fabricarlos; los ingresos, lo que consiguiese obtener por su venta, y el beneficio neto esta cifra menos la de los gastos, durante un periodo determinado. Luego podría quedarme con parte del beneficio neto y utilizar el resto para fabricar cuatro botones, y entonces los vendería y estaría en situación de fabricar ocho. —Dibujó un pequeño gráfico con su bolígrafo de plata: dos botones, luego cuatro botones, luego ocho botones. Los botones se multiplicaban de manera desconcertante en la página; en la columna de al lado se iba amontonando el dinero. Era como pelar guisantes: los guisantes en un cuenco, las vainas en el otro. Me preguntó si lo entendía.

Lo miré a la cara para comprobar si hablaba en serio. A menudo lo había oído echar pestes de la fábrica de botones, que si era una trampa, una empresa gafada, un lastre, pero eso era cuando había bebido. En ese momento se encontraba bastante sobrio. No parecía que estuviese explicando algo, sino disculpándose. Quería algo de mí, además de una respuesta a su pregunta. Era como si quisiera que lo perdonase, que lo absolviese de algún delito; pero ¿qué me había hecho? No se me ocurría nada.

Me sentía confusa, y también incapaz: no alcanzaba a comprender qué me preguntaba o me pedía. Era la primera vez que un hombre esperaba de mí más de lo que yo estaba capacitada para dar, aunque no sería la última.

—Sí —repuse.

La semana anterior a su muerte —una de aquellas mañanas terribles— mi madre pronunció una frase extraña, aunque yo no la consideré extraña en ese momento.

—En el fondo, tu padre te quiere —dijo.

No tenía por costumbre hablarnos de sentimientos, y menos todavía de amor: ni del suyo ni del de nadie, excepto el de Dios. Pero los padres siempre quieren a sus hijos, por lo que debía tomármelo como algo tranquilizador; a pesar de las apariencias, mi padre era como los demás padres, o así se le consideraba.

Ahora pienso que era más complicado que eso. Quizá se trataba de una advertencia, de una carga incluso. Aunque el amor estuviera en el fondo, seguro que había mucho apilado encima, y ¿qué encontraría si excavaba? No un simple regalo, oro puro y reluciente, sino algo antiguo y posiblemente nefasto, como un amuleto de hierro oxidándose entre huesos viejos. Una especie de talismán, ese amor, pero pesado; un objeto pesado para llevarlo siempre encima, colgado de una cadena de hierro alrededor de mi cuello.

IV

VI

El asesino ciego: El café

Desde el mediodía cae una lluvia suave pero constante. La niebla envuelve los árboles, los caminos. Ella pasa por delante de la ventana en la que aparece pintada una taza de café, blanca y bordeada por una línea verde, de la que surgen, representando el vapor, tres trazos irregulares, como si los tres dedos que la sostenían hubieran resbalado por la húmeda superficie. En la puerta hay un rótulo que, con desconchadas letras doradas, reza «café». Abre la puerta y entra al tiempo que cierra el paraguas; es de color crema, como la gabardina de popelina que lleva. Se echa la capucha hacia atrás.

Él está en el último reservado, junto a la puerta de vaivén que da a la cocina, como le había dicho. El humo ha amarilleado las paredes, y en los compartimientos, pintados de un marrón oscuro, hay sendos ganchos de metal en forma de garra de gallina para colgar los abrigos. En los reservados sólo se ven hombres; visten holgadas chaquetas que semejan mantas raídas, van sin corbata, llevan el cabello cortado de forma irregular y los pies, que permanecen separados y bien plantados en el suelo, calzados con botas. Sus manos parecen cepos; podrían rescatar o machacar a una persona sin inmutarse. Son instrumentos categóricos, como los ojos.

El local huele a tablones podridos, vinagre derramado, pantalones de lana agrios, carne vieja y una ducha a la semana; a agravios, engaños y resentimientos. Ella sabe lo importante que es aparentar que no lo percibe.

Él levanta una mano y los demás hombres la miran con suspicacia y desprecio cuando se acerca corriendo, haciendo sonar los tacones en el entarimado. Se sienta enfrente de él, sonríe con alivio: está allí. Todavía está allí.

Demonios, dice él, sólo te faltaba venir con el visón.

¿Qué ocurre? ¿Qué he hecho mal?

Tu abrigo.

No es más que un abrigo. Un impermeable corriente, puntualiza ella, titubeando. ¿Qué le pasa?

Dios mío, ¿es que no lo ves? Mira alrededor. Está demasiado limpio.

Contigo no hay manera de que acierte, ¿verdad?, dice ella. Nunca acertaré.

Sí que aciertas, replica él. Sabes cuándo aciertas, pero no se te ocurre pensar.

No me lo dijiste. Nunca había estado aquí, en un sitio como éste, y no pretenderás que salga de casa vestida como una mujer de la limpieza... ¿Habías pensado en ello?

Sólo con que te hubieses cubierto la cabeza con un pañuelo o algo así...

Mis cabellos, dice ella con desesperación. ¿Y ahora qué? ¿Qué pasa con mis cabellos?

Son demasiado rubios. Destacan. Las rubias son como los ratones blancos, sólo se encuentran en las jaulas. No durarían mucho en medio de la naturaleza. Llaman la atención.

Eres poco amable.

Detesto la amabilidad. Detesto a la gente que se enorgullece de ser amable. Gente estirada, que hace obras de caridad repartiendo amabilidad. Es despreciable.

Pues yo soy amable, dice ella, intentando sonreír. En todo caso, soy amable contigo.

Si creyera que eso era todo —amabilidad cálida y descafeinada— me iría de inmediato. En el tren de medianoche, como alma que lleva el diablo. Buscaría mi oportunidad. No quiero beneficencia, no voy buscando dádivas bajo mano.

Él está de un humor de perros. Ella se pregunta por qué. Llevaba una semana sin verlo. Tal vez se deba a la lluvia.

Acaso no sea amabilidad, entonces, dice ella. Quizá sea egoísmo. Egoísmo despiadado.

Preferiría eso, reconoce él. Te preferiría insaciable. Apaga el cigarrillo, va a liar otro y cambia de idea. Todavía lía sus propios cigarrillos, un lujo para él. Debe de racionarlos. Ella ignora si tiene bastante dinero, pero no puede preguntárselo. No quiero que te sientes ahí delante de mí, estás demasiado lejos.

Ya lo sé, dice ella. Pero no hay otro sitio. Está todo mojado.

Buscaré un lugar; uno donde no haya nieve.

No está nevando.

Pero nevará, apunta él. Soplará viento del norte.

Y tendremos nieve. ¿Qué harán entonces los ladrones, pobre gente? Al menos le ha hecho sonreír, aunque sea sólo una especie de mueca de dolor. ¿Dónde has dormido?, pregunta ella.

Da igual. No hace falta que lo sepas. Así, si un día te descubren y te hacen preguntas, no tendrás que mentir.

No creas que miento tan mal, dice ella tratando de sonreír.

No, como aficionada quizá no, admite él. Pero los profesionales te descubrirían en el acto. Te abrirían como si fueras un paquete.

¿Aún te buscan? ¿No lo han dejado?

Todavía no. Eso es lo que me han explicado.

Es horrible, ¿verdad?, dice ella. ¡Es todo tan horrible! Sin embargo, tenemos suerte, ¿no?

¿Por qué tenemos suerte?, pregunta él, que ha vuelto a su humor sombrío.

Al menos estamos los dos aquí, al menos tenemos...

El camarero está junto al reservado. Lleva las mangas de la camisa recogidas, un delantal largo desgastado por el uso, mechones de cabello dispuestos de través sobre el cráneo como si fueran cintas aceitosas. Los dedos de su mano parecen dedos de los pies.

¿Café?

Sí, por favor, gracias, responde ella. Solo. Sin azúcar. Espera a que se vaya el camarero. ¿Es seguro?, añade.

¿El café? ¿Quieres decir si tiene gérmenes?, pregunta él. No debería tenerlos, lo han hervido durante horas. Le hace unas muecas, pero ella prefiere no entenderlo.

No, quiero decir si el lugar es seguro.

Es del amigo de un amigo. Aun así, no dejo de vigilar la puerta... Podría salir por detrás. Hay un pasaje.

No fuiste tú, ¿verdad?, inquiere ella.

Ya te lo he dicho. Pero podría haberlo hecho, ya que estaba allí. En cualquier caso, da igual, porque reúno los requisitos a la perfección. Les encantaría verme colgado en el extremo de una soga. A mí y a mis malas ideas.

Tienes que irte, le advierte ella sin esperanzas. Piensa en la palabra «estrechar», en lo manida que está. Sin embargo, es lo que le gustaría: estrecharlo en sus brazos.

Todavía no, responde él. No debo irme todavía. Es mejor que no tome trenes ni cruce fronteras. He oído que andan vigilándolos.

Me preocupas, dice ella. Sueño con ello. Me paso todo el tiempo intranquila.

No te preocupes, querida, la tranquiliza. Adelgazarás y tu trasero y tus encantadoras tetas se echarán a perder. No harás ningún favor a nadie.

Ella se lleva una mano a la mejilla, como si él le hubiera pegado. Me encantaría que no hablases así.

Ya lo sé, admite él. Las chicas con abrigos como el tuyo suelen tener esa clase de deseos.

The Port Ticonderoga Herald and Banner, 16 de marzo de 1933

CHASE COLABORA EN LOS ESFUERZOS PALIATIVOS
ELWOOD R. MURRAY, REDACTOR JEFE

En un alarde de espíritu cívico al que ya empieza a tenernos acostumbrados, el capitán Norval Chase, presidente de Industrias Chase S. L., anunció ayer que las Industrias Chase donarán tres vagones de artículos con «defectos de fábrica» para contribuir a paliar la situación en las zonas del país más golpeadas por la Depresión. Se incluirán mantas de bebé, jerséis de niños y un surtido de ropa interior práctica para hombres y mujeres.

El capitán Chase comunicó al *Herald and Banner* que, en esta época de crisis nacional, todos debemos tender una mano como hicimos en tiempos de guerra, especialmente en Ontario, donde fuimos más afortunados que muchos. Ante el ataque de la competencia, especialmente del señor Richard Griffen de Prendas de Punto Royal Classic, en Toronto, que lo acusa de intentar atenuar el superávit de artículos en el mercado regalándolos y privando así a los trabajadores del salario, el capitán Chase afirmó que, toda vez que los receptores de esos artículos no pueden permitirse comprarlos, su ofrecimiento no guarda relación alguna con las ventas.

Añadió que todas las zonas del país han sufrido contratiempos y que Industrias Chase no tiene más remedio que reducir sus operaciones debido a la disminución de la demanda. Añadió que haría todo lo que estuviera en su mano para mantener las fábricas en funcionamiento, pero que era posible que pronto se vieran en la necesidad de efectuar despidos o de reducir jornadas y sueldos.

No nos queda más que aplaudir los esfuerzos del capitán Chase, un hombre que, lejos de las tácticas rompehuelgas y de la amenaza de cierre patronal en Winnipeg y Montreal, cumple con su palabra y ha convertido a Port Ticonderoga en una ciudad respetuosa de la ley y en la que no se producen las escenas de inspiración comunista que, en la forma de manifestaciones sindicales, violencia brutal y derramamiento de sangre, ha llevado a la destrucción considerable de propiedades, lesiones y pérdidas de vida en otras ciudades.

El asesino ciego: La colcha de felpilla

Es ahí donde vives?, pregunta ella. Retuerce los guantes con las manos, como si estuviesen húmedos y quisiera escurrirlos.

Aquí es donde estoy, responde él. Es diferente.

Se trata de una casa adosada, de ladrillo rojo oscurecido por la mugre, estrecha y alta, con techos de ángulos abruptos. Delante hay un arriate alargado de hierba polvorienta y junto al camino crecen unos cuantos hierbajos. En el suelo, una bolsa de papel marrón, rota.

Cuatro escalones hasta el porche. En la ventana que da al frente cuelgan unas cortinas de encaje. Él saca la llave.

Ella mira hacia atrás por encima del hombro y entra. No te preocupes, la tranquiliza él, no nos ve nadie. Además, es la casa de mi amigo. Hoy estoy aquí y mañana en otra parte.

Tienes muchos amigos, apunta ella.

No muchos, dice él. No hacen falta muchos si no hay ninguna manzana podrida.

Hay un vestíbulo con una hilera de ganchos de hierro para colgar abrigos, un desgastado suelo de linóleo con un diseño de cuadros marrones y amarillos, una puerta interior con un panel de vidrio esmerilado con un dibujo de garzas o grullas. Aves zancudas que inclinan sus graciosos cuellos de serpiente entre las cañas y los lirios, restos de una era anterior: luz de gas. Él abre la puerta con una segunda llave, entra en el recibidor interior en penumbra y pulsa el interruptor. Por encima de su cabeza, una lámpara con tres tulipas de vidrio rosa en la que faltan dos bombillas.

No pongas esa cara, querida, dice él. No vas a contagiarte. Limítate a no tocar nada.

Pues no lo sé. Ella suelta una risita sin aliento. Tengo que tocarte a ti. Me contagiarás.

Él cierra la puerta de cristal a sus espaldas. Otra puerta a la izquierda, barnizada y oscura; ella se imagina la oreja de un censor pegada a la puerta por dentro, un crujido, como el de un cuerpo desplazando el peso de un pie al otro. Una vieja bruja malévola de cabellos grises... ¿no haría juego con las cortinas de encaje? Un maltrecho tramo de escaleras con los peldaños alfombrados y un pasamanos de barrotes separados. El diseño del papel de la pared representa un espaldar con parras y rosas entrelazadas, rosado en otro tiempo, ahora del color del té con leche. Él la abraza, le roza el cuello con los labios, la garganta; la boca no. Ella tiembla.

Te resultará fácil despojarte de mí, susurra él. Bastará con que al llegar a casa tomes una ducha.

No digas eso, le pide ella, susurrando también. Te ríes de mí. Nunca crees que sea sincera.

En eso eres bastante sincera, apunta él. Le rodea la cintura con un brazo y suben por las escaleras con cierta torpeza, con cierta pesadez; sus propios cuerpos dificultan el ascenso. A medio camino hay una ventana redonda de vidrios de colores: a través del azul cobalto del cielo, de las uvas púrpuras de baratillo, del rojo de dolor de cabeza de las flores, entra la luz y les colorea el rostro. En el primer piso, él vuelve a besarla, esta vez con más fuerza, y le sube la falda por las sedosas piernas hasta lo alto de las medias, donde, al apretarla contra la pared, palpa unos pequeños pezones de goma. Siempre lleva faja; sacársela es como quitarle la piel a una foca.

A ella se le cae el sombrero, tiene los brazos alrededor del cuello de él, la cabeza echada hacia atrás, igual que el cuerpo, como si alguien le tirara del cabello. Se le han caído los clips que se lo sujetaban y lo lleva suelto; él acaricia de arriba abajo, la pálida y rizada melena, y piensa en una llama, en la llama temblorosa y única de una vela blanca puesta del revés. Pero la llama no puede arder boca abajo.

La habitación, que está en la segunda planta, en otro tiempo debía de ser el cuarto de los criados. Una vez dentro, pasa la cadena. En la habitación pequeña, estrecha y en penumbra, hay una ventana entreabierta, con la persiana casi hasta abajo y las cortinas, de tul blanco, recogidas a un lado con una presilla. El sol de la tarde cae sobre la persiana y la vuelve dorada. El aire huele a podredumbre seca, pero también a jabón: en un rincón hay una pequeña pila, y encima de ésta un espejo manchado; debajo, la cuadrada caja negra de su máquina de escribir. El cepillo de dientes, que no es nuevo, está en una taza de metal esmaltado. Es demasiado íntimo. Ella desvía la vista. Hay un pupitre oscuro cuya superficie barnizada presenta quemaduras de cigarrillo y marcas de vasos mojados, pero la mayor parte del espacio está ocupada por una cama. Es de hierro, pasada de moda, con aire virginal y toda pintada de blanco. Lo más probable es que cruja. La mera idea hace que ella se ruborice.

Se da cuenta de que él se ha esmerado con el lecho: ha cambiado las sábanas, o al menos la funda de la almohada, y ha alisado la colcha de felpilla verde Nilo. Casi preferiría que no lo hubiera hecho, porque al verlo le provoca una punzada de algo semejante a lástima, como si un campesino muerto de hambre le ofreciera su último mendrugo. No es lástima lo que quiere sentir, ni que él es vulnerable de algún modo. Sólo ella puede serlo. Deja el bolso y los guantes encima del escritorio. De pronto toma conciencia de este acto como una situación social, y como tal se le antoja absurdo.

Lo siento pero no tengo mayordomo, dice él. ¿Quieres beber algo? ¿Whisky barato?

Sí, gracias, acepta ella.

Él guarda la botella en el cajón superior del escritorio; saca el whisky, con dos vasos, y lo sirve. Dime basta.

Basta, gracias.

No tengo hielo, dice él, pero hay agua.

Así está bien. Bebe un trago, tose un poco, sonríe, apoyada contra el escritorio.

Corto, fuerte y solo, apunta él, como a ti te gusta. Se sienta en la cama con el vaso en la mano. Ya tienes lo que querías. Levanta el vaso, sin devolverle la sonrisa.

Hoy estás especialmente mezquino.

Autodefensa, explica él.

No es eso lo que quería, dice ella. Te quiero a ti. Sé reconocer la diferencia.

Hasta cierto punto, replica él. Al menos es lo que crees. Para guardar las apariencias.

Dame una buena razón por la que no debería marcharme ahora mismo.

Él sonríe. Ven aquí, entonces.

Aunque sabe que ella desea oírlo, él no le dice que la quiere. Correría el riesgo de quedarse sin coraza, como si fuera una admisión de culpabilidad.

Primero me quitaré las medias. Las rompes sólo de mirarlas.

Igual que tú, dice él. Déjatelas puestas. Ven aquí, anda.

El sol ha ido descendiendo; sólo queda una cuña de luz en el lado izquierdo de la persiana bajada. Fuera se oye el estruendo de un tranvía, suenan campanas. Seguro que pasaban tranvías todo el rato. ¿Por qué, entonces, el efecto es de silencio? Silencio y respiración, la respiración de ambos, esforzada, contenida, procurando no hacer ruido. O al menos no demasiado. ¿Por qué el sonido del placer se parece tanto al de la aflicción? Como el de una persona herida. Él le había colocado la mano sobre la boca.

La habitación está en semipenumbra, pero ella todavía puede ver. La colcha en el suelo, la sábana retorcida a su alrededor y encima de ellos, como una gruesa enredadera de tela; la única bombilla, sin pantalla; el papel de color cremoso con violetas azules, pequeñas y simples, una mancha beige en lo que debía de ser una gotera; la cadena protegiendo la puerta, demasiado delgada: bastaría con un buen empujón, una patada con la bota. Si eso ocurriera, ¿qué haría ella? Siente que las paredes se comprimen y se convierten en hielo. Son como peces en una pecera.

Él enciende dos cigarrillos y le da uno. Los dos aspiran. Él le acaricia el cuerpo con la mano libre, y luego de nuevo, para abarcarla toda con los dedos. No sabe de cuánto tiempo dispone ella; no se lo pregunta. En lugar de ello le toma la muñeca. Lleva un pequeño reloj de oro. Él tapa la esfera.

Bueno, dice. ¿Un cuento para dormir?

Sí, por favor, responde ella.

¿Dónde estábamos?

Acababas de cortarles la lengua a aquellas pobres niñas con sus velos nupciales.

Ah sí. Y tú protestaste. Si no te gusta esta historia te cuento una diferente, pero no te prometo que sea más civilizada. Incluso podría ser peor, moderna. En lugar de unos cuantos muertos zicronitas, podríamos poner hectáreas de fango maloliente y cientos de miles de...

Prefiero ésta, dice ella rápidamente. Además, es la que tú quieres contarme. Apaga el cigarrillo en el cenicero de vidrio marrón y luego se acurruca junto a él con la oreja sobre su pecho. Le encanta oír su voz de esta manera, como si no le saliese de la garganta sino del cuerpo, igual que un zumbido o un gruñido, o una voz que hablara desde las profundidades. Igual que la sangre que circula por su propio corazón: una palabra, una palabra, una palabra.

The Mail and Empire, 5 de diciembre de 1934

APLAUSOS PARA BENNETT
ESPECIAL PARA *THE MAIL AND EMPIRE*

En un discurso pronunciado anoche en el Empire Club, el señor Richard E. Griffen, financiero de Toronto y franco presidente de Prendas de Punto Royal Classic, dedicó moderados elogios al primer ministro R. B. Bennett y diatribas a sus oponentes.

En referencia a la bulliciosa concentración en los jardines de Maple Leaf del domingo, cuando 15.000 comunistas protagonizaron un histérico recibimiento a su dirigente Tim Buck, conducido a la penitenciaría Kingston, de Portsmouth, acusado de conspiración sediciosa, pero puesto en libertad bajo fianza el sábado, el señor Griffen expresó su alarma por la «cesión a la presión», en forma de una solicitud firmada por 200.000 «defensores de causas perdidas», por parte del gobierno. Añadió que la política de «mano de hierro» del ministro Bennett había sido correcta, ya que la única manera de enfrentarse a la subversión es encarcelando a quienes conspiran para derrocar a un gobierno elegido y confiscar la propiedad privada.

En cuanto a las decenas de miles de inmigrantes deportados de conformidad con la Sección 98, incluyendo a los enviados a países como Alemania e Italia, donde pueden ser objeto de detención, el señor Griffen declaró que ellos mismos han defendido la norma tiránica de la que ahora viven una experiencia de primera mano.

Pasando a la economía, dijo que, aunque el desempleo sigue siendo alto, con la consiguiente inquietud y el provecho que todavía obtienen de ello los comunistas y sus simpatizantes, hay indicios esperanzadores y confía en que al llegar la primavera la depresión habrá terminado. Mientras tanto, la única política saludable consiste en seguir el camino trazado y dejar que el sistema se corrija a sí mismo, afirmó. Es importante combatir toda inclinación hacia el socialismo blando del señor Roosevelt, porque ese tipo de esfuerzos no hacen sino empeorar la enfermedad de la economía. Para él, aunque la situación de los parados resulta deplorable, hay muchas personas holgazanas por inclinación, y es importante aplicar la fuerza, con rapidez y eficacia, contra los huelguistas ilegales y los agitadores del exterior.

Las puntualizaciones del señor Griffen recibieron grandes aplausos.

El asesino ciego: El mensajero

Veamos, pues. Pongamos que está oscuro. Los tres soles que hay ya se han puesto. Han salido un par de lunas. En las estribaciones de la montaña, los lobos andan sueltos. La niña elegida espera su turno para el sacrificio. Le han servido su última gran comida, la han perfumado y ungido, han entonado canciones en su honor, se han elevado las plegarias. La chica yace en un lecho de brocado rojo y dorado, encerrada en la cámara más interior del Templo, que huele a la mezcla de pétalos, incienso y especias aromáticas con que se salpican tradicionalmente los féretros de los muertos. La cama en sí se denomina «de Una Noche», porque ninguna chica duerme jamás dos noches en ella. Las niñas, cuando aún tienen lengua, se refieren a ella como la Cama de las Lágrimas Mudas.

A medianoche recibirá la visita del Señor del Averno, el cual, según afirman, lleva una armadura oxidada. El Averno es un lugar de desgarramiento y desintegración: todas las almas han de atravesarlo en su camino hacia la tierra de los dioses, y algunas —las más pecadoras— deben permanecer ahí. La noche anterior al sacrificio toda doncella que ha sido entregada al Templo debe someterse a la visita del señor oxidado, porque de lo contrario su alma no quedará satisfecha y, en lugar de viajar a la tierra de los dioses, se verá obligada a unirse al grupo de bellas mujeres desnudas con cabellos azules, figura curvilínea, labios rojo rubí y ojos como pozos llenos de serpientes, que vagan por las antiguas tumbas arruinadas en las desoladas montañas del oeste. Como ves, no las he olvidado.

Aprecio tu consideración.

Nada es demasiado bueno para ti. Si quieres añadir algún detalle, no tienes más que decírmelo. En fin. Como muchos pueblos, antiguos y modernos, los zicronitas tienen miedo de las vírgenes, sobre todo de aquellas que, tras ser traicionadas, fallecieron solteras y se ven condenadas a buscar en la muerte lo que tan lamentablemente se perdieron en vida. Durante el día duermen en los sepulcros en ruinas y por la noche rondan a los viajeros incautos, en especial a los jóvenes imprudentes que osan acercarse por allí. Saltan sobre ellos, les chupan su esencia y los convierten en zombis obedientes, destinados a satisfacer las ansias antinaturales de las mujeres.

Qué mala suerte para los jóvenes, se lamenta ella. ¿No hay defensa posible contra esas criaturas depravadas?

Puedes clavarles lanzas, o machacarlas contra las piedras; pero hay tantas que es como pelearse con un pulpo: antes de darte cuenta, ya te han atacado por todas partes. Además, te hipnotizan, inhibiendo tu fuerza de voluntad. Es lo primero que hacen. En cuanto ves una, te quedas clavado en tu sitio.

Ya me lo imagino. ¿Más whisky?

Creo que me irá bien. Gracias. La niña... ¿cómo crees que debería llamarse?

No lo sé. Elige tú, que conoces el terreno.

Pensaré en ello. En todo caso, yace en la Cama de Una Noche, atormentada pensando en lo que le espera. No sabe qué será peor, si que le corten la garganta o las pocas horas que faltan para ello. Uno de los secretos revelados del Templo es que el Señor del Averno en realidad no existe, sino que es uno de los cortesanos disfrazado. Como todo lo demás en Sakiel-Norn, este cargo está en venta y, según dicen, se ofrecen grandes cantidades de dinero por el privilegio que supone ejercerlo; bajo cuerda, claro. La receptora de los pagos es la gran sacerdotisa, persona venal y famosa por su afición a los zafiros. Se excusa jurando que utiliza el dinero con propósitos de beneficencia, y es cierto que parte de él lo destina a ese fin, cuando se acuerda. Las chicas apenas pueden quejarse de esta parte de la ordalía, porque no tienen lengua ni material de escritura; y, además, al día siguiente están todas muertas. «Dinero caído del cielo», se dice a sí misma la gran sacerdotisa cuando suma lo obtenido.

Mientras tanto, en la distancia, una horda numerosa y desordenada de bárbaros inicia la marcha decidida a capturar la ciudad de larga fama, Sakiel-Norn, para saquearla y quemarla hasta los cimientos. Ya han hecho lo mismo con varias ciudades situadas más al oeste. Nadie —es decir, nadie que pertenezca a una nación civilizada— atina a comprender su victoria. No van bien vestidos ni bien armados, no saben leer y no poseen ingeniosos artilugios de metal.

No sólo eso, sino que no tienen rey, sólo un líder. Éste carece de nombre; lo abandonó cuando accedió al liderato, y a cambio le dieron un título, el de Siervo del Regocijo. Sus seguidores también se refieren a él como el Azote del Todopoderoso, el Puño Derecho del Invencible, el Purgador de Iniquidades y el Defensor de la Virtud y la Justicia. Nadie sabe cuál es la patria original de los bárbaros, pero se cree que vienen del noroeste, donde se originan también los malos vientos. Sus enemigos los llaman el Pueblo de la Desolación, pero ellos se llaman a sí mismos el Pueblo de la Dicha.

Su dirigente actual lleva la marca del favor divino: nació envuelto en el amnios, tiene una herida en el pie y presenta una marca en forma de estrella en la frente. Entra en trance y se comunica con el otro mundo siempre que la perplejidad le impide actuar. Se ha puesto en marcha para destruir Sakiel-Norn obedeciendo una orden que le comunicó un mensajero de los dioses.

Este mensajero se le apareció disfrazado de llama, con numerosos ojos y alas de fuego desplegadas. Es sabido que esos mensajeros hablan en tortuosas parábolas y adoptan muchas formas: *thulks* o piedras ardientes que hablan, flores que andan, o criaturas con cabeza de ave y cuerpo humano. También pueden parecerse a cualquiera. De acuerdo con el Pueblo de la Desolación, es muy probable que los viajeros, solitarios o en parejas, los hombres que se rumorea que han sido ladrones o magos, los extranjeros que hablan varias lenguas y los mendigos al costado del camino, sean mensajeros de ésos, por ello hay que tratarlos con gran prudencia al menos hasta descubrir su verdadera naturaleza.

Si se convierten en emisarios divinos, lo mejor es darles comida y vino, y el disfrute de una mujer si lo necesitan, escuchar respetuosamente sus mensajes y luego dejarles seguir su camino. De lo contrario hay que matarlos a pedradas y confiscar sus posesiones. Puedes estar segura de que todos los viajeros, magos, extranjeros o mendigos que se encuentran en la vecindad del Pueblo de la Desolación se cuidan muy bien de aprovisionarse de un alijo de oscuras parábolas —«palabras nube», las llaman, o «seda nudosa»—, lo bastante enigmáticas para ser útiles en distintas ocasiones, de acuerdo con lo que dicten las circunstancias. Viajar por el Pueblo de la Dicha sin un acertijo o adivinanza equivalía a cortejar a la muerte.

Según las palabras de la llama con ojos, la ciudad de Sakiel-Norn ha sido condenada a la destrucción debido a su lujo, a la adoración de falsos dioses y, en especial, a sus abominables sacrificios de niños. A causa de esta práctica, todos los habitantes de la ciudad, incluidos los esclavos, los niños de ambos sexos y las niñas destinadas al sacrificio, serán pasados por la espada. Quizá no parezca justo matar también a aquellos cuya muerte inminente era la razón de la matanza, pero para el Pueblo de la Dicha no son la culpa ni la inocencia lo que determina esa clase de cosas, sino la deshonra, y desde el punto de vista del Pueblo de la Dicha, en una ciudad deshonrada todo el mundo ha perdido la honra.

La horda avanza levantando a su paso una negra nube de polvo, que ondea por encima de ellos igual que una bandera. Sin embargo, no está lo bastante cerca para que la vean los centinelas apostados en las murallas de Sakiel-Norn. Todos los que podían haber dado aviso —pastores de los alrededores, los comerciantes en tránsito, etcéra— son cazados y descuartizados, con la excepción de algunos que tal vez sean mensajeros divinos.

El Siervo del Regocijo cabalga a la cabeza, con el corazón puro, el ceño fruncido, los ojos ardientes. Sobre los hombros lleva una basta capa de cuero y en la cabeza la insignia de su rango, un som brero cónico de color rojo. Detrás van sus seguidores, enseñando los colmillos. Los herbívoros huyen a su paso, los carroñeros los siguen, los lobos trotan a su lado.

Mientras tanto, en la ciudad, que nada sospecha, hay una conspiración en marcha para derrocar al rey. La han organizado (como de costumbre) una serie de cortesanos dilectos. Han utilizado al asesino ciego más hábil de cuantos contaban, un joven que en otro tiempo fue tejedor de alfombras y luego se dedicó a la prostitución pero que desde su fuga se ha hecho famoso por su mutismo, su sigilo y su mano implacable con el cuchillo. Se llama X.

¿Por qué X?

Los hombres como él siempre se llaman X. Tener nombre sólo les sirve para que los individualicen. Además, X es de rayos X: si eres X, puedes pasar a través de sólidas paredes y ver a través de la ropa de las mujeres.

Pero X es ciego, dice ella.

Mejor. Ve a través de la ropa de las mujeres con el ojo interior, que es la bendición de la soledad.

¡Pobre Wordsworth! ¡No seas blasfemo!, exclama ella, encantada.

No puedo evitarlo, ya lo era de pequeño.

X tiene que entrar en el recinto del Templo de las Cinco Lunas, encontrar la puerta de la habitación donde está encerrada la doncella que será sacrificada al día siguiente y cortarle la garganta al centinela. Luego ha de matar a la niña, esconder el cuerpo debajo de la legendaria Cama de Una Noche y vestirse con sus velos ceremoniales. Se supone que debe esperar hasta que llegue el cortesano que hace de Señor del Averno —que, en realidad, no es otro que el líder del inminente golpe palaciego—, recoger lo que le pague y marchar de nuevo. El cortesano ha desembolsado una buena cantidad de dinero y quiere algo a cambio, que no es el cadáver de la niña, por muy reciente que sea, sino el corazón todavía palpitante.

Sin embargo, ha habido un error en lo dispuesto. Se han confundido con el tiempo: tal como han ido las cosas, el asesino ciego será el primero en pasar por el puesto de guardia.

Eso es demasiado truculento, le interrumpe ella. Tienes una mente retorcida.

Él le acaricia con un dedo el brazo desnudo. ¿Quieres que siga? Normalmente lo hago por dinero. Tú lo consigues gratis, deberías estar agradecida. Además, no sabes qué va a pasar. Me limito a dar más densidad al argumento.

Ya me parecía bastante denso.

Los argumentos densos son mi especialidad. Si los quieres más desleídos, tendrás que buscar en otra parte.

De acuerdo. Continúa.

Disfrazado con la ropa de la niña muerta, el asesino esperará hasta la mañana, cuando será conducido hasta los escalones del altar. Allí, en el momento del sacrificio, apuñalará al rey. De este modo parecerá que la muerte de éste ha sido obra de la propia diosa, así como la señal de un levantamiento cuidadosamente orquestado.

Algunos de los elementos más duros, sujetos a soborno, empezarán los disturbios. A continuación, los acontecimientos seguirán la pauta consagrada por la tradición. Se pondrá bajo custodia a las sacerdotisas del Templo, por su propia seguridad, según se les dirá, pero en realidad para obligarlas a refrendar la declaración de autoridad espiritual de los conspiradores. Los nobles leales al rey serán alanceados allí mismo, y la misma suerte correrán sus descendientes varones, para evitar venganzas posteriores; sus hijas se casarán con los victoriosos para legitimar la toma de la riqueza de sus familias, y sus consentidas esposas, sin duda adúlteras, serán arrojadas a la multitud. Limpiarse los pies con los poderosos caídos es un placer nada desdeñable.

El asesino ciego ha planeado huir en la confusión subsiguiente y volver más tarde para reclamar la otra mitad de su generosa paga. En realidad, los conspiradores piensan matarlo de inmediato, para evitar que lo tomen prisionero y —en caso de fracaso de la conspiración— lo obliguen a hablar. Esconderán bien el cadáver, pues todo el mundo sabe que los asesinos ciegos sólo trabajan por encargo y, antes o después, la gente empezaría a preguntarse quién lo había contratado. Organizar la muerte de un rey es una cosa, pero ser descubierto es otra muy distinta.

La niña que hasta ahora no tiene nombre yace en la cama de brocado rojo esperando al sustituto del Señor del Averno y despidiéndose sin palabras de esta vida. El asesino ciego avanza por el pasillo vestido con las túnicas grises de un criado del templo. Llega a la puerta. El centinela es una mujer, ya que no se permite a ningún hombre servir dentro del recinto. A través de su velo gris, el asesino le susurra que trae un mensaje para la gran sacerdotisa que sólo ella puede escuchar. La mujer se inclina hacia adelante, él le clava el cuchillo una sola vez; el rayo del dios es misericordioso. Las manos ciegas buscan el manojo de llaves.

Hace girar la llave en la cerradura. Dentro de la habitación, la niña lo oye y se incorpora.

Deja de hablar. Está escuchando algo en la calle.

Ella se incorpora sobre un codo. ¿Qué ocurre?, pregunta. Es sólo la puerta de un coche.

Hazme un favor, dice él. Ponte las bragas como una buena chica y mira por la ventana.

¿Y si me ve alguien?, inquiere ella. Estamos a plena luz del día.

No pasa nada. No te reconocerán. No verán más que una mujer con bragas, no es una visión tan extraña por aquí; pensarán que eres una...

¿Una mujer de virtud fácil?, dice ella con ligereza. ¿Tú también lo crees?

Una doncella arruinada. Que no es lo mismo.

Muy cortés.

A veces soy mi peor enemigo.

Si no fuera por ti, estaría mucho más arruinada, dice ella. Se acerca a la ventana, levanta la persiana. Las bragas son de un verde chillón, como las orillas heladas. Él no podrá seguir a su lado por mucho tiempo. Ella se fundirá, se alejará, se le resbalará de las manos.

¿Ves algo?, pregunta él.

Nada fuera de lo normal.

Vuelve a la cama.

Pero ella ha mirado el espejo que hay encima de la pila y se ha visto a sí misma. Su cara desnuda, los cabellos alborotados. Mira el reloj de oro. Dios mío, qué desastre, dice. Tengo que irme.

The Mail and Empire, 15 de diciembre de 1934

EL EJÉRCITO SOFOCA UNA HUELGA VIOLENTA
PORT TICONDEROGA, ONTARIO

Tras una semana de alborotos relacionados con la clausura, huelga y cierre patronal de las Industrias Chase e Hijos, ayer estalló la violencia en Port Ticonderoga. Superadas las fuerzas de la policía, y después de que la Asamblea Legislativa provincial pidiera refuerzos, el primer ministro autorizó la intervención de un destacamento del Real Regimiento Canadiense, que llegó a las dos de la tarde, en interés de la seguridad pública. La situación ya ha vuelto a la normalidad.

Antes de restaurarse el orden, un grupo de huelguistas quedó fuera de control. Rompieron los escaparates de toda la calle principal de la ciudad y perpetraron saqueos. Varios dueños de las tiendas, que intentaron defender sus propiedades, están hospitalizados recuperándose de contusiones. Según se informa, un policía sufre conmoción cerebral como fruto de un golpe en la cabeza propinado con un ladrillo, y su vida corre grave peligro. Se investiga el origen de un incendio, al parecer intencionado, que se declaró en la Fábrica Uno a primera hora de la mañana. Los bomberos de la ciudad consiguieron reducirlo, pero el vigilante nocturno, señor Al Davidson, murió horas después de ser rescatado de las llamas como consecuencia de un golpe en la cabeza y la inhalación de humo. Se busca a los autores del delito, y hay varios sospechosos identificados.

El editor del periódico de Port Ticonderoga, señor Elwood R. Murray, declaró que la causa del problema había sido el alcohol introducido entre la multitud por varios agitadores. Se mostró convencido de que los trabajadores locales son respetuosos de la ley y que, de no mediar provocación, no se hubieran levantado.

El señor Norval Chase, presidente de las Industrias Chase e Hijos, declinó hacer declaraciones.

El asesino ciego: Caballos de la noche

Esta semana una casa diferente, una habitación diferente. Al menos entre la puerta y la cama hay espacio para moverse. Las cortinas son mexicanas, a rayas amarillas, azules y rojas; la cabecera de la cama, de madera de arce, está decorada con un paisaje; caída en el suelo, hay una gruesa y áspera manta de lana color carmesí. En la pared, un cartel anunciando una corrida de toros española. También hay un sillón granate de cuero, una mesa de roble de color humo, un bote con lápices, todos con la punta perfectamente afilada, un estante lleno de pipas. La atmósfera es densa a causa del tabaco.

Un anaquel con libros: Auden, Veblen, Spengler, Steinbeck, Dos Passos. *Trópico de Cáncer*, a plena vista, debe de ser una edición clandestina. *Salambó, Extraño fugitivo, El crepúsculo de los dioses, Adiós a las armas*. Barbusse. Montherlant. *Hammurabis Gesetz: Juristische Erlaüterung*. Este nuevo amigo tiene veleidades intelectuales, piensa ella. También más dinero. Por lo tanto, es menos digno de confianza. Tiene tres sombreros diferentes en la repisa de la percha donde se cuelgan los abrigos; además de un salto de cama a cuadros escoceses, de auténtica cachemira.

¿Has leído alguno de esos libros?, le había preguntado al llegar mientras él cerraba la puerta y ella se quitaba el sombrero y los guantes.

Algunos, dijo. No profundizó. Vuelve la cabeza. Le quitó una hoja de los cabellos.

Ya empiezan a caer.

Ella se pregunta si el amigo lo sabe. No sólo que hay una mujer —deben de haber pactado algo entre ellos para que el amigo no pregunte, los hombres suelen hacerlo—, sino que es ella. Su nombre y todo eso. Confía en que no. A juzgar por los libros, y sobre todo por el cartel de la corrida de toros, está segura de que este amigo se mostraría hostil con ella por principio.

Él se ha mostrado menos impetuoso hoy, más pensativo. Al parecer quería entretenerse, resistir. Escrutar.

¿Por qué me miras de este modo?

Te estoy memorizando.

¿Por qué?, preguntó ella, poniéndose la mano delante de los ojos. No le gustaba que la examinaran así, señalándola con el dedo.

Para tenerte después, repuso él. Cuando me haya ido.

No. No estropees el día.

Apila el heno mientras luzca el sol, dijo él. ¿Es tu lema?

Más bien no malgastes y no pasarás necesidad, apuntó ella. Él se rió.

Ella se ha envuelto con la sábana y se la ha ceñido alrededor del pecho; yace junto a él, las piernas ocultas en una larga y sinuosa cola de algodón blanco. Él mira el techo, con las manos detrás de la cabeza. Ella le ofrece sorbos de su copa, esta vez whisky de centeno y agua. Es más barato que el whisky escocés. Tenía la intención de traer algo decente por su parte —algo bebible— pero se le ha olvidado.

Sigue, pide ella.

Debo inspirarme, dice él.

¿Qué puedo hacer para inspirarte? No he de regresar hasta las cinco.

Lo dejaré para más tarde, dice él. Tengo que reunir fuerzas. Dame media hora.

O lente, lente currite noctis equi!

¿Qué?

«Despacio, corred despacio, caballos de la noche.» Es de Ovidio, explica ella. En latín el verso parece emprender un lento galope. Eso ha sido un fallo, él pensará que pretende lucirse. Nunca está segura de qué reconoce él y qué no. A veces simula no saber nada y luego, después de habérselo explicado, le revela que ya lo sabía, que lo había sabido desde el principio. Primero la sonsaca y después la ahoga.

Mira que eres rara, dice él. ¿Por qué son los caballos de la noche?

Tiran del carro del Tiempo. Él está con su amante. Quiere decir que desea que la noche se alargue para permanecer más tiempo al lado ella.

¿Para qué?, inquiere él con pereza. ¿No tiene bastante con cinco minutos? ¿No tiene nada mejor que hacer?

Ella se sienta. ¿Estás cansado? ¿Te estoy aburriendo? ¿Quieres que me vaya?

Vuelve a tumbarte. No vas a ir a ninguna parte.

A ella no le gusta que hable como en una película del Oeste. Tiene la sensación de que lleva las de perder. En cualquier caso, se tumba y lo rodea con el brazo.

Ponga aquí la mano, señora. Perfecto. Él cierra los ojos. Amada, dice. Qué palabra más curiosa. Victoriana. Debería besar tus delicados zapatos o servirte chocolate.

A lo mejor soy curiosa. A lo mejor soy victoriana. Querida, entonces. O, si quieres, soy tu chica. ¿Te parece más avanzado? ¿Más propio de ti?

Desde luego. Pero creo que prefiero amada. Porque las cosas no son adecuadas ¿verdad que no?

No, admite ella. No lo son. En todo caso, sigue.

Él dice: Al caer la noche, el Pueblo de la Dicha acampa tras marchar durante todo el día luego de abandonar la ciudad. Mujeres esclavas, cautivas de conquistas anteriores, vierten el *hrang* escarlata de los odres de piel en los que fermenta, se agachan, se encorvan y sirven, cargadas de cuencos de estofado, cartilaginoso y medio crudo, hecho de crujientes *thulks*. Los ojos de las esposas oficiales, que se sientan a la sombra, a la espera de impertinencias, brillan en los óvalos oscuros que dejan al descubiero los pañuelos con que se cubren la cabeza. Saben que pasarán la noche solas, pero más tarde podrán dar latigazos a las niñas capturadas que se muestren torpes o irrespetuosas, y lo harán.

Los hombres están en cuclillas alrededor de pequeños fuegos, envueltos en sus capas de cuero, cenando, murmurando para sí. Su humor dista de ser jovial. Mañana, o pasado mañana —según lo veloces que sean y lo vigilante que se muestre el enemigo—, tendrán que combatir, y acaso no ganen. Cierto que el mensajero de ojos fieros que habló al Puño del Invencible prometió que alcanzarían la victoria si perseveraban en la piedad y la obediencia, si seguían siendo bravos y astutos, pero en esta clase de asuntos siempre existen muchas dudas.

Si pierden, los matarán, y también a sus mujeres e hijos. No esperan misericordia. Si ganan, serán ellos quienes perpetren la matanza, lo que no siempre es tan agradable como se cree. Todos los habitantes de la ciudad tienen que morir: son las instrucciones. No hay que dejar vivo a ningún niño, para que no crezca deseando vengar el ajusticiamiento de su padre, ni a ninguna niña, para que no corrompa al Pueblo de la Dicha con sus maneras depravadas. De las ciudades ya conquistadas, se quedaron con las muchachas y las repartieron entre los soldados, cada uno de los cuales recibió, según su destreza y mérito, dos o tres; sin embargo, el mensajero divino ha dicho que con eso basta y sobra.

Todas estas matanzas serán agotadoras, y también ruidosas. Matar a escala tan enorme extenúa, y también corrompe, y hay que hacerlo bien, porque de otro modo el Pueblo de la Dicha tendrá graves problemas. El Todopoderoso insiste en que la ley se cumpla al pie de la letra.

Tienen los caballos atados a un lado. Son pocos, y sólo los montan los hombres principales; son animales débiles, asustadizos, con el arnés en la boca, largas caras cariacontecidas y ojos tiernos y cobardes. Nada de eso es culpa suya: fueron arrastrados a ello.

Si tienes un caballo, puedes patearlo y golpearlo, pero no matarlo y comértelo, porque hace mucho tiempo apareció un mensajero del Todopoderoso en la forma del primer caballo. Dicen que los caballos lo recuerdan y están orgullosos de ello. Es por eso por lo que sólo los jefes pueden montarlos. Al menos ésta es la razón que dan.

Mayfair, mayo de 1935

COTILLEOS DEL VESPERTINO
DE TORONTO
POR YORK

Este mes de abril la primavera ha llegado animadamente anunciada por un verdadero desfile de limusinas que se dirigía, transportando a los eminentes invitados, a una de las fiestas más encantadoras de la temporada, la ofrecida el 6 de abril por la señora Winifred Griffen Prior en su imponente residencia de estilo Tudor de Rosedale, en honor de Iris Chase, de Port Ticonderoga, Ontario.

La señorita Chase, que es hija del capitán Norval Chase y nieta del fallecido Benjamin Chase, de Montreal, se ha prometido en matrimonio con el hermano de la señora Griffen Prior, el señor Richard Griffen, considerado desde hace tiempo uno de los solteros más codiciados de la provincia. Su boda, que tendrá lugar en mayo, promete ser uno de los acontecimientos más sonados del calendario matrimonial.

Las debutantes de la última temporada y sus madres ardían en deseos de echar una mirada a la joven futura esposa, que lucía una recatada creación de Schiaparelli de crepe de color crudo transparente, con falda y peplo de elegante corte, adornados con volantes de terciopelo negro. Ante un escenario de narcisos blancos, un enrejado del mismo color y bujías encendidas en apliques de plata adornados con ramilletes de uvas de moscatel engalanadas con un lazo plateado en espiral, la señora Prior recibía a los invitados ataviada con un delicado vestido de Chanel de color rosa con falda sobrepuesta y canesú ornamentado con discretos aljófares. La hermana y dama de honor de la señorita Chase, Laura Chase, que lucía un velvetón verde hoja adornado con repujados de satén color sandía, también estaba presente.

Entre la distinguida concurrencia se encontraban el vicegobernador Herbert A. Bruce y su esposa; el coronel R.Y. Eaton con su esposa e hija, la señorita Margaret Eaton; el honorable W. D. Ross y su esposa, junto con sus hijas, Susan Ross e Isabel Ross; A. L. Ellsworth, su esposa y sus dos hijas, Beverley Balmer y Elaine Ellsworth; Jocelyn Boone y Daphne Boone, y el señor Grant Pepler y señora.

El asesino ciego: La campana de bronce

Es medianoche. En la ciudad de Sakiel-Norn se oye el tañido de una campana de metal que señala el momento en que el Dios Roto, encarnación nocturna del Dios de los Tres Soles, llega a su punto más bajo en su descenso a la oscuridad y, tras feroz combate, es destrozado por el Señor del Averno y su grupo de guerreros muertos, que viven ahí abajo. Será la diosa quien se encargue de recuperarlo, devolverlo a la vida y cuidarlo hasta que recupere su salud y vigor, para que emerja al alba como siempre, regenerado, lleno de luz.

Aunque el Dios Roto es una figura popular, en la ciudad ya nadie se cree de verdad esta historia sobre él. No obstante, las mujeres de cada casa modelan su imagen en arcilla, y vuelven a hacerlo al día siguiente de la noche más oscura del año, cuando los hombres la rompen en pedazos. A los niños que, con sus ávidas bocas, representan el futuro, que como el propio tiempo devorará todo lo que ahora vive, se les da de comer pequeños dioses hechos de pan dulce.

El rey está sentado, solo en el trono más alto de su lujoso palacio, desde el que observa las estrellas e interpreta los presagios y augurios para la semana siguiente. Ha dejado a un lado su máscara tejida con platino porque no es necesario que oculte sus emociones ante ninguno de los presentes: puede sonreír y fruncir el ceño a voluntad, como cualquier ygnirod. Es un alivio.

Ahora mismo sonríe; es una sonrisa abstraída: está pensando en su último amorío con la regordeta esposa de un funcionario menor. Es más estúpida que un *thulk*, pero tiene la boca blanda y densa como un cojín de terciopelo empapado de agua, unos dedos afilados hábiles como peces, unos ojos pequeños y maliciosos y un encanto culto. Sin embargo, está empezando a exigirle demasiado, y a cometer indiscreciones. Se ha empeñado en que le componga un poema sobre su nuca, o sobre otra parte de su anatomía, como es práctica común entre los amantes cortesanos más afectados, pero su talento no lo lleva en esa dirección. ¿Por qué a las mujeres les gusta tanto ganar trofeos, por qué quieren recuerdos? ¿O acaso pretende que para demostrarle su poder haga el ridículo?

Es una pena, pero tendrá que librarse de ella. Acabará arruinando económicamente a su marido: le hará el honor de cenar en su casa, con todos sus cortesanos de confianza, hasta que los recursos del pobre idiota se agoten. Entonces la mujer lo venderá como esclavo para pagar la deuda. Incluso podría venirle bien, ya que confirmaría su fuerza. Es un placer evidente imaginársela sin velo, el rostro a merced de las miradas de quienes pasan, cargada con su nuevo escabel de amante o su *wibular* de compañía de pico azul y frunciendo el entrecejo todo el rato. Siempre podría ordenar que la asesinaran, pero parece un poco cruel: no ha cometido otro pecado que desear mala poesía. Él no es un tirano.

Ante él yace un *oorm* destripado. Ociosamente le clava un palo entre las plumas. No le importan las estrellas —ya no cree en esas sandeces—, pero para conseguir un pronunciamiento tendrá que pasarse un rato observándolas de todos modos. La multiplicación de la riqueza y una cosecha abundante servirán a corto plazo, y la gente siempre se olvida de las profecías, a menos que se hagan realidad.

Se pregunta si la información que ha recibido de una fuente fiable —su peluquero—, según la cual se trama otra conspiración contra él, tendrá alguna validez. ¿Deberá efectuar de nuevo arrestos, recurrir a la tortura y las ejecuciones? Sin duda. La percepción de molicie es tan mala para el orden público como la molicie en sí misma. Es deseable tirar fuerte de las riendas. Si han de rodar cabezas, la suya no estará entre ellas. Se verá obligado a actuar, a protegerse; pero siente una extraña inercia. Dirigir un reino produce una tensión constante: si baja la guardia, siquiera por un instante, se arrojarán sobre él, quienesquiera que sean.

Le parece ver un parpadeo al norte, como si ardiera algo, pero desaparece. Un relámpago, quizá. Se pasa la mano por los ojos.

Me da pena. Yo creo que él hace todo cuanto está en su mano.

Me parece que necesitamos otro trago.

Estoy segura de que vas a matarlo. Se te ve en la cara.

En realidad, se lo merece. Para mí, no es más que un cabrón. Pero los reyes no tienen más remedio que serlo, ¿no? La supervivencia de los más aptos y todo eso. Los débiles, al paredón.

No lo crees de verdad.

¿Hay otra? Dame la botella, por favor. Estoy sediento.

Voy a ver. Ella se levanta y arrastra la sábana consigo. La botella está encima de la mesa. No hace falta que te tapes, dice él. Me gusta la visión.

Ella vuelve la cabeza y lo mira por encima del hombro. Añade misterio, dice. Dame ese vaso. Me encantaría que dejaras de comprar este matarratas.

Es cuanto puedo permitirme. Además, no tengo gusto. Se debe a que soy huérfano. En el orfanato, los presbiterianos me arruinaron. De ahí que sea tan pesimista y taciturno.

No pretendas darme lástima con el cuento del viejo y mugriento orfanato.

Pues sí que te doy lástima, sin embargo, replica él. Cuento con ello. Además de tus piernas y de tu culo perfecto, es lo que más admiro de ti: tu corazón compasivo.

No se trata de mi corazón, sino de mi pensamiento. Tengo una mente compasiva. Es lo que me han dicho.

Él se ríe. Por tu mente compasiva, entonces. ¡Salud!

Ella bebe y hace una mueca.

Sale del mismo modo que entra, añade él, animado. Y ahora que lo recuerdo, he quedado con un hombre para lo del perro. Se levanta, se acerca a la ventana y sube un poco la persiana.

¡No puedes hacer eso!

Es una calle poco frecuentada. No molestaré a nadie.

¡Al menos ponte detrás de la cortina! ¿Y yo qué?

¿Tú qué? Ya has visto antes a un hombre desnudo. No siempre cierras los ojos.

No me refiero a eso, me refiero a que no puedo mear por la ventana. Lo dejaría todo perdido.

La bata de mi amigo, dice. ¿La ves? Ésa a cuadros escoceses del perchero. Mira sólo que no haya nadie en el vestíbulo. La patrona es una zorra entrometida, pero mientras lleves puesta esa bata, no te verá. Quedarás difuminada; en este lugar de mala muerte todo son cuadros escoceses.

Pues bien, prosigue él. ¿Dónde estaba?

Es medianoche, dice ella. Se oye el tañido de una campana.

Ah, sí. Es medianoche. Se oye el tañido de una campana. Cuando el sonido se apaga, el asesino ciego hace girar la llave en la cerradura. El corazón le palpita con fuerza, como siempre en momentos como ése, de considerable peligro para él. Si lo atrapan, la muerte que le dispensarán será prolongada y dolorosa.

No siente nada respecto de la muerte que está a punto de infligir, ni le preocupa conocer las razones de la misma. Quién va a ser asesinado y por qué es cosa de los ricos y poderosos, y los odia a todos por igual. Son los mismos que le quitaron la vista y lo violaron docenas de veces cuando era demasiado pequeño para defenderse, y le encantaría tener la oportunidad de asesinarlos, a ellos y a todos los implicados en sus actos, como esta chica. Le da igual que ésta no sea más que una prisionera decorada y enjoyada. Para él no significa nada que la misma gente que lo ha dejado ciego la haya dejado muda a ella. Hará su trabajo, recibirá su paga y asunto concluido.

Además, ella morirá de todos modos por la mañana si no la mata él esta noche. En realidad, él le está haciendo un favor, pues será

Margaret Atwood

más rápido y mucho menos torpe. Ha habido demasiados sacrificios desacertados. Ninguno de esos reyes es hábil con el cuchillo.

Confía en que no haga mucho ruido. Le han dicho que no puede gritar, que el sonido más alto que está en condiciones de emitir, con su boca sin lengua, es una especie de maullido agudo y apagado, como el de un gato en un saco. Eso está bien. Sin embargo, tomará precauciones.

Arrastra el cuerpo de la centinela hacia dentro de la habitación para que nadie tropiece con él en el pasillo. Luego entra, sin hacer ruido con sus pies descalzos, y cierra la puerta con llave.

V

El abrigo de piel

Esta mañana, en el canal del tiempo, han anunciado un tornado y, hacia el mediodía, el cielo se ha teñido de un verde siniestro y las ramas de los árboles han empezado a agitarse como si un inmenso animal airado quisiera abrirse camino entre ellas. La tempestad pasaba directamente por encima de nuestras cabezas: coletazos de luz blanca como lenguas de serpiente, amasijos de nubes tambaleantes. «Cuenta hasta mil uno —solía decirnos Reenie—. Si llegas, significa que está a un kilómetro y medio.» Durante una tormenta, advertía, no debía usarse el teléfono porque si entraba un rayo en la línea y te llegaba al oído, te dejaba sordo. Tampoco había que bañarse, porque el rayo podía salir por el grifo como si fuese agua. Si notabas que se te erizaba el pelo de la nuca, sólo dando saltos lograrías salvarte.

Al caer la noche la tormenta ya había pasado, pero todo seguía frío y húmedo como un sumidero. Me revolvía en la cama escuchando los irregulares latidos de mi corazón contra los muelles e intentando encontrar una postura cómoda. Finalmente desistí de dormir, me puse un jersey largo encima del camisón y bajé por la escalera. Luego me puse el impermeable de plástico con capucha, metí los pies en las botas de goma y salí al exterior. Los escalones de madera del porche estaban húmedos y resbaladizos. La pintura se ha desgastado, seguramente se están pudriendo.

Bajo la luz tenue todo era monocromático. El aire estaba húmedo y quieto. En los crisantemos del jardín de delante resplandecían las gotas; un batallón de babosas mascaba las últimas hojas que quedaban en los altramuces. Dicen que a las babosas les gusta la cerveza; siempre pienso que debería ponerles un poco fuera. Mejor para ellas que para mí: la cerveza nunca ha sido mi modalidad de alcohol favorita. Prefiero alcanzar la lasitud de manera más rápida.

He ido abriéndome camino con el bastón por la húmeda acera. La luna llena estaba envuelta en un halo de brillo pálido; las luces de la calle hacían que el escorzo de mi sombra se deslizara ante mí igual que un duende. Tenía la sensación de estar cometiendo una osadía: una mujer mayor, paseando sola por la noche. Cualquier desconocido podía darse cuenta de mi indefensión. Y, en realidad, estaba un poco asustada, o al menos tenía el suficiente temor para que el corazón me latiera más deprisa. Como insiste en decirme Myra con toda amabilidad, las señoras mayores son el principal objetivo de los atracadores. Según aseguran, éstos, como todos los males, vienen de Toronto, probablemente en autobús, con las herramientas propias de ellos disimuladas como si se tratara de sombrillas o palos de golf. «Son capaces de cualquier cosa», añade Myra misteriosamente.

Recorrí tres tramos de casas hasta la calle principal que atraviesa la ciudad y me detuve a mirar, por encima del asfalto satinado a causa de la humedad, hacia el garaje de Walter. Walter estaba sentado en la cabina de cristal iluminada, en medio del charco impenetrable y vacío de asfalto plano. Inclinado hacia delante con su gorra roja, parecía un jinete avejentado sobre un caballo invisible o un capitán pilotando una nave fantástica por el espacio exterior. En realidad, estaba mirando las noticias de deportes en su televisor en miniatura, según me enteré por Myra. No me acerqué a hablar con él; se habría alarmado al verme aparecer en la oscuridad en camisón y con botas de goma como una espía octogenaria loca. A pesar de todo, me reconfortó saber que al menos había otro ser humano despierto a esa hora de la noche.

En el camino de vuelta, oí pasos detrás de mí. Justo cuando estoy a punto de llegar, viene el atracador. Pero no era más que una mujer joven con impermeable negro que arrastraba una bolsa o una maleta pequeña. Pasó por mi lado a toda velocidad, con la cabeza echada hacia delante.

Sabrina, pensé. Por fin ha vuelto. Qué sentimiento de perdón experimenté en ese instante, qué bendición, qué infusión de gracia, como si el tiempo hubiera rodado hacia atrás y por arte de magia mi viejo bastón de madera seca se hubiera convertido en una flor. Pero, al mirar por segunda vez —no, por tercera—, advertí que no era Sabrina en absoluto, sino una desconocida. ¿Quién soy yo, de todos modos, para merecer tan milagroso resultado? ¿Cómo puedo esperar algo así? Pues lo espero. Contra toda razón.

Pero basta ya de eso. Retomo el hilo de mi historia, como solían decir en los poemas. Vuelta a Avilion.

Madre había muerto. «Nada volverá a ser como antes.» Me dijeron que guardara las formas. ¿Quién me lo dijo? Reenie sin duda, quizá también padre. Curioso que las formas tengan que guardarse. Más bien parece que deberían exhibirse.

Al principio, Laura solía pasar mucho tiempo con el abrigo de piel de madre puesto. Era de piel de foca, y todavía tenía el pañuelo de aquélla en el bolsillo. Laura se metía dentro del abrigo e intentaba abrochar los botones, hasta que encontró la manera de abrocharlos primero y luego metérselo por arriba. Supongo que se lo ponía para rezar, o para invocar el regreso de madre. Fuera lo que fuere, no funcionó. Y el abrigo fue a parar a la beneficencia.

Laura no tardó en preguntar adónde había ido el bebé, el que no se parecía a un gatito. «Al cielo» ya no la satisfacía: ella quería decir después de meterlo en el balde. Reenie explicó que se lo había llevado el médico. Pero ¿por qué no le hacían un funeral? Porque nació demasiado pequeño, contestó Reenie. ¿Y cómo algo tan pequeño podía matar a madre? «No te preocupes —le dijo Reenie—. Ya lo entenderás cuando seas mayor. Lo que no sabes no puede hacerte daño.» Se trataba de una máxima engañosa: a veces lo que no sabes puede hacerte mucho más daño.

Por la noche, Laura venía a mi habitación, me despertaba y se subía a mi cama. No podía dormir: era culpa de Dios. Hasta el día del funeral, sus relaciones con Dios habían sido buenas. «Dios te quiere», aseguraba la maestra de la escuela dominical de la Iglesia metodista a la que nos había enviado madre, y a la que nos seguía enviando Reenie por principio. Laura se lo había creído, pero ya no estaba tan segura.

Empezó a inquietarse por saber dónde se encontraba Dios exactamente. Era culpa de la maestra de la escuela dominical: «Dios está en todas partes», había dicho, y Laura quería saber: ¿estaba Dios en el Sol, estaba Dios en la Luna, estaba Dios en la cocina, en el baño, debajo de la cama? («Me gustaría retorcerle el pescuezo a esa mujer», mascullaba Reenie.) Laura no quería que Dios se le apareciera inesperadamente, lo que, dada su última intervención, no es difícil de entender. «Abre la boca, cierra los ojos y te daré una sorpresa», solía decir Reenie escondiendo una galleta en la mano, pero Laura ya no le hacía caso. Quería tener los ojos abiertos. No es que desconfiase de Reenie, pero le daban miedo las sorpresas.

Dios probablemente estaba en el armario de la escoba. Parecía el sitio con más posibilidades. Acechaba desde su escondite como un tío excéntrico y, quizá, peligroso, pero Laura no tenía forma de estar segura de que se hallara allí en un momento dado porque no se atrevía a abrir la puerta. «Dios está en tu corazón», repetía la maestra de la escuela dominical, y eso era aún peor. Si estaba en el armario de la escoba, al menos podía tomar medidas, como cerrar la puerta.

De acuerdo con el himno, Dios nunca dormía: «No, no duerme ni dormita el guardián de Israel.» Se dedicaba a deambular por la casa durante la noche y espiaba a sus habitantes, los observaba para ver si eran lo bastante buenos, les enviaba plagas para terminar con ellos o se permitía cualquier otro capricho. Estaba claro que tarde o temprano haría algo desagradable, como ocurría a menudo en la Biblia.

—Escúchalo, es él —dijo Laura. Un paso suave, un paso fuerte.

—No es Dios. Es sólo padre. Está en el torreón.

—¿Qué hace?

—Fuma. —No quise decir «bebe». Me pareció desleal.

Sentía mucha ternura por Laura cuando dormía —con la boca un poco abierta, las pestañas todavía húmedas—, pero advertía que no descansaba bien; gruñía y daba patadas, y a veces roncaba y me impedía conciliar el sueño. Yo me levantaba, cruzaba la habitación de puntillas y me subía al alféizar de la ventana para mirar hacia fuera. Cuando había luna, los arriates de flores se volvían de un gris plateado, como si aquélla eliminase todos los colores. Veía en escorzo la ninfa de piedra, que sumergía los dedos de los pies en la fría luz de la luna, reflejada en el estanque de nenúfares. Temblando, volvía a meterme en la cama y me quedaba mirando las sombras en movimiento de las cortinas y escuchando los borboteos y crujidos de la casa acomodándose, mientras me preguntaba qué error había cometido.

Los niños creen que todo lo malo que ocurre es de algún modo culpa suya, y en eso yo no era una excepción; pero también creen en los finales felices, a pesar de todas las pruebas en sentido contrario, y en eso yo tampoco era una excepción. Sólo deseaba que el final feliz llegara de una vez, porque, sobre todo de noche, cuando Laura dormía y yo no me veía obligada a animarla, me sentía desolada.

Por las mañanas la ayudaba a vestirse —ya lo hacía cuando madre vivía— y me cercioraba de que se cepillara los dientes y se lavara la cara. A la hora de comer, a veces Reenie nos dejaba hacer un pícnic. Untábamos rebanadas de pan blanco con mantequilla y mermelada de uva transparente como el celofán y comíamos zanahorias crudas y manzanas cortadas. Nos daba *corned beef*, que tenía forma de templo azteca, y huevos duros. Lo poníamos todo en los platos, lo sacábamos fuera y nos lo comíamos junto al estanque, en el invernadero. Si llovía, nos lo comíamos dentro.

«Acordaos de los armenios, que se mueren de hambre», decía Laura con las manos entrelazadas, los ojos cerrados y haciendo una reverencia a los restos de sus rebanadas de pan con mermelada. Como yo sabía que lo decía porque era lo que madre solía recordarnos, sentía deseos de llorar. «Eso de que hay armenios que se mueren de hambre es un invento», le dije una vez, pero no se lo creyó.

En aquel tiempo nos dejaban solas a menudo. Nos aprendimos todos los rincones de Avilion: sus grietas, cuevas y túneles. Escudriñamos en el escondite de debajo de las escaleras traseras, que contenía un revoltijo de chanclos desechados y mitones desparejados, y un paraguas con las varillas rotas. Exploramos todos los cuartos del sótano: la carbonera, la despensa de las coles y las calabazas, que estaban extendidas sobre una mesa, de las remolachas y las zanahorias, que echaban pelo en su caja de arena, y las patatas con sus tentáculos albinos ciegos como patas de cangrejos. En la estancia más fría había barriles llenos de manzanas y estantes cubiertos de conservas: mermeladas y jaleas relucientes como gemas en bruto, *chutney*, encurtidos, fresas, tomates pelados y compota de manzana, todo en botes herméticos. También había una bodega de vino, pero estaba cerrada; sólo padre tenía la llave.

Debajo de la galería, encontramos una gruta húmeda y polvorienta a la que se accedía arrastrándose entre las malvarrosas, donde sólo crecían los irregulares dientes de león y enredaderas que olían a menta machacada mezclada con pis de gato y (en cierta ocasión) despedían el hedor caliente y enfermizo de una culebra de jaretas alarmada. Encontramos el desván, en el que había cajas de libros viejos, edredones apilados, tres baúles vacíos y un armonio roto, y el maniquí sin cabeza de la abuela Adelia, un torso pálido y cubierto de moho.

Aguantándonos la respiración, recorríamos furtivamente nuestros laberintos de sombra. Nos consolábamos con eso: con nuestro secreto, nuestro conocimiento de los caminos ocultos, nuestro convencimiento de que nadie podía vernos.

«Escucha el latido del péndulo», dije. Era un reloj de péndulo, una antigüedad de porcelana blanca y dorada que había pertenecido al abuelo y estaba en la biblioteca. Laura pensó que yo había dicho el «lamido». Y era verdad, el péndulo de hierro que se balanceaba de un lado a otro parecía realmente una lengua que lamía los labios de una boca invisible, que se comía el tiempo.

Llegó el otoño. Laura y yo recogíamos vainas de algodoncillos y las abríamos para palpar las semillas en forma de escama que se superponían como la piel de un dragón. Sacábamos las semillas y esparcíamos sus algodonosos paracaídas abriendo la suave vaina amarillenta sin romperla. Luego íbamos al puente del Jubileo y arrojábamos las vainas al río para ver cuánto rato navegaban antes de volcar y desaparecer. ¿Nos imaginábamos que llevaban gente o a alguien determinado a bordo? No estoy segura, pero verlas hundirse producía cierta satisfacción.

Llegó el invierno. El cielo era de un gris difuminado, el sol estaba bajo y tenía un tenue color rosado, como sangre de pescado. Los carámbanos, pesados, opacos y densos como un puño, goteaban del techo y los alféizares, de los que parecían haber quedado suspendidos en el momento de caer. Los rompíamos y chupábamos los extremos. Reenie nos dijo que, si seguíamos haciéndolo, la lengua se nos volvería negra y se nos caería, pero yo sabía que no era verdad, porque ya lo había hecho otras veces.

Avilion tenía entonces un cobertizo para barcos y otro para el hielo, junto al embarcadero. En el primero estaba el viejo velero del abuelo, ahora de padre: el *Water Nixie*, en alto y en seco, descansando durante el invierno. En el otro cobertizo estaba el hielo, que se cortaba en el Jogues, se apilaba en bloques con ayuda de los caballos y se lo cubría de arena para cuando escasease en verano.

Laura y yo nos aventuramos hasta el resbaladizo embarcadero, a pesar de que nos lo habían prohibido. Reenie decía que, si dábamos un patinazo y caíamos al río, no duraríamos ni un instante, porque estaba helado. Se nos llenarían las botas de agua y nos hundiríamos como una piedra. Arrojamos algunas piedras a la superficie congelada para ver qué les pasaba; rebotaron y se quedaron allí, a la vista. Nuestro aliento formaba un humo blanco que sacábamos a soplidos hasta formar una estela, mientras cambiábamos el peso del cuerpo de un gélido pie al otro. Debajo de las suelas de nuestras botas crujía la nieve. Nos dimos la mano y nuestros mitones, que estaban escarchados, quedaron pegados el uno al otro, de modo tal que cuando nos los quitamos semejaban dos manos de lana unidas, vacías y azules.

Al fondo de la cascada del Louveteau se habían apilado varios pedazos de hielo. El hielo era blanco al mediodía, verde claro al alba; los trozos más pequeños emitían un tintineo como de campanillas. Por el centro del río el agua corría rápida y negra. En la montaña que se alzaba al otro lado se oían los gritos de los niños que jugaban entre los árboles; eran voces agudas, finas y felices en el aire frío. Se deslizaban por la nieve como si fuera un tobogán, algo que a nosotras no nos estaba permitido. Se me ocurrió caminar sobre el hielo mellado de la orilla para comprobar su solidez.

Llegó la primavera. Las hojas de los sauces se tiñeron de amarillo, las de los cornejos, de rojo. El río Louveteau bajaba crecido; las matas y los árboles arrancados de cuajo se enganchaban entre sí y formaban remolinos. Una mujer se arrojó del puente del Jubileo sobre la cascada y tardaron dos días en encontrar el cuerpo. Lo pescaron río abajo, y la verdad es que no debió de ser una visión agradable, porque deslizarse por aquellos rabiones equivalía a meterse en un triturador de carne. No constituía la mejor forma de irse de esta tierra, decía Reenie, sobre todo si eras un poco presumida, aunque lo más probable es que en un momento así te diese igual.

La señora Hillcoate sabía de media docena de personas que habían saltado a lo largo de los años. Había leído la noticias en el periódico. Una era una chica que había ido con ella a la escuela y se había casado con un trabajador del ferrocarril. Él siempre estaba fuera, dijo, ¿qué iba a hacer ella?

—Al garete —dijo—. Y sin remedio.

Reenie asintió, como si eso lo explicara todo.

—No importa lo estúpido que sea un hombre, la mayoría sabe sumar dos y dos, al menos con los dedos —apuntó—. Supongo que debían de liarse a puñetazos. Pero no tiene sentido cerrar la puerta del establo cuando el caballo se ha ido.

—¿Qué caballo? —preguntó Laura.

—Debía de tener algún otro lío —intervino la señora Hillcoate—. Los problemas nunca vienen solos.

—¿Qué es «al garete»? —me susurró Laura—. ¿Qué garete? —Pero yo no lo sabía.

Además de saltar, Reenie decía que había mujeres que se metían en el río y empezaban a remontar la corriente; el peso de la ropa mojada las hundía y, por mucho que quisieran, ya no podían nadar para salvarse. Los hombres se mostraban más resueltos. Se colgaban de las vigas de sus establos, se volaban la cabeza con la escopeta o, si pretendían ahogarse, se ataban piedras u otros objetos pesados, como el mango de un hacha o bolsas llenas de clavos. No les gustaba correr riesgos en una cosa tan seria como ésa. En cambio, era propio de las mujeres meterse en el río y resignarse, dejarse llevar por el agua. El tono de voz de Reenie no permitía saber si aprobaba o no esas diferencias.

Cumplí diez años en junio. Reenie preparó un pastel, aunque señaló que quizá no fuera lo más indicado dado lo reciente de la muerte de madre, pero como la vida tenía que seguir, un pastel seguramente no haría daño. «¿Daño a quién?», preguntó Laura. «A los sentimientos de madre», respondí. ¿Nos estaba mirando madre, entonces, desde el cielo? Me puse terca y presumida y no quise decírselo. Laura no probó el pastel después de oír lo de los sentimientos de madre, y yo me comí los dos trozos.

Para mí representaba un gran esfuerzo recordar los detalles de mi dolor —las formas exactas que había tomado— aunque, si quería, era capaz de evocar su eco, semejante al gemido de un perro encerrado en la bodega. ¿Qué hice el día que murió madre? Apenas me acordaba, y lo mismo me ocurría con el aspecto que tenía ella realmente: sólo la recordaba por las fotografías. No se me olvidaba, sin embargo, lo impropia que parecía su cama cuando de pronto dejó de estar en ella, lo vacía que se me antojaba. El modo en que la luz de la tarde entraba sesgada por la ventana y atravesaba silenciosamente el suelo de madera, las motas de polvo que flotaban igual que niebla. El olor del barniz de cera de abeja de los muebles y los crisantemos marchitos, y el más persistente de orín y desinfectante. En aquel momento, era capaz de recordar su ausencia mucho mejor que su presencia.

Reenie le dijo a la señora Hillcoate que, aunque nadie ocuparía jamás el lugar de la señora Chase, que había sido una santa en la Tierra si tal cosa era posible, ella había hecho de tripas corazón y había mantenido la frente alta por nosotras, porque cuanto menos se habla, antes se enmienda, y por suerte parecía que estábamos superándolo, aunque las aguas quietas suelen ocultar un fondo revuelto, y yo estaba demasiado tranquila para mi bien. Afirmaba que yo era del tipo meditativo, y que de un modo u otro lo superaría. En cuanto a Laura, no había forma de saberlo, porque siempre había sido una niña rara.

Reenie dijo que estábamos demasiado juntas, y que como consecuencia de ello Laura aprendía cosas impropias de su edad, en tanto que yo me estaba retrasando. Teníamos que salir con niños de nuestra edad, pero los pocos niños de la ciudad con los que habría sido correcto que nos relacionáramos ya iban a la escuela; por supuesto, se trataba de escuelas privadas como las que nos corresponderían a nosotras, si bien el capitán Chase no acababa de decidirse y, en todo caso, serían demasiados cambios de golpe. Aunque yo me mostraba fría como el hielo y sin duda podía asimilarlo, Laura era más infantil de lo que le correspondía por edad y, ahora que lo pienso, demasiado infantil en general. Además, era muy nerviosa, de esas que se dejan dominar por el pánico, capaces de ahogarse en cuatro palmos de agua por no atinar a mantener la cabeza alta.

Laura y yo nos sentábamos en las escaleras de detrás, con la puerta entreabierta, y nos tapábamos la boca con las manos para contener la risa. Nos encantaban las delicias del espionaje, pero a ninguna de las dos le hizo ningún bien oír lo que decían de nosotras.

El *Soldado fatigado*

Hoy me fui andando hasta el banco, a primera hora, no sólo para evitar el calor más fuerte, sino también para llegar antes de que abrieran. Quería asegurarme de que me atendieran porque habían cometido otro error en el extracto de mi cuenta. A diferencia de esas máquinas vuestras, les digo, yo soy capaz de sumar y restar, y ellos sonríen como camareros, de esos que escupen sobre tu sopa en la cocina. Siempre pido ver al director, pero como invariablemente está «reunido», me derivan a cualquier enano sonriente y paternalista con pantalón corto que se considera a sí mismo un futuro plutócrata.

En el banco, me siento despreciada por tener poco dinero, y también por haber tenido demasiado en otros tiempos. En realidad, yo nunca lo tuve. Era padre quien lo tenía, y luego Richard, pero me lo imputan a mí, del mismo modo que se imputa un delito a una persona por el mero hecho de haberlo presenciado.

En el banco hay unas columnas romanas que nos recuerdan que demos al césar lo que es del césar, como esa ridiculez de los gastos de servicio. Por lo que tengo, podría guardar el dinero en un calcetín debajo del colchón sólo para molestarlos. Pero supongo que correría la voz, me tacharían de vieja excéntrica y solitaria, de esas que acaban por encontrar muertas en un tugurio con cientos de latas de comida vacías y un par de millones en billetes de dólar entre las páginas de periódicos amarillentos. No tengo ningún deseo de convertirme en objeto de atención de drogadictos y ladronzuelos de tres al cuarto con los ojos inyectados en sangre y los dedos hábiles.

Al volver del banco, he pasado por el ayuntamiento, con su campanario italianizante y sus ladrillos florentinos de dos tonos, el asta de la bandera que pide a gritos una capa de pintura y el cañón de campaña presente en el Somme. También sus dos estatuas de bronce, ambas encargadas por la familia Chase. La de la derecha, encargada por mi abuela Adelia, es del coronel Parkman, veterano de la última batalla decisiva de la revolución americana, la de Fort Ticonderoga, actualmente en el estado de Nueva York. De vez en cuando vienen alemanes o ingleses, o incluso estadounidenses, que se pasean confundidos por la ciudad buscando el lugar donde se libró la batalla de Fort Ticonderoga. «Se equivocan de ciudad —les dicen—, y hasta de país. El que andan buscando es el de al lado.»

Fue el coronel Parkman quien lió el petate, atravesó la frontera y puso el nombre a nuestra ciudad para conmemorar perversamente una batalla que había perdido. (Aunque quizá no sea tan raro: hay mucha gente que cultiva un interés de museo por sus propias cicatrices.) El coronel se exhibe montado a caballo, con la espada en alto y presto a emprender el galope hacia el arriate de petunias cercano; es un hombre curtido de mirada sagaz y barba en punta, la idea que todo escultor tiene de cómo es un capitán de caballería. En realidad, nadie sabe cómo era el coronel Parkman, porque no dejó testamento pictórico de sí mismo y la estatua no se erigió hasta 1885, pero ahora su aspecto es así. Tal es la tiranía del Arte.

A la izquierda de la extensión de césped, también en un arriate de petunias, hay una figura igual de mítica: el *Soldado fatigado*, con los tres botones superiores de la camisa desabrochados, el cuello inclinado como si esperase el hacha del verdugo, el uniforme arrugado, el casco torcido, apoyado en su fusil Ross averiado. Siempre joven, siempre exhausto, está en lo alto del Monumento a los Caídos, con la piel verde quemada por el sol y la cara punteada de excrementos de paloma que parecen lágrimas.

El *Soldado fatigado* fue un proyecto de mi padre. La escultora fue Calista Fitzsimmons, a quien habían llamado por encarecida recomendación de Frances Loring, presidenta del Comité del Monumento a los Caídos de la Sociedad de Artistas de Ontario. Se plantearon algunas objeciones locales a la señorita Fitzsimmons —dado el tema, no se consideraba apropiado encargarlo a una mujer—, pero padre acalló la polémica con los patrocinadores potenciales: ¿no era la propia señorita Loring una mujer? Con este argumento inspiró varios comentarios irreverentes, de los que el más suave fue «¿Cómo lo sabes?». En privado, dijo que quien paga manda y que, puesto que todos eran tan agarrados, o se ponían a desenterrar fondos o cedían.

Calista Fitzsimmons no sólo era mujer, sino que tenía veintiocho años y la cabellera roja. Empezó a venir a Avilion con frecuencia para hablar del proyecto con padre. Estas reuniones tenían lugar en la biblioteca, primero con la puerta abierta, más tarde cerrada. La instalaban en una de las habitaciones para invitados, al principio en la segunda mejor y luego en la mejor. Venía prácticamente todos los fines de semana, y su habitación empezó a ser «su» habitación.

Padre parecía más feliz; sin duda, bebía menos. Hizo limpiar el jardín, al menos para dejarlo presentable; hizo poner grava nueva en el camino; hizo rascar, pintar y reparar el *Water Nixie*. A veces, los fines de semana organizaba fiestas informales en la casa con los amigos artistas que Calista tenía en Toronto. Éstos, entre los que no había nombres reconocidos en aquel momento, no llevaban esmoquin, ni siquiera traje, sino jerséis de cuello en pico, tomaban una comida improvisada en el césped, comentaban las principales tendencias del arte y fumaban, bebían y discutían. Las artistas usaban demasiadas toallas en el cuarto de baño, sin duda porque jamás habían visto una bañera auténtica, según la teoría de Reenie. También tenían las uñas mugrientas, y se las comían.

Cuando no había fiestas en casa, padre y Calista salían de excursión en uno de los coches —no en el sedán, sino en el de dos plazas con capota— con un cesto que Reenie preparaba a regañadientes. O salían a navegar, ella con pantalones anchos y las manos en los bolsillos, como Coco Chanel, y uno de los viejos jerséis de cuello de barco de padre. A veces llegaban hasta Windsor e iban a un bar de carretera en el que servían cócteles y ofrecían feroces conciertos de piano y bailes disolutos. Se trataba de locales frecuentados por gángsters implicados en el contrabando de ron, que venían de Chicago y Detroit para hacer tratos con los destiladores legales del lado canadiense. (En Estados Unidos era la época de la prohibición, el alcohol fluía a través de la frontera como agua extraordinariamente cara; por el río Detroit bajaban cadáveres con las puntas de los dedos cortadas y los bolsillos vacíos, que iban a dar a las playas del lago Erie, lo que provocaba un debate sobre quién debía costear los gastos de entierro.) En tales ocasiones, padre y Calista pasaban toda la noche fuera, y en ocasiones, varias noches. Una vez fueron a las cataratas del Niágara, lo que puso celosa a Reenie, y otra vez a Buffalo, en este caso en tren.

Conocíamos todos esos detalles por Calista, que no nos los escatimaba. Nos explicó que padre necesitaba que le infundiesen «ánimos», y que esos ánimos eran buenos para él. Dijo que necesitaba dar un golpe de timón en su vida, tomar las riendas. Añadió que padre y ella eran «grandes compañeros». Empezó a llamarnos «las niñas», y nos pidió que la llamáramos «Calie».

(Laura quería saber si padre también bailaba en el bar de la carretera; costaba imaginárselo, con su pierna mala. Calista repuso que no, pero que se divertía mucho mirando. Yo tenía mis dudas: si no sabes bailar, no veo qué puede tener de divertido mirar cómo lo hace la gente.)

Yo respetaba a Calista porque era artista y la consultaban como si fuera un hombre, y también porque andaba y estrechaba manos como un hombre, fumaba cigarrillos con una boquilla negra corta y conocía a Coco Chanel. Tenía agujeros en las orejas y la cabellera rojiza (de henna, pienso ahora) siempre envuelta en pañuelos. Llevaba vestidos largos como túnicas con estampados atrevidos: fucsia, heliotropo y azafrán eran los nombres de los colores. Me dijo que se trataba de diseños creados en París y que estaban inspirados por los inmigrantes rusos blancos. Me explicó quiénes eran éstos. Tenía explicaciones para todo.

—Es una de sus fulanas —le dijo Reenie a la señora Hillcoate—. Una más en la lista, que como el Señor sabe ya es más larga que un día sin pan; pero pensaba que tendría la decencia de no traerla a vivir bajo su mismo techo cuando aún no se ha enfriado el cuerpo de su esposa. Podría haberse contenido un poco.

—¿Qué es una fulana? —preguntó Laura.

—Ocúpate de tus asuntos —replicó Reenie. Que siguiese hablando estando Laura y yo en la cocina constituía una muestra de la rabia que sentía. (Más tarde le dije a Laura qué era una fulana: una chica que mascaba chicle. Pero Calie Fitzsimmons no lo hacía.)

—Hay moros en la costa —dijo la señora Hillcoate para prevenir a Reenie, que sin embargo siguió.

—En cuanto al descabellado atuendo que usa, desde luego no es como para ir a la iglesia. Al trasluz puede verse el sol, la luna, las estrellas y todo lo que hay en medio. Tampoco es que tenga mucho que mostrar, la verdad, porque es plana como una tabla.

—Yo no tendría valor —admitió la señora Hillcoate.

—No lo llames valor —objetó Reenie—. No le importa un rábano todo. —Cuando Reenie se disgustaba, se le trabucaba la gramática—. Tiene algo raro, si quieres que te diga; para mí que le falta un tornillo. Ha ido a bañarse en cueros al estanque, con las ranas y los peces... Me la encontré cuando volvía por el jardín, cubierta sólo con una toalla y lo que Dios dio a Eva. Me ha saludado con un movimiento de la cabeza y ha sonreído, sin siquiera parpadear.

—Había oído hablar de ello —dijo la señora Hillcoate—, pero pensaba que eran chismorreos. Me parecía exagerado.

—Es una cazafortunas —sentenció Reenie—. Quiere echarle el lazo y luego arruinarlo.

—¿Qué es una cazafortunas? ¿Qué significa «echar el lazo»?

A mí, lo de plana como una tabla me hizo pensar en una superficie lisa, y Calista Fitzsimmons tenía curvas y ángulos como cualquiera.

El Monumento a los Caídos provocó discusiones y enfrentame-mientos, y no sólo por los rumores sobre padre y Calista Fitzsim-mons. Había gente en la ciudad que consideraba que la estatua del *Soldado fatigado* presentaba un aire de abatimiento excesivo, como así también un descuido exagerado: ponían objeciones a los botones desabrochados de la camisa. Querían algo más triunfante, como la Diosa de la Victoria del monumento de dos ciudades más allá, que tenía alas de ángel y las ropas alborotadas e iba armada con un arti-lugio de tres púas que parecía un tenedor. También querían que al frente pusiera: «Para los que de buen grado hicieron el sacrificio su-premo.»

Padre se negó a considerar la introducción de ningún cambio y les dijo que podían considerarse afortunados de que el *Soldado fa-tigado* tuviese dos brazos y dos piernas, por no hablar de la cabeza, y que si seguían dándole la lata, igual se decantaba por el realismo puro y ponía una estatua formada por fragmentos de cuerpo, como los que en su día se encontró por el camino. En cuanto a la inscrip-ción, no había nada de sacrificio hecho de buen grado, puesto que los muertos no pretendían en absoluto que los enviasen al más allá. Él quería poner la frase «Para no olvidar», que destacaba lo impor-tante: nuestro olvido. En su opinión, había muchísima gente «conde-nadamente» olvidadiza. Como no solía pronunciar palabras fuertes en público, causó impresión. Se salió con la suya, desde luego, por algo pagaba.

La Cámara de Comercio aflojó el dinero de las cuatro placas de bronce, con la lista de honor de los caídos y las respectivas batallas. Querían poner su propio nombre debajo, pero padre les afeó la con-ducta y desistieron. Les dijo que el Monumento a los Caídos era pa-ra los muertos, no para que los que seguían vivos se beneficiaran de él, que era la clase de argumento que molestaba a alguna gente.

El monumento fue inaugurado en noviembre de 1928, el día del Recuerdo. A pesar de la llovizna y el frío, había una gran multitud. El *Soldado fatigado* estaba montado sobre una pirámide cuadran-gular hecha con piedras redondas del río, como las de Avilion, y las placas de bronce estaban rodeadas de azucenas y amapolas, trenzadas con hojas de arce. También hubo discusiones acerca de eso. Calie Fitzsimmons afirmaba que era un diseño anticuado y banal, con todas aquellas flores y hojas marchitas, «victoriano», lo que en aquellos días constituía el peor insulto para un artista. Ella quería algo más severo, más moderno. Pero a la gente de la ciudad le gustaba, y padre dijo que a veces uno tenía que ceder.

En la ceremonia, sonaron gaitas. («Mejor al aire libre que en el interior», dijo Reenie.) Luego el ministro presbiteriano pronunció el sermón principal y habló de quienes «de buen grado hicieron el sacrificio supremo», una pulla que la ciudad dirigía a mi padre para demostrarle que no podía monopolizarlo todo y que el dinero no lo era todo, que habían conseguido meter la frase a pesar de él. Luego hubo más discursos y se rezaron oraciones; muchos discursos y muchas oraciones, porque estaban presentes los ministros de todas las iglesias de la ciudad. Aunque en el comité organizador no había católicos, incluso el cura católico pronunció unas palabras. Mi padre presionó en este sentido, con el argumento de que el soldado católico muerto estaba tan muerto como el protestante.

Reenie dijo que se podía mirar de otra manera.

—¿De qué otra manera? —preguntó Laura.

Mi padre puso la primera corona. Laura y yo mirábamos, tomadas de la mano; Reenie lloraba. El Real Regimiento Canadiense había enviado una delegación desde el cuartel de Wolsely, en London, y el comandante M. K. Greene depositó una corona, como hicieron todos los organismos que pueden ocurrírsele a uno: la Legión, seguida de los Leones, los familiares, el Club Rotario, los miembros de la Fraternidad, la Orden de Orange, los Caballeros de Colón, la Cámara de Comercio, y la I.O.D.E., entre otros, siendo la última la depositada por la esposa de Wilmer Sullivan, de Madres de los Caídos, que había perdido tres hijos. Se cantó el *Venid a mí* y, a continuación, una corneta temblorosa de la banda de los *scouts* tocó el *Última guardia*, seguido de dos minutos de silencio y una salva de artillería de la milicia. El acto terminó con el toque de diana.

Padre estuvo todo el rato con la cabeza gacha, temblando visiblemente, aunque resultaba difícil decir si de dolor o de rabia. Vestía uniforme debajo del sobretodo y apoyaba las manos enguantadas en el bastón.

Calie Fitzsimmons también estaba presente, pero permaneció en segunda fila. Nos había dicho que no era la clase de ocasión en que el artista ha de dar un paso adelante y hacer una reverencia. Llevaba un discreto abrigo negro y una falda normal en lugar de traje, así como un sombrero que le ocultaba la mayor parte de la cara, aunque no por eso la gente dejó de murmurar.

Después Reenie nos preparó chocolate a Laura y a mí en la cocina para calentarnos, porque nos habíamos quedado heladas bajo la lluvia. Ofrecimos una taza a la señora Hillcoate, pero dijo que no.

—¿Por qué se llama monumento conmemorativo? —quiso saber Laura.

—Es para que recordemos a los muertos —contestó Reenie.

—¿Por qué? —preguntó Laura—. ¿Para qué? ¿A ellos les gusta?

—No es por ellos, es por nosotros —repuso Reenie—. Ya lo entenderás cuando seas mayor.

Siempre estaban diciéndole lo mismo, pero a Laura no le interesaba. Quería entenderlo en aquel momento. Se terminó el chocolate.

—¿Puedo tomar más? ¿Qué es «el sacrificio supremo»?

—Los soldados dieron la vida por todos nosotros. Francamente, espero que comas con el estómago y no con los ojos, porque si te pongo más es para que te lo termines.

—¿Por qué dieron su vida? ¿Es lo que querían?

—No, pero la dieron de todos modos. Por eso es un sacrificio —dijo Reenie—. Y ahora tómate el chocolate.

—Dieron su vida a Dios porque Dios así lo quiso. Es como Jesús, que murió por nuestros pecados —intervino la señora Hillcoate, que era bautista y se consideraba la autoridad definitiva en el tema.

Una semana después, Laura y yo íbamos andando por el camino que bordea el Louveteau, del cual se elevaba una niebla que se fraguaba en el aire como crema de leche y goteaba de las ramas desnudas de las matas. Las piedras del camino estaban resbaladizas.

De pronto, Laura cayó al río. Como por suerte no estábamos junto a la corriente principal, no se la llevó. Yo solté un grito y atiné a agarrarla por el abrigo; todavía no tenía las ropas empapadas, pero aun así pesaba mucho y estuve a punto de caerme. Conseguí arrastrarla hasta un saliente plano y la ayudé a salir. Ella estaba calada hasta los huesos, y yo bastante mojada. Entonces la increpé. A esas alturas ella no paraba de temblar y llorar.

—¡Lo has hecho a posta! —exclamé—. ¡Te he visto! ¡Has estado a punto de ahogarte!

Laura sollozaba y se tragaba las lágrimas. La abracé.

—¿Por qué lo has hecho? —inquirí.

—Para que madre volviese a vivir —gimió.

—Dios no quiere que te mueras —dije—. ¡Se enfadaría mucho! Si quisiera que madre viviera, lo haría sin necesidad de que te ahogases. —Era la única manera de hablar con Laura cuando se ponía así: tenías que simular que sabías algo de Dios que ella ignoraba.

Sorbió por la nariz.

—¿Y tú cómo lo sabes?

—Porque, mira... ¡ha permitido que te salvase! ¿Lo ves? Si quisiera que murieses, yo también me habría caído. ¡Estaríamos las dos muertas! Venga, deja que te seque. No le contaré nada a Reenie. Diré que ha sido un accidente, que has resbalado; pero no vuelvas a hacerlo nunca más, ¿de acuerdo?

Laura no dijo nada, y se dejó llevar a casa. Hubo muchos chasquidos de lengua, reconvenciones y sermones, y una taza de caldo de buey, un baño y una bolsa de agua caliente para Laura, cuyo percance fue adjudicado a su conocida torpeza; le advirtieron que hiciera el favor de mirar por donde iba. Padre me dijo: «Muy bien hecho»; me pregunté cómo habría reaccionado si no hubiese conseguido salvarla. Reenie apuntó que era una suerte que al menos entre las dos reuniésemos una pizca de sensatez, pero ¿me molestaría mu-

cho decirle qué hacíamos en el río, para empezar? Y con tanta niebla, encima. Debía ir con más cuidado.

Aquella noche permanecí unas cuantas horas despierta, acurrucada, con los brazos alrededor del cuerpo. Tenía los pies helados y
me rechinaban los dientes. No podía quitarme de la cabeza la imagen de Laura, la gélida y negra agua del Louveteau, sus cabellos esparcidos como humo en los remolinos, el brillo plateado de su cara
mojada, su mirada cuando la agarré por el abrigo. Qué difícil había
sido subirla. Qué a punto había estado de soltarla.

La Señorita Violencia

En lugar de ir a la escuela, Laura y yo tuvimos una serie de tutores, tanto hombres como mujeres. Los considerábamos innecesarios, y hacíamos lo que podíamos para desanimarlos. Les clavábamos nuestra mirada azul celeste o nos hacíamos las sordas o estúpidas; nunca los mirábamos a los ojos, sólo a la frente. A menudo nos costaba más de lo previsto sacárnoslos de encima: la vida los tenía intimidados y necesitaban el sueldo, de modo que solían aguantar muchas trastadas. No teníamos nada contra ellos como individuos; sencillamente no queríamos aburrirnos.

Cuando no nos hallábamos al cuidado de estos tutores, lo normal era que estuviésemos en Avilion, dentro o fuera de la casa. Pero ¿quién iba a vigilarnos? Los tutores eran fáciles de eludir, desconocían nuestros caminos secretos, y Reenie no podía estar siguiéndonos todo el rato, como decía ella misma a menudo. Siempre que podíamos, salíamos de Avilion para ir a vagar por la ciudad, a pesar del convencimiento de Reenie de que el mundo estaba lleno de criminales, anarquistas, siniestros orientales con pipas de opio, un bigote fino y uñas largas y puntiagudas, y drogadictos y tratantes de blancas que querían raptarnos y pedir un rescate para llevarse el dinero de nuestro padre.

Uno de los muchos hermanos de Reenie tenía algo que ver con

187

esas revistuchas baratas y sensacionalistas que venden en los *drugstores*, las peores de las cuales sólo bajo mano. ¿En qué consistía su trabajo? «Distribución», lo llamaba Reenie. Se dedicaba a introducirlas clandestinamente en el país, es lo que pienso ahora. Como quiera que sea, a veces le daba a Reenie las que le sobraban, y a pesar de los esfuerzos de ésta por esconderlas, más tarde o más temprano acabábamos encontrándolas. Algunas de ellas trataban sobre temas del corazón, y aunque Reenie las devoraba, a nosotras no nos servían de mucho. Preferíamos —o yo prefería, y Laura me seguía— las que contaban historias sobre otras tierras o incluso otros planetas. Naves espaciales del futuro, donde las mujeres llevaban faldas muy cortas de tela brillante y todo relucía; asteroides en los que las plantas hablaban y había monstruos con ojos y colmillos enormes; países habitados en otros tiempos por ágiles chicas con ojos de topacio y piel de ópalo, vestidas con pantalones de estopilla y pequeños sujetadores de metal semejantes a dos embudos unidos por una cadena. Héroes con trajes chillones y cascos alados cubiertos de pinchos. «Tonterías —decía Reenie—. No hay nada así en la Tierra.» Pero eso era precisamente lo que a mí me gustaba.

En las revistas de detectives, con sus portadas llenas de pistolas y sangre, se encontraban los criminales y tratantes de blancas. En ellas, a las herederas de grandes fortunas, que poseían unos ojos enormes, siempre las dormían con éter, las ataban con cuerda —mucha más de la necesaria— y las encerraban en la cabina de un yate, en la cripta de una iglesia abandonada o en la fría bodega de un castillo. Laura y yo creíamos en la existencia de esos hombres, pero no nos daban miedo porque sabíamos qué esperar. Tenían coches grandes y oscuros y llevaban abrigo, guantes gruesos y sombrero de fieltro negro, y éramos capaces de calarlos de inmediato y salir corriendo.

Sin embargo, nunca vimos a ninguno. Las únicas fuerzas hostiles que encontrábamos eran los hijos más pequeños de los trabajadores de la fábrica, que aún no sabían que nosotras éramos intocables. Nos seguían en grupos de dos o tres, en silencio y con curiosidad, o insultándonos; de vez en cuando nos arrojaban piedras, aunque nunca nos alcanzaron. Éramos especialmente vulnerables a ellos cuando íbamos por el estrecho camino que discurría al pie de la montaña por la orilla del Louveteau —podían tirarnos cosas desde arriba— o cuando pasábamos por las calles secundarias, que aprendimos a evitar.

Recorríamos la calle Erie y contemplábamos los escaparates —el de la tienda de baratillo era nuestro favorito—, o mirábamos a través de la valla hacia el interior de la escuela primaria, que era para niños normales —hijos de los trabajadores—, con su patio de cemento y los altos dinteles esculpidos de la entrada, donde ponía «Chicos y Chicas». En el recreo se oían muchos gritos, y los niños no iban limpios en absoluto, sobre todos después de haberse peleado o caído al suelo. Estábamos agradecidas de no tener que asistir a aquella escuela. (¿Lo estábamos, o lo que ocurría en realidad era que nos sentíamos excluidas? Quizás ambas cosas.)

Para estas excursiones nos poníamos el sombrero. Teníamos la idea de que nos servía de protección, de que, en cierto modo, nos hacía invisibles. Una dama nunca salía sin su sombrero, decía Reenie. También hablaba de los guantes, aunque no siempre alcanzábamos a ponérnoslos. Lo que recuerdo de aquella época son los sombreros de paja: no de paja clara, sino de color tostado. Y el calor húmedo de junio, el aire cargado de polen. El resplandor azul del cielo. La indolencia, la holgazanería.

Cómo me gustaría que volviesen aquellas tardes sin propósito: el aburrimiento, la falta de objetivo, las posibilidades no maduradas. Y sin duda han vuelto, en cierto modo; sólo que ahora ya no podrá pasar mucho de nada a continuación.

En aquella época teníamos una tutora que había durado más que la mayoría. Era una mujer de cuarenta años con el armario lleno de desgastadas chaquetas de cachemira que sugerían una existencia anterior más próspera y una rosca de pelo reseco sujeta con horquillas a la nuca. Se llamaba señorita Goreham, Violet Goreham. Yo la llamaba siempre «Señorita Violencia» a sus espaldas, porque su nom-

bre me parecía una combinación francamente improbable,* y desde
que se me ocurrió era incapaz de mirarla sin echarme a reír. Pero el
nombre resistió, se lo enseñé a Laura y luego, por supuesto, Reenie
se enteró. Nos dijo que éramos malas por reírnos de ese modo de la
señorita Goreham, que la pobre había bajado muchos peldaños en
la vida y merecía nuestra compasión porque era mayor y soltera.
¿Qué significaba eso? Una mujer sin marido. La señorita Goreham
había sido condenada a una vida de bienaventurada soltería, explicó
Reenie con un deje de desprecio.

—Pero tú tampoco tienes marido —señaló Laura.

—Es diferente —repuso Reenie—. Yo todavía no he conocido al
hombre que me haga beber los vientos, aunque he rechazado a varios. He tenido mis ofertas.

—A lo mejor la Señorita Violencia también —dije, sólo para llevarle la contraria. Ya me estaba acercando a la edad de hacerlo.

—No —replicó Reenie—, nunca.

—¿Cómo lo sabes? —dijo Laura.

—Se lo veo en la mirada —contestó Reenie—. Además, si hubiera recibido la propuesta de algún hombre, se habría agarrado a él
como a un clavo ardiendo aunque tuviese tres cabezas y cola.

Seguimos con la Señorita Violencia porque nos dejaba hacer lo
que queríamos. Muy pronto se dio cuenta de que carecía de suficiente autoridad para controlarnos y en un alarde de inteligencia
decidió no molestarse en intentarlo. Teníamos clase por la mañana,
en la biblioteca que antes era del abuelo Benjamin y ahora de padre,
y la Señorita Violencia nos dejaba a nuestro aire. Los estantes estaban llenos de gruesos volúmenes encuadernados en piel y con el
título grabado en oro, y dudo de que el abuelo Benjamin los abriese siquiera; eran los libros que la abuela Adelia pensaba que él debía
leer.

Yo cogía los libros que me interesaban: *Historia de dos ciudades*,

* *Goreham* en inglés significa, literalmente, «jamón sanguinolento». *(N. de la T.)*

de Charles Dickens; los relatos de Macaulay; *La conquista de México* y *La conquista del Perú*, ilustrados. También me interesaba la poesía, y la Señorita Violencia hizo algún tímido intento de enseñarme a leerla en voz alta. «Una majestuosa cúpula decretó Jublai Jan en Xanadú. Crecen en Flandes las amapolas, entre las cruces, hilera a hilera.»

—No vayas tan deprisa —me advertía la Señorita Violencia—. Los versos tienen que fluir, querida. Como si brotaran de un manantial.

Aunque era fea y poco elegante, tenía muy alto el listón de la delicadeza y de lo que creía que debíamos pretender ser: árboles florecientes, brisas amables. Cualquier cosa menos niñas pequeñas con las rodillas sucias y los dedos en la nariz; era muy exigente en los asuntos de higiene personal.

—No te comas los lápices de colores, querida —le decía a Laura—. No eres un roedor. Mira, tienes toda la boca verde. Es malo para los dientes.

Yo leí *Evangeline*, de Henry Wadsworth Longfellow, los *Sonetos del portugués* de Elizabeth Barrett Browning. «¿Que si os amo? Dejadme que os cuente.»

—Bello —susurraba la Señorita Violencia con un suspiro. Era efusiva, o todo lo efusiva que le permitía ser su abatimiento natural, con respecto al tema de Elizabeth Barrett Browning; también con E. Pauline Johnson, la princesa mohawk.

> *Oh, ahora el río fluye con mayor brío;*
> *el agua arremolinada rodea la proa.*
> *¡Qué torbellino!*
> *¡Cómo se rizan las olas*
> *en un sinfín de peligrosos pozos!*

—Conmovedor, querida —decía la Señorita Violencia.

O leía a Alfred, lord Tennyson, un hombre cuya majestad, en opinión de la Señorita Violencia, sólo era superada por Dios.

Por el musgo más negro apelmazados
estaban los arriates floridos;
caían de sus nudos los clavos oxidados
que sostenían la pera al aguilón...
Ella sólo dijo: «Mi vida es gris,
él no viene», dijo.
«Estoy cansada, cansada de la vida,
¡cómo deseo la muerte!»

—¿Por qué tiene ese deseo? —inquirió Laura, que no solía mostrar un interés excesivo por mis recitaciones.

—El amor, querida —repuso la Señorita Violencia—. Un amor ilimitado, pero no correspondido.

—¿Por qué?

La Señorita Violencia suspiró.

—Es un poema, querida —dijo—. Lord Tennyson lo escribió y supongo que él sabrá por qué. Un poema no tiene motivo. La belleza es verdad, la belleza es verdadera: eso es todo lo que sabemos en la tierra, no nos hace falta saber más.

Laura la miró con sorna y volvió a sus colores. Yo volví la página; ya había mirado el resto del poema y comprobado que no pasaba nada.

Rompen una y otra vez las olas
sobre tus grises piedras frías, ¡oh mar!
Ojalá fuera capaz mi lengua de expresar
lo que mi pensamiento evoca.

—Encantador, querida —comentó la Señorita Violencia. Le encantaba el amor ilimitado, pero también la melancolía sin esperanzas.

Había un libro delgado encuadernado con piel del color del rapé que había pertenecido a la abuela Adelia: *Las Rubaiyyat de Omar Jayyam*, de Edward Fitzgerald. (En realidad, no lo había escrito Edward Fitzgerald, pero ponía que era el autor. ¿Cómo explicarlo? No lo intenté.) A veces la Señorita Violencia me leía fragmentos de este libro para enseñarme el ritmo de la poesía:

> *Un libro de versos bajo la mata,*
> *una jarra de vino, una rebanada de pan, y tú*
> *junto a mí cantando en el páramo.*
> *¡Oh, páramo trocado en paraíso!*

Pronunciaba el «¡oh!» como si le hubieran dado una patada en el pecho; y lo mismo el «tú». A mí me parecía un alboroto exagerado para una simple excursión y me preguntaba qué habrían puesto en el pan.

—Claro que no era vino de verdad, querida —aclaró la Señorita Violencia—. Se refiere al sacramento de la comunión.

> *¡Ojalá antes de que sea demasiado tarde un ángel alado*
> *detenga el Rollo del Destino aún sin desplegar*
> *y haga sonar la grave flauta dulce*
> *de otro modo, o que desaparezca!*

> *¡Ah, amor! Tú y yo podríamos conspirar*
> *para comprender el orden del universo,*
> *lo romperíamos en pedazos... y después*
> *lo moldearíamos según el Deseo de nuestro corazón.*

—¡Es tan cierto! —exclamó la Señorita Violencia, dejando escapar un suspiro, pero suspiraba por todo. Con su esplendor victoriano obsoleto, su aire de descomposición estética, de encanto desaparecido, de pálido pesar, encajaba perfectamente en Avilion. Sus actitudes e incluso sus descoloridas chaquetas de cachemira hacían juego con el papel de la pared.

Laura no leía mucho. En lugar de eso, se dedicaba a copiar imágenes o a pintar con sus lápices de colores las ilustraciones en blanco y negro de los libros gruesos y eruditos de viajes e historia. (La Señorita Violencia la dejaba hacer con la presunción de que nadie se daría cuenta.) Laura tenía ideas extrañas pero muy definidas acerca de los colores necesarios: pintaba un árbol de azul o de rojo, el cielo de rosa o de verde. Si dibujaba una imagen de alguien a quien desaprobaba, le ponía la cara de color púrpura o gris oscuro para difuminar las facciones.

Le gustaba dibujar las pirámides de un libro sobre Egipto y colorear los ídolos egipcios y las estatuas asirias con cuerpo de león alado y cabeza humana o de águila. Era un volumen de sir Henry Layard, que había descubierto las estatuas en las ruinas de Nínive y las había hecho enviar a Inglaterra; según afirmaban, se trataba de ilustraciones de los ángeles descritos en el Libro de Ezequiel. La Señorita Violencia no creía que esas imágenes fueran particularmente agradables —las estatuas parecían paganas y, también, sedientas de sangre—, pero Laura no se dejaba disuadir. Ante las críticas, se inclinaba un poco más sobre la página y procedía a colorearla como si su vida dependiese de ello.

—Ponte recta, querida —le advertía las Señorita Violencia—. Piensa que tu columna es un árbol que crece siempre hacia el sol.

A Laura, sin embargo, no le interesaba pensar en esa clase de cosas.

—Yo no quiero ser un árbol —replicaba.

—Mejor un árbol que un jorobado, querida —decía la Señorita Violencia con un suspiro—, y si no prestas atención a tu postura, así es como terminarás.

La Señorita Violencia se pasaba gran parte del tiempo junto a la ventana leyendo novelas románticas que sacaba de la biblioteca pública. También le gustaba hojear las libretas encuadernadas en cuero repujado de la abuela Adelia, con sus delicadas invitaciones con membrete cuidadosamente pegadas, los menús impresos en la oficina del periódico y los subsiguientes recortes de prensa, los tés con fines benéficos, las conferencias ilustradas con diapositivas sobre los resistentes y amables viajeros a París, Grecia e incluso la India, los seguidores de Swedenborg, los fabianos, los vegetarianos, todos los distintos promotores de la mejora personal y, de vez en cuando, algo verdaderamente estrafalario, como un misionero en África, en el Sahara o en Nueva Guinea, que contaba cómo los nativos practicaban la brujería y ocultaban a sus mujeres tras elaboradas máscaras de madera o decoraban los cráneos de sus antepasados con pintura roja y conchas de cauri. Todo aquel papel amarillento era una prueba de la vida lujosa, ambiciosa e incansable que la Señorita Violencia recorría centímetro a centímetro como si la recordase, sonriendo con un amable placer vicario.

Tenía un paquete de estrellas de oropel, doradas y plateadas, que pegaba a las cosas que hacíamos Laura y yo. A veces nos llevaba a recoger flores silvestres, que luego poníamos entre dos hojas de papel secante con un libro pesado encima. Acabamos queriéndola bastante, aunque cuando se fue no lloramos. Ella sí lloró: apocadamente, sin elegancia, como todo lo que hacía.

Cumplí trece años. Aunque había crecido sin poner ningún empeño en ello, padre parecía enfadado, como si fuera culpa mía. Empezó a interesarse por mi postura, mi manera de hablar, mi comportamiento en general. Mi forma de vestir debía ser sencilla y normal: blusas blancas, faldas plisadas negras y vestidos de terciopelo negro para la iglesia. Era una ropa que parecía de uniforme, como trajes de marino, pero sin serlo. No debía andar con los hombros caídos, sino echados hacia atrás. No debía sentarme despatarrada, mascar chicle, mostrarme inquieta o charlatana. Los valores que él exigía eran los del ejército: limpieza, obediencia, silencio y nada de sexualidad evidente. La sexualidad, aunque nunca se hablaba de ella, tenía que cortarse de raíz. Me había dejado a mi aire demasiado tiempo. Ya era hora de meterme en vereda.

Laura también era blanco de estas intimidaciones, aunque todavía no tenía edad para ello. (¿Cuál era la edad para ello? La pubertad, ahora lo veo claro; pero entonces estaba confundida, sencillamente. ¿Qué crimen había cometido? ¿Por qué me trataban como una interna de algún curioso reformatorio?)

—Eres demasiado duro con las niñas —le decía Calista—. No son chicos.

—Desgraciadamente —respondía padre.

Fue a Calista a quien recurrí el día que descubrí que había contraído una enfermedad horrible, pues me salía sangre a borbotones de entre las piernas; ¡estaba segura de que me moría! Calista se echó a reír.

—No es más que una pequeña molestia —dijo. Añadió que debía referirme a ello como «la cosa» o «una visita».

Reenie, sin embargo, tenía ideas más presbiterianas.

«Es la maldición», sentenció. No llegó a mencionar que se trataba de otra de las peculiares disposiciones de Dios para hacerle la vida desagradable a una; las cosas son como son, según ella. En cuanto a la sangre, lo que tenía que hacer era buscar trapos. (No decía «sangre», sino «líquido».) Me preparó una taza de manzanilla que tenía un sabor idéntico al olor de lechuga marchita; también una botella de agua caliente, para los retortijones. Ninguna de las dos cosas sirvió de nada.

Laura encontró una mancha de sangre en mis sábanas y se echó a llorar. Llegó a la conclusión de que estaba muriéndome. Me moriría como madre, susurraba entre sollozos, sin decírselo antes a ella. Tendría un bebé gris como un gato y después expiraría.

Yo le dije que no fuera idiota, que la sangre no guardaba ninguna relación con los bebés. (Calista no había profundizado en este extremo porque seguramente decidió que un exceso de información de este tipo podía deformarme la psique.)

—Un día, cuando tengas mi edad, te ocurrirá a ti —le expliqué a Laura—. Es algo que nos pasa a todas las niñas.

Laura, indignaba, se negó a creerlo. Estaba convencida de que en su caso, como en tantas otras cosas, se haría una excepción.

Hay un retrato de estudio en el que aparecemos Laura y yo realizado en esa época. Yo llevo el vestido negro de terciopelo reglamentario, un estilo demasiado juvenil para mí: se me nota, claramente, lo que solía llamarse «busto». Laura está sentada a mi lado, con un vestido idéntico. Las dos llevamos calcetines hasta las rodillas y zapatos de charol; tenemos las piernas decorosamente cruzadas por los tobillos, el derecho sobre el izquierdo, como nos habían instruido. Yo tengo el brazo alrededor de Laura, pero se me ve poco segura, como si obedeciese una orden. Ella, por su parte, tiene las manos unidas sobre el regazo. Las dos vamos peinadas con raya al medio y el cabello hacia atrás para alejarlo de la cara. Las dos estamos sonriendo con ese gesto aprensivo que ponen los niños cuando les dicen que tienen que ser buenos y sonreír, como si las dos cosas fueran la misma. Es una sonrisa impostada por la amenaza de la desaprobación. La amenaza y la desaprobación debían de venir de padre. Las temíamos, pero no sabíamos cómo evitarlas.

La Metamorfosis de Ovidio

Padre decidió, con buen criterio, que nuestra educación había sido descuidada. Quería que nos enseñaran francés, pero también matemáticas y latín, ejercicios mentales rápidos que actuaran como correctivo de nuestra peligrosa propensión a las ensoñaciones. La geografía también servía. Aunque apenas se había fijado en ella cuando ocupaba su puesto, decretó la expulsión de la Señorita Violencia y sus métodos relajados, desfasados y de color de rosa. Quería que nos recortaran los turbios bordes de encaje y volantes como si fuésemos lechugas para dejar el corazón liso y sólido. No entendía por qué nos gustaba lo que nos gustaba. Quería que, de un modo u otro, nos convirtiésemos en semblanzas de chicos. Bueno, ¿qué iba a hacer? Él nunca tuvo hermanas.

Para reemplazar a la Señorita Violencia, contrató a un hombre llamado Erskine, que en otro tiempo daba clases en una escuela masculina en Inglaterra y a quien habían enviado de repente a Canadá por problemas de salud. No parecía en absoluto enfermo; nunca tosía, por ejemplo. Tenía unos treinta y cinco años, vestía trajes de tweed, era macizo, pelirrojo y de mal carácter, y olía como el fondo de una cesta de la ropa.

Pronto quedó claro que nuestras continuas distracciones y las miradas a la frente del señor Erskine no nos servirían para librarnos de él. El primer día nos hizo unas pruebas para determinar cuánto sabíamos. No mucho, por lo visto, aunque más de lo que le pareció aconsejable divulgar. Le dijo a padre que teníamos un cerebro de insectos o de marmotas. Nuestros conocimientos eran deplorables, y dudaba seriamente que no fuésemos cretinas. Habíamos cultivado unos hábitos mentales indolentes; en realidad, se nos había permitido cultivarlos, añadió en tono reprobatorio. Por suerte, no era demasiado tarde. Mi padre le dijo que, en ese caso, su tarea consistía en ponernos a punto.

A nosotras, el señor Erskine nos dijo que nuestra pereza y arrogancia, nuestra tendencia a holgazanear y a soñar despiertas, así como nuestro sentimentalismo negligente nos había echado a perder para el serio asunto de la vida. Estaba claro que ninguna de las dos tenía pretensiones de genio, y serlo tampoco nos concedería grandes ventajas, pero sin duda había que alcanzar un mínimo, aun siendo niñas; a menos que empezáramos a esforzarnos, no constituiríamos más que un obstáculo para cualquier hombre lo bastante loco para casarse con nosotras.

El señor Erskine pidió un montón de libretas de ejercicios escolares, de las más baratas, con renglones y tapas chillonas de cartón. Solicitó también un suministro de lápices de colores, provistos de goma, y explicó que eran las varitas mágicas mediante las cuales, y con la ayuda de él, estábamos a punto de transformarnos.

Dijo «ayuda» con una sonrisita.

Tiramos las estrellas de oropel de la señorita Goreham.

Señaló que la biblioteca nos distraía demasiado. Pidió y recibió dos pupitres, que instaló en uno de los dormitorios sobrantes; hizo retirar la cama, junto con los demás muebles, para que la habitación quedase vacía. La puerta se cerraba con llave, que él guardaba en su poder. Nos armábamos de valor y poníamos manos a la obra.

Los métodos del señor Erskine eran expeditivos: nos tiraba del pelo y de las orejas; golpeaba con la regla las mesas sobre las que poníamos los dedos, y también estos últimos; nos daba capones cuando se exasperaba o, como último recurso, nos arrojaba libros encima o nos pegaba en la pantorrilla. Su sarcasmo resultaba hiriente, al menos para mí. Laura solía tomarse al pie de la letra todo cuanto él decía, lo cual lo exasperaba aún más. Ni las lágrimas conseguían conmoverlo; en realidad, creo que le gustaban.

No era así todos los días. De vez en cuando, la estabilidad duraba una semana seguida. Entonces se revelaba capaz de mostrar paciencia y hasta una especie de amabilidad torpe, pero de pronto perdía los estribos y se ponía furioso. Lo peor era que nunca sabías qué iba a hacer o cuándo.

No podíamos quejarnos a padre porque el señor Erskine no hacía más que seguir sus órdenes, o al menos eso afirmaba. Pero sí que nos quejábamos a Reenie, claro. Estaba indignada. Decía que yo ya era demasiado mayor para que me tratasen de ese modo, y Laura demasiado nerviosa, y las dos... en fin, ¿quién se creía que era? Había nacido en una alcantarilla y se daba aires, como todos los ingleses que terminaban viniendo aquí convencidos de que podían dominarlo todo. Además, estaba dispuesta a jurar por lo más sagrado que no se daba siquiera un baño al mes. Cuando Laura iba a Reenie con las palmas de las manos rojas a causa de los golpes recibidos, ésta se enfrentaba al señor Erskine, pero él le decía que no se metiese. Ella era la que nos había echado a perder, añadía, con su consentimiento y sus mimos —saltaba a la vista— y ahora le tocaba a él enmendar el desaguisado.

Laura amenazó con marcharse de casa si no lo hacía el señor Erskine, con echar a correr, con saltar por la ventana.

—No lo hagas, mi niña —rogó Reenie—. Pensaremos algo para meterlo en vereda.

—¿Qué es vereda? —preguntó Laura sollozando.

Calista Fitzsimmons habría podido ayudarnos, pero enseguida vio de dónde soplaba el viento: no éramos sus hijas, sino hijas de padre, él había elegido un camino y constituiría un error táctico interponerse. Se trataba de una situación de esas de *sauve qui peut*, expresión que, gracias a la diligencia del señor Erskine, yo ya sabía traducir.

La idea del señor Erskine de las matemáticas era bastante simple: teníamos que aprender a hacer balance de las cuentas de la casa, es decir, sumar, restar y llevar la contabilidad.

Su idea del francés alcanzaba las formas verbales y *Fedra*, con una confianza plena en las máximas claras y concisas de autores famosos. *Si jeunesse savait, si vieillesse pouvait*, Estienne; *C'est de quoi j'ai le plus de peur que la peur*, Montaigne; *Le coeur a ses raisons que la raison ne connaît point*, Pascal; *L'histoire, cette vieille dame exaltée et menteuse*, Maupassant; *Il ne faut pas toucher aux idoles: la dorure en reste aux mains*, Flaubert; *Dieu s'est fait home; soit. Le diable s'est fait femme*, Victor Hugo. Y así.

Su idea de la geografía eran las capitales de Europa. Su idea del latín era César derrotando a los galos y cruzando el Rubicón, *alea jacta est*; y, después de eso, selecciones de la *Eneida* de Virgilio —le encantaba el suicidio de Dido— o de la *Metamorfosis* de Ovidio, especialmente las partes donde los dioses hacían cosas desagradables a varias mujeres jóvenes. El rapto de Europa por un gran toro blanco, de Leda por un cisne, de Dánae por una lluvia de oro... Al menos eso nos llamaría la atención, decía con su sonrisa irónica. Tenía razón. Para variar, nos hacía traducir cínicos poemas de amor del latín. *Odi et amo*, esa clase de cosas. Le causaba placer vernos soportar las malas opiniones de los poetas sobre el tipo de chicas que estábamos destinadas a ser.

—*Rapio, rapere, rapui, raptum* —decía el señor Erskine—. Atrapar y llevarse. La palabra «raptar» viene de la misma raíz. Declinadla. —Golpe con la regla.

Aprendimos, con espíritu vengativo: no dábamos excusas al señor Erskine. Su mayor deseo consistía en ponernos el pie en la nuca; pues bien, si podíamos, le negaríamos ese placer. Si algo aprendimos con él, fue a hacer trampas. Era difícil engañarlo en matemáticas, pero por la tarde nos pasábamos muchas horas copiando nuestras traducciones de Ovidio de un par de libros de la biblioteca del abuelo: viejas traducciones de victorianos eminentes, con letra pequeña y vocabulario complicado. Una vez que comprendíamos el sentido del pasaje en esos libros, sustituíamos las palabras por otras más sencillas y añadíamos unos cuantos errores para que pareciese que era obra de nosotras. Sin embargo, hiciéramos lo que hiciéramos, el señor Erskine llenaba nuestras traducciones de tachones con lápiz rojo y escribía feroces comentarios en los márgenes. No aprendimos mucho latín, pero sí sobre falsificación. También aprendimos a poner una cara seria e inexpresiva, como si estuviésemos almidonadas. Era mejor no reaccionar de modo visible ante el señor Erskine, sobre todo no estremecerse.

Durante un tiempo Laura se mantuvo en guardia con él, pero el dolor físico —es decir, su propio dolor— no la afectaba demasiado. Se distraía fácilmente, aunque él estuviera dando gritos. ¡El campo de acción del señor Erskine era tan limitado! Ella se ponía a mirar fijamente el papel de la pared —un diseño de capullos de rosa y lazos— o por la ventana. Cultivó la habilidad de sustraerse con un simple pestañeo; te miraba con atención y al instante siguiente ya estaba en cualquier otra parte. O tú estabas en cualquier otra parte; hacía caso omiso de ti, como si acabase de mover una varita mágica y te hubiera hecho desaparecer con ella.

El señor Erskine no soportaba que lo ignoraran de ese modo. Empezó a zarandearla, para que reaccionase, decía. «No eres la Bella Durmiente», le gritaba. A veces la empujaba contra la pared o la tomaba del cuello y la sacudía; en estos casos ella cerraba los ojos y dejaba el cuerpo laxo, lo que lo ponía aún más furioso. Al principio traté de intervenir, pero no servía de nada. Él se limitaba a apartarme con un golpe de su brazo lanudo y maloliente.

—No hagas que se enfade —le advertía a Laura.

—Da igual que se enfade o no —replicaba ella—. Además, no está enfadado. Sólo quiere meterme la mano por debajo de la blusa.

—Nunca he visto que lo hiciera —dije—. ¿Por qué iba a hacerlo?

—Lo hace cuando no miras —puntualizó Laura—. O por debajo de la falda. Lo que le gusta son las medias. —Se mostraba tan tranquila que pensé que estaba inventándoselo o que no entendía. Que no entendía las manos del señor Erskine, sus intenciones. Lo que describía era francamente inverosímil. No me parecía algo que pudiese interesar a un adulto, porque ¿no era Laura una niña?

—¿No deberíamos decírselo a Reenie? —pregunté, vacilante.

—Lo más probable es que no me crea —repuso Laura—. Tú no me crees.

Pero Reenie la creyó, o decidió creerla, y ése fue el fin del señor Erskine. Reenie sabía que no le serviría de nada encararlo personalmente, pues él acusaría a Laura de decir mentiras y las cosas se pondrían aún peores. Cuatro días después, entró en el despacho de padre en la fábrica de botones con un montón de fotografías de contrabando. No se trataba de nada que en la actualidad provocase la mínima sorpresa, pero para esa época eran escandalosas: mujeres con medias negras y pechos en forma de pastel desbordando sujetadores gigantescos; las mismas mujeres sin ropa, contorsionadas, con las piernas abiertas. Explicó que las había encontrado debajo de la cama del señor Erskine cuando estaba barriendo su habitación y que no le parecía que fuera la clase de hombre al que debían confiarse las jóvenes hijas del capitán Chase.

En el despacho había un público interesado que incluía a padre, un grupo de trabajadores de la fábrica y el abogado de aquél y, por cierto, futuro marido de Reenie, Ron Hincks. La visión de Reenie con las mejillas sonrosadas, los ojos resplandecientes como una furia vengativa, el moño negro medio deshecho y blandiendo un montón de mujeres desnudas de enormes tetas, hizo que a partir de ese día Hincks empezara su persecución, que acabó con éxito. Pero ésa es otra historia.

Si había algo que Port Ticonderoga jamás aceptaría, dijo el abogado de mi padre en tono de asesor, era que los maestros de unas muchachas inocentes tuvieran en su poder semejantes obscenidades. Padre se convenció de que, después de aquello, no podía mantener al señor Erskine en la casa sin que lo consideraran un ogro.

(Hace tiempo que sospecho que Reenie le pidió esas fotografías a su hermano, que tenía el negocio de distribución de revistas. Sospecho también que el señor Erskine no tenía nada que ver con ellas. Al fin y al cabo, lo que a él le gustaba eran los niños, no los sujetadores grandes. Pero en aquella época no podía esperar que Reenie jugase limpio con él.)

El señor Erskine se marchó, indignado, pero también dolido, asegurando que era inocente. Laura dijo que sus oraciones habían encontrado respuesta. Había rezado para que expulsaran de nuestra casa al señor Erskine, y Dios la había escuchado. Añadió que con las fotografías y todo eso Reenie había ejecutado la voluntad del Señor. Yo no sabía qué debía de pensar Dios de eso, suponiendo que existiese, de lo cual tenía cada vez más dudas.

Laura, por su parte, había empezado a tomarse en serio la religión en las clases que impartía Erskine; aún le daba miedo Dios, pero resolvió que entre un tirano colérico e imprevisible y otro más grande y lejano, elegía a este último.

En cuanto tomó la decisión, la llevó hasta el extremo, como hacía con todo.

—Me voy a meter a monja —anunció plácidamente a la hora de comer mientras, sentadas a la mesa de la cocina, dábamos cuenta de nuestros bocadillos.

—No puedes —dijo Reenie—. No te aceptarán. No eres católica.

—Pues me haré católica —replicó Laura.

—Tendrás que cortarte el pelo —señaló Reenie—. Debajo de esos velos que llevan, las monjas son calvas como huevos.

Fue una maniobra sagaz por parte de Reenie. Laura no tenía ni idea de aquello. Si se envanecía de algo, era de su cabellera.

—¿Por qué? —preguntó.

—Creen que Dios así lo quiere —contestó Reenie—. Creen que desea que le ofrezcan sus cabellos, lo que no hace más que demostrar lo ignorantes que son. ¿Para qué va a querer todo ese pelo cortado? ¡Vaya idea!

—¿Qué hacen con él? —quiso saber Laura—. Después de cortarlo, digo.

Reenie estaba pelando judías.

—Lo convierten en pelucas para mujeres ricas —respondió Reenie. No pareció inmutarse, pero yo sabía que era un farol, como la historia de que los bebés se hacen con masa de pan—. Mujeres ricas y altaneras. No te haría ninguna gracia ver por la calle tu maravillosa melena en la asquerosa cabeza, grande y grasienta, de otra persona.

Laura abandonó la idea de meterse a monja, o eso parecía; a saber cuál sería la próxima. Tenía una capacidad notable para creer. Estaba abierta, confiaba en sí misma, se entregaba, se ponía a merced. Un poco de incredulidad le habría servido de primera línea de defensa.

Habíamos pasado varios años —en realidad, desperdiciados— con el señor Erskine. Aunque quizá no debería decir «desperdiciados»; habíamos aprendido muchas cosas de él, si bien no siempre lo que pretendía enseñarnos. Además de aprender a mentir y hacer trampas, yo había adquirido un atrevimiento disimulado y una resistencia silenciosa. Había aprendido que la venganza es un plato que se sirve frío. Había aprendido a escabullirme para que no me pillaran.

Mientras tanto, llegó la Depresión. Padre no perdió mucho en el crac, aunque sí un poco. Perdió sobre todo su margen de error. Como respuesta a la disminución de la demanda, debería haber cerrado las fábricas y, tras meter su dinero en el banco, esperar tiempos mejores, como hicieron otros en su misma situación. Habría sido lo más sensato, pero no lo hizo. No soportaba la idea de echar a sus hombres del trabajo. Les debía fidelidad. Daba igual que algunos de ellos fueran mujeres.

La escasez se cernió sobre Avilion. No teníamos con qué calentar nuestros dormitorios y las sábanas estaban raídas. Reenie las cortaba por el trozo más gastado y volvía a unirlas. Varias habitaciones permanecían cerradas; la mayoría de los criados acabó por marcharse. Ya no teníamos jardinero, y las malas hierbas lo invadían todo lentamente. Padre dijo que necesitaría nuestra cooperación para conseguir que las cosas siguieran funcionando y superar el mal momento. Nos dijo que, ya que aborrecíamos tanto el latín y las matemáticas, podíamos ayudar a Reenie en la casa, así aprenderíamos a ahorrar dinero. Eso, en la práctica, significaba judías, bacalao salado o conejo para cenar, y zurcirnos las medias.

Laura se negó a comer conejo. Decía que semejaban bebés sin piel. Para comérselos, había que ser caníbal.

Reenie decía que padre era demasiado bueno, y demasiado orgulloso también. Un hombre debía admitir cuando lo derrotaban. No sabía qué se avecinaba, pero el resultado más probable era la ruina.

Yo ya había cumplido dieciséis años. Mi ciclo educativo, en el punto en que se hallaba, había tocado a su fin. Estaba a la espera, pero ¿de qué? ¿Qué debía hacer a continuación?

Reenie tenía sus preferencias. Se había aficionado a leer la revista *Mayfair*, con sus descripciones de las fiestas de sociedad, y las páginas sociales en los periódicos, con sus bodas, sus bailes de beneficencia, sus vacaciones de lujo. Memorizaba listas enteras de nombres de gente importante, de transatlánticos, de hoteles de lujo. Decía que ya era hora de que yo fuese presentada en sociedad, con las ceremonias correspondientes, como una reunión para conocer a las madres importantes de la ciudad, las recepciones y salidas de rigor, y un baile de etiqueta al que se invitaría a jóvenes solteros... Avilion volvería a llenarse de gente bien vestida, como en los viejos tiempos, habría cuartetos de cuerda y antorchas en el jardín. Nuestra familia tenía el mismo nivel, o mejor, que las que trataban a sus hijas de ese modo. Padre seguramente tenía dinero en el banco reservado sólo para eso. Si madre hubiese vivido, decía Reenie, se habría hecho lo que correspondía.

Yo lo dudaba. Por lo que sabía de madre, era muy probable que se hubiese empeñado en enviarme a la escuela —al colegio de señoritas Alma o a alguna institución tan digna como temible— para aprender algo práctico pero igual de espantoso, como taquigrafía. En cuanto a la presentación en sociedad, habría sido pura vanidad, y ella nunca fue vanidosa.

La abuela Adelia era diferente, y su figura quedaba tan distante en el tiempo que resultaba fácil idealizarla. Habría hecho planes sin reparar en gastos. Yo recorría la biblioteca contemplando con atención las imágenes de ella que todavía colgaban en las paredes: el retrato al óleo hecho en 1900, en el que lucía una sonrisa de esfinge y llevaba un vestido de color de las rosas rojas secas, con un escote profundo del que su cuello desnudo surgía abruptamente, como un brazo de una cortina mágica; las fotografías en blanco y negro con marco dorado la mostraban con pamela o plumas de avestruz, o con traje de noche, diadema y guantes blancos de seda, sola o en compañía de varios dignatarios ahora olvidados. Me habría llamado para darme todos los consejos necesarios, para decirme cómo vestir, cómo hablar, cómo comportarse en cada ocasión. Cómo evitar hacer el ridículo, algo por demás corriente, según lo veía yo. A pesar de husmear en las páginas de sociedad, Reenie no sabía lo suficiente.

El pícnic de la fábrica de botones

El fin de semana del Día del Trabajo llegó y se fue dejando tazas de plástico, botellas flotantes y globos prácticamente sin aire en la estela de los remolinos del río. Septiembre se va imponiendo. Aunque al mediodía el sol no calienta menos que antes, todas las mañanas demora un poco su salida y aparece rodeado de neblina, y en las noches más frías los grillos rechinan y chirrían. En el jardín se agrupan los ásteres silvestres arraigados tiempo atrás; los más pequeños son blancos, otros, más gruesos, del color del cielo, y los hay de un púrpura intenso, cuyos tallos parecen oxidados. Antes, en mi etapa de jardinera esporádica, habría decidido que eran malas hierbas y los habría arrancado de cuajo. Ahora ya no hago esa clase de distinciones.

Es una buena época para andar, pues no hay tanto resplandor. Los turistas van mermando y los que quedan al menos se cubren con decencia; ya no se ven pantalones cortos y ligeros vestidos de tirantes, ni piernas rojas como si las hubiesen escalfado.

Hoy me dirigía hacia el recinto del campamento, pero, cuando estaba a medio camino, Myra pasó con su coche y se ofreció a llevarme. Me avergüenza reconocer que acepté; estaba agotada, y acababa de caer en la cuenta de que era demasiado lejos. Myra quería saber adónde iba y por qué —al parecer ha heredado el instinto de pastor de Reenie—. Le dije adónde iba; en cuanto al porqué, le expliqué que quería volver a ver el recinto por los viejos tiempos. Señaló que era demasiado peligroso; allí nunca se sabe qué puede salir de la maleza. Me obligó a prometerle que me sentaría en un banco del parque y la esperaría. Volvería a buscarme al cabo de una hora.

Cada vez me siento más como una carta: me depositan en un sitio y allí me recogen, aunque no voy dirigida a nadie.

El recinto del campamento no es un sitio digno de contemplar. Se trata de una lengua de tierra entre la calle y el río Jogues —una hectárea o así— cubierta de árboles y maleza y, en primavera infestada de mosquitos, que se crían en el terreno pantanoso. Los ásperos graznidos de las garzas semejan un palo rascando un trozo de hojalata. De vez en cuando aparecen para husmear algunos observadores de aves con su habitual aire cariacontecido, como si buscasen algo que han perdido.

En las sombras hay destellos de plata, de paquetes de cigarrillos, de los tubérculos pálidos y desinflados de los preservativos usados y de los trozos de Kleenex desechados y punteados de gotas de lluvia. Los perros y los gatos marcan su terreno, mientras que ávidas parejas entran a hurtadillas por entre los árboles, aunque en menor cantidad que antes; ¡hay tantas opciones, ahora! En verano, los borrachos duermen bajo las matas más espesas, y los adolescentes van allí a fumar y esnifar lo que sea que fumen o esnifen. Se han encontrado cabos de velas y cucharas quemadas, y alguna que otra jeringuilla. Todo eso me lo cuenta Myra, en cuya opinión es una desgracia. Sabe qué utilidad tienen los cabos de vela y las cucharas: son «artilugios para drogarse». Parece que el vicio está en todas partes. *Et in Arcadia ego.*

Hace un par de décadas, hubo un intento de limpiar la zona. Pusieron un cartel —«Parque Coronel Parkman», que sonaba estúpido— y colocaron tres mesas de pícnic, un cubo de basura de plástico y un par de lavabos portátiles, para comodidad de los visitantes de fuera de la ciudad, según dijeron, aunque éstos preferían beber cerveza y armar juerga en algún sitio con mejor vista del río. Entonces, unos cuantos muchachos dispuestos a probar su puntería utilizaron el cartel como diana y el gobierno provincial retiró las mesas y los lavabos —debido a algo relacionado con los presupuestos— y dejó de vaciar el cubo de basura, aunque los mapaches lo saqueaban con frecuencia; por eso también se lo llevaron y el lugar ha vuelto a ser lo que era.

Se llama recinto del campamento porque era donde solían celebrarse los campamentos religiosos, con tiendas del tamaño de las de circo y fervientes predicadores de importación. En aquel tiempo el espacio estaba mejor ocupado, o al menos más concurrido. Las pequeñas ferias itinerantes armaban sus casetas tras amarrar sus ponis y sus asnos, los desfiles llegaban hasta el recinto, y cuando se acercaba la hora de comer, la gente se dispersaba en grupos. Se trataba de un lugar para todo tipo de reuniones al aire libre.

Era donde solía realizarse la Celebración del Día del Trabajo de Chase e Hijos. Tal era el nombre oficial, aunque la gente lo llamaba el «pícnic de la fábrica de botones». Siempre se festejaba el sábado anterior al Día del Trabajo, que caía en lunes, e invariablemente repetía su severa retórica, las marchas con bandas y las pancartas. Había globos, tiovivos y juegos inofensivos y simples, como carreras de sacos, el huevo y la cuchara, carreras de relevos en las que el testigo era una zanahoria, etcétera. Varios cuartetos corales entonaban cantos, no del todo mal, en tanto que el cuerpo de cornetas de los *scouts* graznaba un par de piezas, y pelotones de niños bailaban danzas escocesas e irlandesas en una tarima de madera elevada como un *ring* de boxeo, al ritmo de la música de un gramófono de cuerda. Se concedía un premio a la mascota mejor vestida, y también al bebé más guapo. La comida consistía en mazorcas de maíz, ensalada de patatas y salchichas de Frankfurt. Las Damas Auxiliares vendían pastelitos en apoyo de eso o aquello, ofrecían empanadas, galletas y tartas, botes de mermelada, conservas agridulces y encurtidos, provistos cada uno de ellos de una etiqueta con el nombre de pila del producto: «Chow-chow Rhoda», «Compota de ciruela Pearl».

Había mucho barullo, francachelas. No se servía nada más fuerte que limonada, y al llegar la noche se oían escaramuzas, o gritos y risas entre los árboles, seguidos de salpicaduras junto a la orilla cuando tiraban a alguien al agua vestido o sólo con los pantalones. El Jogues era lo bastante poco profundo para que nadie se ahogara. Por la noche, había fuegos artificiales. En los tiempos de apogeo de esta celebración, o de lo que yo recuerdo como su apogeo, se organizaban bailes con música de violines. Pero en el año que ahora recuerdo, que es 1934, estos excesos y muestras de alegría se vieron restringidos.

Hacia las tres de la tarde, padre subía a la tarima y pronunciaba un discurso. Éste siempre era corto, pero los hombres mayores lo escuchaban con gran atención; las mujeres también, porque o bien trabajaban para la compañía o bien lo hacía su esposo. Cuando la situación comenzó a empeorar, incluso los hombres más jóvenes escuchaban el discurso, y hasta las chicas, con sus vestidos de verano y sus brazos al descubierto. El discurso no decía demasiado, pero podía leerse entre líneas. «Razones para estar satisfechos» era bueno; «motivos de optimismo», malo.

Aquel año el clima era caluroso y seco, y llevaba demasiados días así. No había tantos globos como otros años, y ningún tiovivo. Las mazorcas eran demasiado viejas, las almendras tan arrugadas que semejaban nudillos, la limonada estaba aguada y los perritos calientes se acabaron pronto. Sin embargo, no había habido despidos en Industrias Chase, al menos por el momento. Huelgas sí, pero no despidos.

Padre dijo «motivos de optimismo» cuatro veces y «razones para estar satisfecho» ni una sola. La gente cambió miradas de preocupación.

Cuando Laura y yo éramos más pequeñas, nos encantaba este pícnic; después dejó de gustarnos, pero nuestra asistencia era tan obligatoria como necesaria. Nos lo habían metido en la cabeza desde edad muy temprana. Madre siempre había tenido claro que debía irse, por muy mal que uno se encontrase.

Cuando, tras la muerte de madre, Reenie se hizo cargo de nosotras, comenzó a prestar una escrupulosa atención a nuestra indumentaria para ese día: no demasiado informal, pues significaría un desprecio, como si no nos importase lo que la gente de la ciudad pensara de nosotros, pero tampoco demasiado elegantes, ya que sería una muestra de prepotencia. A esas alturas éramos lo bastante mayores para elegir nuestra ropa —yo acababa de cumplir dieciocho, Laura tenía catorce y medio—, aunque disponíamos de pocas opciones. En nuestra casa, aunque había lo que Reenie llamaba «cosas buenas», siempre se había desalentado la exhibición ostentosa de lujo, si bien con el tiempo la definición de lujo se había ido reduciendo hasta llegar a significar cualquier prenda u objeto nuevo. Para el pícnic, las dos llevábamos nuestra falda azul con peto y la blusa blanca del verano anterior. Laura hacía tres temporadas que llevaba mi sombrero, y yo el del último año, con la cinta cambiada.

A Laura no parecía importarle. Pero a mí sí. Se lo dije, y repuso que era mundana.

Escuchamos el discurso. (Mejor dicho, yo lo escuché. La actitud de Laura era de escuchar —ojos bien abiertos, la cabeza ladeada—, pero no hay forma de saber qué escuchaba.) Padre siempre había sido capaz de pronunciar su discurso, por mucho que bebiera, pero en esta ocasión el texto se le resistía. Se acercó la página mecanografiada al ojo bueno y luego la alejó con expresión de perplejidad, como si se tratara de la cuenta de algo que no había comprado. Al principio llevaba trajes elegantes que, con el tiempo, siguieron siendo elegantes aunque desgastados, pero el que vestía ese día rayaba la sordidez. Tenía el pelo alborotado alrededor de las orejas, parecía agobiado, feroz incluso, como un salteador de caminos acorralado.

Después del discurso, que no provocó más aplausos que los de rigor, algunos hombres se reunieron en pequeños grupos para cambiar impresiones en voz baja. Otros se sentaron debajo de los árboles, encima de sus chaquetas o mantas extendidas, o se tumbaron a echar una cabezada, cubriéndose el rostro con un pañuelo. Sólo los hombres hacían eso; las mujeres seguían despiertas, vigilantes. Las madres llevaban a sus hijos al río para que se mojaran los pies en la playita de arena. En un extremo había empezado un partido de béisbol; un torbellino de espectadores lo miraban aturdidos.

Fui a echar una mano a Reenie en la venta de pasteles. ¿En favor de qué causa? No lo recuerdo. Pero iba a ayudarla todos los años..., era lo que se esperaba de mí. Le dije a Laura que ella también tenía que venir, pero fingió no oírme y se alejó balanceando el sombrero, que tenía cogido por el ala.

Dejé que se fuera. Mi misión consistía en no perderla de vista; Reenie no se desvelaba por mí, pero en su opinión Laura era demasiado confiada en general, excesivamente amable con los desconocidos. Los tratantes de blancas estaban siempre al acecho, y Laura constituía su objetivo natural. Era capaz de meterse en un coche que no conocía, abrir una puerta que no le resultaba nada familiar, cruzar la calle que no debía, y todo ello porque no sabía trazar la línea, o no sabía trazarla donde la trazaban los demás, y no había modo de aconsejarla al respecto porque no entendía esta clase de advertencias. No era que desobedeciese las reglas; sencillamente, las olvidaba.

Yo estaba cansada de ocuparme de Laura, que no daba muestras de valorarlo. Estaba cansada de que me echaran la culpa de sus errores, de su incapacidad de obedecer. Estaba cansada de que me echaran la culpa, y punto. Yo quería irme a Europa, a Nueva York o a Montreal —a clubes nocturnos, a *soirées*, a todos los lugares emocionantes que salían en las revistas que leía Reenie—, pero me necesitaban en casa. «Me necesitan en casa, me necesitan en casa»: era como una condena de por vida. Peor, un canto fúnebre. Estaba condenada en Port Ticonderoga, orgulloso bastión de la variedad de botones normales y corrientes y de calzoncillos largos a bajo precio para compradores atentos a su presupuesto. En ese lugar me anquilosaría, nunca me ocurriría nada, acabaría vieja como la Señorita Violencia, compadecida y ridiculizada por todos. En el fondo, ése era mi temor. Quería irme a otra parte, pero no veía la manera de llegar. De vez en cuando me sorprendía esperando que me secuestraran los tratantes de blancas, aunque no creía que existieran. Al menos supondría un cambio.

La mesa en que se exponían los pasteles se encontraba resguardada por un toldo y cubierta por mantelitos o papel encerado para proteger aquéllos de las moscas. Reenie había contribuido con empanadas, que no constituían su especialidad. Estaban pegajosas, con el relleno poco hecho, y las cortezas eran duras pero gomosas, como algas o grandes y correosos champiñones. En tiempos mejores se vendía bastante —nadie los compraba para alimentarse, sino porque constituía un ritual—, pero aquel día no hubo mucho movimiento. Como la gente tenía poco dinero, a cambio quería algo realmente comestible.

Mientras estaba tras la mesa, Reenie me comunicó en voz baja las últimas noticias. A plena luz del día, ya habían arrojado a cuatro hombres al río, y no precisamente para divertirse. Se habían enzarzado en una discusión relacionada con política, explicó Reenie, y habían alzado la voz. Además de las típicas bromas que tenían lugar junto al río, se había producido algún rifirrafe. Habían tirado al suelo a Elwood Murray, el editor del periódico semanal, heredero de dos generaciones de Murray al frente del mismo; él escribía la mayor parte de los artículos y también tomaba las fotografías. Por suerte, no habían llegado a sumergirlo en el agua, porque se le habría estropeado la cámara, que aunque fuese de segunda mano, le había costado un dineral, como se había enterado Reenie. Le habían reventado la nariz; desde donde me encontraba lo veía, sentado debajo de un árbol, con un vaso de limonada en la mano y flanqueado por dos mujeres que sostenían pañuelos humedecidos.

¿La pelea tenía una motivación política? Reenie no lo sabía, pero a la gente no le gustaba que Elwood Murray escuchase lo que decían. En tiempos prósperos, se le consideraba, sencillamente, un loco, y acaso lo que Reenie llamaba un «mariquita» —al fin y al cabo, no estaba casado, y a su edad eso tenía que significar algo—, pero se lo toleraba e incluso apreciaba, dentro de los límites que marcaba la decencia, siempre que mencionara todos los acontecimientos sociales y escribiera sin faltas los nombres de quienes participaban en ellos. Pero entonces los tiempos no eran prósperos, y el exceso de curiosidad de Elwood Murray le causaba problemas. No es agradable que escriban sobre todo lo que a uno le ocurre, decía Reenie. Nadie en su sano juicio lo aceptaría.

Avisté a padre paseando entre los trabajadores con su andar ladeado. Asentía a su manera brusca, echando la cabeza más hacia atrás que hacia delante. El parche de su ojo derecho iba de lado a lado, y desde la distancia parecía un agujero. Su mostacho se curvaba encima de su boca igual que un colmillo oscuro, que movía de vez en cuando para esbozar lo que él seguramente pretendía que fuese una sonrisa. Llevaba las manos hundidas en los bolsillos.

A su lado había un hombre más joven y un poco más alto que él, pero no tenía arrugas ni andaba torcido. «Acicalado» era la palabra que evocaba. Llevaba un panamá muy elegante y un traje de lino que parecía emitir luz de tan limpio y fresco. Saltaba a la vista que venía de fuera.

—¿Quién es el que está hablando con padre? —le pregunté a Reenie.

Reenie miró con disimulo y se echó a reír.

—Es el señor Royal Classic en persona. No puedo creer que se haya atrevido.

—Me lo imaginaba.

El señor Royal Classic era Richard Griffen, de la empresa de Toronto Prendas de Punto Royal Classic. Nuestros trabajadores —los trabajadores de padre— se referían burlonamente a la empresa como Prendas de Puto Royal Classic, porque el señor Griffen no sólo era el principal competidor de padre, sino una suerte de adversario. Lo había atacado en la prensa por su excesiva condescendencia con los desempleados, la beneficencia y los rojos en general. También con los sindicatos, lo que era gratuito, porque en Port Ticonderoga no había sindicatos y no era ningún secreto la estrechez de miras al respecto. Pero, por alguna razón, padre había invitado al señor Richard Griffen a cenar a Avilion después del pícnic y, además, con poca antelación. Sólo cuatro días.

Reenie presentía que lo del señor Griffen era algo impuesto. Como todo el mundo sabe, uno tiene que esmerarse más con los enemigos que con los amigos, y cuatro días no le bastaban para preparar semejante acontecimiento, sobre todo teniendo en cuenta que desde los tiempos de la abuela Adelia no se celebraba en Avilion lo que podría definirse como una cena fina. Cierto que a veces Calie Fitzsimmons traía amigos a pasar el fin de semana, pero era diferente, porque se trataba de artistas y aceptaban agradecidos cuanto se les diera. De vez en cuando los encontraba en la cocina por la noche, saqueando la alacena, preparándose bocadillos con las sobras. «Pozos sin fondo», los llamaba Reenie.

—Es un nuevo rico, en todo caso —comentó Reenie con desdén, observando a Richard Griffen—. Mira qué pantalones lleva. —No perdonaba que criticaran a padre (a excepción de ella misma) y desdeñaba a quienes ascendían en la escala social y luego se comportaban por encima de su nivel, o de lo que ella consideraba su nivel, y era un hecho conocido que los Griffen, o al menos su abuelo, eran gente de baja extracción. Se había hecho con el negocio engañando a los judíos, dijo Reenie en un tono ambiguo —¿acaso según sus libros eso constituía una hazaña?—, aunque no sabía exactamente cómo. (En justicia, es posible que Reenie se inventara esas difamaciones sobre los Griffen. A veces atribuía a la gente historias que le parecía que deberían haber vivido.)

Detrás de padre y del señor Griffen, y al lado de Calie Fitzsimmons, había una mujer que tomé por la esposa de Richard Griffen. Era joven, delgada y con estilo, y arrastraba una diáfana muselina de tonos anaranjados que semejaba el vapor de una sopa de tomate aguada. Llevaba un sombrero verde, del mismo color que los zapatos de tacón alto, y un pequeño fular alrededor del cuello. Iba demasiado elegante para un pícnic. Mientras la observaba, se detuvo, levantó un pie y miró por encima del hombro para ver si se le había pegado algo en el tacón. Ojalá fuera así, pensé. Sin embargo, qué maravilla tener una ropa tan encantadora, trajes fabulosos de nuevo rico, en lugar de la indumentaria virtuosa, desastrada y sin gracia que nos imponía la necesidad en aquellos días.

—¿Dónde está Laura? —quiso saber Reenie, súbitamente alarmada.

—No tengo ni idea. —Había adquirido el hábito de contestar mal a Reenie, sobre todo cuando me mandoneaba. «No eres mi madre» se había convertido en mi respuesta más mordaz.

—No debes perderla de vista —dijo Reenie—. Cualquiera de los presentes podría convertirse en una pesadilla para ella. Nunca se sabe qué intrusiones, qué robos y pifias es capaz de cometer la gente.

Encontré a Laura sentada en la hierba al pie de un árbol, hablando con un joven —un hombre, no un chico— de tez oscura, tocado con un sombrero de color claro. Tenía un estilo indeterminado; no era trabajador de la fábrica, pero tampoco parecía otra cosa, nada definido, en suma. No llevaba corbata, pero es que estábamos en un pícnic. Vestía camisa azul, un poco desgastada en los puños, y sus maneras eran espontáneas, proletarias. Muchos jóvenes, sobre todo estudiantes universitarios, tenían entonces esa pose afectada. En invierno llevaban chaquetas de punto con listas horizontales.

—Hola —dijo Laura—. ¿Dónde estabas? Es mi hermana Iris, Alex.

—¿Señor...? —Me pregunté cómo se atrevía Laura a tutearlo y a llamarlo por el nombre de pila.

—Alex Thomas —dijo él. Era educado pero cauteloso. Se puso en pie y tendió la mano, que estreché. Luego me encontré sentada entre ellos. No se me ocurrió nada mejor que hacer para proteger a Laura.

—¿Es de fuera de la ciudad, señor Thomas?

—Sí. He venido a ver a unas cuantas personas. —Su tono correspodía a lo que Reenie habría llamado un joven «agradable», es decir, que «no era pobre», aunque tampoco rico.

—Es amigo de Calie —me informó Laura—. Ha venido hace un momento y nos ha presentado. Viajaba en el mismo tren que ella.
—Estaba dando demasiadas explicaciones.

—¿Has visto a Richard Griffen? —le pregunté a Laura—. El que viene a cenar. Estaba con padre.

—¿Richard Griffen, el magnate explotador? —intervino el joven.

—Alex..., el señor Thomas sabe cosas del Antiguo Egipto —dijo Laura—. Me ha hablado de los jeroglíficos. —Lo miró. Nunca la había visto mirar a nadie de aquel modo. ¿Sorprendida, asombrada? Resultaba difícil ponerle nombre a esta mirada.

—Qué interesante —comenté. Advertí que pronunciaba esta última palabra con la socarronería que en ocasiones había percibido en los demás. Necesitaba decirle a ese tal Alex Thomas que Laura sólo tenía catorce años, pero no se me ocurría ninguna manera de hacerlo sin que ella se enfadara.

Alex Thomas estrajo un paquete de cigarrillos del bolsillo de la camisa; eran Craven A, si no recuerdo mal. Sacó uno para él. Me sorprendió un poco que fumase cigarrillos ya hechos, pues no parecía encajar con la camisa que llevaba. Los cigarrillos en paquete constituían un lujo; los trabajadores de la fábrica se liaban los suyos, algunos con una sola mano.

—Gracias, sí —dije. Hasta ese momento no había fumado más que unos pocos cigarrillos, y a escondidas, afanados de la petaca de plata que había encima del piano. Me miró fijamente, que supongo que era lo que yo quería, y me ofreció el paquete. Encendió una cerilla con el pulgar y la sostuvo para mí.

—No deberías hacer eso —apuntó Laura—. Podrías quemarte.

De pronto apareció ante nosotros Elwood Murray, otra vez erguido y garboso. Tenía la pechera de la camisa todavía húmeda, manchada ligeramente de rosa allí donde las mujeres habían intentado limpiarle la sangre con sus pañuelos húmedos; sendos círculos rojos rodeaban los orificios de su nariz.

—Hola, señor Murray —lo saludó Laura—. ¿Está usted bien?

—Los chicos se han dejado llevar... —dijo Elwood Murray, como si revelase tímidamente que acababa de ganar una especie de premio—. Nos lo hemos pasado en grande. ¿Puedo? —Nos hizo una fotografía con su cámara de flash. Siempre decía «¿Puedo?» antes de tomar una fotografía para el periódico, pero nunca esperaba la respuesta. Alex Thomas levantó la mano para evitar la fotografía.

—Conozco a estas dos damas encantadoras, desde luego —le dijo Elwood Murray—, pero usted... ¿se llama?

En ese instante Reenie apareció a nuestro lado. Estaba sin aliento, tenía el sombrero ladeado y la cara roja.

—Vuestro padre os está buscando por todas partes —dijo.

Yo sabía que no era verdad, pero aun así Laura y yo tuvimos que levantarnos, alisarnos la falda e ir tras ella, como patos de regreso al corral.

Alex Thomas se despidió con un gesto. Era un gesto sardónico, o esa impresión me dio.

—¿No tenéis cabeza? —dijo Reenie—. Espatarradas en el suelo con Dios sabe quién. Y tú, Iris, haz el favor de tirar ese cigarrillo, no eres una mujerzuela. ¿Y si te ve tu padre?

—Padre fuma como un carretero —solté en lo que confiaba fuese un tono de insolencia.

—Es diferente —replicó Reenie.

—Señor Thomas —dijo Laura—. Señor Alex Thomas. Es estudiante de Teología. O lo era hasta hace poco —añadió con escrupulosidad—. Ha perdido la fe. Su conciencia le impide seguir creyendo.

La conciencia de Alex Thomas sin duda había causado una gran impresión en Laura, pero no servía para aplacar a Reenie, quien preguntó.

—¿De qué trabaja ahora? Estoy segura de que se trata de algo sospechoso. Posee una mirada escurridiza.

—¿Qué tiene de malo? —le pregunté. A mí no me había gustado, pero estaba claro que Reenie lo juzgaba sin razón.

—Qué tiene de bueno, sería más exacto —dijo Reenie—. Retozando en la hierba delante de todo el mundo. —Se dirigía más a mí que a Laura—. Al menos teníais la falda bien puesta. —Según ella, cuando una niña estaba a solas con un hombre debía juntar las rodillas como si sujetara una moneda entre ellas. Le daba miedo que la gente —los hombres— nos vieran las piernas por encima de la rodilla. De las mujeres que lo permitían, decía: «Han subido el telón, ¿y dónde está el espectáculo?» O: «Mejor sería colgar un cartel.» O, en un tono más torvo: «Lo está pidiendo a gritos, le darán su merecido», y, en el peor de los casos: «Es un accidente a punto de ocurrir.»

—No estábamos retozando —objetó Laura.

—Retozando o no, ya sabéis a qué me refiero —dijo Reenie.

—No hacíamos nada —intervine—. Sólo hablábamos.

—Eso no importa —dijo Reenie—. La gente podía veros.

—La próxima vez que no hagamos nada nos esconderemos entre las matas —protesté.

—¿Quién es, si puede saberse? —preguntó Reenie, que solía hacer caso omiso de mis alardes de tozudez, puesto que a esas alturas no podía hacer nada al respecto. «Quién es» significaba «De quién es hijo».

—Es huérfano —dijo Laura—. Un ministro presbiteriano y su esposa lo adoptaron del orfanato.

Por lo visto había sacado esta información de Alex Thomas en muy poco tiempo, pero era una de sus habilidades, si puede llamarse así; se limitaba a hacer preguntas personales —lo cual, según nos habían enseñado, era de mala educación—, hasta que la otra persona, avergonzada u ofendida, se veía obligada a dejar de contestar.

—¡Un huérfano! —exclamó Reenie—. ¡Podría ser cualquiera!

—¿Qué tienen de malo los huérfanos? —inquirí. Yo sabía qué tenían de malo en el manual de Reenie: nadie sabía quiénes eran sus padres, y eso los hacía poco fiables, si no directamente degenerados. «Nacido en la acequia —diría Reenie—, y abandonado en un portal.»

—No puedes fiarte de esa clase de gente —repuso Reenie—. Se van abriendo camino como gusanos. Ni ellos saben hasta dónde pueden llegar.

—Bueno, en todo caso, lo he invitado a cenar —dijo Laura.

—Pues tendremos que bañar el pan de jengibre en oro —apuntó Reenie.

Proveedoras de pan

Al fondo del jardín, al otro lado de la valla, crece un ciruelo silvestre. Es añoso, lleno de nudos y con las ramas negras y retorcidas. Walter dice que sería mejor cortarlo, pero yo le he hecho saber que, técnicamente hablando, es mío. En todo caso, me gusta. Florece cada primavera, por su cuenta, sin cuidado alguno; a finales de verano, siembra mi jardín de pequeñas ciruelas, ovaladas y azules, cubiertas de una pelusilla que parece polvo. Cuánta generosidad. Esta mañana he recogido los últimos frutos caídos —los pocos que han dejado las ardillas, los mapaches y los abejorros— y me los he comido con avidez. El jugo de su carne magullada me ha teñido la barbilla, pero no me he percatado hasta que Myra ha pasado por aquí con otra de sus cacerolas llenas de atún.

—Dios mío —ha dicho entre risas—. ¿Con quién te has peleado?

Recuerdo con todo detalle la cena del Día del Trabajo porque fue la única vez en la vida que todos estuvimos en la misma habitación.

En el recinto del campamento seguían los festejos, pero ya no valía la pena esforzarse por verlos más de cerca, porque el consumo subrepticio de licor barato estaba en su apogeo. Laura y yo nos fuimos pronto para ayudar a Reenie con los preparativos de la cena.

Llevábamos ya unos días en ello. En cuanto le informaron de la fiesta, Reenie fue en busca de su libro de cocina: *Libro de Cocina de la Escuela de Boston*, de Fannie Merritt Farmer. En realidad, no era suyo, sino que había pertenecido a la abuela Adelia, quien —junto con sus varios cocineros, desde luego— lo consultaba cuando planificaba sus cenas de doce platos. Reenie lo había heredado, aunque no lo utilizaba para la cocina diaria, dado que, según ella, ya la tenía en la cabeza. En este caso, sin embargo, se trataba de una ocasión especial.

Yo había leído ese libro, o al menos lo había hojeado, en los tiempos en que cultivaba una imagen romántica de mi abuela. (A esas alturas ya lo había dejado. Sabía que acabaría decepcionándome, como me decepcionaban Reenie y mi padre, y como me habría decepcionado mi madre si no hubiese muerto. El propósito de la vida de todos los mayores era decepcionarme. No sabían hacer otra cosa.)

El libro de cocina tenía unas tapas sencillas, de austero color mostaza, y las recetas del interior eran fáciles de hacer. Fannie Merritt Farmer daba muestras de un pragmatismo implacable; todo estaba preconcebido, a la manera lacónica de Nueva Inglaterra. Siempre partía de cero, dando por sentado que no sabíamos nada: «Un brebaje es cualquier bebida. El agua es el brebaje que la Naturaleza proporciona al hombre. Todos los brebajes contienen un gran porcentaje de agua y, por lo tanto, es importante enumerar sus usos: I. Saciar la sed. II. Proporcionar agua al sistema circulatorio. III. Regular la temperatura del cuerpo. IV. Ayudar a transportar agua. V. Nutrir. VI. Estimular el sistema nervioso y varios órganos. VII. Propósitos medicinales.» Y así sucesivamente.

El sabor y el placer no entraban en la lista, pero en la primera página había un curioso epígrafe de John Ruskin:

Para cocinar se necesitan los conocimientos de Medea y de Circe, de Elena y de la reina de Saba. Es indispensable conocer todas las hierbas y frutas, los bálsamos y especias, todo lo curativo y dulce que hay en los campos y arboledas y lo sabroso de las carnes. Debe aplicarse cuidado e inventiva, tener buena disposición y contar con implementos adecuados. Hay que aunar la economía de nuestras abuelas y la ciencia de los químicos modernos; hay que probar sin desperdiciar; hay que aunar la meticulosidad inglesa y la hospitalidad francesa y árabe; y, en resumen, es indispensable que seáis siempre damas perfectas: proveedoras de pan.

Me costaba imaginar a Elena de Troya con delantal, las mangas recogidas hasta el codo y las mejillas manchadas de harina; y por lo que sabía de Circe y Medea, nunca habían cocinado otra cosa que pociones mágicas para envenenar a posibles herederos o convertir a los hombres en cerdos. En cuanto a la reina de Saba, dudo que hiciera jamás ni una tostada. No entendía de dónde había sacado Ruskin esas ideas por demás peculiares, tanto acerca de las damas como sobre la cocina. En todo caso, era una imagen que en la época de mi abuela debía de atraer a muchas mujeres de clase media. Tenían que dar muestras de un comportamiento reposado, inabordable, incluso regio, pero también estar provistas de recetas arcanas y potencialmente letales, capaces de inspirar en los hombres las pasiones más incendiarias. Y, por encima de todo, siempre damas perfectas: proveedoras de pan. Distribuidoras de una generosidad refinada.

¿Alguien se había tomado alguna vez en serio esa clase de cosas? Mi abuela. Bastaba mirar sus retratos: aquella sonrisa de gato que se comió al canario, aquella caída de párpados. ¿Quién se creía que era? ¿La reina de Saba? Sin duda.

Cuando volvimos del pícnic, Reenie empezó a afanarse en la cocina. No se parecía demasiado a Elena de Troya: a pesar de todo el trabajo que había adelantado, estaba aturullada y de mal humor, sudaba y se le deshacía el peinado. Decía que tendríamos que aceptar las cosas como vinieran, porque lo sentía mucho, pero ella no podía hacer milagros y sacar de las piedras pan. Y, encima, un puesto más, en la hora cero, para este tal Alex como se llame. Alex el elegante, a juzgar por su aspecto.

—Tiene nombre y apellido —dijo Laura—. Como todo el mundo.

—No es como todo el mundo —replicó Reenie—. Se ve a la legua. Debe de ser medio indio o gitano. Sin duda no es del mismo pelaje que el resto de nosotros.

Laura guardó silencio. No solía tener escrúpulos, pero en esta ocasión parecía un poco arrepentida de haber invitado a Alex Thomas sin pensarlo. Claro que no podía retirarle la invitación, como propuso, pues habría sido una grosería imperdonable. Un invitado era un invitado, independientemente de quien pudiera ser.

Padre pensaba lo mismo al respecto, aunque no estaba contento en absoluto. Laura le había usurpado su papel de anfitrión, y encima invitaba a toda clase de huérfanos, vagos y desgraciados a su mesa como si fuera el buen rey Wenceslao. Había que cortar de raíz esos impulsos piadosos, sentenció; su casa no era un hospicio.

Calie Fitzsimmons intentó calmarlo; le aseguró que Alex no era un desgraciado. Nadie sabía en qué trabajaba, eso debía admitirlo, pero parecía tener una fuente de ingresos o, en todo caso, no se sabía que hubiera extorsionado a nadie. ¿Cuál era esa fuente de ingresos?, preguntó padre. Eso sí que Calie lo ignoraba. Alex nunca hablaba sobre el tema; en todo caso, sabía que algunos amigos suyos lo conocían. Padre dijo que una cosa no quitaba la otra. Ya empezaba a recelar de los artistas. Más de uno se había puesto a hablar de marxismo y de los trabajadores y lo había acusado de machacar a los campesinos.

—Alex es buena persona, pero todavía inmaduro —dijo Calie—. Es un amigo que ha venido sólo para aprovechar el viaje. —No quería que padre se formara la idea errónea de que Alex competía de algún modo con él.

—¿Qué puedo hacer para ayudar? —preguntó Laura, en la cocina.

—Lo último que necesito es otra mosca revoloteando por aquí —repuso Reenie—. Quítate de en medio y no toques nada. Iris me ayudará. Al menos ella no es tan torpe con las manos.

Reenie pensaba que dejar que la ayudásemos constituía una

muestra de aceptación; todavía estaba enojada con Laura y quería hacerla callar. Pero esa forma de castigo no servía de nada con Laura, que cogió el sombrero y se fue a vagar por el jardín.

Parte del trabajo que se me asignó consistía en preparar las flores destinadas a los centros de mesa y la disposición de los comensales. Para lo primero, corté unas cuantas zinnias de los arriates, eran casi las únicas flores que había en aquella época del año. En cuanto a la disposición de los comensales, coloqué a Alex Thomas a mi lado, Calie al otro lado y a Laura en un extremo. Me pareció que así quedaría aislado, o al menos que aislaría a mi hermana.

Laura y yo no teníamos trajes de noche apropiados, aunque sí sendos vestidos, del terciopelo azul oscuro habitual, de cuando éramos pequeñas, con los dobladillos deshilachados y un ribete negro en el escote para disimular lo desgastado que estaba. En otro tiempo tenían cuello de encaje blanco, y el de Laura aún lo conservaba; yo había quitado el mío para bajar un poco el escote. Ambos vestidos eran demasiado estrechos, al menos el mío; el de Laura también, ahora que lo pienso.

Laura no tenía suficiente edad, según las normas, para asistir a una cena como ésa, pero Calie expresó que sería una crueldad dejarla sola en su habitación, sobre todo teniendo en cuenta que ella, personalmente, había invitado a uno de los comensales. Padre dijo que suponía que estaba en lo cierto. De inmediato añadió que, en todo caso, con el estirón que había pegado, parecía tener la misma edad que yo. No resultaba fácil saber qué edad creía él que era ésa. Jamás se había acordado de nuestros cumpleaños.

En el momento señalado, los comensales se reunieron en el salón para tomar un jerez, servido por una prima soltera de Reenie que se mostraba impresionada por semejante acontecimiento. A Laura y a mí no nos dejaron tomar jerez ni vino en la cena. A ella no pareció afectarle esta exclusión, todo lo contrario que a mí. Reenie se puso de parte de padre en eso, pero es que ella era abstemia. «Unos labios que toquen el alcohol jamás tocarán los míos», sentenciaba mientras vaciaba en el fregadero los restos de los vasos de vino. (En eso se equivocaba, sin embargo; menos de un año después de la cena se casó con Ron Hincks, notable borrachín en sus tiempos. My-ra, toma nota si estás leyendo eso: antes de que Reenie se pusiera a esculpirlo hasta convertirlo en un pilar de la comunidad, tu padre era una auténtica cuba.)

La prima de Reenie superaba a ésta en años y tenía tan poca gracia vistiéndose que daba pena. Llevaba el vestido negro con delantal blanco de rigor, pero las medias eran de algodón marrón y le iban holgadas, y las manos dejaban mucho que desear en lo que a limpieza se refería. Durante el día trabajaba en la tienda de comestibles, donde uno de sus trabajos consistía en embolsar patatas; resulta difícil sacarse de encima esta clase de mugre.

Reenie había preparado canapés con rodajas de aceitunas, huevos duros y pepinillos en vinagre; también albóndigas de queso horneadas, que no le habían salido como estaba previsto. Las colocó en una de las mejores fuentes de la abuela Adelia, una de porcelana alemana pintada a mano, con un diseño de peonías rojo oscuro con hojas y tallos dorados. Encima de la fuente había una blonda, en el centro un plato de frutos secos salteados, con los canapés dispuestos como los pétalos de una flor, todos erizados de palillos. La prima los ofrecía a nuestros invitados con gesto brusco, casi amenazador, como si representara un atraco.

—Este relleno tiene algo de séptico —apuntó padre en el tono irónico que yo ya reconocía como de rabia contenida—. Mejor dejarlo que sufrir las consecuencias.

Calie sonrió, pero Winifred Griffen Prior levantó graciosamente una albóndiga de queso, se la metió en la boca del modo en que suelen hacerlo las mujeres que no quieren despintarse los labios —sacando el morro y formando una especie de túnel— y dijo que era «interesante». Como la prima se había olvidado de ofrecer servilletas, Winifred se quedó con los dedos pringados de grasa. Observé con curiosidad para ver si se los chupaba o se los limpiaba en el vestido, o acaso en nuestro sofá, pero desvié la mirada justo cuando no debía y me lo perdí. Yo apostaba por el sofá.

Winifred no era (como me había imaginado) la esposa de Richard Griffen, sino su hermana. (No estaba del todo claro si era casada, viuda o divorciada. Utilizaba su apellido detrás del «señora», lo que indicaba algún tipo de prejuicio hacia el anterior señor Prior, si es que era anterior. Raramente se lo mencionaba y nunca se lo veía, y corría el rumor de que tenía mucho dinero y estaba «de viaje». Más tarde, cuando Winifred y yo ya habíamos dejado de hablarnos, solía inventarme historias sobre ese tal señor Prior. Me imaginaba que Winifred lo había hecho disecar y lo tenía guardado, convertido en bolas de carne, en una caja de cartón, o que ella y el chófer lo habían emparedado en la bodega para permitirse sus lascivas orgías. Seguramente lo de las orgías no debía de estar muy lejos de la realidad, aunque debo reconocer que, hiciera lo que hiciese, Winifred siempre se comportaba con discreción. Se cubría las espaldas, lo que constituye una virtud, supongo.)

Aquella tarde, Winifred llevaba un vestido negro de corte sencillo pero de elegancia voraz, con una triple hilera de perlas para darle realce. Los pendientes tenían forma de diminutos racimos de uva, también de perlas pero con tallos y hojas de oro. Calie Fitzsimmons, en cambio, no se había vestido, adrede, con la elegancia que exigía la situación.

Hacía un par de años que había renunciado a las telas de color fucsia y azafrán, los llamativos diseños de emigrado ruso e incluso la pitillera, para pasar a llevar pantalones anchos y jerséis con cuello en pico y las mangas recogidas; además, se había cortado el pelo y reducido su nombre a Cal.

Había dejado de construir monumentos para soldados muertos (ya no había demanda), y se dedicaba a hacer bajorrelieves de trabajadores y granjeros, pescadores con chubasquero, traperos indios y madres con delantal cargando al niño sobre las caderas y haciendo visera con una mano para mirar el sol. Los únicos patronos en condiciones de permitirse esos encargos eran las compañías de seguros y los bancos, que sin duda se morían por colocarlos en las fachadas de sus edificios para demostrar que estaban en sintonía con los tiempos. Calie decía que resultaba desalentador tener que trabajar para capitalistas tan descarados, pero lo principal era el mensaje, y a la postre cualquiera que pasase por delante de los bancos y por la calle podía ver los bajorrelieves sin pagar. Según ella, se trataba de arte para el pueblo.

Se le había ocurrido que padre quizá la ayudase a conseguir algún trabajo más. Pero padre dijo en tono áspero que él y los bancos ya no eran uña y carne precisamente.

En esa velada, Calie lucía un vestido de punto de color marrón oscuro; en realidad, el nombre del color era marrón topo, según nos aclaró. A cualquier otra persona le habría quedado como una bolsa informe con mangas y cinturón, pero Calie lo llevaba como si se tratara de un gran traje, no exactamente a la moda o *chic* —el vestido insinuaba estar por encima de estas cosas— sino más bien algo fácil de pasar por alto, pero al mismo tiempo sumamente notorio, como un utensilio de cocina —un picahielo, por ejemplo—, justo antes del asesinato. Como vestido, era comparable a un puño en alto, pero en medio de una multitud silenciosa.

Padre se había puesto su esmoquin, que necesitaba un planchado. Richard Griffen el suyo, que no lo necesitaba. Alex Thomas vestía una chaqueta marrón de franela, demasiado gruesa para la época del año, corbata a lunares rojos sobre fondo azul, y camisa blanca con el cuello excesivamente ancho. Llevaba la ropa como si se la hubieran prestado. Bueno, tampoco esperaba que lo invitaran a la fiesta.

—¡Qué casa más bonita! —exclamó Winifred Griffen Prior con una sonrisa ensayada mientras entrábamos en el comedor—. ¡Está tan bien… conservada! ¡Qué vidrieras maravillosas, tan *fin de siècle*! ¡Debe de ser como vivir en un museo!

Lo que quería decir era que estaba «pasada de moda». Me sentí humillada: siempre había creído que aquellas ventanas eran perfectas, pero la opinión de Winifred me hizo ver cuál debía de ser la opinión del mundo exterior —el mundo que sabía de esas cosas y pronunciaba sentencia al respecto, el mundo del que yo quería formar parte con desesperación—. Me di cuenta de lo inapropiada, poco refinada y hasta rústica que era para éste.

—Hay ejemplos especialmente buenos de un periodo determinado —señaló Richard—. Los paneles de la pared también son de extraordinaria calidad. —A pesar de su pedantería y del tono condescendiente, me sentí agradecida; no se me ocurrió pensar que estaba haciendo inventario. Richard era capaz de reconocer un régimen que se tambaleaba sólo de verlo: sabía que estábamos en subasta, o que pronto lo estaríamos.

—Cuando dices lo de «museo», ¿te refieres a polvoriento? —inquirió Alex Thomas—. ¿O acaso a obsoleto?

Padre frunció el entrecejo. Winifred, todo sea dicho, se sonrojó.

—No está bien meterse con alguien más débil que tú —intervino Calie en voz baja, complacida.

—¿Por qué no? —preguntó Alex—. Todo el mundo lo hace.

Reenie se había encargado de confeccionar el menú, al menos hasta donde podíamos permitírnoslo en aquel momento, y sin duda sacó todo partido posible. Sopa de marisco. Perca *à la Provençale*, pollo *à la Providence*; uno tras otro los platos iban llegando en procesión inevitable, como una ola o como el destino. La sopa tenía cierto sabor a lata, y en cuanto al pollo, tratado con torpeza, sabía a harina, se había encogido y estaba duro. No era del todo decente ver a tantas personas juntas en una sala masticando con tanto convencimiento y vigor. Porque no comían, sino que hacían exactamente eso: masticar.

Winifred Prior iba apartando cosas en su plato, como si jugara al dominó. Me sentía rabiosa con ella: estaba decidida a comérmelo todo, hasta los huesos. No quería desanimar a Reenie. En los viejos tiempos, pensaba, nunca se habría encontrado en semejante trance: avisada con poco tiempo, exponiéndose y por ende exponiéndonos a nosotros. En los viejos tiempos, habrían recurrido a expertos.

A mi lado, Alex Thomas también cumplía con su obligación. Iba serruchando el pollo, que chirriaba bajo el cuchillo, como si le fuera la vida en ello. (No es que Reenie le agradeciera su dedicación. Llevaba la cuenta de quién había comido qué, de eso no había duda. «Ese Alex no sé qué estaba muerto de hambre —fue su comentario—. Se diría que lo habían tenido encerrado en la bodega sin probar bocado.»)

Dadas las circunstancias, la conversación era esporádica. Sin embargo, después del plato de quesos —el cheddar demasiado tierno y

gomoso, el cremoso demasiado viejo, el *bleu* demasiado fuerte—
hubo un rato de calma durante el cual hicimos una pausa para eva-
luar la situación y mirar alrededor.

Padre posó la mirada sobre Alex Thomas.

—Así pues, muchacho —dijo en un tono que seguramente él
consideraba amistoso—, ¿qué te ha traído a nuestra ciudad? —Sonaba como un padre de familia en una aburrida obra de teatro. Yo
bajé los ojos hacia la mesa.

—He venido a ver a unos amigos, señor —contestó Alex con
bastante educación. (Más tarde nos tocó oír a Reenie hacer comentarios sobre su educación. Los huérfanos tienen buenas maneras
porque se las inculcan en los orfanatos. Sólo un huérfano podía dar
muestras de tanta seguridad en sí mismo, aunque ese aplomo ocultaba una naturaleza vengativa —en el fondo, se reían de todo el mundo—. Bueno, teniendo en cuenta lo que les había tocado, no era tan
raro que fuesen vengativos. La mayoría de los anarquistas y secues-
tradores eran huérfanos.)

—Mi hija me ha dicho que estás estudiando para cura —dijo padre. (Ni Laura ni yo le habíamos dicho nada de eso; debió de ser
Reenie y, predeciblemente, o acaso maliciosamente, había tergiver-
sado un poco la información.)

—Sí, señor —repuso Alex—. Pero lo he dejado. Me encontré en
una encrucijada.

—¿Y ahora? —inquirió padre, que estaba acostumbrado a conseguir respuestas concretas.

—Ahora vivo de mi ingenio —contestó Alex, y esbozó una sonrisa, como si desaprobara su propia conducta.

—Pues no debe de ser fácil —murmuró Richard, y Winifred se
rió. A mí me sorprendió: no sabía que pudiera ser gracioso.

—A lo mejor quiere decir que es reportero —apuntó ella—. ¡Un
espía entre nosotros!

Alex volvió a sonreír y guardó silencio. Padre frunció el entrecejo. Para él, los reporteros eran como alimañas. No sólo mentían,
sino que se cebaban en la miseria de los demás: «moscas de los cadáveres», los llamaba. Hacía una excepción con Elwood Murray,

porque había conocido a su familia. «Atontado» era el peor adjetivo que se atrevía a aplicar a Elwood.

A continuación, la conversación pasó al estado general de la situación —política, economía—, como era normal en aquellos tiempos. Cada vez peor, según opinión de padre; a punto de devolver las tornas de acuerdo con Richard. Winifred decía que resultaba difícil saber a qué atenerse, pero que ella confiaba en que mantendrían las cosas a raya.

—¿A qué raya se refiere? —preguntó Laura, que hasta ese momento había permanecido en silencio. Fue como si hubiera hablado una silla.

—A la posibilidad de agitación social —dijo padre, en un tono de reprimenda que significaba que no iba a decir más.

Alex replicó que lo dudaba. Acababa de volver de los campos, añadió.

—¿Los campos? —inquirió padre, confuso—. ¿Qué campos?

—Los campos de ayuda, señor —puntualizó Alex—. Los campos de trabajo de Bennett, para los parados. Diez horas al día y poca cosecha. La gente no está contenta... Diría que empiezan a inquietarse.

—Los pobres no pueden elegir —señaló Richard—. Es mejor eso que colocar las vías del tren. Les dan tres comidas al día, que es más de lo que puede conseguir como ayuda un trabajador con familia, y me han dicho que la comida no es mala. Tendrían que estar agradecidos, pero esta clase de gente nunca lo está.

—No son nada especial —dijo Alex.

—Dios mío, un comunistoide de salón —masculló Richard.

Alex bajó los ojos al plato.

—Si él lo es, yo también —intervino Calie—; pero no creo que haya que ser comunista para ver que...

—¿Qué hacías en los campos? —preguntó padre, interrumpiéndola. (Últimamente él y Calie discutían a menudo. Calie quería que padre se uniera al movimiento sindical, y él decía que Calie se empeñaba en que dos y dos sumasen cinco.)

Justo en ese momento efectuó su entrada la *bombe glacée*. Teníamos un refrigerador eléctrico —lo habíamos comprado justo antes del crac—, y aunque tenía ciertas dudas acerca del compartimento de congelación, aquella noche Reenie había hecho buen uso de él. La *bombe*, que tenía forma de pelota de fútbol y era verde brillante y dura como el pedernal, acaparó toda nuestra atención por un rato.

Mientras servían el café, en el recinto del campamento empezó la exhibición de fuegos artificiales. Todos salimos a mirar. Era un espectáculo maravilloso, porque no sólo se veían los fuegos, sino su reflejo en el río Jogues. Fuentes rojas, amarillas y azules se elevaban en el aire, semejantes a estrellas que explotaran, a crisantemos, a sauces llorones de luz.

—Los chinos inventaron la pólvora —dijo Alex—, pero nunca la usaron como arma. Sólo en fuegos artificiales. Sin embargo, no puedo decir que me gusten; se parecen demasiado a la artillería pesada.

—¿Eres pacifista? —le pregunté. Por la pinta, podría haberlo sido. Si respondía que sí, tenía intención de contradecirlo, porque quería captar su atención. Hablaba sobre todo con Laura.

—Pacifista, no —repuso—, pero a mis padres los mataron en la guerra. O al menos eso creo.

«Ahora viene la historia del huérfano —pensé—. Después de todo lo que ha dicho Reenie, espero que sea buena.»

—¿Sólo lo crees? —inquirió Laura.

—No —contestó Alex—. Me han dicho que me encontraron sentado sobre un montón de chatarra chamuscada, en una casa destruida por el fuego. Todos los demás habían muerto. Por lo visto, yo estaba escondido debajo de una bañera o de una jofaina, un recipiente de metal de algún tipo.

—¿Dónde fue eso? ¿Quién os encontró? —susurró Laura.

—No está claro —respondió Alex—. No lo saben con certeza. No era en Francia ni Alemania, sino más al este, en uno de esos países pequeños. Seguramente me pasaron de mano en mano y al final, no sé cómo, llegué a la Cruz Roja.

—¿Te acuerdas? —pregunté.

—No mucho. Por el camino se traspapelaron algunos detalles (mi nombre y todo eso) y al final acabé con los misioneros, quienes decidieron que, en resumidas cuentas, lo mejor para mí era el olvido. Eran presbiterianos, un grupo metodista. Todos llevábamos la cabeza rapada, por los piojos. Me acuerdo de la sensación de encontrarme de pronto sin pelo; ¡qué frío daba! En realidad, es allí donde empiezan mis recuerdos.

Aunque empezaba a gustarme un poco, me avergüenza admitir que escuché aquella historia con bastante escepticismo. Además, sonaba melodramática en exceso: intervenía demasiado la suerte, tanto la buena como la mala. Todavía era muy joven para creer en las coincidencias, y si quería causar impresión a Laura —¿era lo que quería?— no podía haber elegido mejor manera.

—Debe de ser terrible no saber quién eres en realidad —dije.

—Es lo que yo pensaba —admitió Alex—, pero entonces se me ocurrió que en realidad soy una persona que no necesita saber quién es en realidad. Además, ¿qué significan los antecedentes familiares y todo eso? La gente suele utilizarlos como excusa para su esnobismo o sus fracasos. Yo me libro de la tentación, nada más. Estoy libre de ataduras. Nada me retiene. —Hubo una explosión en el cielo y no oí lo que decía a continuación. Laura sí que lo oyó; asintió con gravedad.

(Más tarde descubrí cuáles eran las palabras que había pronunciado: «Al menos nunca echas de menos tu casa.»)

Sobre nuestras cabezas estalló un vilano de luz. Todos levantamos la mirada. En momentos así es difícil no hacerlo. Es difícil no quedarse boquiabierto.

¿Fue el principio aquella noche, en el muelle de Avilion, con los fuegos alumbrando el cielo? No hay modo de saberlo a ciencia cierta. Los principios son repentinos, pero también insidiosos. Se te meten dentro con sigilo y acechan en las sombras sin ser reconocidos hasta que, de pronto, brotan.

Pintado a mano

Los ánsares vuelan hacia el sur y chirrían como goznes. A orillas del río arde el rojo mate de los zumaques en forma de vela. Es la primera semana de octubre, el momento de sacar la ropa de lana de entre las bolas de naftalina, de nieblas nocturnas, rocío y escaleras resbaladizas, y de las babosas tardías; de la última aventura de los dragones; de aquellas coles ornamentales con volantes rosa y púrpura que antes no existían y de pronto se las ve por todas partes.

Estación de crisantemos, flor de funeral; es decir, blancos. Los muertos deben de acabar hartos de ellos.

Hacía una mañana fresca y bella. Arranqué unos cuantos dragones amarillos y rosas del jardín delantero y los llevé al cementerio para ponerlos en la tumba de la familia; pensé que sería algo diferente para los dos ángeles meditabundos. Una vez allí, llevé a cabo mi pequeño ritual: la circunlocución del monumento, la lectura de los nombres. Tengo la impresión de hacerlo en silencio, pero de vez en cuando oigo el sonido de mi propia voz, murmurando como un jesuita que lee el breviario.

Pronunciar el nombre de los muertos es hacerlos volver a la vida, decían los egipcios antiguos; que no siempre es lo que uno desearía.

Cuando hube rodeado el monumento, topé con una chica que

234

estaba arrodillada delante de la tumba, o delante del lugar de Laura en ésta. Permanecía con la cabeza gacha, iba vestida de negro, incluidos tejanos, camiseta y chaqueta, y llevaba una de esas mochilas pequeñas que se usan ahora en lugar de bolso. Tenía los cabellos largos y negros. Como los de Sabrina, pensé, y me dio un vuelco el corazón. «Sabrina ha vuelto —me dije—, de la India o de donde sea. Ha vuelto sin avisar. Ha recapacitado. Tenía la intención de sorprenderme, y ahora no podrá.»

Pero cuando miré con más atención, comprobé que aquella chica era una desconocida, una estudiante agotada por la emoción, sin duda. Primero me pareció que rezaba, pero no, estaba colocando una flor: un clavel blanco, con el tallo envuelto en papel de aluminio. Cuando se levantó, observé que estaba llorando.

Laura enternece a la gente. Yo no.

Después del pícnic de la fábrica de botones, se publicó en el *Herald and Banner* el típico relato de los acontecimientos: qué niño había ganado el concurso del bebé más guapo, qué perro se había llevado el premio a la mejor mascota. También lo que había dicho padre en su discurso, muy abreviado. Como Elwood Murray le daba a todo un brillo optimista, parecía que las cosas hubieran sido normales. También había algunas fotos: el perro ganador, una silueta oscura en forma de masa de pelo; el bebé ganador, rechoncho como un alfiletero, con gorrito de volantes; los bailarines sujetando en alto un trébol de cartón gigante; padre en el podio. No era una buena imagen de él: tenía la boca medio abierta y parecía bostezar.

Una de las fotos era de Alex Thomas con nosotras dos; yo a la izquierda, Laura a la derecha, como las tapas de un libro. Ambas lo mirábamos y sonreíamos; él también sonreía, pero tenía las manos delante de la cara, como hacen los criminales del hampa para ocultarse de las luces de flash cuando los arrestan. El pie de foto rezaba: «La señorita Iris Chase y su hermana Laura entretienen a un visitante de fuera de la ciudad.»

Aquella tarde, Elwood Murray no había conseguido seguirnos

para sonsacarnos el nombre de Alex. Cuando llamó a casa, se puso Reenie, quien le dijo que nuestros nombres no debían mezclarse con el de Dios sabe quién, y se negó a dárselo. Él publicó la fotografía de todos modos, y Reenie se sintió ofendida, tanto por nosotras como por Elwood Murray. Le parecía que aquella foto rozaba la impudicia, aunque no se nos vieran las piernas. Le parecía que las dos teníamos una expresión de lascivia en la cara, que parecíamos un par de tórtolas suspirando de amor, con la boca abierta de aquel modo y babeando. Habíamos dado un espectáculo lamentable; todos en la ciudad se reirían de nosotras por soñar con un gángster que parecía indio —o peor, judío—, y encima era comunista.

—El tal Elwood Murray merecería que le dieran una paliza —dijo—. ¡Se cree irresistible! —Rompió el periódico y lo metió en la caja de astillas para el fuego para que padre no lo viera. Debió de verlo de todos modos, en la fábrica, pero no hizo comentario alguno al respecto.

Laura llamó a Elwood Murray. No le reprochó nada ni le repitió lo que Reenie había dicho de él. Sólo le explicó que también quería ser fotógrafa. No, no podía decir semejante mentira. Eso era sólo lo que él había deducido. Lo que ella había dicho en realidad era que quería aprender a revelar fotografías. Ésa era la verdad.

Elwood Murray se sintió halagado por esa muestra de aprobación desde las alturas de Avilion —aunque provocador, era terriblemente esnob—, y aceptó que lo ayudase en el cuarto oscuro tres tardes a la semana. Lo vería revelar los retratos de bodas, graduaciones de niños y cosas así, que hacía para sacar un dinero extra. Aunque los tipos de imprenta eran fijos y el periódico lo confeccionaban un par de hombres en la habitación trasera, Elwood hacía prácticamente todo lo demás en el periódico semanal, incluyendo el revelado de sus propias fotografías.

Le dijo que, si ella lo deseaba, también podía enseñarle a colorear las fotos a mano: era la moda del futuro. La gente llevaría sus viejas fotografías en blanco y negro para que les infundieran vida pintándolas con colores vivos. Primero se blanqueaban las zonas más oscuras con un pincel, luego se sumergía la foto impresa en un virador sepia para darle un brillo rosado, y a continuación se aplicaba el tinte. Los colores, que venían en pequeños tubos y frascos, tenían que aplicarse cuidadosamente con pinceles finos, y había que eliminar con meticulosidad la pintura sobrante. Hacía falta buen gusto y habilidad en la mezcla para que las mejillas no pareciesen círculos rojos o la piel no quedara como una tela color beige. También había que tener buena vista y buen pulso. Se trataba de un arte, sostenía Elwood, y estaba orgulloso de dominarlo, si es que hacía falta que lo dijera. Tenía un muestrario giratorio de esas fotografías pintadas a mano en una esquina de la ventana del despacho del periódico, una especie de anuncio. «Realce sus recuerdos», rezaba el reclamo escrito a mano que había colocado al lado.

Los temas más frecuentes eran los jóvenes con uniforme ya pasado de moda, de la Gran Guerra, y también las novias y los novios. Había también retratos de graduación, primeras comuniones, solemnes grupos de familia, bebés con traje de bautizo, niñas con trajes de etiqueta, niños vestidos de fiesta, perros y gatos. De vez en cuando un animal excéntrico —una tortuga, un guacamayo— y, con poca frecuencia, un bebé en un ataúd, con el rostro céreo, rodeado de volantes.

Los colores nunca se veían tan claros como en un papel blanco; había una especie de niebla, como si se observaran a través de una gasa. No hacían que las personas pareciesen más reales, sino que en realidad las volvían ultrarreales, ciudadanos de una suerte de país extraño, de colores chillones pero apagados, donde el realismo no tenía cabida.

Laura no sólo birlaba el material para colorear. Una de las tareas que tenía adjudicadas consistía en archivar. A Elwood le gustaba mantener el despacho y el cuarto oscuro en perfecto orden. Metía los negativos en sobres de papel de cera y los archivaba según la fecha en que había sido tomada la fotografía, por lo que a Laura no le costó mucho localizar el negativo de la foto del pícnic. Reveló dos positivos en blanco y negro un día que Elwood salió y ella se quedó sola en el despacho. No se lo dijo a nadie, ni siquiera a mí..., hasta más tarde. Cuando hubo revelado las fotografías, metió el negativo en su bolso y se lo llevó a casa. No le pareció que robase nada; de hecho, el primero que nos había robado la imagen era Elwood, porque no nos había pedido permiso para tomar la foto, y ella no hacía otra cosa que quitarle algo que en realidad nunca había sido de él.

Una vez conseguido lo que pretendía, Laura dejó de ir al despacho de Elwood Murray. No le ofreció ningún motivo ni aviso. A mí me pareció una torpeza por su parte, y ciertamente lo fue, porque Elwood se sintió desairado. Intentó sonsacar a Reenie si Laura estaba enferma, pero Reenie sólo le dijo que debía de haber cambiado de idea con respecto a la fotografía. Aquella niña era muy tornadiza y cambiaba de idea en un instante.

Eso despertó la curiosidad de Elwood, quien comenzó a vigilar a Laura, alcanzando nuevas cotas en su entrometimiento habitual. No era exactamente que la espiase, sino que la acechaba en todo momento. (Sin embargo, aún no había descubierto el hurto del negativo. No se le ocurrió que Laura pudiera tener motivos para quedárselo. La mirada de Laura era tan franca, sus ojos tan inexpresivos y su frente tan pura y redonda que poca gente sospechaba de su doblez.)

Al principio, Elwood no encontró muchas cosas dignas de mención. Observaba a Laura paseando por la calle principal, yendo a la iglesia los domingos temprano para dar clases a niños de cinco años. Tres mañanas a la semana iba a echar una mano en el comedor de beneficencia que la Iglesia Unitaria tenía junto a la estación del ferrocarril. Su misión consistía en servir un plato de sopa de col a los hombres y jóvenes sucios y hambrientos que colocaban las vías. No todo el mundo en la ciudad veía con buenos ojos este esfuerzo meritorio. Unos creían que aquellos hombres eran conspiradores sediciosos, o peor, comunistas; otros, que así como ellos se ganaban cada bocado con el sudor de la frente, lo mismo tenían que hacer los demás, y que no debía darse comida gratis a nadie. Se oían gritos de «¡Búscate un trabajo!». (Los insultos no quedaban sin respuesta, aunque los de los hombres que iban de un lado a otro en busca de empleo eran más apagados. Desde luego, recelaban de Laura y de todos los que hacían obras de caridad en la iglesia, y buscaban la manera de dar a conocer sus sentimientos, mediante un chiste, un comentario desdeñoso, un empujón, una mirada lasciva. No hay nada más oneroso que la gratitud obligada.)

La policía local hacía acto de presencia para impedir que a aquellos hombres se les ocurrieran cosas extrañas, como quedarse en Port Ticonderoga, por ejemplo. Tenían que formar fila para que los llevaran a otra parte, pero no se les permitía saltar al vagón de carga cuando el tren se hallaba en la estación: la compañía ferroviaria no estaba dispuesta a consentirlo. Había escaramuzas y puñetazos, y, como dijo Elwood Murray, las porras se utilizaban a discreción.

Aquellos hombres, pues, iniciaban su caminata junto a los raíles con la esperanza de subirse a unos metros de la estación, lo que entrañaba mayor dificultad, dado que los trenes ya habían tomado más velocidad. Se produjeron varios accidentes, incluido uno mortal: un chico que apenas debía de tener dieciséis años cayó bajo las ruedas y quedó prácticamente partido en dos. (Laura se encerró en su habitación durante tres días y no quiso comer; le había servido a ese chico un plato de sopa.) Elwood Murray escribió un editorial en el que decía que, por lamentable que fuese el incidente, de ningún modo podía culparse del mismo a la compañía ferroviaria ni, desde luego, a la ciudad; quien se arriesga, se la juega.

Laura le pedía huesos a Reenie, para echar en la sopa que ofrecía la iglesia, pero Reenie decía que ella no fabricaba huesos, que los huesos no crecían en los árboles. Necesitaba la mayor parte de los que conseguía para ella, que era como decir para Avilion, para nosotras. Sostenía que un centavo ahorrado era un centavo ganado, y ¿no se daba cuenta Laura de que corrían tiempos muy difíciles y padre necesitaba economizar todo lo posible? Sin embargo, era incapaz de resistirse a Laura por mucho tiempo, y siempre acababa dándole un par de huesos. Como mi hermana no quería tocarlos, ni siquiera verlos —era así de remilgada—, Reenie se los envolvía.

—Toma. Esos vagabundos se lo comerán todo y nos echarán de casa —suspiraba—. He puesto una cebolla, también. —No le parecía correcto que Laura trabajase en el comedor de beneficencia, lo consideraba demasiado duro para una jovencita como ella.

—No está bien llamarlos vagabundos —la reconvino Laura—. Todo el mundo se los quita de encima. Sólo quieren trabajar. Lo único que desean es un empleo.

—Claro, claro —repuso Reenie con escepticismo exasperado. A mí, en privado, me dijo: «Es la viva imagen de tu madre.»

Yo no iba al comedor de beneficencia. Laura no me lo había pedido y, además, no tenía tiempo: padre se había empeñado en que debía aprender los pormenores del negocio de botones, como era mi obligación. *Faut de mieux*, me iba a tocar ser el hijo de Chase e Hijos, y si un día tenía que dirigir el cotarro, no me quedaba más remedio que empezar a ensuciarme las manos.

Yo era consciente de que carecía de capacidad para los negocios, pero me sentía demasiado intimidada para poner objeciones. Acompañaba a padre a la fábrica todas las mañanas a fin de ver (según decía él) cómo funcionaban las cosas en el mundo real. Si hubiera sido un chico, me habría puesto a trabajar en la cadena de montaje, basándose en la analogía militar según la cual un oficial no debía pedir a sus hombres que ejecutaran una tarea que él no sabía hacer. Así pues, me puse a hacer inventario y a llevar las cuentas de los envíos, esto es, materias primas que entraban, productos manufacturados que salían.

Lo hacía mal, más o menos intencionadamente. Estaba aburrida, e intimidada. Todas las mañanas, cuando llegaba a la fábrica con mi falda y mi blusa de convento, pegada a los talones de mi padre igual que un perro, tenía que atravesar las hileras de trabajadores. Me sentía despreciada por las mujeres y observada por los hombres. Sabía que hacían chistes sobre mí a mis espaldas, relacionados con mi porte (las mujeres) y con mi cuerpo (los hombres), y que era su manera de desquitarse. En cierto modo, no se lo reprochaba —yo en su lugar habría hecho lo mismo—, pero no por ello dejaba de sentirme ofendida.

Se cree que es la reina de Saba.
Un buen revolcón le daría en la cresta.

Padre no se daba cuenta de nada. O decidió no darse cuenta.

Una tarde, Elwood Murray llegó a la puerta trasera de Reenie sacando pecho y ungido de la importancia que se atribuye quien porta malas noticias. Yo me encontraba ayudando a Reenie con las conservas: estábamos a finales de septiembre y enlatábamos los últimos tomates del huerto. Reenie siempre había sido frugal, pero en aquellos tiempos malgastar constituía un pecado. Debía de darse cuenta del modo en que el caudal de dólares excedentes que le aseguraban el trabajo iba mermando.

Elwood Murray nos dijo que, por nuestro propio bien, había algo que debíamos saber. Reenie lo miró de reojo, a él y a su actitud de engreimiento, para valorar la gravedad de la noticia, y consideró que la cosa era lo bastante grave para invitarlo a entrar. Incluso le ofreció una taza de té. Le pidió que esperara hasta que hubo sacado los últimos botes del agua hirviendo con las pinzas y les hubo puesto las tapas. A continuación, se sentó.

La noticia era la siguiente: la señorita Laura Chase había sido vista por la ciudad —dijo Elwood— en compañía de un joven, el mismo con que aparecía en la foto tomada durante el pícnic de la fábrica de botones. Se los vio primero en el comedor de beneficencia y, más tarde, sentados en un banco del parque —en más de un banco del parque—, fumando. Bueno, el hombre fumaba; en cuanto a Laura, no podía jurarlo, añadió mordiéndose el labio inferior. Se los había visto junto al Monumento a los Caídos, y apoyados en la baranda del puente del Jubileo, un lugar tradicional para las parejas, contemplando la cascada. Incluso era posible que se los hubiese visto en el recinto del campamento, lo que era señal casi indiscutible de conducta licenciosa, o su preludio..., aunque no podía dar fe de ello, porque no lo había presenciado personalmente.

En todo caso, le parecía que tenía la obligación de decírnoslo. El

241

hombre era un adulto, y ¿no tenía la señorita Laura apenas catorce años? Vaya vergüenza aprovecharse de ese modo de una chiquilla. Se arrellanó en la silla y sacudió la cabeza con pena, pavoneándose, con un brillo de placer malicioso en los ojos.

Reenie estaba furiosa. No soportarba que le ganaran por la mano en lo que a cotilleo concernía.

—Desde luego, le agradecemos que nos haya informado —le dijo con exagerada amabilidad—. Más vale prevenir que curar. —Era su manera de defender el honor de Laura: no había ocurrido nada, todavía, que no tuviese remedio.

Cuando Elwood Murray se hubo marchado, masculló:

—¿Qué te dije? Es un sinvergüenza. —No se refería a Elwood, claro, sino a Alex Thomas.

Cuando se le planteó la cuestión, Laura no negó nada, excepto lo de la visita al recinto del campamento. Los bancos del parque y todo eso..., sí, se había sentado en ellos, aunque no por mucho rato. Tampoco atinaba a entender por qué Reenie armaba tanto jaleo. Alex Thomas no era un mamarracho (según la expresión que había usado aquélla) ni un arribista (la otra expresión). Negó haber fumado jamás en su vida un cigarrillo. En cuanto a lo de «besuquearse» (también de acuerdo con Reenie), le parecía una asquerosidad. ¿Qué había hecho ella para inspirar tan viles sospechas? Desde luego, resultaba inconcebible.

Ser Laura, pensaba yo, era como no tener oído: sonaba la música y ella no oía lo mismo que todo el mundo, sino otra cosa.

De acuerdo con Laura, en todas las ocasiones —y sólo había habido tres— ella y Alex Thomas habían entablado una conversación seria. ¿Sobre qué? Sobre Dios. Alex Thomas había perdido la fe y se había convertido en un cínico, o acaso quería decir «escéptico». Creía que en la era moderna se dejaría de hablar del otro mundo para centrarse en éste —del hombre, para la humanidad—, y se mostraba absolutamente a favor de que así fuese. Estaba convencido de que el alma no existía y le importaba un comino lo que le ocurriera después de muerto. Con todo, ella no tenía intención de ceder, por difícil que pareciese la tarea.

Yo tosí tapándome la boca con la mano. No me atrevía a reír. La había visto muchas veces utilizar la misma expresión virtuosa ante el señor Erskine, y pretendía exactamente lo mismo: engañar a Reenie, que con las manos en jarras, las piernas separadas, la boca abierta, semejaba una gallina acorralada.

—Por qué sigue en la ciudad, me gustaría saber —dijo Reenie, desconcertada, cambiando de táctica—. Creía que sólo había venido de visita.

—Oh, tiene algún negocio por aquí —repuso Laura con suavidad—, pero puede estar donde le apetezca. No vivimos en un estado esclavista. Aunque los sueldos sean de esclavos, claro.

Constaté que el intento de conversión no había sido unilateral: Alex Thomas también había metido baza.

Si las cosas seguían así, pronto tendríamos una pequeña bolchevique en casa.

—¿No es demasiado mayor? —inquirí.

Laura me dirigió una feroz mirada de desafío —«¿demasiado mayor para qué?»— por haberme entrometido.

—El alma no tiene edad —contestó.

—La gente murmura —dijo Reenie; era su argumento decisivo.

—Es problema suyo —replicó Laura en tono de noble irritación; la gente era la cruz que debía soportar.

Reenie y yo estábamos perdidas. ¿Qué hacer? Podíamos decírselo a padre, quien quizá le prohibiese ver a Alex Thomas. Pero Laura no obedecería, sobre todo habiendo un alma en juego. Así pues, decidimos que ir a padre con el cuento causaría más problemas de los necesarios, y al fin y al cabo, ¿qué había ocurrido en realidad? Nada de lo que acusarla. (Reenie y yo nos hicimos confidentes en este asunto, formando un frente común.)

Según iban pasando los días, empecé a pensar que Laura estaba tomándome el pelo, aunque me sentía incapaz de especificar exactamente cómo. No es que mintiera, pero no decía toda la verdad. En una ocasión la vi con Alex Thomas, enfrascada en la conversación, pasando por delante del Monumento a los Caídos; en otra ocasión la vi en el puente del Jubileo; en otra, hablando ante la puerta del restaurante Betty's, haciendo caso omiso de las cabezas que se volvían a mirarla, incluida la mía. Era un desafío abierto.

—Tienes que hacerla entrar en razón —me decía Reenie. Pero yo ya no podía hablar con Laura con sensatez. En realidad, cada vez me costaba más hablarle en general. Yo le hablaba, pero ¿me escuchaba, ella? Era como hablar con una hoja de papel secante blanco: las palabras salían de mi boca y desaparecían detrás de su cara como si atravesaran un muro de copos de nieve.

Cuando no pasaba el tiempo en la fábrica de botones —algo que se revelaba más fútil con cada día que pasaba, incluso a ojos de padre—, me dedicaba a salir por mi cuenta. Recorría la orilla del río como si fuera a alguna parte, o me quedaba en el puente del Jubileo como si esperase a alguien, mirando el agua negra y recordando las historias de las mujeres que se habían tirado al río. Lo habían hecho por amor. Tal es el efecto que produce éste; se te aparece de repente y se apodera de ti antes de que te des cuenta, y después ya no puedes hacer nada. Una vez dentro (una vez enamorada) te ves arrastrada por él, hagas lo que hagas. Al menos es lo que aseguran los libros.

También me dedicaba a pasear por la calle principal prestando atención a lo que había en los escaparates: los calcetines y zapatos, los sombreros y guantes, los destornilladores y llaves inglesas. Estudiaba los carteles de las estrellas de cine en los paneles de cristal del teatro Bijou y comparaba su apariencia con la mía, o me preguntaba cómo sería mi aspecto si me dejara caer el flequillo sobre un ojo y tuviese la ropa adecuada. No me estaba permitido entrar; no fui a ver una obra de teatro hasta después de casarme, porque Reenie decía que el Bijou era degradante, al menos para una chica sola. Hombres de mente sucia iban a merodear por allí, se sentaban a tu lado, intentaban meterte mano y cuando te dabas cuenta, ya no podías librarte de ellos.

Tal como lo describía Reenie, la chica, o la mujer, siempre quedaba inerte, privada como por ensalmo de la capacidad de gritar o moverse, paralizada por el susto, la ofensa o la vergüenza, sin ninguna clase de recurso.

La bodega

Hace bastante fresco; el viento barre las nubes más altas. En las puertas elegidas han aparecido gavillas secas de maíz; en los porches, las sonrientes calabazas transformadas en lámparas montan guardia. En una semana, los niños que piensan en caramelos saldrán a la calle vestidos como bailarinas, zombis, extraterrestres, esqueletos, adivinos y estrellas del rock muertas, y, como siempre, apagaré las luces y simularé que no estoy en casa. No es que los niños me disgusten como tales; se trata de un mecanismo de autodefensa: si un chiquillo de ésos desaparece, no quiero que me acusen de habérmelo comido tras tentarlo con mañas.

Se lo dije a Myra, que está haciendo un buen negocio con las velas, los gatos negros de cerámica, los murciélagos de satén y las figuras de brujas rellenas de estopa con cabeza de manzana seca. Rió. Creyó que hablaba en broma.

Ayer tuve un día inactivo —sentía una opresión en el corazón, apenas conseguía moverme del sofá— pero esta mañana, después de tomarme la pastilla, una energía extraña se apoderó de mí. Fui andando con brío hasta la tienda de rosquillas.

Allí inspeccioné la pared del lavabo, en la que la última frase pintada es: «Si no puedes decir algo bonito, no digas nada», seguida de: «Si no puedes chupar algo bonito, no chupes nada.» Me agrada comprobar que en este país todavía está en boga la libertad de expresión.

Luego me compré un café y una rosquilla de chocolate glaseado y me los llevé a uno de los bancos de fuera que puso la administración, oportunamente colocado junto al cubo de la basura. Me senté allí, bajo el sol todavía cálido, tostándome como una tortuga. Pasaba gente por mi lado: dos mujeres, alimentadas en exceso, con un carrito de bebé; una mujer más joven y delgada, con un abrigo negro de piel cubierto de tachuelas plateadas que semejaban uñas y otra de éstas en la nariz, tres viejos con chándal... Tuve la sensación de que me miraban. ¿Soy todavía tan famosa, o es paranoia? A lo mejor sólo se debía a que hablaba sola. Es difícil de saber. ¿Acaso la voz sale de mí como el aire, sin darme cuenta? Un murmullo apagado, el crujido de las parras en invierno, el silbido del viento de otoño entre la hierba seca.

«Me da igual lo que diga la gente —pensé—. Si quieren escucharme, bienvenidos sean.»

«Me da igual, me da igual.» La eterna respuesta adolescente. A mi no me daba igual, claro. Lo que pensara la gente me importaba. Siempre me ha importado. A diferencia de Laura, yo nunca he sido fiel a mis convicciones.

Un perro se acercó a mí; le di la mitad de la rosquilla. «Bienvenido», le dije. Es lo que decía Reenie cuando nos pillaba escuchando una conversación.

Durante todo el mes de octubre —octubre de 1934— se habló de lo que ocurría en la fábrica de botones. Se aseguraba que en la zona había agitadores de fuera que promovían la rebelión, sobre todo entre los jóvenes exaltados. Se hablaba de negociación colectiva, de derechos de los trabajadores, de sindicatos. Sin duda, éstos eran ilegales, o al menos lo era el que todos los trabajadores de una empresa estuvieran obligados a afiliarse a un mismo sindicato, ¿no? Nadie pare~´ saberlo con seguridad. En todo caso, despedían cierto olor a
~uina.

~e se dedicaban a la agitación eran rufianes y criminales

contratados (según la señora Hillcoate). No sólo se trataba de agitadores de fuera, sino, lo que en cierto modo resultaba aún más temible, de extranjeros: hombres pequeños, oscuros y con bigote que escribían su nombre con sangre y juraban lealtad hasta la muerte, que encabezaban las manifestaciones y no se arredraban ante nada, que ponían bombas, entraban en las casas por la noche y nos cortaban la garganta mientras dormíamos (según Reenie). Así actuaban esos bolcheviques y sindicalistas implacables, que en el fondo eran todos iguales (según Elwood Murray). Querían el amor libre, la destrucción de la familia y que muriese ante un pelotón de fusilamiento cualquiera que tuviese dinero —no importaba la cantidad—, reloj o anillo de bodas. Era lo que habían hecho en Rusia. Al menos eso decían.

También decían que en las fábricas de padre había problemas.

Ambos rumores —los agitadores de fuera, los problemas— eran públicamente negados, en la misma medida en que todos creían en ellos.

Padre había despedido a unos cuantos trabajadores en septiembre —algunos de los más jóvenes y, por ello, más capaces de buscarse la vida, de acuerdo con sus teorías— y había pedido a los demás que aceptaran una reducción de horas. Les había explicado que, sencillamente, el volumen del negocio no bastaba para mantener las fábricas funcionando a plena capacidad de producción. Los clientes no compraban botones, o al menos de la clase que fabricaba Chase e Hijos, cuyo beneficio dependía de que los pedidos fueran grandes. La gente tampoco compraba ropa interior barata y de diario, sino que zurcía la que tenía y pasaba con ella. No todo el mundo estaba desocupado en el país, claro, pero los que tenían trabajo no estaban muy seguros de que fueran a conservarlo. Naturalmente, preferían ahorrar el dinero que gastarlo. No se les podía acusar por ello. Cualquiera habría hecho lo mismo en su lugar.

La aritmética había entrado en acción, con sus muchas patas, sus numerosas espinas y cabezas, sus despiadados ojos hechos de ceros. El mensaje era que dos y dos sumaban cuatro, pero ¿y si no tenías con qué sumar dos y dos? Pues que entonces no había modo de conseguir que los números rojos del inventario se volvieran negros. Eso me preocupaba terriblemente, como si fuese culpa mía. Cuando cerraba los ojos por la noche, los números se me aparecían en la página, dispuestos sobre mi mesa rectangular de roble de la fábrica de botones. Formaban hileras rojas que semejaban un sinfín de orugas mecánicas tragándose lo que quedaba del dinero. Cuando el precio al que se conseguía vender una cosa era inferior al que se pagaba para fabricarla —tal como venía ocurriendo en Chase e Hijos desde hacía un tiempo—, los números se comportaban de ese modo. Se trataba de un mal comportamiento —carente de amor, de justicia, de compasión— pero ¿qué se le iba a hacer? Los números no eran más que números. No tenían modo de elegir.

La primera semana de diciembre, padre anunció el cierre. Dijo que sería temporal. O al menos esperaba que lo fuera. Habló de efectuar una retirada y economizar con el fin de reagruparse más adelante. Pidió comprensión y paciencia, y los trabajadores reunidos lo escucharon atentamente y en silencio.

Tras el anuncio, volvió a Avilion, se encerró en su torreón y bebió hasta perder el sentido. Oíamos el estruendo de cosas rompiéndose. Eran objetos de vidrio; botellas, sin duda. Laura y yo estábamos en la habitación, sentadas en la cama, con las manos estrechamente unidas, pendientes de la furia y el dolor que arrasaba el piso de arriba, justo encima de nuestras cabezas, como si fuese una tormenta interior. Hacía tiempo que padre no provocaba estragos a semejante escala.

Debía de pensar que había decepcionado a sus hombres. Que les había fallado. Que no podía hacer nada por remediarlo.

—Rezaré por él —anunció Laura.

—¿Le importa a Dios? —dije—. No creo que le importe nada, en realidad. Si es que existe.

—Eso no se puede saber hasta después —señaló Laura.

¿Después de qué? Lo sabía perfectamente, ya habíamos hablado de ello. «Después de morir.»

Varios días después del anuncio de padre, el sindicato reveló su poder. Se había formado un grupo central de miembros que querían aglutinar a todos los demás. Se celebró una reunión delante de la fábrica de botones cerrada y se apeló a la unión de todos los trabajadores, porque, afirmaban, cuando padre reabriera las fábricas, reduciría los gastos de tal modo que les ofrecería unos sueldos de hambre. Era exactamente como todos los demás: al llegar los tiempos difíciles que vivían, había metido su dinero en el banco y se había cruzado de brazos abandonando a la gente y conduciéndola a la ruina; más adelante aprovecharía la oportunidad para engordar a expensas de los trabajadores. Él, su gran casa y sus lindas niñas, frívolos parásitos que vivían del sudor de las masas.

Saltaba a la vista que aquellos supuestos organizadores eran forasteros, decía Reenie, que nos contaba todo eso cuando nos sentábamos a la mesa de la cocina. (Habíamos dejado de comer en el comedor porque padre ya no lo hacía allí. Seguía encerrado en su torreón; Reenie le subía la bandeja.) Aquellos matones demostraban no tener ningún sentido de la decencia al meternos a mi hermana y a mí en el saco de ese modo, cuando todo el mundo sabía que no teníamos nada que ver con nada. Nos aconsejó que no prestásemos atención, aunque resultaba más fácil decirlo que hacerlo.

Todavía había algunas personas leales a padre. Nos enteramos de que en la reunión había habido desacuerdos, voces airadas, carreras. Los ánimos se encresparon. Un hombre recibió un golpe en la cabeza y fue llevado al hospital con conmoción cerebral. Era uno de los huelguistas —así era como se llamaban a sí mismos, «los huelguistas»—, pero los culpables de su lesión fueron sus propios compañeros, porque en cuanto empezaba una algarada como aquélla, ¿quién sabía en qué iba a terminar?

Mejor no empezar. Mejor mantener la boca cerrada. Sí, mucho mejor.

Calie Fitzsimmons fue a ver a padre. Confesó que estaba muy preocupada por él, que le daba miedo que se hundiera. Moralmente, quería decir. ¿Cómo podía tratar a los trabajadores de manera tan caballerosa y al mismo tiempo mezquina? Padre le pidió que tratase de entender la realidad y que lo dejase en paz. También le preguntó:

—¿Quién te ha hecho venir, tus amigos comunistoides?

Ella replicó que había ido por su cuenta, por amor, porque, a pesar de ser un capitalista, siempre le había parecido un hombre decente, aunque empezaba a pensar que se había convertido en un plutócrata sin corazón. Él alegó que era imposible ser plutócrata cuando se estaba arruinado. Ella le dijo que podía liquidar sus acciones. Él respondió que sus acciones tenían tanto valor como su culo, que por lo que veía era capaz de ofrecer por nada a cualquiera que se lo pidiese. Ella señaló que no le había parecido que él despreciara sus favores. Él dijo que era verdad, pero que el coste había sido excesivo: primero, todas las comidas en la casa para sus amigos artísticos, después su sangre, y ahora su alma. Ella lo llamó burgués reaccionario. Él la llamó mosca de cadáveres. A esas alturas ya se estaban gritando el uno al otro. Luego hubo portazos, se oyó un coche que se alejaba por el camino de grava y ahí acabó todo.

¿Reenie estaba contenta o triste? Triste. No le gustaba Calie, pero se había acostumbrado a ella y admitía que, en un momento dado, le había hecho mucho bien a padre. ¿Quién la sustituiría? Cualquier otra fulana, y más vale malo conocido...

A la semana siguiente hubo una llamada a la huelga general en solidaridad con los trabajadores de Chase e Hijos. El edicto decía que debían cerrar todas las tiendas y negocios. Afectaría a todos los servicios públicos, incluidos los teléfonos y la entrega de correo. No habría leche ni pan ni hielo. (¿Quien emitía esas órdenes? Nadie creía que vinieran realmente del hombre que pronunciaba las palabras. Ese hombre proclamaba ser de la zona, de nuestra propia ciudad, y así se le había considerado en otros tiempos —se llamaba Morton, Morgan, o algo así—, pero ya no quedaban dudas de que, en el fondo, no era de aquí. No podía serlo y comportarse de ese modo. Además, ¿quién era su abuelo?)

No se trataba de ese hombre, pues. No era el cerebro que estaba detrás de todo, sentenció Reenie, sencillamente porque no tenía cerebro. Había fuerzas oscuras en acción.

Laura se sentía preocupada por Alex Thomas. Estaba mezclado en aquello de algún modo, dijo. Lo sabía. Con sus ideas, tenía que estarlo.

A primera hora de la tarde de ese mismo día, Richard Griffen llegó a Avilion en un coche, seguido de otros dos, todos grandes y largos. Eran cinco hombres más en total, cuatro de ellos bastante fornidos, con abrigo oscuro y sombrero de fieltro gris. Richard Griffen y uno de los hombres entraron, junto con padre, en el estudio de éste. Otros dos se apostaron ante las puertas de la casa, la de delante y la de detrás; los restantes se fueron a alguna parte en uno de los lujosos coches. Laura y yo observábamos las idas y venidas de los vehículos desde la ventana de la habitación de ella. Nos habían dicho que nos mantuviéramos al margen, lo que significaba que no intentásemos escuchar. Cuando le preguntamos a Reenie qué ocurría, puso cara de preocupación y respondió que sabía tanto como nosotras, pero permanecía atenta a lo que pudiera oír.

Richard Griffen no se quedó a cenar. Se marchó en su coche, seguido de otro. El tercero siguió estacionado frente a nuestra casa. Los tres hombres fornidos que iban en su interior se instalaron discretamente en los aposentos del antiguo chófer, encima del garaje.

Se trataba de detectives, dijo Reenie. Tenían que serlo. Por eso iban siempre con abrigo, para disimular las armas que llevaban bajo el brazo. Las armas eran revólveres. Lo sabía por las revistas. Explicó que estaban allí para protegernos, y que si veíamos algo anormal en el jardín por la noche —además de esos hombres, claro—, gritásemos.

Al día siguiente se sucedieron las manifestaciones en las calles principales. Había muchos hombres a quienes nadie había visto nunca en la ciudad, o no recordaba haberlo hecho. ¿Quién iba a acordarse de un vagabundo? Pero algunos no eran vagabundos, sino agitadores internacionales disfrazados. Ejercían de espías desde hacía tiempo. ¿Cómo habían llegado hasta allí tan rápido? En los techos de los trenes, decían. Así era como viajaban esos hombres por todas partes.

La manifestación empezó con una concentración delante del edificio del Ayuntamiento. Primero se pronunciaron discursos en los que se habló de esbirros y gorilas de la empresa; a continuación, quemaron una efigie de padre hecha en cartón, en la que se lo representaba con chistera y fumando un puro —algo que jamás hizo—, al son de gritos de ánimo. Empaparon de queroseno dos muñecas andrajosas con vestidos rosados de volantes y las lanzaron a las llamas. Se suponía que éramos nosotras: Laura y yo, señaló Reenie. Se habían hecho muchos chistes sobre esas dos muñequitas calientes. (Los paseos de Laura por la ciudad en compañía de Alex no habían pasado inadvertidos.) Fue Ron Hincks quien se lo dijo, nos contó Reenie; le pareció que era mejor que lo supiese. Añadió que, en su opinión, mi hermana y yo no debíamos ir a la ciudad porque la gente estaba muy alterada y nunca se sabía. Lo que teníamos que hacer era quedarnos en Avilion, que ahí estaríamos seguras. Dijo que lo de las muñecas era una vergüenza, y que le gustaría echar el guante al que había tenido la idea.

Las tiendas y negocios de la calle principal que se negaron a cerrar acabaron con los escaparates rotos, aunque lo mismo les ocurrió a las que habían cerrado. A continuación empezó el saqueo y la situación se salió de madre. La turba arrasó las oficinas del periódico; pegaron una paliza a Elwood Murray y destrozaron las máquinas de la imprenta que había en la parte posterior. El cuarto oscuro se libró, pero no su cámara. Fue un momento de profunda tristeza para él, del que oímos hablar más tarde en numerosas ocasiones.

Aquella noche, se incendió la fábrica de botones. Las llamas salían disparadas por las ventanas de la planta inferior: yo no lo vi desde mi habitación, pero oí la sirena del camión de bomberos que llegaba. Estaba asustada y consternada, desde luego, pero también excitada. Mientras oía la sirena y los gritos distantes procedentes, me pareció que alguien subía por las escaleras de detrás. Imaginé que se trataba de Reenie, pero era Laura. Llevaba el abrigo puesto.

—¿De dónde vienes? —le pregunté—. Será mejor que te quedes aquí. Padre ya tiene bastantes preocupaciones para que salgas a pasear.

—Sólo he ido al invernadero —repuso—. A rezar. Necesitaba estar en un sitio tranquilo.

Consiguieron apagar el fuego, pero el edificio quedó muy dañado. Ése fue el primer informe. Entonces llegó la señora Hillcoate, sin aliento y cargada de ropa limpia, y los guardias le permitieron entrar. Había sido provocado, dijo. Habían encontrado latas de gasolina. El guardia nocturno yacía muerto en el suelo. Tenía un golpe en la cabeza.

Habían visto a dos hombres huir corriendo. ¿Los habían reconocido? No de manera concluyente, aunque se rumoreaba que uno de ellos era el amigo de la señorita Laura. Reenie replicó que no era su amigo, que Laura nunca había tenido un amigo, que sólo se trataba de un conocido. Bueno, lo que fuese, dijo la señora Hillcoate, lo más probable era que hubiese quemado la fábrica de botones y matado de un golpe al pobre Al Davidson como si de una rata se tratara. Más le valía desaparecer de esta ciudad si sabía lo que le convenía.

A la hora de la cena, Laura pretextó que no tenía hambre. Se sentía incapaz de probar bocado; se prepararía una bandeja para comer más tarde. Vi que se la llevaba arriba por la escalera de detrás, que conducía a su habitación. Se había servido doble ración de todo: conejo, calabaza, patatas hervidas. Normalmente, para ella la comida constituía una manera de tener las manos ocupadas —algo que hacer en la mesa mientras los demás hablaban— o una tarea rutinaria que había que realizar, como limpiar la plata. Una especie de tediosa rutina de mantenimiento. Yo no entendía de dónde había sacado tan de repente aquel optimismo alimentario.

Al día siguiente, llegaron efectivos del Real Regimiento Canadiense a restablecer el orden. Era el viejo regimiento de padre, de los tiempos de la guerra, y le sentó muy mal ver que aquellos soldados se volvían contra su propio pueblo, el pueblo de él, o que él creía suyo. No hacía falta ser un genio para darse cuenta de que no compartían la visión que tenía de ellos, pero le sentó muy mal de todos modos. Así pues, ¿lo habían cortejado sólo por su dinero? Eso parecía.

Cuando el Real Regimiento Canadiense lo tuvo todo controlado, llegó la Policía Montada. Tres miembros de ésta se presentaron ante la puerta de nuestra casa. Llamaron con educación y entraron en el vestíbulo, con el sombrero entre las manos y las botas chirriando sobre el parqué encerado. Querían hablar con Laura.

—Ven conmigo, por favor, Iris —susurró ella cuando la llamaron—. No puedo ir sola. —Parecía muy pequeña, muy blanca.

Nos sentamos en el comedor de diario, junto al viejo gramófono. Los policías estaban sentados en sillas. Su aspecto no se correspondía con mi idea de un miembro de la Policía Montada: eran demasiado viejos, demasiado barrigudos. Uno de ellos parecía más joven, pero no estaba al mando. El del medio fue el que habló. Dijo que disculpáramos las molestias, que sabía que debíamos de estar pasando un momento difícil pero el asunto tenía cierta urgencia. Querían hablar del señor Alex Thomas. ¿Era Laura consciente de que ese hombre, un conocido subversivo radical, había estado en campos de ayuda a damnificados agitando y causando problemas?

Ella contestó que sólo sabía que enseñaba a los hombres a leer.

Era una manera de mirarlo, dijo el policía. Y, si no tenía nada que ocultar, se presentaría cuando se le requiriera, ¿no le parecía? ¿Dónde podía estar viviendo en aquel momento?

Laura contestó que no lo sabía.

Repitieron la pregunta, formulándola de una manera diferente. Ese hombre estaba bajo sospecha, ¿quería Laura ayudar a localizar al delincuente que con toda probabilidad había incendiado la fábrica de su padre y sido la causa de la muerte de un empleado? Eso según los testigos, claro.

Yo señalé que los testigos no eran de fiar, porque sólo habían visto la espalda de la persona que huía, y además estaba oscuro.

—Señorita Laura... —El policía hizo caso omiso de mí.

Laura dijo que, aunque estuviese en condiciones de decirlo, no lo diría. Agregó que uno es inocente hasta que se demuestra lo contrario. También dijo que contravenía los principios del cristianismo culpar a un hombre sin un motivo fundado. Dijo que lamentaba lo del vigilante muerto, pero que el culpable no era Alex Thomas, porque Alex Thomas era incapaz de hacer algo así. Pero no pudo decir nada más.

Me agarraba el brazo cerca de la muñeca y yo notaba los temblores que recorrían su cuerpo, como la vibración de una vía férrea.

El jefe de policía mencionó algo sobre obstruir la justicia.

En ese punto, manifesté que Laura sólo tenía quince años y no se la podía responsabilizar como si se tratara de una adulta. Añadí que lo que mi hermana les había dicho era confidencial, y que si salía de aquella habitación —y por ejemplo llegaba al periódico—, tendrían que atenerse a la reacción de padre.

El policía sonrió, se levantó y se marchó seguido de sus compañeros; se comportaron con decoro y tranquilidad. A lo mejor se dieron cuenta de lo inapropiado que era seguir esa línea de investigación. Aunque estaba contra las cuerdas, padre aún tenía amigos.

—Muy bien —le dije a Laura cuando se hubieron ido—. Sé que lo tienes escondido en casa. Será mejor que me confieses dónde.

—Está en la bodega —repuso Laura, y observé que le temblaba el labio inferior.

—¡En la bodega! —exclamé— ¡Qué sitio más estúpido! ¿Por qué allí?

—Para que tuviera suficiente comida en caso de emergencia —contestó Laura, y rompió a llorar. La abracé y sollozó contra mi hombro.

—¿Sufiente comida? —dije—. ¿Suficiente mermelada, jalea y encurtidos? Realmente, Laura, eres el colmo.

Entonces, nos echamos a reír, y después de las risas y de que Laura se hubiera secado las lágrimas, dije:

—Tenemos que sacarlo de allí. ¿Y si Reenie fuera a buscar un bote de mermelada o algo y se lo encontrase? Le daría un infarto.

Nos reímos un poco más. Estábamos muy excitadas. Luego señalé que estaría mejor en el desván, ya que nunca subía nadie. Me ocuparía de arreglarlo todo. Lo mejor que podíamos hacer era irnos a la cama: estaba exhausta, y eso debía de ser consecuencia de la tensión acumulada. Suspiró, como un niño cansado, e hizo lo que le sugería. Había necesitado mucha valentía para soportar el enorme peso de lo que reconocía como una carga, y ahora que me lo había traspasado estaba en condiciones de echarse a dormir.

¿Creía yo que hacía todo eso para salvarla..., para ayudarla, para ocuparme de ella como había hecho siempre?

Sí. Eso era lo que creía.

Esperé hasta que Reenie se hubo ido a dormir tras limpiar la cocina. Entonces bajé por las escaleras que conducían al oscuro y húmedo sótano. Pasé por delante de la puerta de la carbonera. La de la bodega se cerraba con un pestillo. Llamé, lo levanté y entré. Oí el ruido de algo que se escabullía. Estaba oscuro, ya que apenas llegaba el resplandor de la luz del pasillo. Encima del barril de las manzanas vi los restos de la cena de Laura; sólo quedaban los huesos del conejo. Parecía un altar primitivo.

No advertí de inmediato su presencia; se encontraba detrás del barril de manzanas. Entonces lo descubrí; primero una rodilla, después un pie.

—No pasa nada —susurré—. Soy yo.

—Ah —dijo—. La hermana devota.

—Chist —lo apremié. El interruptor de la luz era una cadena que colgaba de la bombilla. Tiré de él y la luz se encendió. Alex Thomas se agachó detrás del barril, parpadeando, avergonzado, como si lo hubiera pillado con los pantalones bajados.

—Debería darte vergüenza —añadí.

—Has venido a echarme o a entregarme a las autoridades pertinentes, supongo —dijo con una sonrisa.

—No seas imbécil —le espeté—. Puedes estar seguro de que no quiero que te descubran aquí. Padre no soportaría el escándalo.

—¿Hija de capitalista ayuda asesino bolchevique? —dijo—. ¿Descubren nido de amor entre tarros de jalea? ¿Te refieres a esa clase de escándalo?

Fruncí el entrecejo. No tenía ninguna gracia.

—Tranquila. Laura y yo no estamos tramando nada —prosiguió—. Es una chica fantástica, pero va camino de convertirse en santa, y yo no soy un secuestrador de niños. —Se había levantado y se sacudía la ropa con la mano.

—¿Por qué te escondes, entonces? —pregunté.

—Es cuestión de principios. En cuanto se lo pedí, tuvo que aceptar. Pertenezco a la categoría que ella considera correcta.

—¿Qué categoría?

—La de los humildes, supongo —repuso—. Por citar a Jesús.

Me pareció bastante cínico. Dijo que se había encontrado con Laura por una especie de accidente, en el invernadero. ¿Qué hacía él allí? Esconderse, claro. Agregó que también tenía esperanzas de hablar conmigo.

—¿Conmigo? —inquirí—. ¿Por qué demonios conmigo?

—Pensé que sabrías qué hacer. Se nota que eres práctica. Tu hermana es menos....

—Laura parece haberlo hecho bastante bien —lo interumpí. No me gustaba que los demás criticaran a Laura, su vaguedad, su ingenuidad, su irresponsabilidad. Criticar a Laura me estaba reservado—. ¿Cómo conseguiste burlar a los que montan guardia ante las puertas —pregunté— en la casa, los de los abrigos?...

—Hasta los hombres con abrigos tienen que mear de vez en cuando —repuso.

Su vulgaridad me pilló por sorpresa —no casaba con la educación de que había hecho gala en la fiesta—, pero quizá fuese una muestra de las mofas de huérfano que había predicho Reenie. Decidí no hacer caso.

—Supongo que no fuiste tú quien provocó el fuego. —Quise sonar sarcástica, pero él no lo percibió así.

—No soy tan estúpido —replicó—. No me dedico a incendiar sin razones.

—Todo el mundo cree que has sido tú.

—Pues no fui yo —dijo—. Aunque para determinada gente sería muy conveniente creer lo contrario.

—¿Qué determinada gente? ¿Por qué? —Esta vez no lo acucié; estaba perpleja.

—Usa la cabeza —dijo. Pero no añadió nada más.

El desván

Tomé una vela de la provisión que siempre teníamos a mano en la cocina por los apagones, la encendí y guié a Alex Thomas fuera de la bodega y del sótano, a través de la cocina y hacia arriba por las escaleras de detrás y luego por las escaleras más estrechas hasta el desván, donde lo instalé detrás de tres baúles vacíos. De un arcón de cedro saqué varios edredones.

—No vendrá nadie —dije—. Si vienen, escóndete debajo de los edredones. No andes, porque podrían oír los pasos. No enciendas la luz. —En el desván, al igual que en la bodega, sólo había una bombilla—. Te traeremos algo por la mañana —agregué, sin saber cómo iba a cumplir la promesa.

Bajé y volví a subir con el orinal, que dejé sin pronunciar palabra. Era un detalle que siempre me había preocupado en las historias que Reenie contaba sobre secuestros: ¿qué pasaba si uno quería ir al baño? Una cosa era estar encerrado en una cripta, y otra muy distinta verse obligado a subirse la camisa y agacharse en un rincón.

Alex Thomas asintió y dijo:

—Te has comportado como una amiga. Sabía que eras práctica.

Por la mañana, Laura y yo mantuvimos una charla en susurros en su habitación. Los temas a tratar eran el abastecimiento de comida y bebida, la necesidad de vigilancia y el vaciado del orinal. Una de nosotras —simulando leer— montaría guardia en mi dormitorio con la puerta abierta, así vería las escaleras que conducían al ático mientras la otra llevaba a cabo la misión. Acordamos que nos turnaríamos para hacer esas tareas. El gran obstáculo era Reenie, que se olería algo si nos veía actuar furtivamente.

No habíamos decidido qué haríamos si nos descubrían. De hecho, nunca pensamos en ello. Nos limitábamos a improvisar.

El primer desayuno de Alex Thomas consistió en las cortezas de nuestras tostadas. No solíamos comérnoslas a menos que nos obligaran —Reenie aún tenía el hábito de decir aquello de «Acordaos de los armenios que pasan hambre»—, pero esta vez, cuando Reenie miró, las cortezas habían desaparecido. En realidad, estaban en el bolsillo de la blusa azul marino de mi hermana.

—Alex Thomas debe de ser uno de los armenios que pasan hambre —murmuré mientras subíamos corriendo por las escaleras, pero a Laura no le pareció gracioso, sino ajustado a la realidad.

Las mañanas y las noches eran los momentos que elegíamos para nuestras visitas. Saqueábamos la alacena, rescatábamos las sobras. Nos hacíamos con zanahorias crudas, restos de tocino, huevos medio mordidos, pedazos de pan con mantequilla y mermelada. En una ocasión le llevamos fricasé de pollo; una osadía. También vasos de agua, tazas de leche, café frío. Guardábamos los platos vacíos debajo de nuestras camas hasta que desaparecía el peligro, los lavábamos en el lavabo de la habitación y volvíamos a ponerlos en el armario de la loza. (De esto último me encargaba yo; Laura era demasiado torpe.) No utilizábamos los platos de porcelana buenos. ¿Y si se rompía algo? Incluso con un plato normal nos habrían pillado; Reenie los tenía contados. Por eso éramos muy cautelosas con la vajilla.

¿Sospechaba Reenie de nosotras? Imagino que sí. Por lo general sabía que nos traíamos algo entre manos; pero también sabía que a veces era mejor no averiguar en qué consistía exactamente ese algo. Supongo que se curaba en salud para poder decir, en caso de que nos pillaran, que ella no tenía ni idea. En una ocasión nos dijo que no le sacáramos las pasas de uva; parecíamos pozos sin fondo y se diría que teníamos la solitaria. También estaba enfadada por el cuarto de pastel de calabaza que había desaparecido. Laura dijo que le había dado un ataque de hambre y se lo había comido.

—¿Con corteza y todo? —preguntó Reenie en tono áspero. Laura jamás se comía la base de masa de los pasteles de Reenie. En realidad, nadie lo hacía, ni siquiera Alex Thomas.

—Se la he dado a los pájaros —repuso Laura y, en efecto, era lo que había hecho después.

Al principio, Alex Thomas apreciaba nuestros esfuerzos. Decía que éramos sus amigas y que sin nosotras estaría perdido. Más tarde nos pidió cigarrillos; se moría por fumar. Le llevamos algunos de la caja de plata que había encima del piano, pero le aconsejamos que se limitara a uno al día; porque corría el riesgo de que detectaran el humo. (Hizo caso omiso de esta restricción.)

Luego nos dijo que lo peor del desván era que no tenía forma de lavarse, ni siquiera la boca. Así pues, robamos el viejo cepillo de dientes que Reenie usaba para limpiar la plata y lo lavamos como pudimos; él dijo que era mejor que nada. Un día le llevamos una jofaina, una toalla y una jarra con agua caliente. Cuando terminó, miró que no pasara nadie por debajo y tiró el agua sucia por la ventana del desván. Como había llovido, la tierra estaba mojada y no se notaba nada. Un poco más tarde, cuando no había peligro de que nos descubrieran, le permitimos bajar hasta el cuarto de baño que compartíamos para que se aseara tranquilamente. (Le habíamos dicho a Reenie que ya nos ocuparíamos nosotras de la limpieza de nuestro baño, a lo que respondió con el comentario de: «No dejáis de sorprenderme.»)

Mientras Alex Thomas se bañaba, Laura estaba en su habitación y yo en la mía, cada una protegiendo una puerta del baño. Yo intentaba no pensar en lo que ocurría allí dentro. No soportaba imaginarlo desnudo, se me hacía doloroso.

Alex Thomas apareció en los editoriales de todos los periódicos, no sólo en el local. Decían que era un incendiario y un asesino, y de la peor calaña; mataba por puro fanatismo. Había ido a Port Ticonderoga para infiltrarse entre los trabajadores con el fin de sembrar la disensión, lo que había conseguido, como demostraban la huelga general y las manifestaciones. Constituía un ejemplo de los males de la educación universitaria (un chico listo —demasiado listo para su bien—, cuya inteligencia se ve malograda por las malas compañías y peores libros). Su padre adoptivo, un ministro presbiteriano, dijo que rezaba todos los días por el alma de su hijo, pero que formaba parte de una generación de víboras. No pasó por alto que cuando Alex sólo era un niño lo había rescatado de los horrores de la guerra. Había sido una tea salvada del incendio, señaló, pero, sin duda, aceptar a un extraño en casa siempre entrañaba riesgo. La conclusión era que más valía no salvar a esa clase de teas.

Además de todo ello, la policía había pegado en todos los lugares públicos y oficinas de correos carteles de «Se busca» con la cara de Alex. Por suerte, la fotografía no era muy clara: tenía una mano delante que le oscurecía parcialmente el rostro. Era la foto del periódico, la que nos había tomado Elwood Murray en el pícnic de la fábrica de botones. (Laura y yo no aparecíamos, naturalmente.) Elwood Murray había comunicado que, cuando se disponía a sacar una copia mejor, comprobó que el negativo había desaparecido. Bueno, no era ninguna sorpresa; ya que en el asalto al periódico habían destruido muchas cosas.

Le llevamos a Alex los recortes del periódico y también uno de los carteles repartidos por la policía. Laura lo había arrancado de un poste de teléfonos. Él lo leyó con consternación atribulada. «Quieren mi cabeza servida en bandeja», fue lo que dijo.

Unos días después nos pidió papel para escribir. Teníamos un montón de libretas para hacer ejercicios de la época del señor Erskine; se las llevamos, junto con un lápiz.

—¿Qué crees que escribe? —me preguntó Laura. Yo no estaba segura. ¿Un diario, un alegato? A lo mejor una carta a alguien que acudiría a rescatarlo. Pero como no nos pidió que enviáramos nada, no debía de tratarse de una carta.

El hecho de ayudar a Alex Thomas hizo que Laura y yo nos sintiéramos mucho más cerca la una de la otra. Era nuestro secreto culpable, y también nuestro proyecto virtuoso —por fin compartíamos uno—. Éramos dos buenas samaritanas que ayudábamos a salir del atolladero al hombre que había caído entre ladrones. Éramos Marta y María cuidando a..., bueno, a Jesús, no, ni siquiera Laura iba tan lejos, pero estaba claro el papel que ella había adjudicado a cada una de nosotras. Yo era Marta, ocupada con las tareas domésticas, en segundo plano; ella era María, derramando pura devoción a los pies de Alex. (¿A cuál de las dos prefiere un hombre? ¿Desayuno a punto o adoración? A veces lo uno y a veces lo otro, según el hambre.)

Laura subía los restos de comida por la escalera que conducía al desván como si llevara una ofrenda al templo. Bajaba el orinal como si fuese un relicario o una vela preciosa a punto de apagarse.

Por la noche, después de llevarle agua y comida a Alex Thomas, hablábamos un rato de él —de cómo había pasado el día, de si estaba demasiado delgado, de si había tosido—; no queríamos que se nos pusiera enfermo. Pensábamos en lo que podía necesitar, en qué intentaríamos robar para él al día siguiente. Luego, cada una se metía en su cama. No sé Laura, pero yo me lo imaginaba en el desván, justo encima de mí. Él también debía de revolverse en la cama, desvelado, con el olor a moho de los edredones metido en la nariz. Al final conseguiría dormirse y se perdería en largos sueños de guerra y fuego, de ciudades desintegradas y fragmentos esparcidos.

Ignoro en qué punto esos sueños suyos pasaron a ser de persecución y fuga; en qué punto me uní a ellos, huyendo con él de la mano, al alba, lejos de un edificio en llamas, a través de los campos surcados de diciembre, por la tierra de rastrojos en que empezaba a posarse la escarcha, hacia la oscura línea de los bosques distantes.

Pero en realidad, yo bien lo sabía, no se trataba de su sueño, sino del mío. Era Avilion lo que se quemaba, sus piezas fracturadas las que estaban esparcidas por el suelo: la porcelana buena, el cuenco de Sèvres con pétalos rosados, la pitillera de plata de encima del piano. El propio piano, las vidrieras del comedor —la copa rojo sangre, el arpa rajada de Isolda—, todo aquello de lo que había deseado huir, cierto, pero no por medio de la destrucción. Yo quería irme de casa, pero que ella se quedara en su sitio, esperándome, intacta, para permitirme volver atrás cuando quisiera.

Un día que Laura había salido —ya no era peligroso para ella, los hombres con abrigo y la Policía Montada se habían marchado, y en las calles volvía a reinar el orden—, decidí hacer una incursión en solitario al desván. Tenía algo que ofrecer: un puñado de pasas de Corinto e higos secos que había birlado de los ingredientes para el pastel de Navidad. Después de investigar —Reenie estaba en la cocina, ocupada con la señora Hillcoate—, llamé a la puerta. Teníamos una llamada especial, un toque seguido de tres más rápidos. Luego subí de puntillas por las estrechas escaleras que llevaban al desván.

Alex Thomas estaba agachado junto a la pequeña ventana ovalada intentado aprovecharse de la luz del día. Era evidente que no había oído mi llamada: estaba de espaldas a mí, con un edredón sobre los hombros. Al parecer, escribía. Percibí el olor de humo de cigarrillo; sí, estaba fumando, vi su mano y el cigarrillo en ella. Pensé que era peligroso fumar tan cerca del edredón.

No sabía exactamente cómo anunciar mi presencia.

—Estoy aquí —dije.

Dio un respingo y soltó el cigarrillo, que cayó sobre el edredón. Yo di un grito y me arrodillé para apagarlo; tuve la visión, ya familiar, de Avilion incendiándose.

—No pasa nada —me tranquilizó. También estaba arrodillado, comprobando como yo, si quedaba alguna chispa. Lo siguiente que recuerdo es que estábamos en el suelo, que me abrazó y me besó en la boca.

No me lo esperaba.

¿O me lo esperaba? ¿Fue tan repentino, o hubo preliminares, un roce, una mirada? ¿Hice algo para provocarlo? Nada que yo recuerde; pero lo que recuerdo, ¿es lo que pasó en realidad?

Lo es ahora, puesto que soy la única superviviente.

En todo caso, fue exactamente lo que nos había dicho Reenie de los hombres en los teatros, sólo que no me sentí ultrajada. Lo demás, sin embargo, era bastante cierto: quedé transfigurada, inmóvil, sin recursos. Los huesos se me habían fundido como si fuesen de cera. Para cuando fui capaz de volver en mí y desasirme para huir ya me había desabrochado casi todos los botones.

En ningún momento dije nada. Mientras bajaba por las escaleras, arreglándome el pelo, abrochándome la blusa, tuve la impresión de que, a mis espaldas, se reía de mí.

No sabía exactamente qué podía ocurrir si permitía que volviera a pasar una cosa así, pero en todo caso constituía un peligro, al menos para mí. Sería como pedirlo a gritos, tendría mi merecido, el accidente ocurriría. No podía arriesgarme a encontrarme otra vez a solas en el desván con Alex Thomas ni podía confiarle la razón a Laura, ya que le haría daño, pues sería incapaz de entenderlo. (Existía otra posibilidad: a lo mejor había hecho algo parecido con Laura. Pero no, era imposible. Ella no se lo habría permitido. ¿O sí?)

—Tenemos que sacarlo de la ciudad —le dije a Laura—. No podemos seguir ocultándolo aquí. Acabarán dándose cuenta.

—Todavía no —objetó ella—. Aún vigilan las vías del tren. —Lo sabía porque seguía trabajando en el comedor de beneficencia.

—Bueno, pues llevémoslo a otro sitio de la ciudad —propuse.

—¿Adónde? No hay otro sitio. Y éste es el mejor... Aquí a nadie se le ocurrirá mirar.

Alex Thomas dijo que no quería quedarse encerrado allí rodeado de nieve, que un invierno en el desván lo volvería loco, que ya estaba empezando a perder la chaveta. Andaría un par de kilómetros vías abajo y subiría a un tren de mercancías; sabía dónde había un terraplén que facilitaba el salto. Dijo que en Toronto tenía amigos que tenían amigos, y lo ayudarían a esconderse. De allí pasaría, de un modo u otro, a Estados Unidos y se pondría a salvo. Por lo que había leído en los periódicos, las autoridades sospechaban que quizá ya había llegado allí. Desde luego, habían dejado de buscarlo en Port Ticonderoga.

La primera semana de enero, decidimos que las condiciones eran lo bastante seguras para que se marchase. Birlamos un abrigo viejo de padre del fondo de su armario, le preparamos algo de comida —pan y queso, una manzana— y lo dejamos suelto. (Más tarde padre echó en falta el abrigo y Laura dijo que se lo había dado a un vagabundo, lo que en parte era cierto. Como se trataba de un acto absolutamente propio de ella, nadie preguntó nada, sólo refunfuñaron.)

La noche de la partida, lo hicimos salir por la puerta trasera. Dijo que tenía una gran deuda con nosotras y que no olvidaría lo que habíamos hecho por él. Nos dio un abrazo a cada una, un abrazo de hermano, que en ambos casos duró lo mismo. Era evidente que se moría de ganas de librarse de nosotras. A pesar de ser de noche, se despidió como si se fuera a la escuela. Después lloramos como madres. También lloramos de alivio —se había ido, ya no dependía de nosotras—, pero eso también lo hacen las madres.

Se dejó uno de los cuadernos de ejercicio que le habíamos dado. Desde luego, lo abrimos inmediatamente para ver si había escrito algo. ¿Qué esperábamos? ¿Una nota de despedida que expresara gratitud eterna? ¿Buenos sentimientos hacia nosotras? Algo así.

Esto es lo que encontramos:

ancorin	nacrod
berel	onyxor
carchinal	porphiral
diamita	quartzephyr
ebono	rhint
fulgor	sapphyrion
glutz	tristok
hortz	ulinth
iridis	vorver
jocynth	wotanite
kalkil	xenor
lazaris	yorula
malachont	zicrón

—¿Piedras preciosas? —dijo Laura.

—No. No me suenan —repuse.

—¿Es una lengua extranjera?

Lo ignoraba. Aquella lista parecía tener un sospechoso aire de código. A lo mejor (después de todo) Alex Thomas era lo que algunos lo acusaban de ser: espía de algún tipo.

—Me parece que será mejor que nos libremos de esto —dije.

—Yo lo haré —se ofreció Laura—. Lo quemaré en mi chimenea. —Dobló la libreta y se la metió en el bolsillo.

Una semana después de la partida de Alex Thomas, Laura vino a mi habitación.

—Creo que esto es para ti. —Era una copia de la fotografía que nos había tomado Elwood Murray en el pícnic, pero había cortado su imagen; sólo se veía su mano, que había tenido que dejar para que el margen quedara recto. No había coloreado la fotografía entera, sólo su mano, que estaba pintada de amarillo muy pálido.

—¡Laura, por Dios! —exclamé—. ¿De dónde has sacado esto?

—Cuando trabajaba con Elwood Murray hice unos cuantos positivos —repuso—. También tengo el negativo.

No sabía si enfadarme o alarmarme. Cortar la fotografía de aquel modo era muy extraño. La visión de la mano amarilla de Laura, arrastrándose por la hierba hacia Alex como un cangrejo incandescente, me daba escalofríos.

—¿Por qué demonios has hecho esto?

—Porque es lo que tú quieres recordar —contestó. Era tan audaz que solté un grito. Me miró fijamente a los ojos con lo que en cualquier otra persona habría sido una actitud de desafío. Pero se trataba de Laura: su tono no era malhumorado ni celoso. No hacía más que expresar un hecho—. No pasa nada —añadió—. Tengo otra para mí.

—¿Y en la tuya yo no aparezco?

—No —repuso—. No apareces. Salvo la mano. —Es lo más cerca que llegó jamás, a mis oídos, de una confesión de amor por Alex Thomas. Excepto el día anterior a su muerte, claro, aunque entonces tampoco usó la palabra «amor», siquiera.

Debí tirar aquella fotografía mutilada, pero no lo hice.

Las cosas fueron volviendo a su cauce habitual y monótono. Por consentimiento tácito, Laura y yo no volvimos a mencionar a Alex Thomas en nuestras conversaciones. Había demasiadas cosas que no podían decirse, por ambas partes. Al principio, yo solía ir al desván —aún se percibía un tenue olor a humo—, pero dejé de hacerlo al cabo de un tiempo, porque no servía de nada.

Regresamos a nuestra vida cotidiana, en la medida de lo posible. Teníamos un poco más de dinero porque finalmente padre había conseguido cobrar el seguro por el incendio de la fábrica. No era suficiente, pero, según él, al menos le daban un respiro.

La habitación imperial

La estación va girando sobre sus goznes y la tierra se aleja de la luz; bajo las matas que crecen al borde del camino, los papeles del verano revolotean como un presagio de nieve. El aire se seca y nos prepara para el inminente invierno sahariano con calefacción central. Ya se me empiezan a agrietar las puntas de los pulgares, la cara se me atrofia. Si pudiera mirarme la piel en el espejo —si pudiese acercarme, o alejarme, lo suficiente—, vería las finas líneas que se entrecruzan con las arrugas principales, como en las figuras de marfil.

Anoche soñé que tenía las piernas cubiertas de pelo. No un poco de pelo, sino mucho: veía brotar pelos negros semejantes a matas y zarcillos que se extendían por mis muslos igual que el pelo de un animal. Soñé que se acercaba el invierno y que pronto hibernaría. Primero me crecería el pelo y luego me metería en una cueva y me dormiría. Todo parecía normal, como si lo hubiera visto antes. Entonces recordé, aún en sueños, que no había sido velluda sino lampiña como un tritón, al menos en las piernas, y por lo tanto, aunque parecían estar unidas a mi cuerpo, aquellas extermidades hirsutas no podían ser mías. Tampoco las sentía. Eran las de otra cosa o persona. Lo único que tenía que hacer era seguirlas, pasar la mano a lo largo de ellas y descubrir quién o qué eran.

Eso me alarmó y desperté, o así lo creí. Soñé que Richard volvía.

Lo oía respirar en la cama, a mi lado. Sin embargo, no había nadie.

Entonces desperté realmente. Tenía las piernas dormidas como consecuencia de una mala postura. Busqué a tientas la luz de la mesilla de noche, descifré la hora: eran las dos de la mañana. El corazón me palpitaba dolorosamente, como si hubiera estado corriendo. «Es cierto, lo que solían decir —pensé—. Una pesadilla puede matarte.»

Me doy prisa y me abro camino por el papel igual que un cangrejo. La carrera entre mi corazón y yo se ha hecho muy lenta, pero intento llegar la primera. ¿Adónde? Al final, o al fin. Lo uno o lo otro. Ambos son destinos, más o menos.

Enero y febrero de 1935, un invierno riguroso. La nieve caía y cortaba el aliento; los hornos ardían, salía humo de las chimeneas y los radiadores restallaban. En la carretera, los coches patinaban e iban a dar a las cunetas; los conductores, desesperados y sin ayuda, dejaban los motores encendidos y acababan asfixiados. En los bancos del parque y en almacenes abandonados se encontraron varios vagabundos muertos, rígidos como maniquíes, o como si posaran para un anuncio de pobreza. Los cadáveres que no podían ser enterrados porque la tierra semejaba acero de tan dura que estaba, esperaban su turno en los pabellones anexos de las atareadas funerarias. Las ratas estaban satisfechas. Madres con hijos que no encontraban trabajo y no podían pagar el alquiler se veían arrojadas a la nieve con sus fardos. Los niños esquiaban sobre la represa helada del molino del río Louveteau; dos de ellos rompieron el hielo y uno de ellos se ahogó. Las cañerías se congelaban y reventaban.

Laura y yo pasábamos cada vez menos tiempo juntas. En realidad, era difícil verla; trabajaba en el movimiento benéfico de la Iglesia Unitaria, o al menos es lo que decía. Reenie nos comunicó que, a partir del mes siguiente, sólo vendría a trabajar para nosotros tres días a la semana; explicó que le dolían los pies, lo que era una manera de disimular el hecho de que ya no podíamos pagarle la jornada completa. De todos modos, yo lo sabía, era tan evidente como la nariz que teníamos en la cara. Como la nariz de la cara de padre, que parecía haber sufrido un accidente de ferrocarril la noche anterior. En los últimos tiempos, pasaba muchas horas en su torreón.

La fábrica de botones estaba vacía, el interior quemado y destrozado. No había dinero para arreglarla: la compañía de seguros se mostraba reacia a pagar arguyendo las misteriosas circunstancias que rodearon el incendio. Se murmuraba que no estaba del todo claro; hubo incluso quienes insinuaron que era padre quien había provocado el fuego, lo que constituía una difamación. Las otras dos fábricas permanecían cerradas; padre se estrujaba los sesos buscando la manera de volver a abrirlas. Iba a Toronto cada vez más a menudo, por negocios. En ocasiones me llevaba con él y nos instalábamos en el hotel Royal York, que en aquellos tiempos se consideraba el mejor de la ciudad. Era donde todos los presidentes, doctores y abogados de las empresas que se preciaban alojaban a sus amantes y se corrían juergas de varios días, aunque en aquel tiempo yo no lo sabía.

¿Quién nos pagaba esos viajes? Sospecho que Richard, quien en tales ocasiones solía estar presente. Era la persona con que padre hacía los negocios, el último socio posible de un abanico cada vez más reducido. El negocio estaba relacionado con la venta de las fábricas, y resultaba complicado. Padre había intentado venderlas, pero en aquel momento nadie compraba, sobre todo en las condiciones que él imponía. Quería vender sólo una participación minoritaria, para así conservar el control. Quería una inyección de capital. Quería volver a abrir las fábricas para que sus hombres tuvieran trabajo. Porque los llamaba «sus hombres», como si estuvieran en el ejército y él todavía fuese su capitán. No quería reducir las pérdidas y liquidar el negocio porque, como todo el mundo sabe, o alguna vez supo, un capitán debe hundirse con su barco. Ahora, en los tiempos que corren, le habría dado igual. Lo habrían vendido todo y, tras pagar las deudas, se habrían mudado a Florida.

Padre decía que me necesitaba «para que tomase notas», pero jamás tomé ninguna. A mí me parecía que sólo me llevaba con él para tener a su lado a alguien que le diese apoyo moral. Sin duda lo necesitaba. Estaba muy delgado y le temblaban las manos constantemente. Le costaba un esfuerzo enorme hasta escribir su propio nombre.

Laura no venía con nosotros en esos viajes. No se requería su presencia. Se quedaba en casa e iba a repartir el pan viejo de tres días, la sopa aguada. Había empezado a privarse de comida, como si considerase que no tenía derecho a alimentarse.

—Jesús comía —objetó Reenie un día—. Comía de todo. No se privaba de nada.

—Sí —admitió Laura—, pero yo no soy Jesús.

—Bueno, gracias a Dios, al menos tiene bastante sentido común para darse cuenta de eso —gruñó Reenie dirigiéndose a mí. Vació las dos terceras partes de la cena de Laura en la olla de los animales, porque era un pecado y una vergüenza tirar los alimentos. Durante aquellos años, no tirar jamás nada era una cuestión de orgullo para Reenie.

Padre ya no tenía chófer, y tampoco se fiaba de sí mismo para conducir. Íbamos a Toronto en tren, llegábamos a Union Station y cruzábamos la calle hasta el hotel. Por las tardes, mientras se reunían a hacer negocios, yo tenía que distraerme de algún modo. En general, sin embargo, me quedaba en mi habitación, porque me daba miedo la ciudad y me avergonzaba de la ropa sin estilo que llevaba, y que hacía que pareciese varios años más joven de lo que era. Leía revistas —*Ladie's Home Journal, Collier's, Mayfair*—, sobre todo los relatos de amor que publicaban. No me interesaban para nada los guisos ni el ganchillo, aunque los consejos de belleza me llamaban la atención. También leía los anuncios. Un corsé de látex con elástico doble me permitiría jugar mejor al bridge. Aunque fumase como una carretera, daba igual, porque la boca me quedaría completamente limpia si tomaba caramelos Spuds. Algo llamado Larvex acabaría con mi preocupación por las polillas. En el Bigwin Inn, a orillas del bello lago Bays, donde cada momento era estimulante, podría hacer mis ejercicios para adelgazar en la playa, al son de la música.

Una vez terminados los negocios del día, los tres —padre, Richard y yo— cenábamos en el restaurante. En tales ocasiones, yo permanecía callada; ¿qué iba a decir? Hablaban de economía y de política, de la Depresión, la situación en Europa, el preocupante avance del comunismo en el mundo. A Richard le parecía evidente que Hitler había afianzado a Alemania desde un punto de vista económico. No aprobaba tanto a Mussolini, que en su opinión era un diletante. Los italianos se habían puesto en contacto con Richard para proponerle que invirtiese en un nuevo tipo de tela que estaban fabricando —muy en secreto— con proteínas de leche hervida. El problema era que, cuando se mojaba, la tela despedía un horrible olor a queso, algo que las damas norteamericanas no aceptarían jamás. Él se quedaba con el rayón, aunque se arrugase al lavarlo, y mantenía los oídos bien abiertos por si surgía algo prometedor. Seguro que acabaría apareciendo algo, un tejido artificial que convertiría a la seda en cosa del pasado y, hasta cierto punto, también al algodón. Lo que las señoras querían era un producto que no necesitase planchado, que se colgase a secar y quedase libre de arrugas. También querían medias duraderas además de finas, para lucir las piernas. ¿No era maravilloso?, me preguntó con una sonrisa. Tenía la costumbre de apelar a mí en los asuntos concernientes a las mujeres.

Asentí. Siempre asentía. Nunca escuchaba con mucha atención, no sólo porque aquellas conversaciones me aburrían, sino porque me dolían. Me dolía ver a mi padre mostrándose de acuerdo con sentimientos que no compartía.

Richard dijo que le hubiese encantado invitarnos a comer a su casa, pero que, como era soltero, no le parecía muy recomendable. Vivía en un piso sin alegría, prácticamente como un monje.

—¿Qué es una vida sin esposa? —añadió sonriendo. Parecía una cita. Creo que lo era.

Richard se me declaró en la Sala Imperial del hotel Royal York. Nos había invitado a comer a padre y a mí, pero en el último minuto, cuando recorríamos los pasillos camino del ascensor, padre dijo que tenía cosas que hacer y que debería ir yo sola.

Desde luego, estaba claro que se habían confabulado.

—Richard te pedirá algo —me advirtió en tono de disculpa.

Pensé que sería algo sobre cómo planchar la ropa, pero me daba bastante igual. Desde mi punto de vista, Richard era un señor mayor. Tenía treinta y cinco años, y yo, a mis dieciocho, estaba francamente lejos de encontrarlo interesante.

—Es posible que te pregunte si quieres casarte con él —añadió.

Ya habíamos llegado al vestíbulo. Me senté.

—Oh —susurré, y en ese instante caí en la cuenta de lo que debía de ser obvio desde hacía tiempo. Me dieron ganas de reír, como si se tratara de un juego. También sentí que se me había encogido el estómago. Pero con voz calmada, pregunté—: ¿Qué tengo que hacer?

—Yo ya le he dado mi consentimiento —repuso—. La decisión es tuya. —Luego añadió—: Hay ciertas cosas que dependen de ello.

—¿Ciertas cosas?

—Tengo que pensar en vuestro futuro. Por si me ocurriera algo, quiero decir. El futuro de Laura, en particular. —Lo que me estaba diciendo era que, si no me casaba con Richard, nos quedaríamos sin dinero. Lo que también estaba diciéndome era que mi hermana y yo, pero especialmente ella, no podríamos arreglárnoslas solas—. También he de pensar en las fábricas —señaló—. Todavía pueden salvarse, pero los banqueros me acucian. Los tengo encima. No tardarán mucho en arrojarse sobre mí. —Estaba apoyado en su bastón, mirando la alfombra, y me apercibí de lo avergonzado que se sentía; estaba derrotado—. No quiero pensar que todo ha sido para nada. Tu abuelo, y luego... Cincuenta, sesenta años de trabajo duro echados por la borda.

—Oh. Ya veo. —Me hallaba acorralada, y la verdad es que no tenía muchas alternativas para proponer.

—También se quedarán con Avilion. La venderán.

—¿En serio?

—Está hipotecada.

—Ah.

—Tal vez haga falta un poco de determinación, de valentía. Hacer de tripas corazón y todo eso.

Yo no dije nada.

—Pero claro —prosiguió—, debes tomar la decisión por ti misma.

Seguí sin pronunciar palabra.

—No quiero que lo hagas si estás en desacuerdo. —Miraba más allá de mí con su ojo bueno, frunciendo un poco el entrecejo, como si acabara de divisar un objeto de gran importancia. Detrás de mí no había más que una pared.

No abrí la boca.

—Bien. Ya está, pues. —Parecía aliviado—. Griffen posee un gran sentido común. Creo que, en el fondo, es un hombre serio.

—Supongo —repuse—. Estoy segura de que es muy serio.

—Estarás en buenas manos. Y Laura también, claro.

—Claro —murmuré—. Laura también.

—Ánimo, entonces.

¿Debo culparlo? No. Ya no. A posteriori, la cosa está clarísima, pero en aquel momento no hizo más que cumplir con su responsabilidad. Hizo lo que pudo.

Richard se unió a nosotros como si le hubieran dado el pie, y los dos hombres se estrecharon la mano. Mi propia mano fue brevemente estrechada. Luego me tomó del codo. En aquel tiempo, era así cómo los hombres guiaban a las mujeres —por el codo— y, en consecuencia, por el codo fui conducida hasta la Sala Imperial. Richard dijo que hubiera preferido ir al Café Veneciano, cuyo ambiente era un poco más alegre, pero por desgracia estaba lleno.

Es raro que recuerde eso ahora, pero entonces el Royal York era el edificio más alto de Toronto, y la Sala Imperial el comedor más grande. A Richard le gustaba todo lo grande. La sala en sí tenía gruesas columnas rectangulares, un techo de mosaico, una hilera de candelabros, cada uno de ellos con un mosaico en la base. Daba una sensación de opulencia rancia. Todo parecía áspero, pesado, panzudo..., veteado, en cierto modo. Lo asocio con la palabra «pórfido», aunque es posible que no hubiera nada de este material.

Era el mediodía de uno de esos inquietantes días de invierno más brillantes de lo que deberían. Los blancos rayos del sol se filtraban entre las pesadas cortinas, que seguramente eran de color granate, o eso creo, y sin duda de terciopelo. Por debajo del habitual olor a vegetales hervidos y pescado tibio de todo comedor de hotel, se percibía un olor a metal caliente y tela humeante. La mesa que Richard había reservado estaba en un rincón oscuro, lejos de la abrasiva luz del día. En un jarrito había una flor roja, por encima de la cual yo miraba fijamente a Richard preguntándome cómo abordaría el tema. ¿Me tomaría de la mano, la estrecharía entre las suyas, dudaría, tartamudearía? Me parecía que no.

No me desagradaba en exceso. Pero no me gustaba. Apenas si tenía una opinión formada de él, porque casi nunca ocupaba mis pensamientos, aunque de vez en cuando me había fijado en la suavidad de sus ropas. A veces se mostraba pomposo, pero al menos no era lo que se diría feo, en absoluto. Como candidato, pensé, no estaba mal. Me sentía un poco mareada. Aún no sabía qué haría.

Vino el camarero. Richard hizo el pedido. Luego consultó el reloj. Después habló. Oí poco de lo que me decía. Sacó una pequeña caja envuelta en terciopelo negro y la abrió. Dentro había un fragmento de luz resplandeciente.

Pasé la noche acurrucada y temblando en la gran cama del hotel. Tenía los pies helados, las piernas encogidas, la cabeza ladeada sobre la almohada; delante de mí, la ártica vastedad de las almidonadas sábanas blancas se extendía hasta el infinito. Era consciente de que nunca podría atravesarla, de que jamás regresaría al camino, al calor; sabía que había perdido el norte, que estaba perdida. Años más tarde, un equipo de intrépidos me descubriría caída en el camino, con un brazo estirado como si tratara de aferrarme a la hierba, las facciones disecadas, los dedos roídos por los lobos.

Lo que estaba experimentando se llamaba miedo, pero no miedo de Richard como tal. Era como si la bóveda iluminada del hotel Royal York hubiese cedido y una presencia maligna localizada en alguna parte sobre la superficie vacía salpicada de negro del cielo me contemplase. Se trataba de Dios, que miraba hacia abajo con el irónico reflector blanco de su único ojo. Estaba observándome, observando mi apuro, mi incapacidad de creer en él. Mi habitación no tenía suelo, sino que estaba suspendida en el aire, a punto de caer en picado. Mi caída sería interminable..., hacia abajo, eternamente.

Sin embargo, cuando se es joven esas sombrías sensaciones no suelen persistir a la clara luz de la mañana.

La Corte Arcádica

Al otro lado de la ventana, en el patio a oscuras, hay nieve. Contra el vidrio se oye un ruido como de besos. Se fundirá, porque sólo estamos en noviembre, pero no deja de constituir un anticipo. Desconozco el motivo por el que lo encuentro tan emocionante. Sé lo que viene: nieve derretida, oscuridad, gripe, hielo negro, viento, manchas de sal en las botas. No obstante, produce cierto sentimiento de expectación, como si se hiciera acopio de fuerzas para el combate. El invierno es algo que uno puede salir a buscar, enfrentarse a él y, luego, dejarlo con un palmo de narices retirándose al interior. Claro que..., lástima que esta casa no tenga chimenea.

La casa en la que vivía con Richard tenía chimenea. Cuatro a falta de una, en cada habitación, por lo que recuerdo. Llamas que lamían la piel.

Estiro las mangas del jersey y escondo las manos dentro de los puños; me recuerdan aquellos guantes sin dedos que cierta gente —las verduleras, por ejemplo— solía emplear para trabajar cuando hacía frío. Hasta ahora, el otoño ha sido cálido, pero no debo confiarme y no hacer nada. He de revisar la caldera, sacar el camisón de franela, proveerme de latas de judías en salsa de tomate, velas y cerillas. Si cae una tormenta de nieve que lo bloquee todo, como la del invierno pasado, me veré sin electricidad, sin agua corriente en el lavabo y sin más agua para beber que la que obtenga del hielo que consiga fundir.

El jardín no tiene más que hojas muertas y tallos quebradizos, aparte de algunos crisantemos obstinados. El sol está cada vez más bajo, y oscurece pronto. Escribo dentro de casa, en la mesa de la cocina. Echo de menos el ruido de las cascadas. A veces el viento sopla entre las ramas sin hojas, que viene a ser lo mismo, aunque menos fiable.

Una semana después de que aceptase casarme con Richard, me enviaron a comer con su hermana, Winifred Griffen Prior. La idea, en realidad, había sido de ella, pero yo tenía la sensación de que se le había ocurrido a él. Quizá me equivocara, porque Winifred tocaba muchas cuerdas, y es posible que en esa ocasión se ocupase de Richard. Lo más probable, sin embargo, es que se tratara de una decisión conjunta.

La comida tenía que celebrarse en la Corte Arcádica. Era el lugar donde comían las señoras, en la planta superior de los almacenes Simpson, en la calle Queen, un espacio alto y ancho que, según decían, era de estilo «bizantino» (lo que significaba que tenía arcadas y palmeras en tiestos), con profusión de colores lila y plateado, y perfiles estilizados en los apliques de la luz y las sillas. A media altura había un balcón, con barandilla de hierro forjado, que era sólo para hombres de negocios. Se sentaban allí y miraban a las señoras, tocadas con plumas y gorgoteando como si estuviesen en una pajarera.

Yo iba vestida con la mejor ropa que tenía para una ocasión como ésa: un traje chaqueta azul marino con la falda plisada, blusa blanca con lazo en el cuello, sombrero azul marino semejante a un canotier. El conjunto me daba aire de niña, o de miembro del Ejército de Salvación. Pasaré por alto la mención a mis zapatos; aún ahora, sólo de pensar en ellos me deprimo. Llevaba el prístino anillo de compromiso escondido bajo el guante de algodón, consciente de que, con una ropa como la mía, debía de parecer una gema artificial o que lo había robado.

El *maître* me miró como si fuera evidente que me había equivocado de sitio o, al menos, de puerta: ¿quería trabajo? Se me veía desastrada y demasiado joven para compartir mesa con unas señoras. Pero entonces pronuncié el nombre de Winifred y todo fue sobre ruedas, porque Winifred vivía absolutamente en la Corte Arcádica. («Vivía absolutamente» era una expresión que le pertenecía.)

Al menos no tuve que esperar bebiendo un vaso de agua mientras las elegantes mujeres me miraban preguntándose cómo había entrado allí, porque Winifred ya estaba sentada a una de las blancas mesas. Era más alta de lo que la recordaba, y esbelta, diría, o quizá cimbreña, aunque parte de ello debería atribuirse a la corsetería. Llevaba un conjunto verde, no verde pastel sino verde vibrante, casi flagrante. (El chicle de clorofila que se puso de moda dos décadas después era de ese color.) Calzaba zapatos color verde caimán a juego. Eran brillantes, gomosos, con aspecto de estar húmedos, como los nenúfares, y pensé que jamás había visto unos zapatos tan exquisitos y poco habituales. El sombrero era del mismo color: una espiral de tela verde que permanecía en equilibrio sobre su cabeza como un pastel venenoso.

Justo en aquel momento se encontraba haciendo algo que, según me habían enseñado, nunca debía hacer porque era una vulgaridad: estaba mirándose la cara en el espejo de su neceser, en público. Peor, se estaba empolvando la nariz. Mientras yo vacilaba —no quería que advirtiese que la había sorprendido en un acto tan vulgar—, cerró el espejo y lo metió en su brillante bolso verde caimán como si no pasara nada. Luego estiró el cuello, volvió lentamente el empolvado rostro y miró alrededor emitiendo un resplandor blanco, como un faro. Me vio, sonrió y tendió una mano lánguida y acogedora. Llevaba un brazalete de plata que codicié en el acto.

—Llámame Freddie —me dijo en cuanto me hube sentado—. Todas mis amigas me llaman así, y quiero que tú y yo seamos grandes amigas. —Era habitual entonces llamar a las mujeres como Winifred con diminutivos para que parecieran más jóvenes: Billie, Bobbie, Willie, Charlie. Yo no pude ofrecerle ningún apodo, porque no lo tenía—. Oh, ¿éste es el anillo? —preguntó—. Es precioso, ¿no?

Ayudé a Richard a elegirlo. Le gusta que lo acompañe cuando se trata de comprar; como a todos los hombres, le provoca migraña. Él prefería una esmeralda, pero no hay nada como un diamante, ¿no crees?

Mientras hablaba, me examinaba con curiosidad y cierta diversión para ver cómo me tomaba aquella reducción de mi anillo de compromiso a una compra trivial. Tenía unos ojos inteligentes y extrañamente grandes, y los párpados sombreados de verde. La línea de las cejas, dibujada con lápiz, trazaba un suave arco que le daba aquella expresión de aburrimiento y a la vez de asombro incrédulo que cultivaban las estrellas de cine de la época, aunque dudo que Winifred llegara a asombrarse demasiado. Llevaba los labios pintados de color naranja rosado oscuro, un tono que (según había leído en las revistas que me tragaba por las tardes, podría llamarse «gamba») empezaba a ponerse de moda. Su boca tenía la misma cualidad cinemática que las cejas: las dos mitades del labio superior coincidían en un arco de Cupido. Su voz era lo que se llamaba «voz de whisky», baja, profunda casi, con un revestimiento áspero y rasposo como la lengua de un gato, como terciopelo hecho de cuero.

(Más tarde descubrí que le gustaba jugar a las cartas. Al bridge, no al póquer, y eso que habría sido buena en este último, marcándose faroles, pero era demasiado arriesgado, demasiado azaroso, y a ella le gustaba saber qué se jugaba. También practicaba el golf, pero sobre todo por los contactos sociales que le permitía hacer; no era tan buena como pretendía. El tenis era demasiado agotador para ella; no le parecía bien que la viesen sudar. También «navegaba», lo que para ella significaba sentarse en un barco sobre un cojín, con sombrero y copa.)

Winifred me preguntó qué quería comer. Contesté que cualquier cosa. Me llamó «querida» y dijo que la ensalada Waldorf era maravillosa. Repuse que perfecto.

No sabía cómo arreglármelas para llamarla Freddie; se me antojaba demasiado familiar, irrespetuoso, incluso. Al fin y al cabo, se trataba de una mujer adulta: tenía treinta años, o al menos veintinueve. Era seis o siete años más joven que Richard, pero se llevaban muy bien: «Richard y yo somos grandes compañeros», manifestó confidencialmente, y no por única vez. Se trataba de una amenaza, desde luego, como gran parte de lo que me dijo en aquel tono distendido e íntimo. No sólo quería significar que ella poseía derechos que estaban por encima de los míos y lealtades que yo ni siquiera podía llegar a entender, sino también que, si alguna vez molestaba a Richard, tendría que enfrentarme con los dos.

Me explicó que era ella quien organizaba las actividades de Richard —los acontecimientos sociales, los cócteles, las cenas y todo eso— porque era soltero y, como dijo entonces (y seguiría diciendo, año tras año): «Nosotras las chicas nos ocupamos de esa clase de cosas.» Luego aseguró que estaba encantada de que por fin Richard se hubiera decidido, y por una joven tan agradable como yo, además. Había tenido un par de líos…, algunos enredos anteriores. (Así es cómo Winifred hablaba siempre de las mujeres en relación con Richard: «enredos», redes, lazos o cepos, cuando no simples restos de chicle que uno pisa y se lleva pegados en el zapato por error.)

Por suerte, Richard había conseguido escabullirse de esos enredos, y no es que las mujeres no lo persiguieran. Lo perseguían «en manada», señaló bajando el tono de su voz carrasposa, y se me presentó una imagen de Richard con la camisa rasgada, los cabellos, peinados con tanto esmero, alborotados, y huyendo, presa del pánico, de un grupo de mujeres que aullaban tras él. Pero no podía creer en una imagen así. No lograba imaginar a Richard corriendo, huyendo, ni siquiera temeroso. No me lo imaginaba en peligro.

Yo asentía y sonreía, sin saber en qué consistía mi papel. ¿Era yo una de esas pegajosas perseguidoras? Tal vez. Superficialmente, no obstante, se me daba a entender que Richard tenía un alto valor intrínseco y que, para estar a su altura, más me valía andar con cuidado.

—Pero estoy segura de que lo conseguirás —sentenció Winifred con una media sonrisa—. ¡Eres tan joven!

Sin embargo, esa juventud mía no me facilitaba precisamente actuar a mi aire, que era con lo que contaba Winifred. No tenía ninguna intención de dejar en manos de nadie la organización de nada.

Nos trajeron las ensaladas Waldorf. Winifred miró cómo tomaba el cuchillo y el tenedor —«al menos no come con las manos», parecía decir su expresión—, y exhaló un breve suspiro. Ahora comprendo que para ella debió de suponer un gran esfuerzo. No hay duda de que me consideraba huraña y poco comunicativa, además de ignorante, rústica, incapaz de hablar de nada. O acaso fuera un suspiro de expectación ante la tarea que tenía por delante, porque yo era un trozo de arcilla en bruto que podría moldear a placer.

No era cosa de perder el tiempo. Se lanzó de cabeza. Empleó su método característico de indirectas y sugerencias. (Tenía otro, la coacción, pero en esa comida no lo practicó.) Dijo que había conocido a mi abuela, o al menos que sabía cosas de ella. Las mujeres Montfort de Montreal habían sido célebres por su estilo, añadió, pero estaba claro que Adelia Montfort se había muerto antes de que yo naciese. Era su manera de decir que, a pesar de mis ancestros, en realidad empezábamos de cero.

En cuanto a la ropa, era lo menos importante. La ropa siempre podía comprarse, aunque, desde luego, tendría que aprender a llevarla con gracia. «Como si fuera una segunda piel, querida», señaló. Mi peinado, la melena sujeta con un clip, estaba claramente fuera de lugar. Necesitaba un buen corte y una permanente. Después llegó el turno de las uñas. Nada de colores chillones, por supuesto, era demasiado joven para ello.

—Podrías quedar de maravilla —sentenció—. Absolutamente. Con el mínimo esfuerzo.

Yo escuchaba con humildad y resentimiento. Sabía que no tenía encanto. Ni Laura ni yo lo teníamos. Éramos demasiado reservadas, o demasiado directas. Nunca aprendimos a derrochar encanto; Reenie nos había metido en la cabeza que el hecho de ser quienes éramos debía ser suficiente para cualquiera. No teníamos por qué exponernos ante la gente, cortejarla con halagos, persuasión y caídas de ojos. Supongo que padre era capaz de valorar el encanto en algunos terrenos, pero no nos lo había inculcado a ninguna de las dos. Como él quería que fuésemos chicos, era como si lo fuésemos. No se enseña a los chicos a ser encantadores. La gente los mira mal.

Winifred me observaba comer con una sonrisa socarrona en los labios. En su cabeza ya me estaba convirtiendo en un despliegue de adjetivos y anécdotas divertidas que ofrecería a sus amigas, las Billies, Bobbies y Charlies. «Iba vestida como una indigente. Comía como si no hubiera probado bocado en su vida ¡Y los zapatos!»

—Bueno —dijo después de haber probado la ensalada (Winifred nunca se terminaba el plato)—, ahora vamos a pensar juntas.

Yo no sabía a qué se refería. Exhaló otro suspiro.

—Vamos a planificar la boda —prosiguió—. No tenemos mucho tiempo. Yo pensaba en San Simón Apóstol y, después, para la recepción, la sala de baile del Royal York, la central.

Supongo que me había imaginado que me entregarían a Richard como si fuera un paquete, pero no, tenía que ser todo con ceremonia, y más de una: cócteles, tés, fiestas, sesiones fotográficas para los periódicos. Sería como la boda de mi madre en las historias que nos contaba Reenie, aunque algo no cuadraba, faltaban cosas. ¿Dónde estaba el preludio romántico con el joven hincado a mis pies? Sentí un escalofrío que se originó en las rodillas y me subió hasta la cara. Winifred se dio cuenta, pero no hizo el menor gesto para tranquilizarme. No quería tranquilizarme.

—No te preocupes, querida —dijo, en un tono que indicaba pocas esperanzas. Me acarició el brazo—. Yo te llevaré de la mano.

Sentí que mi voluntad me abandonaba, que perdía el poco poder que conservaba sobre mis propias acciones, si conservaba alguno. (¡Qué desfachatez! pienso ahora. Representó a la perfección el papel de alcahueta, de proxeneta.)

—Dios mío, fíjate qué tarde se ha hecho —exclamó. Llevaba un reloj de plata, flexible como una cinta de metal fundido, que tenía puntos en lugar de números—. He de irme volando. Te traerán un poco de té y un flan o lo que quieras. ¡Las jóvenes sois tan golosas! —Rió, se levantó y me dio un beso de color de gamba, no en la mejilla sino en la frente. Eso sirvió para ponerme en mi sitio, que era, estaba claro, el de una niña.

La miré alejarse como si se deslizara por el ondulado espacio color pastel de la Corte Arcádica, dispensando breves movimientos de la cabeza y pequeños ademanes estudiados con la mano. El aire se abría a su paso como la hierba alta; sus piernas no parecían unidas a las caderas sino directamente a la cintura; nada se sacudía. Yo tenía la sensación de que mi cuerpo se desbordaba junto a los tirantes y las gomas y por encima de los calcetines. Sentí anhelos de emular aquella manera de andar, tan suave, inmaterial e invulnerable.

Para casarme, no salí de Avilion sino de Rosedale, del caserón de falso estilo Tudor de Winifred. Como la mayoría de los invitados eran de Toronto, se consideró más conveniente. Además, sería menos embarazoso para mi padre, que no podía permitirse la clase de boda que Winifred tenía en mente.

Ni siquiera podía hacerse cargo de mi ajuar; Winifred también se ocupó de ello. En mi equipaje —en uno de mis flamantes baúles—, había una falda de tenis, aunque yo no sabía jugar al tenis, un traje de baño, aunque no sabía nadar, y varios vestidos de baile, aunque no sabía bailar. ¿Dónde podía haber practicado esas actividades? En Avilion desde luego que no; ni siquiera nadar, porque Reenie no nos dejaba. Pero Winifred había insistido en comprar esa indumentaria. Dijo que tenía que representar mi papel fueran cuales fueren mis deficiencias, que nunca debía admitir.

—Di que tienes dolor de cabeza —indicó—. Es siempre una excusa aceptable.

También me dijo muchas cosas más.

—No es malo dar muestras de aburrimiento. Lo que jamás se debe mostrar es temor. Se despide un olor especial, como los tiburones, y se te echan encima. Puedes mirar al borde de la mesa (bajando los párpados), pero nunca al suelo, porque dejas al descubierto el lado más vulnerable del cuello. Cuando estás de pie, no te pongas erguida, no eres un soldado. Tampoco te encojas. Si alguien te dice algo insultante, respón «¿Perdone?», como si no lo hubieras oído; nueve veces de cada diez no tendrán arrestos para repetirlo. Nunca alces la voz a un camarero, es una vulgaridad. Haz que se inclinen, para eso están. No jueguetees con los guantes o con el sombrero. Simula siempre que tienes algo mejor que hacer, pero jamás des muestras de impaciencia. Cuando dudes, ve al lavabo, pero despacio. La gracia nace de la indiferencia.

Así eran sus sermones, y debo admitir que, a pesar de lo que la aborrecí, esos consejos han tenido un valor considerable en mi vida.

La noche anterior a la boda la pasé en una de las mejores habitaciones para invitados de Winifred. «Ponte guapa», me dijo ésta alegremente, dando a entender que no lo estaba. Me había entregado un poco de crema y unos guantes de algodón: tenía que untarme las manos con la crema y ponerme los guantes encima. Este tratamiento servía para dar a las manos blancura, suavidad y textura de manteca de cerdo.

Estuve un rato en el cuarto de baño adjunto, escuchando el ruido del agua que chocaba contra la porcelana de la bañera y estudiándome la cara en el espejo. Tenía la sensación de carecer de facciones, como si se hubieran borrado igual que una pastilla de jabón usada o la luna en cuarto menguante.

Laura entró en el lavabo desde su propia habitación y se sentó en la taza del váter. No tenía el hábito de llamar a la puerta cuando se trataba de mí.

Llevaba un sencillo camisón de algodón blanco, que había sido mío, y el cabello, recogido en una coleta de color trigo, le colgaba sobre el hombro. Iba descalza.

—¿Dónde están tus zapatillas? —pregunté.

Su expresión era compungida. Con aquella cara, el camisón y los pies descalzos, parecía una penitente, una hereje de cuadro antiguo camino de la ejecución. Tenía las manos enlazadas en el regazo, formando una O con los dedos como si sostuviera una vela encendida.

—Me las he olvidado. —Vestida, aparentaba más edad de la que tenía, por su estatura, pero en ese momento parecía más pequeña, de unos doce años, y olía a bebé. Se debía al champú que usaba, de bebé, más barato. Era partidaria de economizar en las cosas pequeñas y fútiles. Echó un vistazo al baño y se quedó mirando las baldosas—. No quiero que te cases —dijo.

—Ya me he dado cuenta —repuse. Había presenciado, abatida, todos los preparativos —las recepciones, las pruebas de la modista, los ensayos—, no prestaba ninguna atención a Richard y obedecía inexpresivamente a Winifred como una criada sujeta a contrato. Conmigo, se mostraba enfadada, como si aquella boda fuese un capricho malicioso por mi parte en el mejor de los casos, o un rechazo de su persona en el peor. Al principio pensé que a lo mejor se trataba de envidia, pero no era eso exactamente—. ¿Por qué no quieres que me case?

—Eres demasiado joven —contestó.

—Madre tenía dieciocho. Además, estoy a punto de cumplir diecinueve.

—Pero es lo que ella quería. Deseaba casarse.

—¿Cómo sabes que yo no lo deseo? —inquirí, exasperada.

Guardó silencio por un instante y luego, mirándome, dijo:

—Es imposible que lo desees. —Tenía los ojos húmedos y enrojecidos; había llorado. Eso hizo que me enfadase: ¿qué derecho tenía ella a llorar? Si alguien tenía que llorar, era yo.

—Lo que yo desee no es lo importante —dije con aspereza—. Es lo que debo hacer. No tenemos dinero, ¿o es que no te has dado cuenta? ¿Te gustaría que nos pusieran en la calle?

—Podríamos buscar trabajo —aventuró. Mi colonia estaba en el estante de la ventana, a su lado; se puso un poco, distraídamente. Era Liù, de Guerlain, regalo de Richard. (Elegida, como ella misma se había encargado de comunicarme, por Winifred. «Los hombres se quedan perplejos delante de un mostrador de perfumes. La fragancia les sube directo a la cabeza.»)

—No seas estúpida —le espeté—. ¿Qué haríamos? Te arruinas, y arrastran tu nombre por el lodo.

—Oh, podríamos hacer muchas cosas —dijo vagamente, dejando la colonia—. Podríamos ser camareras.

—No conseguiríamos vivir de eso. Las camareras no ganan casi nada. Deben humillarse para obtener propinas. Terminan con los pies planos. No tienes ni idea de lo que cuestan las cosas —agregué. Era como intentar explicar aritmética a un pájaro—. Las fábricas están cerradas, Avilion se cae a trozos, van a venderla, los bancos quieren sangre. ¿No te has fijado en padre? ¿No lo has visto? Parece un viejo.

—Es por él, entonces —dijo—. Lo haces por él. Eso lo explica, imagino. Supongo que es muy valiente de tu parte.

—Hago lo que creo correcto —repuse. Me sentía tan virtuosa, y al mismo tiempo tan perjudicada, que a punto estuve de echarme a llorar. Pero entonces habría terminado el juego.

—No es correcto —señaló—. No es correcto en absoluto. Podrías romper, todavía estás a tiempo. O huir esta noche y dejar una nota. Yo me iría contigo.

—Deja de molestar, Laura. Soy lo bastante mayor para saber qué hago.

—Pero tendrás que dejar que te toque..., ya sabes. No se trata solamente de besos. Tendrás que dejar...

—No te preocupes por mí —la interrumpí—. Déjame en paz. Tengo los ojos bien abiertos.

—Como una sonámbula —apuntó ella. Tomó mi polvera, la abrió, la olió y consiguió que cayera un poco de polvo al suelo—. Bueno, al menos dispondrás de buenos trajes —añadió.

Me dieron ganas de pegarle. Era, desde luego, mi consuelo secreto.

Después de irse, dejando tras de sí una estela de polvorientas huellas blancas, me senté en el borde de la cama mirando fijamente el baúl abierto.

Era muy moderno, amarillo claro por fuera y azul oscuro por dentro, con las aristas de acero y las cabezas de los clavos resplandecientes como estrellas metálicas. Estaba muy lleno, preparado para el viaje de luna de miel, pero a mí me parecía lleno de oscuridad, de vacío, de espacio vacío.

«Éste es mi ajuar —pensé—, mi *trousseau*.» De pronto me pareció una palabra amenazadora, extraña, definitiva. Sonaba parecida a trunco...

«El cepillo de dientes —me dije—. Lo necesitaré.» Mi cuerpo seguía sentado, inerte.

Trousseau en francés significa enseres, bártulos, todo lo que metes en un baúl, nada más que eso. Era una tontería preocuparse por ello, porque sólo se trataba de equipaje, lo que me llevaba conmigo.

El tango

Aquí está la fotografía de la boda:

Una mujer joven con traje de raso blanco, brillante, cortado al bies, con una cola que se abre en abanico en torno a los pies igual que melaza derramada. Hay algo desgarbado en la pose, quizá la colocación de las caderas, o de los pies, como si la columna, demasiado recta, no fuese la adecuada para el vestido. Para llevar una prenda así había que encoger los hombros, formar una curva sinuosa, una especie de joroba semejante a un tubérculo.

Un velo que cae a los lados de la cabeza, una cinta sobre la frente que proyecta una sombra excesivamente oscura sobre los ojos. Su sonrisa no deja ningún diente al descubierto. Una corona de florecitas blancas, una cascada de rosas más grandes, rosadas y blancas, mezcladas con estefanotes, sobre sus brazos, cuyos codos son un poco demasiado altos, cubiertos con guantes blancos. «Corona», «cascada»: eran los términos que usaban en el periódico. Una evocación monjil de agua fresca y peligrosa. «Una bella novia», rezaba el título. Por entonces se empleaba esa clase de frases. En su caso, habiendo tanto dinero en juego, la belleza era obligada.

(Hablo de «ella» porque no recuerdo haber estado presente, al menos en el sentido estricto de la palabra. Yo y la chica de la fotografía hemos dejado de ser la misma persona. Yo soy su resultado, el resultado de la vida a la que me lancé precipitadamente en una ocasión; como si ella, si es posible afirmar que existió, sólo estuviese compuesta de lo que yo recuerdo. Poseo una perspectiva mejor: la mayor parte del tiempo soy capaz de verla claramente. Ella, en cambio, aun cuando fuera capaz de mirar, no me vería en absoluto.)

Richard está a mi lado, admirable desde el punto de vista de la época y el lugar, con lo que quiero decir bastante joven, nada feo y de buena posición. Tiene aspecto de hombre importante pero al mismo tiempo socarrón: una ceja enarcada, el labio inferior un poco salido, la boca al borde de la sonrisa, como si pensara en un chiste secreto, equívoco. Clavel en la solapa, cabello peinado hacia atrás con la gomina de entonces, que hacía que pareciese que llevaba un gorro de baño brillante aplastado en la cabeza. Pero era guapo a pesar de todo, debo admitirlo. Elegante y desenvuelto. Mundano.

También hay algunas fotos de grupo: una ordenada melé en segundo plano de los amigos del novio, con trajes de etiqueta que eran más o menos los mismos para las bodas, los funerales y los *maîtres* de restaurante; un primer plano de jovencitas lozanas y resplandecientes con sus ramitos de flores. Laura consiguió echar a perder todas esas imágenes. En una de ellas se le ve claramente el ceño fruncido, en otra debió de mover la cabeza, porque tiene la cara borrosa, como una paloma que chocara contra un vidrio. En una tercera se está mordiendo un dedo y mirando de reojo con expresión de culpabilidad, como si la hubiesen sorprendido con las manos en la masa. En una cuarta la película tal vez estuviera defectuosa, porque se nota el efecto de una luz veteada que en lugar de enfocarla hacia abajo, la eleva, como si estuviera al borde de una piscina iluminada por la noche.

Después de la ceremonia, vi a Reenie, que vestía un respetable traje azul con adornos de plumas. Me abrazó cálidamente y susurró: «Ojalá tu madre estuviera aquí.» ¿Qué quería decir? ¿Para aplaudir, o para detener la ceremonia? Por su tono de voz, podía ser cualquiera de las dos cosas. Después se echó a llorar. Yo no. La gente llora en las bodas por la misma razón que lo hace ante un final feliz: porque necesita con desesperación creer en algo que sabe que no es creíble. Yo me encontraba más allá de esa clase de chiquilladas; estaba respirando el aire funesto de la desilusión, o al menos me lo parecía.

Hubo champán, desde luego. Tenía que haberlo, pues Winifred no podía pasarse sin él. Otros comían. Se pronunciaron discursos, de los que no recuerdo nada. ¿Bailamos? Creo que sí. Yo no sabía bailar, pero como de pronto me encontré en la pista de baile, seguramente di unos pasos.

Luego, antes de irnos, me cambié de ropa. Era un traje de dos piezas, de lana ligera color verde pálido, con un recatado sombrero a juego. Costaba una fortuna, me informó Winifred. Me detuve en las escaleras (¿cuáles? Las escaleras se han desvanecido en mi memoria) cuando me disponía a salir y lancé mi ramo a Laura. No lo cogió. Se quedó inmóvil, con su vestido rosado, mirándome fríamente, las manos unidas por delante, como para contenerse. Una de las damas de honor —alguna de las primas Griffen— lo agarró y se lo llevó a la cara con avaricia, como si se tratara de comida.

A esas alturas, mi padre ya había desaparecido. Menos mal, porque la última vez que lo habían visto iba bastante borracho. Supongo que se fue a terminar lo que había empezado.

Richard me tomó del brazo y me llevó hacia el coche en que huiríamos. Nadie debía enterarse de nuestro destino, que se daba por sentado sería algún lugar de fuera de la ciudad, un hotel aislado y romántico. En realidad, el coche rodeó el edificio hasta la entrada lateral del hotel Royal York, en el que acabábamos de celebrar la fiesta, y nos metimos en el ascensor. Richard dijo que, como a la mañana siguiente teníamos que tomar el tren para Nueva York y Union Station quedaba justo enfrente, ¿qué sentido tenía desplazarnos?

Sobre mi noche de bodas, o más bien mi tarde de bodas —todavía no se había puesto el sol y, como dicen, un resplandor halagüeño bañaba la habitación, porque Richard no corrió las cortinas—, diré muy poco. No sabía qué pasaría; mi única fuente de información había sido Reenie, quien me había convencido de que, pasara lo que pasase, sería desagradable y, muy probablemente, doloroso, y en eso no quedé defraudada. También me había dicho, implícitamente, que ese acontecimiento o sensación desagradable no era nada anormal —todas las mujeres, o al menos todas las que se casaban, pasaban por ello—, por lo que no debía montar escándalo alguno. «Traga saliva y sopórtalo», habían sido sus palabras. Me había avisado que habría un poco de sangre, y la hubo. (Pero no me había explicado por qué. Esa parte fue una verdadera sorpresa.)

Aún no sabía que mi marido consideraba normal e incluso deseable mi ausencia de placer, mi desagrado, incluso mi sufrimiento. Era uno de esos hombres que pensaban que si una mujer no experimentaba placer sexual, mejor, así no sería susceptible de salir a buscarlo en otra parte. Quizá semejante actitud fuese común, en aquella época, o quizá no. No tengo manera de saberlo.

Richard había pedido que nos subieran una botella de champán en el momento que, según él, sería el adecuado. También la cena. En cuanto a mí, me fui al baño renqueando y me encerré mientras el camarero lo disponía todo en una mesa portátil con mantel de lino. Yo llevaba lo que Winifred había considerado apropiado para la ocasión, que era un camisón de raso de un tono rosa salmón, con un delicado borde de encaje gris. Intenté limpiarme con una toalla y a continuación me pregunté qué hacer con ella; estaba tan roja como si hubiera tenido una hemorragia nasal. Al final la metí en la papelera y confié en que la muchacha del hotel no pensara que había caído allí por error.

Luego me rocié con Liù, cuyo perfume me parecía delicado y tenue. El nombre, a esas alturas ya lo había descubierto, era el de la chica de una ópera, una esclava a la que el destino llevaba a quitarse la vida antes que traicionar al hombre que amaba, quien a su vez amaba a otra persona. Eran cosas que pasaban en las óperas. No me parecía una fragancia auspiciosa, pero me inquietaba mi mal olor. Olía raro. La rareza venía de Richard, pero había pasado a ser mía. Confiaba en no haber hecho mucho ruido. Jadeos involuntarios, profundas inhalaciones, como cuando te tiras al agua fría.

La cena consistió en un bistec con ensalada. Comí sobre todo esta última. En aquella época, daban la misma lechuga en todos los hoteles. Sabía a agua verde, a escarcha.

El viaje en tren a Nueva York transcurrió sin incidentes. Richard leía periódicos, yo leía revistas. La conversación no difería en nada de las de antes de la boda. (Dudo en llamarlo conversación, porque yo casi no hablaba. Sonreía y asentía, y no escuchaba.)

En Nueva York, cenamos en un restaurante con unos amigos de Richard, una pareja cuyos nombres he olvidado. Sin duda, se trataba de nuevos ricos, tan nuevos que chirriaban. La ropa que llevaban parecía forrada con billetes de dólar. Me pregunté cómo ganarían ese dinero; era sospechoso.

Esas personas no conocían muy bien a Richard, ni tenían muchas ganas de conocerlo; sencillamente, le debían algo, un favor o algo así. Le tenían miedo y lo trataban con cierto respeto. Lo deduje por el afán que ponían en encender los cigarrillos: quién se lo encendía a quién y con cuánta premura. Richard disfrutaba de su deferencia. Le encantaba que le encendieran los cigarrillos y, por extensión, que me los encendieran a mí.

Se me ocurrió que Richard no sólo quería salir con ellos porque le gustaba rodearse de un pequeño círculo de aduladores, sino porque no quería estar a solas conmigo. No podía reprochárselo, puesto que yo tenía poco que decir. A pesar de todo, en compañía de otros se mostraba solícito conmigo, me dispensaba atenciones, siempre pendiente de mí, donde fuera. De vez en cuando echaba una ojeada a la sala para cerciorarse de que los otros hombres lo envidiaban. (Desde luego, en lo que a mí concierne eso es retrospectivo; en aquel tiempo era incapaz de darme cuenta de esa clase de cosas.)

El restaurante era muy caro, y también muy moderno. Jamás había visto nada parecido. Las cosas, más que brillar, resplandecían; había madera blanqueada, cromados y cristales de colores por todas partes, y mucho contrachapado, además de esculturas de mujeres estilizadas, hechas de hierro o de bronce, suaves como caramelo, con cejas pero sin ojos, con caderas contorneadas pero sin pies, con brazos que se fundían en sus torsos; esferas de mármol blanco; espejos redondos como ojos de buey. En cada mesa había un lirio en una estrecha vasija de acero.

Los amigos de Richard eran mayores que él, y la mujer parecía tener más años que el hombre. Llevaba un visón blanco, a pesar del clima primaveral. El traje también era blanco, con un diseño inspirado —según nos explicó— en la Grecia antigua, la Victoria Alada de Samotracia, para ser exactos. Una cuerda dorada cruzada entre los pechos y ceñida debajo de ellos recogía los pliegues del vestido. Me dije que si tuviera unos pechos tan caídos como aquellos, jamás me pondría un traje así. La piel que el escote dejaba al descubierto se veía arrugada y salpicada de pecas como la de los brazos. Su marido permanecía callado mientras ella hablaba, con las manos juntas y una media sonrisa perfectamente cimentada en los labios; miraba con actitud prudente hacia el mantel. «Así pues, esto es el matrimonio —pensé—, este tedio compartido, esta agitación y esos pequeños puntos pulverulentos que se forman a los lados de la nariz.»

—Richard no nos había advertido que eras tan joven —dijo la mujer.

—Ya dejará de serlo —apuntó su marido, y ella rió.

Consideré la palabra «advertencia»; ¿era yo tan peligrosa acaso? Más o menos como las ovejas, pienso ahora, tan tontas que se extravían y terminan en la cima acorraladas por los lobos, y sólo las salva del apuro el pastor que se juega el cuello por ellas.

Pronto —tras dos días en Nueva York, ¿o fueron tres?— zarpamos hacia Europa en el *Berengeria*, que según Richard era el barco en el que viajaba toda la gente que contaba. El mar estaba casi en calma para esa época del año, pero me mareé de todos modos como una sopa. (¿Por qué como una sopa, ahora que lo pienso?)

Me llevaron un balde y un té frío aguado, con azúcar pero sin leche. Richard me aconsejó que bebiese champán, que no había mejor remedio, pero no quise arriesgarme. Me trataba con relativa consideración, aunque también con relativo enojo, pues era una lástima que me encontrase mal. Le dije que no deseaba estropearle la velada y que saliese a hablar con la gente, y se fue. La ventaja de mi mareo fue que Richard no se sintió inclinado a subirse a mi cama. Las relaciones sexuales pueden ir acompañadas de muchas cosas, pero el vómito no es una de ellas.

A la mañana siguiente, Richard me aconsejó que hiciera el esfuerzo de ir a desayunar, como si con la actitud adecuada ya se ganara media guerra. Me senté a la mesa, picoteé un poco de pan, bebí agua e intenté no hacer caso de los olores de la cocina. Me sentía incorpórea y flácida, con la piel de gallina, como un globo desinflándose. Richard se preocupaba por mí de manera intermitente, pero conocía a personas, o parecía conocerlas, y ellas lo conocían a él. Se levantaba, daba un apretón de manos y volvía a sentarse. A veces me presentaba; otras no. Sin embargo, no conocía a toda la gente que quería conocer. Estaba claro por la manera en que no paraba de mirar alrededor, más allá de mí, más allá de los que hablaban con él, por encima de sus cabezas.

Durante el día me fui recuperando poco a poco. Bebí *ginger ale*, y me sentó bien. No cené, pero me senté a la mesa. Por la noche había un espectáculo de cabaret. Me puse el vestido de color gris paloma que Winifred había elegido para semejante ocasión con una capa de *chiffon* lila. Llevaba unas sandalias, también de color lila, de tacón alto; me tambaleaba ligeramente. Richard comentó que el aire marino parecía haber hecho las paces conmigo; añadió que tenía el toque de color perfecto, un ligero sonrojo de colegiala. Según él estaba maravillosa. Me condujo hasta la mesa que había reservado y pidió un martini para mí y otro para él. Dijo que el martini me pondría a tono en el acto.

Bebí un poco y, a continuación, Richard dejó de estar a mi lado y apareció una cantante bajo un foco de luz. Tenía el cabello negro y rizado, caído sobre un ojo y llevaba un vestido negro de tubo cubierto de grandes lentejuelas escamosas que se aferraban a su trasero, firme pero prominente, sujetas por lo que parecía una cuerda retorcida. La miré fascinada. Nunca había estado en un cabaret, ni siquiera en un club nocturno. Ella movía los hombros y cantaba *Stormy Weather* con una voz que era como un gruñido sensual. Cuando se inclinaba se le veía prácticamente hasta la cintura.

Los espectadores miraban y escuchaban desde sus mesas, comentando la opinión que les merecía, si les gustaba o no, si se dejarían seducir o no, si aprobaban o desaprobaban su actuación, su vestido, su trasero. Ella, en cambio, no era libre. Estaba obligada a hacer todo aquello: cantar, contorsionarse. Me pregunté cuánto le pagarían, y si valía la pena. Sólo si se es pobre, decidí. Desde entonces he considerado que eso de estar bajo los focos constituye una especie de humillación. De los focos, si se podía, era mejor huir.

Después de la cantante salió un hombre que tocaba un piano blanco, muy rápido, y después de él una pareja de bailarines profesionales, mientras tomaban las notas de un tango. Iban de negro, como la cantante. Bajo la luz del reflector, que en esta ocasión emitía un resplandor verde ácido, el cabello les brillaba como charol. La mujer tenía un rizo negro pegado a la frente y una gran rosa roja detrás de la oreja. El vestido presentaba cierto vuelo a partir de la mitad del muslo, pero por lo demás le sentaba como una media. La música sonaba irregular, renqueante, como un cuadrúpedo que acechara sobre tres patas, un toro cojo con la cabeza baja, arremetiendo.

En cuanto al baile, semejaba más una batalla que una danza. Los bailarines tenían el rostro rígido, impenetrable; se miraban el uno al otro con destellos de ira en espera de la oportunidad de morder. Yo sabía que se trataba de una representación y advertía que lo hacían perfectamente, pero los dos parecían heridos.

Llegó el tercer día. A primera hora de la tarde salí a cubierta en busca de aire fresco. Richard no vino conmigo; estaba esperando telegramas importantes, me explicó. Ya había recibido muchos; abría los sobres con un cortapapeles de plata, leía el contenido y los rompía o guardaba en su cartera, que estaba siempre cerrada.

Yo no tenía un interés especial en que me acompañase a cubierta, pero aun así me sentí sola. Sola y, en consecuencia, abandonada.

Abandonada y, por lo tanto, vencida. Como si me hubiesen dejado plantada, como si se me hubiera roto el corazón. Un grupo de ingleses vestidos de lino de color crema se quedaron mirándome. No era una mirada hostil, sino inexpresiva, remota, ligeramente indagadora. Nadie es capaz de mirar tan fijamente como los ingleses. Me sentí arrugada y repugnante, y sin el mínimo interés.

El cielo estaba cubierto, las nubes eran de un gris sombrío y pendían en racimos como estopa de un colchón demasiado lleno. Lloviznaba suavemente. Yo no llevaba sombrero por miedo a que se me volase, de modo que me cubría con un pañuelo de seda, atado al mentón. Me quedé junto a la barandilla mirando a un lado y a otro, a las olas de color pizarra que se formaban sin parar, a la estela blanca del barco que garabateaba su breve mensaje sin sentido. Semejaba la clave de un percance oculto, un rastro de *chiffon* roto. El hollín de las chimeneas caía sobre mí; se me soltaron los cabellos y los mechones mojados se me pegaban a las mejillas.

«De modo que esto es el océano», pensé. Parecía menos profundo de lo que había creído. Intenté recordar algo que hubiera leído sobre él, algún poema, pero no lo conseguí. «Rompen una y otra vez las olas...» Había algo que empezaba así. Seguía con «piedras grises, ¡oh mar!».

Quería arrojar algo al agua, lo sentía casi como una obligación. Al final tiré una moneda de cobre, pero no formulé ningún deseo.

VI

IV

El asesino ciego: El traje de pata de gallo

Hace girar la llave. Es una cerradura con pestillo, lo que constituye una pequeña bendición. Esta vez tiene suerte, le han prestado todo un piso. Un cuarto de soltero, una sola habitación grande con una cocina estrecha, pero con baño propio y una bañera con patas de zarpa, y toallas rosadas. Detalles lujosos. Pertenece a la amiga de un amigo de un amigo que ha salido de la ciudad para ir a un funeral. Cuatro días enteros de seguridad, o de ilusión de seguridad.

Las cortinas, que hacen juego con la colcha, son de seda gruesa de color cereza, sobre tenues visillos. Un poco alejado de ellas, mira hacia fuera. La vista —lo que consigue divisar a través de las hojas amarillentas— es de los jardines Allan. Hay un par de borrachos o vagabundos tumbados bajo los árboles, uno de ellos con la cara oculta por un periódico. Él ha dormido así muchas veces. Los periódicos humedecidos por el aliento huelen a pobreza, a fracaso, a tapicería enmohecida cubierta de pelos de perro. Sobre la hierba ve una serie de carteles y papeles arrugados de la noche anterior; hubo una concentración, los camaradas martillearon una vez más su dogma ante los oyentes con la pretensión de apilar heno cuando no lucía el sol. Dos hombres desconsolados, provistos de pinchos con punta de acero y sacos de arpillera, recogen los papeles. Para esos pobres individuos, al menos es un trabajo.

Ella cruzará el parque en diagonal. Se detendrá, mirará alrededor para comprobar si se acerca alguien, y al cabo de un momento de haberlo hecho, llegará.

En la neutra mesa blanca y dorada hay una radio que tiene las medidas y la forma de media hogaza. La enciende y comienza a sonar un trío mexicano, las voces son como una cuerda pura, suave, entrelazada. Ahí es adonde debería irse, a México. A beber tequila. Ir hacia abajo, o más abajo. Hasta el fondo. Convertirse en *desperado*. Pone su máquina de escribir portátil sobre la mesa, abre la tapa, la saca, mete el papel. Se está quedando sin papel carbón. Tiene tiempo de escribir unas páginas antes de que llegue ella, si es que llega. A veces la entretienen, o le interceptan el camino. Al menos es lo que dice.

Le gustaría tomarla en brazos y meterla en la lujosa bañera, cubrirla de espuma, revolcarse allí dentro con ella, como cerdos en medio de burbujas rosadas. A lo mejor lo hace.

Ha estado trabajando en una idea, o en la idea de una idea. Es acerca de una raza de extraterrestres que envían una nave espacial a explorar la Tierra. Están constituidos de cristales que han alcanzado un alto grado de organización e intentan establecer contacto con aquellos seres de la Tierra a los que consideran sus iguales: gafas, vidrios, pisapapeles venecianos, copas de vino, anillos de diamante... En eso se equivocan. Envían de regreso un informe a su mundo: «Este planeta contiene muchas reliquias interesantes de una civilización en un tiempo floreciente y ya extinta que debió de ser de orden superior. Ignoramos qué catástrofe provocó el que se extinguiera toda la vida inteligente. En la actualidad el planeta sólo alberga una variedad de filigrana verde viscosa y gran número de extraños glóbulos de barro medio líquido que andan a la deriva según las erráticas corrientes del fluido transparente y ligero que cubre la superficie del planeta. Los estridentes chillidos que producen no han de interpretarse como una forma de habla, sino que se debe a la vibración por fricción.»

No se trata de un relato, sin embargo. No puede serlo, a menos que los extraterrestres invadan la Tierra, la arrasen y despojen a alguna dama de su falda. Una invasión, no obstante, sería contraria a la premisa: si los seres de cristal creen que el planeta no tiene vida, ¿por qué tomarse la molestia de aterrizar en él? Quizá por razones arqueológicas. Para obtener muestras. De pronto, un aspirador extraterrestre succiona miles de ventanas de los rascacielos de Nueva York, así como a miles de presidentes de banco, que caen muertos entre alaridos. Eso estaría bien.

No. Todavía no es un relato. Tiene que escribir algo que venda. Tiene que volver a las infalibles mujeres muertas sedientas de sangre. Esta vez les pondrá cabellos de color púrpura, las hará salir de debajo de las orquídeas venenosas de doce meses de Arn. Lo mejor es imaginarse las ilustraciones que aparecerán en la cubierta, y partir de ahí.

Está cansado de esas mujeres. Está cansado de sus colmillos, de su agilidad, de sus pechos firmes pero maduros como toronjas, de su glotonería. Está cansado de sus tacones rojos, sus ojos viperinos. Está cansado de chocar con sus cabezas. Está cansado de héroes que se llaman Will, Burt o Ned, nombres de una sola sílaba; está cansado de los fusiles de rayos, de su estrecha funda metálica. A diez centavos el estremecimiento. A pesar de todo, si logra mantener el ritmo, es una manera de ganarse la vida, y un mendigo apenas tiene posibilidades de elegir.

Se está quedando nuevamente sin dinero. Confía en que ella le traiga un cheque, de uno de los apartados que no están a su nombre. Él se lo endosará y ella lo cobrará; llamándose como se llama, en el banco no pondrán inconvenientes. Confía en que le traiga algunos sellos de correos, y más cigarrillos. Sólo le quedan tres.

Va de un lado a otro. El suelo cruje. Buena madera, pero debajo del radiador se ven unas manchas. Este bloque de pisos lo construyeron antes de la guerra, para ejecutivos solteros y de buen carácter. Todo era más esperanzador entonces. Calefacción central, agua ca-

liente sin fin, pasillos embaldosados: a la última. No hay nada que
no haya conocido mejores tiempos. Hace unos años, cuando él era
joven, conoció a una chica que vivía aquí. Una enfermera, según recuerda; había cartas en francés en la mesilla de noche. Tenía un hornillo de dos quemadores y a veces le preparaba el desayuno: huevos
con beicon y unas crepes con jarabe de arce que eran para chuparse
los dedos. También había una cabeza de ciervo disecada que habían
dejado los inquilinos anteriores y en cuyos cuernos ponía a secar las
medias.

Pasaban juntos los sábados por la tarde y los martes por la noche, siempre que ella tenía el día libre, bebiendo whisky, ginebra,
vodka, lo que fuera. A ella le gustaba emborracharse un poco primero. No quería ir al cine o a bailar; no parecía querer un romance
ni nada parecido, lo que no estaba mal. Lo único que le pedía era resistencia. Le gustaba extender una sábana en el suelo del baño, le
gustaba la dureza de las baldosas bajo su espalda. Era horrible para
las rodillas y los codos, pero él ni lo notaba, pues estaba atento a
otras cosas. Ella gemía como si se hallara bajo los focos, volvía la cabeza, hacía girar los ojos. Una vez la poseyó de pie, en el armario
vestidor. Entre los trajes de domingo y los conjuntos de lana de cordero había un polvo que olía a naftalina. Ella lloraba de placer. Después de dejarlo, se casó con un abogado. Un matrimonio extraño, lo
había leído en el periódico, con curiosidad, sin rencor. «Bien por ella
—había pensado—. A veces las fulanas ganan.»

Días de ensalada. Días sin nombre, tardes estúpidas, rápidas y
profanas que terminaban en un santiamén, y ninguna nostalgia, antes ni después, ninguna exigencia de palabras, nada por pagar. Antes
de que él se liara en cosas que acabaron liándose.

Comprueba la hora, vuelve a mirar por la ventana y la ve atravesar el parque en diagonal. Viste sombrero de ala ancha, traje de pata
de gallo, estrecho, con cinturón y falda plisada, y bolso bajo el brazo, y camina con su curiosa ondulación, como si no acabara de acos-
tumbrarse a andar sobre las patas traseras. Es posible que se deba a

los tacones altos. A menudo se ha preguntado cómo mantienen el equilibrio. En este instante se detiene como si hubiera oído algo: mira alrededor de esa manera vaga tan suya, como si acabara de despertar de un sueño confuso, y los dos hombres que recogen los papeles la miran. «¿Ha perdido algo, señora?» Ella sigue adelante sin contestar, cruza la calzada, mira entre las hojas; debe de estar buscando el número de la calle. Ahora se acerca a las escaleras delanteras. Se oye el timbre. Él pulsa el botón, aplasta el cigarrillo en el cenicero, apaga la luz de la mesa y abre la puerta.

Hola. Estoy agotada. No he esperado el ascensor. Cierra la puerta y se queda de espaldas a ella.

No te ha seguido nadie. Estaba mirando. ¿Has traído cigarrillos?

Y tu cheque, y una botella de whisky, del mejor. Lo he sisado de nuestro bar particular, muy bien provisto. ¿Te lo había dicho?

Ella intenta comportarse con normalidad, casi con frivolidad. No lo hace bien. Permanece quieta, esperando a ver qué quiere él. Ella nunca da el primer paso, no le gusta ponerse en evidencia.

Buena chica. Él se acerca a ella y la abraza.

¿Soy buena chica? Pues a veces, cuando hago tus recados, tengo la sensación de ser la chica del gángster.

No puedes ser la chica del gángster porque yo no soy un gángster. Ves demasiadas películas.

No hay para tanto, dice ella pegada a su cuello. Le convendría cortarse el pelo. Cardo blando. Le desabrocha los cuatro botones de arriba y le mete la mano por debajo de la camisa. Tiene la piel compacta, densa, de grano fino, carbonizado. Ella ha visto ceniceros de madera tallados con esa textura.

El asesino ciego: Brocado rojo

Ha sido encantador, dice ella. El baño estaba perfecto. Nunca te había imaginado con toallas rosadas. Comparado con lo habitual, es casi opulento.

La tentación acecha en todas partes, dice él. Los antros de perdición son atractivos. Yo diría que es una fulana aficionada, ¿no crees?

Él la había envuelto en una de las toallas rosadas, la había tomado en brazos y la llevaba, mojada y resbaladiza, a la cama. Ahora están debajo de la colcha de seda de color cereza, de las sábanas de raso, bebiendo el whisky que ella ha traído. Es un buen whisky, sabe a ahumado y entra suave como un caramelo de *toffee*. Ella se estira con lujuria y se pregunta, sólo por un instante, quién lavará aquellas sábanas.

En esas habitaciones nunca consigue vencer la sensación de estar transgrediendo algo, de estar violando las fronteras privadas de quien vive normalmente en ellas. Le gustaría revisar los armarios, los cajones de las cómodas, no para llevarse nada, sino sólo para mirar, para ver cómo vive otra gente. Gente real, gente más real que ella. Le gustaría hacer lo mismo con él, sólo que él no tiene armarios, ni cómodas, o ninguna que le pertenezca. Nada que encontrar, nada que lo traicione. Sólo una vieja maleta azul que conserva cerrada; por lo general está debajo de la cama.

Sus bolsillos no ofrecen demasiada información, los ha revisado varias veces. (No era por espiar, sólo quería saber dónde se encontraban las cosas, de qué clase de cosas se trataba y dónde seguían estando.) El pañuelo, azul, con el borde blanco; unas monedas; dos colillas envueltas en papel de cera —debía de guardarlas—. Una navaja, vieja. En una ocasión, dos botones, de camisa, supuso. No se ofreció a cosérselos porque se habría dado cuenta de que había estado husmeando. Le gustaría que la considerara fiable.

Un carnet de conducir, en el que no figuraba su nombre. Un certificado de nacimiento, igual. Nombres diferentes. Le encantaría recorrerlo con un peine de dientes finos. Hurgarlo. Ponerlo cabeza abajo. Vaciarlo.

Él canta con voz melosa, como los cantantes de la radio:

> *Una habitación llena de humo, la luna y tú...*
> *Te robé un beso, prometiste serme fiel.*
> *Deslicé mi mano por debajo de tu vestido,*
> *me mordiste la oreja, nos quisimos.*
> *Ha llegado el alba, te has ido*
> *y no me has dejado más que tristeza...*

Ella se ríe. ¿De dónde la has sacado?

Es mi canción de fulanas. Encaja con el entorno.

No es una fulana de verdad. Ni siquiera aficionada. No creo que cobre. Lo más probable es que le den algún tipo de recompensa.

Muchas chocolatinas. ¿Lo harías por eso?

Tendrían que ser carretadas, dice ella. Soy moderadamente cara. Esta colcha es de auténtica seda. Me gusta el color; un poco estridente, pero bonito. Es favorecedor, como las pantallas para velas rosadas. ¿Has inventado algo más?

¿Algo más de qué?

De mi historia.

¿De tu historia?

Sí. ¿No es mi historia?

Claro que lo es, responde él. No pienso en otra cosa. Por las noches no me deja dormir.

Mentiroso. ¿Te aburre?

Nada que a ti te guste puede aburrirme.

Dios mío, qué galante. Deberíamos tener toallas rosadas más a menudo. Pronto te pondrás a besar mi zapatilla de cristal. Pero venga, adelante.

¿Dónde estaba?

Había sonado el timbre. El tajo en la garganta. Se abrió la puerta.

Oh, vale.

Él dice: La chica de la que hablábamos ha oído que se abría la puerta. Retrocede hasta la pared y se arrebuja con el brocado rojo de la Cama de Una Noche. Despide un olor salobre, como las salinas cuando baja la marea; es el temor seco de las que se fueron antes que ella. Ha entrado alguien; se oye arrastrar un objeto pesado por el suelo. La puerta vuelve a cerrarse, la habitación está a oscuras. ¿Por qué no hay lámpara ni vela?

Levanta los brazos para protegerse y nota que le toman la mano mientras otra mano la sujeta sin coerción, amablemente. Es como si estuvieran formulándole una pregunta.

No puede hablar. No puede decir: «No puedo hablar.»

El asesino ciego se quita su velo de mujer y lo arroja al suelo. Sin soltar la mano de la chica, se sienta al lado de ésta en la cama. Todavía tiene intención de matarla, pero ya lo hará más tarde. Ha oído hablar de esas chicas incautas, ocultadas al mundo hasta el último día de sus vidas; tiene curiosidad.

En cualquier caso, ella constituye una especie de regalo, y es toda para él. Rechazar semejante presente sería como escupir a la cara de los dioses. Sabe que actuará con rapidez, que terminará el trabajo y desaparecerá, pero todavía le queda mucho tiempo. Percibe la fragancia del perfume con que han ungido a la muchacha: huele a féretro, de mujeres jóvenes que han muerto sin casarse. Dulzura perdida.

Él no va a echar a perder nada, al menos nada de aquello por lo que lo han comprado y han pagado; el fraudulento Señor del Averno ya debía de haberse ido. ¿Se había dejado puesta la oxidada cota de malla? Era lo más probable. Arremetió contra ella como una llave de hierro poderosa, perforó su carne, la desgarró. Recuerda muy bien la sensación. Sea lo que sea, no lo hará.

Él levanta la mano de ella hasta su propia boca y se la pasa por los labios. No es un beso como tal, sino una muestra de respeto y homenaje.

Niña graciosa y dorada, dice —la típica frase del mendigo a una probable benefactora—, me han llegado rumores de tu extraordinaria belleza, aunque sólo por encontrarme aquí mi vida está perdida. No puedo verte con mis ojos porque soy ciego. ¿Me permitirás que te palpe con las manos? Sería una última muestra de benevolencia, acaso también para ti.

Él no ha sido esclavo y prostituto en balde; ha aprendido a halagar, a mentir plausiblemente, a congraciarse. Le toma la barbilla con los dedos y espera hasta que ella, tras dudar, asiente. Puede oír lo que ella piensa. «Mañana estaré muerta.» Él se pregunta si la muchacha sabe realmente a qué ha ido.

Algunas de las mejores cosas las hacen aquellos que no tienen adónde ir; los que no tienen tiempo, los que de verdad entienden el significado de la palabra «indefensión». Se ahorran el cálculo de riesgo y beneficio, no piensan en el futuro, están obligados a arponear el tiempo verbal del presente. Lanzados al precipicio, caen o vuelan; se aferran a cualquier esperanza, por improbable o milagrosa —si es posible emplear una palabra tan manida— que sea. Lo que quiero decir con esto es: contra todo pronóstico.

Y así ocurre esa noche.

El asesino ciego empieza a acariciarla muy lentamente, con una mano, la derecha, la diestra, la mano del cuchillo. Le acaricia la cara y la garganta; luego suma la mano izquierda, la siniestra, las dos a la vez, con ternura, como si recogiera una mecha frágil, de seda. La caricia produce un efecto como de agua. Ella tiembla, pero, al contrario que antes, no lo hace por temor.

Al cabo de un rato deja caer el brocado rojo de su cuerpo, le toma la mano y la guía.

El tacto es anterior a la vista, anterior al habla. Es el primer lenguaje y el último, y siempre dice la verdad.

Así es como se enamoraron la muchacha que no podía hablar y el hombre que no podía ver.

Me sorprendes, lo interrumpe ella.

¿Yo?, dice él. ¿Por qué? Aunque me gusta sorprenderte. Enciende un cigarrillo y le ofrece uno; ella lo rechaza meneando la cabeza. Él está fumando demasiado. Es a causa de los nervios, aunque no le tiemblan las manos.

Porque has dicho que se enamoraron, responde ella. Por lo general, la mera idea suele causarte risa: no es realista, superstición burguesa, puro engaño. Sentimiento enfermizo, una trillada excusa victoriana para la sexualidad sincera. ¿Te has reblandecido?

No me eches la culpa, échasela a la historia, contesta él, sonriendo. Esas cosas ocurren. Lo de enamorarse tiene antecedentes, al menos la palabra. En todo caso, ya he dicho que mentía.

No puedes escaquearte de este modo. Sólo mentías al principio. Luego lo cambiaste.

Argumento aceptado. Pero hay una manera más cruel de mirarlo.

¿De mirar el qué?

El negocio de enamorarse.

¿Desde cuando es un negocio?, dice ella enfadada.

Él sonríe. ¿Te preocupa la idea? ¿Demasiado comercial? ¿Hiere tu conciencia, quieres decir? Pero siempre hay un intercambio, ¿no?

No, responde ella. No lo hay. No siempre.

Podría decirse que se aferraba a lo que tuviese, por poco que fuera. ¿Por qué no? Carecía de escrúpulos, llevaba una vida de perros y siempre había sido así. O podría decirse que los dos eran jóvenes y que no sabían nada más. Los jóvenes suelen confundir la lujuria con el amor, están infestados de idealismo. Y no he dicho que después no vaya a matarla. Como he explicado, lo único que lo mueve es el propio interés.

O sea que te echas atrás, apunta ella. Estás acobardándote, eres un gallina. No tienes valor para llegar al fondo. Tu relación con el amor es como la de una calientabraguetas con el acto de follar.

Él se ríe. Es una risa de asombro. ¿Se debe a la dureza de las palabras?, ¿lo ha pillado por sorpresa?, ¿por fin lo ha conseguido? Contenga su lenguaje, señorita.

¿Por qué? Tú no te contienes.

Soy un mal ejemplo. Digamos, sencillamente, que estaban en situación de permitírselo; me refiero a sus emociones, si quieres llamarlo así. Podían retozar en sus emociones: vivir el momento, hacer surgir poesía de ambos lados, quemar las naves, apurar la copa, aullar a la luna. Les quedaba poco tiempo. No tenían nada que perder.

Él sí. Al menos a él se lo parecía.

Muy bien. Ella no tenía nada que perder. Él exhala una nube de humo.

Al contrario que yo, ¿verdad?, dice ella.

Al contrario que tú, querida, dice él. Como yo. Yo soy el que no tiene nada que perder.

Pero me tienes a mí, dice ella, que no soy nada.

The Toronto Star, 28 de agosto de 1935

COLEGIALA DE LA ALTA
SOCIEDAD HALLADA SANA Y SALVA
ESPECIAL PARA *THE STAR*

La policía suspendió ayer la búsqueda de Laura Chase, la colegiala de quince años perteneciente a la alta sociedad desaparecida hace más de una semana. La señorita Chase fue encontrada sana y salva en la residencia de verano que los señores Newton-Dobbs, amigos de la familia, poseen en Muskoka. El conocido industrial Richard E. Griffen, casado con la hermana de la señorita Chase, mantuvo una conversación telefónica con los periodistas en nombre de la familia. «Mi esposa y yo estamos muy aliviados», declaró. «Fue una simple confusión provocada por una carta que llegó con retraso. Laura se marchó de vacaciones y creyó que nosotros lo sabíamos, como lo sabían sus anfitriones. No suelen leer los periódicos cuando están de vacaciones, de lo contrario no se habría producido este malentendido. Cuando volvieron a la ciudad y se dieron cuenta de lo ocurrido, nos llamaron de inmediato.»

Preguntado acerca de los rumores según los cuales la señorita Chase se había fugado de casa y había sido encontrada en extrañas circunstancias en la feria de atracciones de Sunnyside Beach, respondió que no sabía quién era el responsable de esas maliciosas maquinaciones, pero que se encargaría de descubrirlo. «Ha sido un malentendido normal que puede ocurrirle a cualquiera», afirmó. «Mi esposa y yo nos sentimos felices de saber que está a salvo y agradecemos sinceramente la ayuda que nos ha prestado la policía, la prensa y la gente en general.» La señorita Chase, incomodada por la publicidad, prefiere no hacer declaraciones.

Aunque no se ha producido un daño irreparable, no es ni mucho menos la primera vez que un servicio de correos ineficiente causa tan graves dificultades. El público merece un servicio en el que pueda confiar ciegamente. Las autoridades competentes deberían tomar nota.

El asesino ciego: Un paseo por la calle

Anda por la calle con la esperanza de tener el aspecto de una mujer con derecho a andar por la calle. O por esa calle. No lo tiene, sin embargo. No va vestida de la forma adecuada, el sombrero no corresponde, el abrigo tampoco. Debería llevar la cabeza cubierta con un pañuelo atado bajo la barbilla y un abrigo ancho desgastado en las mangas. Debería parecer gris y frugal.

Las casas están pegadas la una a la otra. En tiempos eran viviendas de sirvientes, hilera tras hilera, pero ahora hay menos de éstos y los ricos han hecho otras provisiones. Ladrillo manchado de hollín, dos habitaciones arriba, dos abajo, el excusado al fondo. Algunas conservan restos de huertos en sus pequeños jardines delanteros: una tomatera oscurecida, una estaca de madera de la que cuelga una cuerda. Los huertos no podían prosperar; estaban demasiado a la sombra, la tierra era excesivamente volcánica. Pero incluso allí los árboles eran espléndidos en otoño, con sus hojas amarillas, anaranjadas y rojizas como el hígado crudo.

De las casas salen gritos, ladridos, la vibración de un portazo. Voces femeninas que se elevan con rabia frustrada, los chillidos desafiantes de los niños. En los pequeños porches hay hombres sentados en sillas de madera, con las manos en las rodillas, sin trabajo pero todavía con un hogar. Clavan la mirada en ella, que ve sus muecas de desprecio cuando observan con amargura las pieles que cubren sus muñecas y su cuello, su bolso de lagarto. Posiblemente tengan inquilinos apretujados en los sótanos y en los rincones que les ayudan a pagar el alquiler.

Las mujeres andan deprisa, con la cabeza baja, los hombros hundidos, llevando bolsas de papel marrón. Sin duda son casadas. Acude a mi mente la palabra «estofado». Deben de haberle gorroneado unos huesos al carnicero y regresan a casa con los trozos más baratos para servirlos con col. Ella no tiene ese aspecto de apaleada: lleva los hombros demasiado echados atrás y la barbilla demasiado alta. Cuando levantan la cabeza lo suficiente para echarle un vistazo, se advierte la suciedad de sus miradas. Deben de pensar que es una prostituta, pero con esos zapatos, ¿qué hace allí, en ese lugar tan por debajo de su nivel?

Aquí está el bar, en la esquina donde él indicó que estaba. Una cervecería. Fuera hay un grupo de hombres. Ninguno de ellos le dice nada cuando pasa, sólo la miran como si estuviesen escondidos detrás de un matorral, pero ella oye que los murmullos, el odio y la lujuria, mezclados en la garganta, la siguen como la estela de un barco. Quizá la confundan con una asistente social de la iglesia u otra desdeñosa mujer dedicada a hacer buenas obras. Alguien que mete sus finas manos en sus vidas, formula preguntas y ofrece, condescendiente, migajas de ayuda. Pero va demasiado bien vestida para eso.

Tomó un taxi y bajó tres calles antes, donde había más tráfico. Era mejor no convertirse en anécdota; porque, ¿quién iba a tomar un taxi por allí? Aunque es una anécdota de todos modos. Lo que necesita es un abrigo diferente, comprado en una tienda de segunda mano, sacado de una maleta. Podría meterse en un hotel, dejar su propio abrigo en guardarropía, ir a los aseos y cambiarse. También alborotarse un poco el cabello, despintarse los labios. Salir de allí como una mujer diferente.

No. No funcionaría. Para empezar, está la maleta; tendría que sacarla de la casa. «¿Adónde vas con tanta prisa?»

Y así continúa con el numerito de los agentes secretos pero a cara descubierta, sirviéndose de la astucia. A esas alturas ya tenía bastante práctica, soltura, serenidad y vacuidad. Un enarcamiento de cejas, la mirada cándida y transparente de un agente doble. Una cara de agua pura. Lo importante no es la mentira, sino evadir su necesidad. Convertir todas las preguntas en estúpidas por adelantado.

Sin embargo, existe cierto peligro. También para él; más que antes, según le ha dicho. Le parece que una vez, en la calle, lo reconocieron. Un esbirro del Batallón Rojo, quizá. Había atravesado una cervecería llena de gente, hasta la puerta de atrás.

Ella no sabe si creerse o no la existencia de esa clase de peligro: hombres con el cuello de la oscura y holgada gabardina subido, coches al acecho... «Ven con nosotros. Estás detenido.» Habitaciones vacías y luces potentes. Parece demasiado teatral, o cosas que sólo ocurren en blanco y negro, en otros países, en otras lenguas. O que si ocurren aquí, no la implican a ella.

Si lo pillaran, ella renunciaría a él antes de que el gallo cantase siquiera una vez. Lo sabe perfectamente, con toda tranquilidad. De todos modos la dejarían ir, su relación se vería como un escarceo frívolo o una simple diablura, y fuera cual fuere el escándalo que se derivara, lo encubrirían. Claro que tendría que pagar por ello en privado; pero ¿con qué? Ya estaba en la miseria; era imposible sacar agua de una piedra. Se encerraría en sí misma, bajaría las persianas. Vuelvo enseguida, de forma permanente.

Últimamente ha tenido la sensación de que alguien la vigila, aunque siempre que hace una comprobación no ve a nadie. Va con más cuidado, con todo el cuidado de que es capaz. ¿Tiene miedo? Sí. La mayor parte del tiempo. Pero su temor no importa. O en realidad sí que importa. Da más valor al placer que siente con él, y también a la sensación de salirse con la suya.

El verdadero peligro reside en ella misma, en lo que está dispuesta a permitir, en hasta dónde es capaz de llegar. Pero no se trata de lo que permita o a qué esté dispuesta, sino de hacia adónde será empujada, conducida. No ha analizado sus motivos. Es posible que no tenga motivos como tales: el deseo no es un motivo. No le parece que haya alternativa. Un placer tan extremo constituye también una humillación. Es como llevar una cuerda vergonzosa, un lazo alrededor del cuello. Ella se siente contrariada por su falta de libertad, y por eso prolonga el tiempo entre un encuentro y otro, lo raciona. Ella lo mantiene a raya, le miente sobre el motivo por el que no se presentó —afirma que no vio las marcas de tiza en el muro del parque, que no recibió el mensaje, que la inexistente tienda de ropa cambió de dirección, que recibió una postal firmada por un viejo amigo que nunca tuvo, que habían llamado al número equivocado.

Pero al final vuelve. No sirve de nada resistirse. Va a él en busca de amnesia, de inconsciencia. Se entrega, queda borrada: entra en la oscuridad de su propio cuerpo, olvida su nombre. Lo que quiere es la inmolación, por breve que sea. Existir sin límites.

Con todo, empieza a preguntarse cosas que al principio ni se le ocurrían. ¿Cómo hace la colada? Una vez vio unos calcetines secándose encima del radiador: él advirtió que los miraba y los quitó de la vista. Él procura poner orden antes de sus visitas; o al menos barre un poco. ¿Dónde come? Le ha explicado que no le gusta que lo vean demasiado a menudo en un mismo lugar. Tiene que ir de un lado a otro, de un restaurante a otro, a cualquier antro. En su boca esas palabras poseen un sórdido *glamour*. Los días que se siente más nervioso permanece en casa cabizbajo, sin salir; hay corazones de manzanas en esta o aquella habitación, migajas en el suelo.

¿De dónde saca las manzanas, el pan? Es curiosamente tacaño con los detalles: ¿qué pasa en su vida cuando no está con ella? A lo mejor cree que, si ella sabe demasiado, su imagen se verá perjudicada. Son muchos los pormenores sórdidos. Quizá tenga razón. (Todos aquellos cuadros en las galerías de arte representando a mujeres sorprendidas en momentos privados. *Ninfa durmiente*. *Susana y los viejos*. *Mujer bañándose*; un pie en una bañera de metal. Renoir, ¿o era Degas? Los dos, siempre mujeres gordas. *Diana y sus doncellas*, un momento antes de captar la entrometida mirada del cazador. Nunca cuadros llamados *Hombre lavándose los calcetines en el fregadero*.

El idilio tiene lugar en segundo plano. El idilio es mirar dentro de uno mismo, a través de una ventana cubierta de rocío. El idilio entraña eliminar cosas: mientras la vida gruñe y resopla, el idilio sólo suspira. Ella... ¿quiere más que eso... de él? ¿Quiere toda la imagen?

El peligro sería mirar dentro durante demasiado tiempo y ver más de la cuenta: ver cómo se encoge y encogerse con él. Luego despertar vacía, o utilizada: acabada. No tendría nada. Se vería «despojada».

Una palabra anticuada.

Esta vez no ha ido a buscarla. Dijo que mejor no. Ha dejado que llegara sola. En la palma de la mano enguantada lleva un trozo de papel doblado, con direcciones crípticas, pero no tiene necesidad de mirarlo. Percibe el leve resplandor del papel contra la piel, como el dial de una radio en la oscuridad.

Ella se imagina que él está imaginándosela, que se la imagina andando por la calle, cada vez más cerca, a punto de llegar. ¿Está impaciente, nervioso? ¿Es como ella? A él le gusta aparentar indiferencia —fingir que no le importa si ella llega o no—, pero no es más que una pose, una de muchas. Por ejemplo, ya no puede permitirse fumar cigarrillos liados, de modo que se los lía él mismo, con uno de esos artilugios de goma rosada de aspecto tan obsceno, con el que lía tres a la vez; luego los corta con una hoja de afeitar y los mete en un paquete de Craven A. Es uno de sus pequeños trucos o concesiones a la vanidad; que tuviera tanta necesidad de ellos la hacía suspirar.

A veces ella le lleva cigarrillos, a montones, en una muestra de generosidad, de opulencia. Los saca de la pitillera de plata que hay sobre la mesita baja de vidrio y se los mete en el bolso. Pero no siempre lo hace. Es mejor tenerlo en suspense, mantenerlo hambriento.

Está tumbado boca arriba, ahíto, fumando. Si quiere alguna frase amable, ella tiene que conseguirla de antemano: asegurarse primero, como una puta con su dinero. Por exiguo que sea. «Te he echado de menos», podría decir. O: «Tenía ganas de verte.» Los ojos cerrados, los dientes apretados para contenerse; casi lo oye contra su cuello.

Después, debe insistir.

Di algo.

¿Como qué?

Lo que quieras.

Dime qué quieres oír.

Si lo hago y entonces lo dices, no te creeré.

Pues lee entre líneas.

¡Pero si no hay líneas! No me has dado ninguna.

Entonces él podía ponerse a cantar:

Oh, metes el chisme pa'dentro, sacas el chisme pa'fuera
Y el humo sube por la chimenea de todas maneras...

¿Qué te parece como frase?, preguntará él.

Realmente eres un cabrón.

Nunca he dicho que no lo fuese.

No me extraña que recurras a las historias.

Gira a la izquierda al llegar al taller del zapatero, luego recorre un bloque y dos casas más. Llega al pequeño edificio de apartamentos llamado el Excelsior. El nombre debe de venirle del poema de Henry Wadsworth Longfellow. El rótulo tiene una extraña divisa: un caballero que sacrifica todos los asuntos terrenales para subir a las alturas. ¿Las alturas de qué? De la devoción burguesa de sillón. Qué ridículo, aquí y ahora.

El Excelsior es un edificio de obra vista de tres pisos, cuatro ventanas en cada planta, con balcones de hierro forjado que son más antepechos que balcones, pues no hay en ellos espacio ni para una silla. Antes estaba claramente por encima del resto del vecindario, ahora es un lugar en el que la gente vive como puede. En un balcón, alguien ha improvisado una cuerda para tender la ropa; un trapo gris cuelga de ella como la bandera de un regimiento derrotado.

Deja atrás el edificio y cruza a la esquina siguiente. Allí se detiene y mira hacia abajo, como si tuviese algo en el zapato. Luego hacia atrás. No hay nadie detrás de ella, ningún coche avanzando lentamente. Una mujer corpulenta sube por las escaleras con dificultad; en cada mano lleva, a modo de lastre, una bolsa de cuerda. Dos chicos cuya ropa está cubierta de remiendos persiguen a un perro mugriento por la acera. No hay hombres aquí, sólo tres vejestorios en un porche inclinados sobre el periódico que comparten.

Ella da media vuelta, regresa sobre sus pasos y, cuando llega al Excelsior, se mete por el pasaje lateral a toda prisa, esforzándose por no correr. El asfalto es desigual, y los tacones demasiado altos. Es el lugar menos adecuado para torcerse un tobillo. Ahora, a plena luz del día, se siente más expuesta, aunque no hay ventanas. Se le acelera el corazón, le fallan las piernas, que parecen de seda. El pánico se ha apoderado de ella, ¿por qué?

Él no estará, le dice una suave voz interior; es una voz angustiada, una voz lastimera y susurrante como de paloma en duelo. Se ha ido. Se lo han llevado. Nunca más lo verás. Nunca. Está a punto de echarse a llorar.

Qué tontería, asustarse a sí misma de ese modo. Aunque no dejaba de haber algo de realidad. Él podía desvanecerse con mayor facilidad que ella, que tiene una dirección fija y por ello él siempre sabría dónde encontrarla.

Se detiene, levanta el brazo y aspira el olor reconfortante de la perfumada piel de la muñeca. Al fondo hay una puerta de servicio, metálica. Llama con suavidad.

El asesino ciego: El conserje

Se abre la puerta, está ahí. No tiene tiempo de sentirse agradecida porque él la empuja hacia adentro. Están en un rellano, en la escalera trasera. No hay más luz que la que deja pasar una ventana en alguna parte, en lo alto. Él la besa y le acaricia la cara con las dos manos. Su barbilla rasca. Está temblando, pero no de excitación, o no sólo por eso.

Ella se aparta. Pareces un bandido. Nunca ha visto un bandido; piensa en los de las óperas. Los contrabandistas de *Carmen*, bien tiznados con corcho quemado.

Lo siento, dice él. Tuve que esfumarme de inmediato. Quizá fuese una falsa alarma, pero me dejé muchas cosas.

¿Como una hoja de afeitar?

Entre otras cosas. Ven, es aquí abajo.

Las escaleras son estrechas: madera sin pintar, un listón como barandilla. Al final, un suelo de cemento. Olor de carbonilla, subterráneo y punzante, como la piedra húmeda de una cava.

Es aquí. La habitación del conserje.

Pero tú no eres el conserje, dice ella soltando una risita. ¿No es verdad?

Ahora sí. O es lo que el amo cree. Ha venido un par de veces, a primera hora de la mañana, para comprobar si he llenado la caldera, pero sin pasarme. No le gusta tener a los inquilinos calientes, sale demasiado caro; los prefiere tibios. No es una gran cama.

Es una cama, señala ella. Cierra la puerta.

No hay cerrojo, le advierte él.

Hay una pequeña ventana con barrotes y restos de una cortina. La luz que entra es de color óxido. Han apoyado una silla contra la puerta para trabarla; es una silla con la mayor parte de los travesaños rotos, prácticamente convertidos en astillas. No sirve de barrera. Están debajo de una manta mohosa, con los abrigos de ambos encima. La sábana... Mejor no pensar en eso. Ella le palpa las costillas, los espacios entre una y otra.

¿Qué comes?

No me des la vara.

Estás demasiado delgado. Podría traerte algo, un poco de comida.

Tampoco eres muy fiable, ¿no crees? Podría morirme de hambre si tuviera que esperar que aparecieses tú con algo. No te preocupes, no tardaré mucho en irme de aquí.

¿De dónde? Te refieres a esta habitación, a la ciudad o...

No lo sé. No fastidies.

Me interesa, eso es todo, y me preocupa. Quiero...

Déjalo ya.

De acuerdo, de acuerdo, dice ella. Supongo que volvemos a Zicrón. A menos que quieras que me largue.

No. Quédate un rato. Lo siento, pero estoy sometido a mucha tensión. ¿Dónde estábamos? Lo he olvidado.

Estaba decidiendo si le cortaba la garganta o la amaba para siempre.

Exacto. Bien. Las opciones habituales.

Está tratando de decidir si le corta la garganta o la ama para siempre cuando —con la sensibilidad auditiva que le confiere la ceguera— detecta un ruido metálico de chirridos y voces. Eslabones, cadenas, grilletes en movimiento. Se acercan por el pasillo. Él sabe que el Señor del Averno todavía no ha hecho la visita debida; lo había advertido por el estado en que se hallaba la niña. Un estado prístino, por así decir.

¿Qué hacer? Podría esconderse detrás de la puerta o debajo de la cama, dejarla librada a su destino, y luego reaparecer y acabar el trabajo por el que le pagarían. Pero, tal como están las cosas, le cuesta hacerlo. También podría esperar a que se presentara el cortesano sordo al mundo exterior para deslizarse por la puerta; pero en ese caso el honor de los asesinos como grupo —como gremio, si queréis— quedaría mancillado.

Toma a la niña por el brazo y, colocándole su propia mano sobre la boca, le indica la necesidad de que guarde silencio. Luego la conduce lejos de la cama y la esconde detrás de la puerta. Comprueba si ésta se encuentra abierta, según lo dispuesto. El hombre no esperará encontrar un centinela; en su trato con la gran sacerdotisa especificó que no quería testigos. La centinela del Templo debía desaparecer en cuanto lo oyese llegar.

El asesino ciego saca a la centinela muerta de debajo de la cama y la pone sobre el cobertor, ocultando con el pañuelo el corte en la garganta. Todavía no está fría y ha dejado de sangrar. Sería una lástima que el hombre viniese con una vela encendida; por otra parte, de noche todos los gatos son pardos. A las doncellas del Templo se les ha enseñado que han de dejarse llevar. Al hombre —cuyos movimientos se ven obstaculizados por su pesado traje de dios, que tradicionalmente incluye casco y visera— quizá le lleve un rato descubrir que está follándose a la mujer equivocada, y encima muerta.

El asesino ciego corre casi del todo las cortinas de brocado de la cama. Luego se reúne con la chica y se quedan los dos junto a la pared.

La pesada puerta se abre con un chirrido. La niña observa el resplandor que avanza por el suelo. El Señor del Averno no ve muy bien, eso está claro; choca con algo, maldice. Tropieza con las colgaduras de la cama. ¿Dónde estás, niña guapa?, se le oye decir. No le sorprenderá que no responda, porque sabe que es muda.

El asesino ciego abandona lentamente su lugar detrás de la puerta, y con él la chica. ¿Cómo puedo librarme de esto?, murmura el Señor del Averno. Los dos salen al vestíbulo sin soltarse de la mano, como niños que pretendieran evitar a sus mayores.

Detrás de ellos se oye un grito, de rabia u horror. Palpando la pared con una mano, el asesino ciego echa a correr. Quita las teas de los antorcheros y las arroja hacia atrás con la esperanza de que se apaguen.

Conoce el Templo de arriba abajo, por el tacto y el olor; en eso, entre otras cosas, consiste su trabajo. También conoce la ciudad palmo a palmo, puede correr por ella como una rata en un laberinto —por sus pasajes, sus túneles, sus agujeros y calles sin salida, sus dinteles, sus cunetas y alcantarillas—, incluso sus contraseñas, la mayor parte de las veces. Sabe qué paredes puede escalar, dónde están los puntos de apoyo. Empuja un panel de mármol —en el que aparece un bajorrelieve del Dios Roto, patrón de los fugitivos— y la oscuridad los rodea. Él lo sabe por la manera en que la chica tropieza, y por primera vez se le ocurre que está perdiendo el tiempo llevándosela con él: su capacidad de ver será un obstáculo para él.

Al otro lado de la pared se oye ruido de pasos. Agárrate a mi túnica, murmura él, y añade, innecesariamente: No digas una palabra. Se encuentran en la red de túneles ocultos que permiten a la gran sacerdotisa y a sus cohortes aprender tantos secretos valiosos de aquellos que han ido al Templo a reunirse, a confesarse a la diosa o a rezar, pero deben salir lo antes posible. Es, al fin y al cabo, el primer lugar al que se le ocurrirá mirar a la gran sacerdotisa. Tampoco pueden salir por la piedra suelta de la pared exterior por la que al principio entró. El falso Señor del Averno ya debe de haberse enterado, porque había dispuesto la matanza y especificado el tiempo y el lugar, y a estas alturas seguramente ha adivinado que el asesino ciego es un traidor.

Suena un gong de bronce. La gruesa piedra amortigua el sonido, pero percibe la vibración a través de los pies.

Conduce a la chica de pared en pared y luego bajan por una escalera empinada y estrecha. Ella gime de temor; cortarle la lengua no impide que llore. Qué pena, piensa él. Busca a tientas la alcantarilla en desuso que sabe que está ahí, levanta a la niña, le ofrece sus manos para ayudarla a subir y luego él la sigue. Ahora deben abrirse paso a rastras. El olor no tiene nada de agradable, pero es antiguo: efluvios humanos coagulados convertidos en polvo.

De pronto, una bocanada de aire fresco. Lo huele para comprobar si percibe humo de antorchas.

¿Hay estrellas?, pregunta el asesino ciego. Ella asiente. Entonces no hay nubes. Mala suerte. Dos de las cinco lunas deben de estar brillando —lo sabe por la época del mes—, y las otras tres lo harán pronto. Ambas serán claramente visibles el resto de la noche, y durante el día estarán incandescentes.

El Templo no tendrá ningún interés en que la historia de su fuga se haga pública, pues representaría una pérdida de prestigio y podría dar lugar a manifestaciones. Buscarán a otra chica para el sacrificio; lo de los velos y todo eso..., ¿quién va a decir nada? Muchos, no obstante, saldrán a perseguirlos, en silencio pero inexorablemente.

Podría buscar un escondite para meterse en él; sin embargo, antes o después tendrán que salir a comer y a beber. Solo, quizá lo consiguiese, pero con ella no.

También cabe la posibilidad de ocultarla. O matarla y arrojarla a un pozo.

No, no puede.

¿Y la cueva del asesino? Es adonde van todos cuando no están de servicio; allí intercambian cotilleos, reparten el botín y se jactan de sus hazañas. Está audazmente escondida justo debajo de la sala del tribunal del palacio principal, una cueva profunda tapizada con alfombras que los asesinos se vieron obligados a tejer de pequeños y que desde entonces han ido robando. Las reconocen por el tacto, y a menudo se sientan sobre ellas a fumar la hierba *fring* que induce al sueño y pasan los dedos por sus formas, por sus lujosos colores, para recordar el aspecto que tenían esos colores cuando aún veían.

Pero únicamente a los asesinos ciegos se les permite entrar en esta cueva. Forman una sociedad cerrada en la cual los extraños sólo son aceptados como producto del saqueo. Además, él ha traicionado su misión al salvar a la persona a la que debía matar. Los asesinos son profesionales; se enorgullecen de cumplir sus contratos, no soportan que se viole su propio código de conducta. Lo matarán sin compasión, y después harán lo mismo con ella.

Es posible que designen a uno de sus compañeros para que salga a buscarlos. Que pongan a un ladrón tras la pista de otro ladrón. Eso significa que, más tarde o más temprano, están perdidos. La fragancia de ella bastaría para delatarlos: la han perfumado de los pies a la cabeza.

Tendrá que sacarla de Sakiel-Norn, fuera de la ciudad, fuera del territorio familiar. Es peligroso, pero no tanto como quedarse. A lo mejor pueden bajar hasta el puerto y subirse a un barco; pero ¿de qué modo salir por las puertas? Las ocho están cerradas y vigiladas, como es costumbre por la noche. Solo, podría escalar los muros —sus dedos se agarran como ventosas— pero con ella sería una catástrofe.

Existe otra manera. Aguzando el oído, descienden hasta la zona de la ciudad más cercana al mar. Las aguas de todas las fuentes y manantiales de Sakiel-Norn van a dar a un mismo canal, y éste las conduce fuera de los muros de la ciudad, a través de un túnel en arco. El agua cubre hasta la cabeza y la corriente es rápida, por lo que nadie intenta jamás entrar en Sakiel-Norn por esa vía. ¿Y salir?

El agua mitigará el olor.

Él sabe nadar. Es una de las habilidades que los asesinos se ocupan de aprender. Da por sentado, correctamente, que ella no sabe. Le dice que se desnude y haga un fardo con la ropa. Después se quita la túnica del Templo y la agrega a aquél. Se lo ata alrededor de los hombros y de las muñecas y le indica a la niña que si los nudos se deshacen no se suelte de él, pase lo que pase. Cuando llegan al túnel, ella aguanta la respiración.

Los pájaros *nyerk* se agitan; él oye el primer graznido; pronto volverá a haber luz. Alguien se acerca a tres calles de distancia; camina con paso resuelto. Él medio tira de la chica medio la empuja hacia el agua fría. Ella suelta un grito ahogado, pero hace lo que le dicen. Flotan los dos: él busca la corriente principal, escucha el torrente y el borboteo donde el agua entra en el túnel abovedado. Demasiado pronto y se quedarán sin aliento, demasiado tarde y se golpeará la cabeza contra la piedra. A continuación, se sumerge.

El agua es nebulosa, no tiene forma; es posible pasar la mano justo a través, pero corres el riesgo de que te mate. La fuerza del agua está en su ímpetu, en su trayectoria, en la rapidez con que choca y contra qué lo hace. Puede decirse lo mismo..., pero no importa.

Hay un largo y agonizante pasadizo. Él teme que le exploten los pulmones, que sus brazos acaben por ceder. Siente que la arrastra y se pregunta si se habrá ahogado. Al final la corriente está con ellos. Él rasca la pared del túnel, y algo se desgarra. ¿Es tela o papel?

En el otro extremo del túnel, salen a la superficie; ella tose, él ríe con suavidad y sostiene la cabeza de ella por encima de la superficie, flotando sobre la espalda, y bajan de ese modo por el canal. Cuando considera que ya están lo bastante lejos y seguros, se detiene y la ayuda a subir a la piedra resbaladiza de la orilla. Busca la sombra de un árbol. Está agotado, pero también eufórico, lleno de una extraña felicidad dolorosa. La ha salvado. Por primera vez en la vida, ha ejercido la compasión. ¿Quién sabe adónde puede llevarlo esta desviación del camino elegido?

¿Hay alguien por ahí?, pregunta él. Ella se detiene a mirar, niega con un movimiento de la cabeza. ¿Algún animal? La respuesta es nuevamente no. Él cuelga sus ropas de las ramas del árbol y luego, bajo la luz desfalleciente de las lunas de azafrán, heliotropo y magenta, la toma como si fuese de seda y se sumerge en ella. Es igual de fresca que un melón y ligeramente salada, como el pescado fresco.

Yacen el uno en brazos del otro, medio dormidos, cuando tres espías enviados por el Pueblo de la Desolación a vigilar los accesos a la ciudad tropiezan con ellos. Los despiertan bruscamente y el espía que habla su lengua, aunque con dificultad, los interroga. El chico es ciego, les explica a los otros, y la chica es muda. Los tres espías se muestan maravillados. ¿Cómo habrán hecho para llegar hasta allí? No pueden proceder de la ciudad, porque todas las puertas están cerradas. Es como si hubieran caído del cielo.

La respuesta resulta evidente: tienen que ser emisarios divinos. Con toda cortesía, les permiten ponerse de nuevo sus ropas, ahora secas, los hacen subir a lomos del caballo de uno de los espías y los llevan ante la presencia del Siervo del Regocijo. Los espías están encantados de sí mismos y el asesino ciego sabe que lo mejor es no hablar mucho. Ha oído vagas historias sobre esa gente y sus curiosas creencias acerca de los emisarios divinos. Dicen que éstos entregan sus mensajes de formas oscuras, y es por eso por lo que el ciego intenta recordar todos los acertijos, paradojas y adivinanzas que ha aprendido en la vida. «El camino que baja es el camino que sube. ¿Qué ser se sostiene sobre cuatro patas al alba, dos al mediodía y tres por la noche? ¿Qué es aquello que cuanto más grande es menos hay? ¿Qué es blanco, negro y rojo por todas partes?»

Eso no es zicroniano, no tienen periódicos.

Objeción aceptada. Táchalo. ¿Qué tal: «Más poderoso que Dios, más malo que el Diablo; los pobres lo tienen, los ricos carecen de ello y si te lo comes te mueres.»?

Éste es nuevo.

Adivina.

Me rindo.

«Nada.»

Se toma un minuto para comprenderlo. Nada. Sí, dice. Está bien.

Mientras cabalgan, el asesino ciego rodea a la chica con un brazo. ¿Cómo protegerla? Se le ocurre una idea, nacida de la desesperación, pero aun así quizá funcione. Declarará que los dos son, en efecto, emisarios divinos, sólo que de diferentes tipos. Él es el que recibe los mensajes del Invencible, pero sólo ella está capacitada para interpretarlos. Para ello se vale de las manos, haciendo signos con los dedos. La clave para interpretar esos signos sólo le ha sido revelada a él. Añadirá, por si se les ocurre alguna idea desagradable, que a ningún hombre le está permitido tocar a la chica muda de manera impropia, o de cualquier otra. Excepto él, por supuesto. De lo contrario perdería su poder.

Es infalible, siempre que se lo crean, claro. Confía en que ella dé una respuesta rápida y sepa improvisar. Se pregunta si conocerá alguna clase de signo.

Es todo por hoy, dice. Necesito abrir la ventana.
Hace mucho frío.
Para mí, no. Este sitio es como un armario. Me ahogo.
Ella le toca la frente. Creo que estás destemplado. Si quieres, voy a la farmacia...
No. Nunca me pongo enfermo.
¿Qué tienes? ¿Qué te pasa? Te veo preocupado.
No es preocupación exactamente. Eso no va conmigo. Pero no me fío de lo que está pasando. No me fío de mis amigos, los llamados mis amigos.
¿Por qué? ¿Qué pretenden?
Enviarlo todo al carajo, dice él. Ése es el problema.

Mayfair, febrero de 1936

CHISMORREO DE MEDIODÍA
EN TORONTO
YORK

El hotel Royal York se llenó de invitados exóticamente ata-
viados en el tercer baile de disfraces de mediados de enero celebrado en beneficio del Orfanato de Expósitos de la ciudad. El tema del año —en claro guiño al espectacular baile de Bellas Artes
del último año, «Tamerlán en Samarcanda»— fue «Xanadú» y,
bajo la experta dirección del señor Wallace Wynant, las tres es-
pléndidas salas de baile se transformaron en la «majestuosa bóveda de placer» con brillo sin par de la corte de Jublai Jan y su
resplandeciente séquito. Alrededor del espectacular manantial
del «Alf, el río sagrado», teñido de púrpura de bacanal por un reflector ubicado en lo alto, bajo los festones relucientes de cristal
de la «Caverna de hielo» central, revoloteaban alegremente po-
tentados extranjeros de reinos orientales y sus séquitos —harenes, siervos, danzarinas y esclavos—, además de doncellas con
dulcémeles, mercaderes, cortesanos, faquires, soldados de todas
las naciones y mendigos en abundancia.

El baile también fue de lo más animado en las dos enramadas
adyacentes del jardín, ambas cargadas de flores, mientras sendas
orquestas de jazz tocaban «su sinfonía y su canción». No se oye-
ron las «voces ancestrales que profetizaban la guerra», ya que todo
funcionó como una seda gracias a la firme dirección de la señora Winifred Griffen Prior, organizadora del baile, cuyo aspecto
era espléndido en el traje escarlata y dorado de princesa del Ra-
jastán. También formaba parte del comité organizador la esposa
de Richard Griffen, como una doncella abisinia vestida de verde
y plata, la señora de Oliver MacDonnell, que iba de rojo chino,
y la señora de Hugh N. Hillert, imponente en su traje de sultana
de color magenta.

El asesino ciego: Extraterrestres en el hielo

Él se encuentra ahora en otro sitio, en una habitación que ha alquilado cerca del Cruce. Está encima de una ferretería, en cuyo escaparate hay una mínima exhibición de llaves inglesas y bisagras. El negocio no va muy bien; a nadie le va muy bien por aquí. El aire está lleno de polvo, hay papeles arrugados por el suelo y las aceras están resbaladizas a causa del hielo y la nieve que nadie retiró.

Los silbidos de los trenes que chirrían y cambian de vía flotan en la lejanía. Nunca llegan, siempre se van. Podría subirse a uno, pero sería peligroso; hay patrullas que los vigilan, aunque nunca se sabe cuándo aparecen. En todo caso —seamos francos—, en este instante él está clavado en su sitio a causa de ella, aunque, como los trenes, nunca llega a tiempo y siempre se va.

A la habitación se accede por unos escalones traseros; las huellas de goma aparecen desgastadas y fracturadas, pero al menos cuenta con una entrada independiente, a menos que se tenga en cuenta a la joven pareja con un bebé que vive al otro lado de la pared. Utilizan las mismas escaleras, pero los ve muy de vez en cuando, porque se levantan demasiado pronto.

Sin embargo, a medianoche, cuando intenta trabajar, los oye; se ponen a ello como si el mañana no existiera, y su cama chirría igual que un nido de ratas. Lo enloquece. Uno diría que con el mocoso llorón que tienen ya les está bien, pero no, siguen dale que te pego. Al menos son rápidos.

A veces aplica la oreja a la pared para escuchar. Una tormenta desde la portilla, piensa. Por la noche, todos los animales son animales.

Se ha cruzado con la mujer en un par de ocasiones, almohadillada y con pañuelo en la cabeza como una abuelita rusa, acarreando paquetes y cochecito de bebé. Dejan la cosa esa en el rellano de abajo; con la negra boca medio abierta, parece una trampa mortal extraterrestre. Una vez la ayudó con el carrito y ella le sonrió; fue una sonrisa furtiva con dientes de bordes azulados como la nata de la leche. ¿Os molesta mi máquina de escribir por la noche?, se le ocurrió preguntar..., dando a entender que está despierto, que los oye. No, no, para nada. Mirada inexpresiva, boba como una vaquilla. Profundas ojeras, líneas cinceladas de la nariz a las comisuras de la boca. Él duda que los actos que tienen lugar por la noche sean idea de ella. Para empezar, el tío va demasiado deprisa: entra y sale como un ladrón de banco. Ella lleva la palabra «esclava» escrita en la frente; probablemente mira el techo fijamente y piensa en fregar el suelo.

Su habitación es el producto de la división de una estancia más grande en dos, lo que explica la endeblez de la pared. El espacio es estrecho y frío: el aire se cuela por el marco de la ventana, el radiador hace ruido y gotea, pero no emite calor. Un lavabo escondido en un rincón helado, la taza manchada de viejos orines y óxido de un naranja tóxico y una plataforma de ducha de cinc, con una cortina de plástico mugrienta. Para ducharse existe una manguera negra que sube por la pared, remontada con un receptáculo de metal perforado. El agua que sale de ella a cuentagotas es más fría que teta de bruja. Hay una cama plegable colocada de tal modo que para abrirla tiene que echar los bofes, así como un estante de contrachapado clavado con tachuelas, pintado de amarillo tiempo atrás. Un hornillo de un solo quemador. Una pátina de hollín parece cubrirlo todo.

Comparado con el lugar dónde podría estar, es un palacio.

Ha dejado plantados a sus colegas. Se ha largado sin dejarles seña alguna. No deberían haberse demorado tanto en encontrarle el pasaporte, o los dos pasaportes que necesita. Se sentía como si lo mantuvieran en la despensa igual que a un rehén: si detenían a alguien que les fuera de más utilidad, lo intercambiarían por él. Tal vez incluso pensaran entregarlo de todos modos. Sería un cabeza de turco perfecto: podían prescindir de él, que en realidad nunca había comulgado del todo con sus ideas. Un viajero que no andaba rápido, o no lo bastante rápido. En realidad, su erudición les disgustaba y también su escepticismo, que tomaban por frivolidad. «El hecho de que Smith no tenga razón no significa que la tenga Jones», les dijo una vez. Probablemente se lo apuntaron para usarlo en el futuro. Tienen sus listas, ellos.

A lo mejor querían un mártir propio, su Sacco o Vanzetti particular. Después de que lo cuelguen del cuello hasta volverse rojo, de ver su cara infame en todos los periódicos, revelarán alguna prueba de su inocencia... y hablarán de la ofensa moral. «Vean lo que hace el sistema. ¡Es un asesinato! ¡No hay justicia!» Así es como piensan los camaradas. Igual que en una partida de ajedrez. Él sería el peón sacrificado.

Se acerca a la ventana, mira hacia afuera. Más allá del cristal se ven carámbanos semejantes a bigotes marrones, del color de la techumbre. Piensa en el nombre de ella, en el aura de electricidad que lo rodea: un zumbido sexual como el neón azul. ¿Dónde está ella? No tomará un taxi hasta allí, es demasiado lista. Mira hacia la parada del tranvía para comprobar si la ve. Si ve el destello de una pierna, una bota de tacón alto, la mejor felpa. «Un coño sobre zancos.» ¿Por qué piensa esas cosas? Si otro hombre dijera eso de ella, le daría un puñetazo.

Se pondrá un abrigo de piel. Él la despreciará por ello, le pedirá que se lo deje puesto. Piel sobre piel.

La última vez que la vio tenía un morado en el muslo. Le habría gustado ser el causante de él.

¿Qué es eso?

Me di un golpe con la puerta.

Él siempre se da cuenta de cuándo ella le miente. O así lo cree. Pensar que lo sabe quizá sea una trampa. Un antiguo profesor suyo le dijo una vez que su intelecto era un diamante en bruto, y en aquel momento se sintió halagado. Ahora piensa en la naturaleza de los diamantes. Aunque duros, resplandecientes y útiles para cortar vidrio, sólo relucen cuando la luz se refleja en ellos. En la oscuridad no sirven para nada.

¿Por qué motivo ella sigue yendo a verlo? ¿Acaso se le antoja una especie de juego particular? No le dejará pagar nada, no se dejará comprar. Ella quiere una historia de amor con él porque las chicas son así, o las chicas de su tipo, que todavía esperan algo de la vida. Pero tiene que haber otro ángulo desde el que enfocarlo. El deseo de venganza, o de castigo. Las mujeres tienen maneras curiosas de herir a los demás. Se hieren a sí mismas o, si no, lo hacen de modo que el tío no se da cuenta hasta mucho después de que ha sido herido. Cuando lo descubre, se le encoge la polla. A pesar de esos ojos, de la pureza de la línea de su garganta, de vez en cuando vislumbra en ella algo complejo, borroso.

Mejor no inventarla en ausencia de ella. Mejor esperar hasta que llegue. Luego puede darle forma sobre la marcha.

Tiene una mesa de bridge que compró en un mercado de segunda mano y una silla plegable. Se sienta a la máquina, estira los dedos, mete el papel.

En un glaciar de los Alpes suizos (o mejor, en las Montañas Rocosas; o mejor aún, en Groenlandia), unos exploradores han encontrado —incrustado en un ventisquero de hielo claro— un vehículo espacial. Tiene forma de dirigible pequeño, pero con los extremos en punta como una vaina de quingombó. Despide un resplandor fantasmagórico, brilla a través del hielo. ¿De qué color es ese resplandor? El verde es el mejor, con un toque de amarillo, como la absenta.

Los exploradores fundieron el hielo, ¿con qué? ¿Con un soplete que llevaban por casualidad? ¿Encendiendo una hoguera con los árboles cercanos? Si hay árboles, mejor trasladarse a las Montañas Rocosas. En Groenlandia no hay árboles. Con un cristal lograrían aumentar la intensidad de los rayos del sol. A los *boy scouts* —de los que formó parte durante un tiempo— les enseñaban a encender fuego con este método. Lejos de la mirada del guía, un hombre jovial y acongojado de cara rosada a quien le gustaban las canciones y las hachas, se habían aplicado sus lupas en los brazos desnudos para ver quién aguantaba más. Encendían la pinaza de ese modo, y trozos de papel higiénico.

No, el gigante de cristal sería imposible.

El hielo se funde poco a poco. X, que será un adusto escocés, les advierte que no se entrometan porque no saldrá nada bueno, pero Y, que es un científico inglés, señala que tienen que incrementar el caudal de conocimiento de la humanidad, mientras que Z, un estadounidense, afirma que pretenden ganar millones. T, que es una muchacha de pelo rubio con unos labios hinchados como si se los hubieran golpeado con una cachiporra, dice que todo le parece muy emocionante. Es rusa y, por lo visto, cree en el amor libre. X, Y y Z no lo han comprobado, aunque todos desean hacerlo: Y subconscientemente, X con sentimiento de culpabilidad y Z claramente.

Al principio, siempre designa a sus personajes con una letra, luego les adjudica un nombre. A veces consulta el listín telefónico, otras las inscripciones de las tumbas. La mujer siempre es T, que significa Tetazos, Tiorra o Tigresa, depende del humor. Además de Tía Buena, claro.

T duerme en una tienda aparte y tiene el hábito de olvidarse los mitones y de ir de un lado a otro por la noche contraviniendo las órdenes. Habla de la belleza de la Luna y de las cualidades armónicas de los aullidos de lobo; se tutea con los perros de los trineos, les habla en un ruso balbuciente y proclama (a pesar de su materialismo científico oficial) que tienen alma. X, escocés y de natural pesimista, ha decidido que será un problema si se quedan sin comida y tienen que comerse uno del grupo.

Por fin logran liberar el vehículo de su resplandeciente vaina de hielo, pero los exploradores sólo tienen unos minutos para comprobar de qué material está hecho —un metal delgado desconocido para el hombre— antes de que se evapore dejando un olor de almendras, o pachulí, o azúcar quemado, azufre, cianuro.

De pronto detectan una forma, humanoide, claramente masculina, vestida con un traje ceñido del mismo azul verdoso de las plumas del pavo real, con un brillo como de gasolina que flotase sobre el agua. Todavía está incrustado en el hielo que debe de haberse formado dentro de la vaina. Tiene la piel verde claro, las orejas ligeramente puntiagudas, los labios finos y los ojos grandes y abiertos. Son casi todo pupilas, como en las lechuzas. El pelo, rizado y de color verde oscuro, aparece claramente terminado en punta.

Increíble. Una criatura del espacio. ¿Quién sabe cuánto tiempo lleva aquí? ¿Décadas? ¿Siglos? ¿Milenios?

Sin duda está muerto.

¿Qué van a hacer? Lo extraen del bloque de hielo que lo envuelve y empiezan a conferenciar. (X dice que deberían dejarlo y llamar a las autoridades; Y quiere disecarlo allí mismo, pero le recuerdan que podría evaporarse como le ocurrió a la nave espacial; Z es partidario de llevarlo a la civilización en un trineo, envolverlo con hielo seco y venderlo al mejor postor; T señala que los perros de su trineo están demostrando un interés insano por él, han empezado a aullar, pero no le hacen caso debido a su manera excesivamente rusa y femenina de plantear las cosas.) Finalmente —a estas alturas ya es de noche y la aurora boreal se comporta de manera peculiar— deciden ponerlo en la tienda de T. Así pues, ésta tendrá que dormir en la otra tienda, con los tres hombres, lo que les brindará una oportunidad de observarla a la luz de las velas, ya que T deberá quitarse su indumentaria de escalada alpina para meterse en el saco de dormir. Durante la noche harán guardias de cuatro horas. Por la mañana pondrán las cosas en orden y tomarán una decisión.

Todo va bien durante la guardia de X, Y y Z. Entonces llega el turno de T, quien asegura tener una sensación desagradable, el pálpito de que no todo irá bien; pero como suele decir esa clase de cosas, no le hacen caso. Z la despierta y se queda observando, con deseos libidinosos, cómo se incorpora, sale del saco de dormir y se pone el traje térmico. T ocupa su lugar en la tienda en que se encuentra la criatura congelada. El parpadeo de la vela la adormece, y empieza a imaginarse cómo se comportaría el hombre verde en una situación romántica; a pesar de ser tan delgado, tiene unas cejas atractivas. Finalmente, el sueño la vence.

La criatura encerrada en el hielo empieza a resplandecer, primero suavemente, después con más fuerza. El agua gotea en silencio sobre el suelo de la tienda. El hielo acaba por fundirse. La criatura se sienta y se levanta. Sin hacer ruido, se acerca a la mujer que duerme. Los rizos que cubren su cabeza se estiran uno a uno y se convierten, o eso parece, en tentáculos. Uno de éstos se desliza en torno al cuello de la chica; otro alrededor de sus atributos, un tercero sobre su boca. Ella despierta como de una pesadilla, pero no se trata de una pesadilla; la cara de la criatura del espacio está junto a la suya, sus fríos tentáculos la sujetan de forma implacable. La mira con un anhelo y un deseo inauditos. Ningún mortal la ha mirado jamás de manera tan intensa. Ella se debate por un instante y luego cede a su abrazo.

No es que tuviera muchas opciones.

La boca verde se abre, revelando unos colmillos que se acercan al cuello de la chica. Él la quiere tanto que la asimilará, la hará parte de sí mismo para siempre. Los dos se volverán uno. Ella lo entiende sin necesidad de palabras porque, entre otras cosas, ese caballero tiene el don de la comunicación telepática. «Sí», dice ella con un suspiro.

Él lía otro cigarrillo. ¿Dejará que se coman y se beban a T de esa manera? ¿O los perros del trineo se darán cuenta de la situación en que se encuentra y, tras soltarse de sus arneses, rasgarán la tela de la tienda y harán trizas a aquel ser, tentáculo a tentáculo? ¿Acudirá alguno de los otros —él se inclina por Y, el científico inglés— en su rescate? ¿Se producirá una lucha? Eso podría estar bien. «¡Imbécil! ¡Te vas a enterar!», le espetaría telepáticamente el extraterrestre a Y justo antes de morir. Su sangre tendrá un color distinto del humano. Anaranjado estaría bien.

O quizá el hombre verde intercambie fluidos intravenosos con T y ésta se vuelva como él: una versión perfeccionada y verdosa de ella misma. Entonces serán dos y machacarán a los otros hasta hacerlos gelatina, decapitarán a los perros y emprenderán la conquista del mundo. Su misión será destruir las ciudades ricas y tiránicas y liberar a los pobres virtuosos; «Somos el flagelo del Señor», anunciarán. Como estarán en posesión del Rayo de la Muerte, creado gracias al conocimiento del hombre del espacio y a las llaves inglesas y bisagras saqueadas de una ferretería cercana, nadie se atreverá a discutir nada.

También es posible que el extraterrestre no se beba la sangre de T, sino que... ¡le inyecte la suya! El cuerpo se le arrugará como una pasa, su piel, seca y ajada, se convertirá en niebla, y por la mañana no quedará ni rastro de él. Los tres hombres se reunirán con T, que se frotará los ojos de sueño. «No sé qué ha ocurrido», dirá ella, y como nunca lo sabe, le creerán. A lo mejor todos hemos alucinado, dirán. «Es la aurora boreal; siembra la confusión en el cerebro de los hombres. El frío les espesa la sangre.» No verán el verde resplandor extraterrestre ultra inteligente en los ojos de T, que en todo caso ya eran verdes de por sí. Sin embargo, los perros sí lo percibirán. Olerán el cambio. Gemirán amusgando las orejas, soltarán aullidos lastimeros, ya no serán sus amigos. «¿Qué les pasa a esos perros?»

Podría ser de muchas maneras.

La lucha, la batalla, el rescate. La muerte del extraterrestre. Las ropas se rasgarán en el proceso. Siempre ocurre así.

¿Por qué sigue escribiendo esta mierda? Porque necesita hacerlo, de otro modo se arruinaría, y buscar empleo en la presente coyuntura le obligaría a salir más de lo que la prudencia aconseja. También porque puede. Tiene facilidad para ello. No a todo el mundo le ocurre lo mismo; muchos lo han intentado, y muchos han fracasado. Antes él tenía ambiciones mayores, más serias. Escribir sobre la vida de un hombre tal como es en la realidad. Hablar de ella al nivel del suelo, al nivel del sueldo de hambre, del pan y de la grasa, de putas de poca monta, de botas en la cara y vómitos en la alcantarilla. Exponer el funcionamiento del sistema, de la maquinaria, la manera en que te explota hasta convertirte en un diente o una cuba, te hunde la cara en el estiércol de un modo u otro.

Sin embargo, el trabajador medio —el trabajador que mis camaradas creen imbuido de nobleza inherente— no leería esta clase de cosas. Lo que quieren leer es lo que él escribe. Algo barato, del valor de un centavo, acción trepidante, con muchas tetas y culos. Por supuesto que las palabras «tetas» y «culo» no pueden aparecer, porque son sorprendentemente puritanos. Pechos y trasero es lo máximo que aceptan. Sangre y balas, intestinos, gritos y convulsiones, pero nada de desnudos frontales. Nada de «lenguajes». O quizá no sea puritanismo, sino sólo que no quieren que les cierren el negocio.

Enciende un cigarrillo, pasea de un lado a otro, mira por la ventana. El hollín oscurece la nieve. Pasa un coche rechinando. Él se vuelve, merodea; hay nidos de palabras en su mente.

Comprueba la hora; ella llega tarde. Seguro que no viene.

VII

VII

El baúl mundo

Sólo se puede escribir la verdad si se da por sentado que lo que se escribe nunca será leído, que no lo leerá nadie más, ni siquiera uno mismo en fecha posterior. De otro modo, justificarse es inevitable. El que escribe tiene que ver aparecer las palabras como si del dedo índice de la mano derecha surgiese una larga línea de tinta y la izquierda lo fuese borrando.

Imposible, claro. Trazo y vuelvo a trazar la línea, ese hilo negro del que voy tirando a través de la página.

Ayer llegó un paquete a mi nombre conteniendo una edición nueva de *El asesino ciego*. Es un ejemplar de mera cortesía: no producirá ningún dinero, al menos para mí. Como el libro ha pasado a ser de dominio público y puede publicarlo quien quiera, no llegará ni un centavo de las ventas a las arcas de Laura. Eso es lo que ocurre un número determinado de años después de la muerte del autor: se pierde el control. El libro está ahí fuera, en el mundo, replicándose en Dios sabe cuantas formas sin contar con mi opinión.

Artemisia Press, se llama la editorial que lo publica; es inglesa. Creo que son los que me pidieron que escribiera una introducción, a lo cual me negué, claro. Con un nombre como ése, lo más probable es que esté dirigida por un puñado de mujeres. Me pregunto a qué Artemisia se refieren, si a la reina persa que según Heródoto dio media vuelta con su ejército cuando vio que tenía la batalla perdida, o a la matrona romana que se comió las cenizas de su marido para que su cuerpo se convirtiera en sepulcro viviente del difunto. Probablemente se refieran a la pintora violada del Renacimiento; es la única que se recuerda ahora.

El libro está encima de la mesa de la cocina. *Obras maestras olvidadas del siglo xx*, reza en cursiva debajo del título. En la solapa interior, nos informan de que Laura era «modernista». Recibió la «influencia» de Djuna Barnes, Elizabeth Smart y Carson Mac-Cullers, autoras que sé a ciencia cierta que Laura no leyó jamás. La cubierta no es fea, sin embargo. Tonos descoloridos de púrpura y marrón, un aire de fotografía: una mujer en bragas junto a la ventana mirando a través de una cortina de red, la cara en sombras. Detrás de ella, un segmento de hombre: el brazo, la mano, la nuca. Bastante apropiado, creo.

Decidí que había llegado el momento de llamar a mi abogado. No me refiero a mi abogado de verdad, el que yo consideraba mío, el que me llevó los asuntos con Richard y luchó tan heroicamente con Winifred aunque en vano..., pues murió hace décadas. Desde entonces, en el bufete me han ido pasando de mano en mano, como la tetera de plata con adornos que una generación tras otra se endosa como regalo de bodas y nadie usa.

—El señor Sykes, por favor —le dije a la chica que contestó, una de las recepcionistas, supongo. Me imagino sus uñas, largas, granates y puntiagudas, aunque tal vez no sea el estilo de las recepcionistas de hoy en día. A lo mejor las llevan pintadas de azul hielo.

—Lo siento, el señor Sykes está reunido. ¿De parte de quién, por favor?

Daría igual que empleasen robots.

—La señora Iris Griffen —dije, dándome aires de superioridad—. Soy una de sus clientas más antiguas.

Eso no me abrió ninguna puerta, sin embargo. El señor Sykes seguía reunido. Por lo visto, es un chico ocupado, aunque no sé por qué pienso en él como en un chico, porque debe de tener más de cincuenta años. Probablemente nació el mismo día en que murió Laura. ¿Tanto hace que murió Laura, todo el tiempo que un abogado ha necesitado para crecer y madurar? Otra de esas cosas que deben de ser verdad porque todo el mundo afirma que lo son, aunque a mí no me lo parezca.

—¿Puedo decirle al señor Sykes de qué asunto se trata? —preguntó la recepcionista.

—Mi testamento —respondí—. Creo que voy a redactarlo. Me ha advertido muchas veces que tenía que hacerlo. —Era mentira, pero quería introducir en aquel cerebro dado a la distracción la idea de que el señor Sykes y yo éramos uña y carne—. También hay otros asuntos. Pronto iré a Toronto para hacerle unas consultas. ¿Sería tan amable de decirle que me llame cuando tenga un momento?

Me imaginé al señor Sykes recibiendo el mensaje; me imaginé el escalofrío que debió de recorrerle la espalda mientras se esforzaba por recordar mi nombre y cuando al fin lo recordó. Una voz de ultratumba. Es lo que uno siente —incluso yo lo siento— al leer en la prensa una noticia menor acerca de personas que fueron famosas, brillantes o notables a las que creía muertas hacía tiempo y, no obstante siguen llevando una existencia marchita y oscurecida, aplastadas por los años igual que cucarachas bajo una piedra.

—Desde luego, señora Griffen —repuso la recepcionista—. Me encargaré de transmitirle el recado.

Deben de darles clases de elocución, para conseguir la mezcla exacta de consideración y desprecio. Pero no sé de qué me quejo. Es una técnica que en otros tiempos dominé a la perfección.

Colgué el auricular. No hay duda de que se habrá producido un intercambio de muecas entre el señor Sykes y sus jóvenes colegas, medio calvos, rechonchos y con un Mercedes en la puerta: «¿Qué puede querer la vieja?»

¿Qué, que sea digno de mención?

En un rincón de la cocina tengo un baúl mundo con las pegatinas medio rotas. Es parte del juego de maletas de mi ajuar: piel de vaca en otro tiempo amarilla, hoy sucia, con los aldabones de acero rotos y mugrientos. Está cerrado, y la llave permanece en el fondo de un bote de cereales. Los botes de café y azúcar me parecen demasiado evidentes.

Forcejeé con la tapa del bote —debo encontrar un escondite mejor y más sencillo— y cuando por fin lo abrí, saqué la llave. Me arrodillé con dificultad, hice girar la llave en la cerradura y abrí el baúl.

Hacía tiempo que no lo hacía, y salió una vaharada a papel viejo chamuscado. Ahí estaban todas las libretas de tapas de cartón como serrín aplastado. También el manuscrito a máquina, atado con un lazo del viejo cordel de cocina. Y las cartas a los editores —mías, desde luego, porque Laura ya había muerto— así como las pruebas corregidas. Y las cartas llenas de insultos y amenazas, hasta que dejé de guardarlas.

Había también cinco ejemplares de la primera edición, cuya cubierta, que en todos los casos estaba como nueva, reflejaba el mal gusto propio de los años inmediatamente posteriores a la guerra. Era de color anaranjado chillón, púrpura y verde lima, de papel malo y con un dibujo horrible: una falsa Cleopatra con pechos verdes en forma de bulbo, los ojos pintados con *kohl*, collares de color púrpura que le llegaban al ombligo y un mohín en la enorme boca anaranjada que se revelaba como un geniecillo en la espiral de humo que se elevaba de un cigarrillo morado. El ácido se está comiendo las hojas, la virulenta cubierta está perdiendo el color igual que las plumas de un ave tropical disecada.

(Recibí seis ejemplares —«de autor», los llamaban—, pero le di uno a Richard. No sé qué pasó con él. Supongo que lo rompió, como solía hacer con los papeles que no quería. No..., ahora lo recuerdo. Estaba en el barco, en la mesa de la cocina, junto a su cabeza. Winifred me lo devolvió con una nota: «¡Para que veas lo que has hecho!» Lo tiré. No quería tener cerca nada que Richard hubiese tocado.)

A menudo me he preguntado qué hacer con todo eso, con ese alijo de retazos, con ese archivo diminuto. No me animo a venderlo, pero tampoco a tirarlo. Si no hago nada, la decisión quedará en manos de Myra, que será quien ponga orden cuando me haya ido. Tras los primeros momentos de sorpresa —suponiendo que se le ocurra leerlo—, sin duda procederá a romperlo en pedazos. A continuación, acercará una cerilla, y se acabó lo que se daba. Lo interpretará como un acto de lealtad: Reenie lo habría hecho así. En los viejos tiempos, los problemas quedaban dentro de la familia, que sigue siendo el mejor sitio para ello, aunque tampoco puede decirse que haya un sitio ideal para los problemas. ¿Por qué removerlo todo tantos años después, cuando todos los implicados están en la tumba, arropados como niños?

Quizá debería donar el baúl y su contenido a una universidad, o a una biblioteca. Allí al menos alguien con talante morboso lo apreciaría. No pocos académicos estarían encantados de meter mano en todo este despilfarro de papel. «Material», lo llamarían, lo que es sinónimo de botín. Deben de verme como un dragón viejo y desfasado en cuclillas sobre un tesoro mal adquirido: una especie de perro del hortelano descarnado, de guardiana disecada y censora, de remilgada ama de llaves que protege la mazmorra en la que la pobre Laura está encadenada al muro.

Durante años me han bombardeado pidiéndome las cartas de Laura, sus manuscritos, recuerdos, entrevistas, anécdotas..., todos los detalles truculentos. Para responder a esas misivas inoportunas, solía redactar respuestas lacónicas:

Querida señorita W: En mi opinión, su proyecto de una «ceremonia conmemorativa» en el puente que fue escenario de la trágica muerte de Laura Chase no es sólo morboso, sino que denota un mal gusto evidente. Creo que sus propias ideas la han intoxicado. Le sugiero un enema como solución.

Querida señora X: Acuso recibo de su carta relacionada con su propuesta de tesis. No me parece que su título sea muy explicativo, aunque debe de serlo, porque en otro caso no se le habría ocurrido. No puedo prestarle mi ayuda. Además, no creo que la merezca. Para «deconstruir» hace falta un martillo, y el verbo «problematizar» no existe.

Querido doctor Y: En relación con su estudio sobre las implicaciones teológicas de *El asesino ciego*: las creencias religiosas de mi hermana eran muy profundas, aunque difícilmente pueden calificarse de convencionales. No le gustaba Dios, no lo aprobaba ni pretendía entenderlo. Ella decía que quería a Dios, y, como en el caso de los seres humanos, se trata de algo muy diferente. No, no era budista. No sea necio. Le sugiero que aprenda a leer.

Querido profesor Z: Suscribo su opinión de que hace ya tiempo que debería haberse escrito una biografía de Laura Chase. Es muy posible, como afirma, que se halle «entre las escritoras más importantes del último medio siglo». No lo sé, pero mi cooperación en lo que usted llama su «proyecto» está fuera de lugar. No tengo deseo alguno de satisfacer su anhelo de reliquias y sangre seca.

Laura Chase no es su «proyecto». Era mi hermana. Estoy segura de que no le habría gustado verse manoseada después de su muerte, por muy eufemísticamente que quiera usted llamar a ese manoseo. Lo escrito puede hacer mucho daño. Demasiado a menudo la gente no lo tiene en cuenta.

Querida señorita W: Ésta es la cuarta carta que recibo sobre el tema. Deje de molestarme. Parece un moscardón.

Durante décadas, esas palabras cargadas de veneno me producían una satisfacción lúgubre. Me gustaba ensalivar los sellos y echar las cartas al reluciente buzón rojo, como si de granadas de mano se tratara, con la sensación de poner en su sitio a algún fisgón serio y avaricioso, pero últimamente he dejado de contestar. Para ellos, no soy más que un apéndice, una especie de extraña mano adicional de Laura que no está unida a cuerpo alguno, la mano a través de la cual llegó a ellos. Me ven como una depositaria, un mausoleo vivo, un «recurso», lo llaman. ¿Por qué tengo que hacerles favor ninguno? Desde mi punto de vista, son carroñeros —hienas, todos ellos, chacales en busca de carne corrompida, cuervos en pos de accidentados—, moscas de cadáveres. Quieren aprovecharse de mí como si fuera un montón de huesos, buscar metales rotos y fragmentos de cerámica, pedazos cuneiformes y trozos de papiros, curiosidades, muñecos perdidos, dientes de oro. Si un día sospechasen lo que tengo aquí guardado, forzarían las puertas, entrarían en la casa, me golpearían la cabeza, se irían con el botín y se sentirían más que justificados.

No. A una universidad no, ni hablar. ¿Por qué darles esta satisfacción?

A lo mejor debería dejarle el baúl a Sabrina, a pesar de su decisión de permanecer incomunicada, a pesar —y esto es lo verdaderamente doloroso— de su persistente indiferencia hacia mí. Aun así, como sabe quien la ha probado, la sangre es más espesa que el agua. Todo eso es suyo por derecho. Hasta podría afirmarse que es su herencia; al fin y al cabo, se trata de mi nieta, y por lo tanto de la sobrina nieta de Laura. Seguramente llegará el día en que quiera información sobre sus orígenes.

Pero no hay duda de que Sabrina rechazaría un regalo semejante. Ya es una mujer adulta, no dejo de recordármelo. Si quisiera preguntarme algo, lo que fuera, lo haría.

Pero ¿por qué no lo hace? ¿Por qué tarda tanto? ¿Es su silencio una manera de vengarse de algo o de alguien? De Richard no, desde luego, ni siquiera llegó a conocerlo. Tampoco de Winifred, de quien huyó a la carrera. ¿De su madre, entonces..., de la pobre Aimee?

¿Qué puede recordar de ella? Sólo tenía cuatro años.

La muerte de Aimee no fue culpa mía.

¿Dónde estará ahora Sabrina y qué andará buscando? Me la imagino delgadita, con una sonrisa vacilante, un poco ascética pero encantadora, con severos ojos azules como los de Laura, largos cabellos con trenzas como serpientes dormidas alrededor de su cabeza. No lleva velo, sin embargo; va con sandalias, o incluso botas, con las suelas gastadas. ¿Llevará sari? Las chicas de su tipo suelen hacerlo.

Estará en una u otra misión, alimentando a los pobres del Tercer Mundo, aliviando a los moribundos, expiando nuestros pecados. Tarea inútil: nuestros pecados son un pozo sin fondo y su fuente inagotable. Eso es precisamente lo que quiere Dios, responderá ella sin duda: la inutilidad. Siempre le ha gustado lo fútil. Le parece noble.

En este aspecto se parece a Laura: la misma tendencia a lo absoluto, el mismo rechazo a ceder, el mismo desdén ante los peores defectos humanos. Para ser así, hay que ser guapa. De otro modo parece pura displicencia.

El Pozo de Fuego

El tiempo sigue siendo excesivamente cálido para la estación, pero agradable, seco y brillante; hasta el sol, por lo general tan pálido y suave en esta época del año, es fuerte y apacible, y sus puestas resultan exuberantes. Los hombres enérgicos y sonrientes que hacen las previsiones meteorológicas por la televisión afirman que se debe a alguna catástrofe distante que provoca mucho polvo, ¿un terremoto, la erupción de un volcán? En todo caso, se trata de nueva acción mortífera de Dios. «No hay mal que por bien no venga», es su lema. Y no hay bien sin mal.

Ayer Walter me acompañó a Toronto para la cita con el abogado. Es un sitio al que no va nunca, si puede evitarlo, pero Myra lo obligó. Fue después de que yo le dijera que pensaba tomar el autobús. Myra no me dejó ni terminar la frase. Como todo el mundo sabe, sólo hay un autobús, que sale por la noche y vuelve por la noche. Dijo que cuando bajara del autobús por la noche los motoristas no me verían y me aplastarían como a una chinche. En todo caso, no podía ir a Toronto sola porque, como todo el mundo sabe, está a rebosar de sinvergüenzas y matones. Añadió que Walter se encargaría de mí.

Para el viaje, Walter se puso una gorra de béisbol roja; entre el borde de ésta y el cuello de la chaqueta se le veía el cogote, prominente como un bíceps. Tiene los párpados arrugados como la piel de las rodillas.

—He pensado en coger la camioneta —dijo—, porque sus parachoques son lo bastante imponentes para intimidar a esos cabrones antes de que se me tiren encima. Pero le fallan los amortiguadores. —Según él, todos los conductores de Toronto están locos—. Bueno, hay que estar loco para ir allí, ¿no crees? —agregó.

—Pues nosotros vamos —señalé.

—Pero sólo de vez en cuando. Como solíamos decirles a las chicas: una vez no cuenta.

—¿Y te creían, Walter? —inquirí, sonsacándole, como a él le gusta.

—Desde luego. Con los ojos cerrados. Sobre todo las rubias.

Observé su sonrisa.

«Imponentes.» Eso solía decirse de las mujeres. Era una especie de cumplido en los tiempos en que no todo el mundo tenía muchas cosas de qué jactarse.

En cuanto estuve dentro del coche y con el cinturón atado, Walter puso la radio: el aullido de los violines eléctricos, la crispación del idilio, el latido inequívoco del desengaño. Sufrimiento trillado, pero sufrimiento al fin. La industria del ocio. Todos nos hemos convertido en *voyeurs*. Apoyé la cabeza en el cojín que me había procurado Myra. (Nos había aprovisionado como si fuéramos a atravesar el océano, incluyendo una manta de viaje, bocadillos de atún, bizcochos, un termo de café.) Por la ventana se veía la lenta corriente del Jogues.

Cruzamos el río y giramos hacia el norte, recorrimos las calles, en tiempos flanqueadas de casas de trabajadores y ahora de lo que se llama «primeras residencias», seguidas de varios negocios pequeños: un desguace de coches, un emporio de alimentos naturales que se ha ido a pique, una tienda de zapatos ortopédicos con una luz verde de neón en forma de pie que al parpadear parecía caminar sin moverse de su sitio. Luego pasamos por delante de un centro comercial en miniatura del que sólo una tienda había conseguido colocar el oropel de Navidad, seguido del salón de belleza de Myra. En el cristal del escaparate aparecía la imagen de una persona con la cabeza rapada, no sabría decir si hombre o mujer.

Luego pasamos por delante de un motel que antes se llamaba Final del Viaje. Supongo que se refería a aquello de que «al final del viaje los amantes se reencuentran», pero es poco probable que la mayoría de la gente supiera a qué aludía; la impresión podía ser demasiado siniestra, un edificio lleno de entradas pero sin salidas, apestando a aneurismas y trombosis, frascos vacíos de píldoras y heridas en la cabeza. Ahora se llama simplemente Viaje. Ha sido una buena idea cambiarle el nombre. Así resulta mucho más inconcluso, mucho menos terminal. Es mejor viajar que llegar.

Dejamos atrás unos cuantos comercios más: pollos satisfechos que ofrecían en bandeja partes fritas de sí mismos, un mexicano sonriente cargado de tacos. A la distancia se alzaba el depósito de agua de la ciudad, una de esas inmensas bombillas de cemento que puntean el paisaje rural como los bocadillos sin palabras de los cómics. Ya hemos llegado a campo abierto. Un silo de metal se eleva como una torre de mando; junto a la carretera, tres cuervos picoteaban la piel peluda de una marmota reventada. Vallas, más silos, unas cuantas vacas, una caseta de cedro, la mancha de un pantano, los juncos ya irregulares y pelones.

Se puso a lloviznar. Walter encendió el limpiaparabrisas. Al relajante ritmo de su sonsonete, me dormí.

Lo primero que pensé al despertar fue si habría roncado y, de ser así, si tendría la boca abierta. Qué feo y, por lo tanto, qué humillante. Pero no me vi con ánimo de preguntarlo. Por si a alguien le interesa saberlo, la vanidad no tiene límite.

Nos encontrábamos en la autopista de ocho carriles, cerca de Toronto. Eso según Walter; yo no veía nada porque íbamos detrás de un camión enorme cargado hasta los topes de jaulas de ocas blancas sin duda destinadas al mercado. Sacaban entre los listones las desesperadas cabezas que remataban sus largos y condenados cuellos, y abrían y cerraban el pico emitiendo unos chillidos trágicos y ridículos que quedaban ahogados por el ruido de las ruedas. Las plumas se pegaban al parabrisas, el coche se llenó de olor a excrementos y humo de escape.

El camión tenía un letrero detrás que rezaba: «Si lees esto, es que estás demasiado cerca.» Cuando por fin tomó un desvío, nos encontramos delante mismo de Toronto, una montaña artificial de vidrio y cemento que se elevaba junto al lago, llena de cristales, agujas, cubos brillantes y gigantescos y agudos obeliscos que flotaban en un resplandor anaranjado de niebla y humo. Me pareció que nunca había visto nada igual, que había crecido de la noche a la mañana o que no estaba del todo allí, como si se tratara de un espejismo.

Los copos negros venían volando hacia nosotros como si más adelante ardiera una montaña de papeles. La rabia vibraba en el aire, en forma de calor. Me imaginé un tiroteo en la carretera.

El bufete estaba cerca de King y Bay. Walter se perdió y luego no consiguió encontrar sitio para aparcar. Tuvimos que andar cinco manzanas, Walter guiándome por el codo. Yo no sabía dónde estaba, porque todo ha cambiado mucho. Cada vez que voy, lo que no hago a menudo, percibo algún cambio, y el efecto acumulativo es devastador, como si un bombardeo hubiera arrasado la ciudad y hubiesen vuelto a construirla de la nada.

El centro que yo recuerdo —soso, calvinista, con hombres blancos de abrigo oscuro avanzando a buen ritmo por las aceras, y, de vez en cuando, mujeres con tacones altos, guantes y el sombrero de rigor, el bolso apretado bajo el brazo y la mirada alta— ha desaparecido hace tiempo. Toronto ya no es una ciudad protestante, sino medieval: las multitudes que atascan sus calles son de diferentes tonos, las ropas, de colores vivos. Hay puestos de venta de perritos calientes, con sombrillas amarillas, vendedores de galletas saladas, vendedores ambulantes de pendientes, bolsas tejidas y cinturones de cuero, mendigos con carteles colgados del cuello en los que se anuncia: «Sin trabajo.» Se han repartido el territorio entre ellos. He pasado por delante de un flautista, de un trío de guitarras eléctricas, de un hombre con falda escocesa que tocaba la gaita. Esperaba encontrarme en cualquier momento con malabaristas, faquires tragando fuego o procesiones de leprosos, con capucha y campanillas. El estruendo era tremendo; una película iridiscente como aceite se me pegaba a las gafas.

Al final conseguimos llegar al bufete. La primera vez que requerí sus servicios, allá por los años cuarenta, estaba situado en uno de esos edificios de oficinas de ladrillo tiznado semejantes a los de Manchester, con vestíbulo de azulejos, leones de piedra y letras doradas sobre puertas de madera con gruesos cristales. El ascensor era de esos con una rejilla cruzada de barrotes de metal dentro de la propia jaula; meterse en él era como ingresar brevemente en la cárcel. Lo manejaba una mujer con uniforme azul marino y guantes blancos que anunciaba en voz alta el número de las plantas, que por entonces no solían ser más de diez.

Ahora el bufete se encuentrta en el quincuagésimo piso de un edificio de vidrio y acero. Walter y yo subimos en el reluciente ascensor forrado de mármol de imitación, con olor a tapicería de coche y repleto de hombres y mujeres perfectamente trajeados, con la mirada extraviada y el rostro inexpresivo de los sirvientes de toda la vida. Gente que sólo ve lo que le pagan para ver. El bufete en sí tiene un área de recepción que no desentonaría en un hotel de cinco estrellas, con un arreglo floral cuya densidad y ostentación son propias del siglo XVIII y un cuadro abstracto, de color tierra con varias manchas oscuras, que ocupa la totalidad de una pared.

Llegó el abogado, nos dio la mano, murmuró, gesticuló, me pidió que lo siguiera. Walter dijo que me esperaría allí mismo y observó con cierta preocupación a la joven recepcionista, que estaba impecable con su traje chaqueta negro, su pañuelo color malva y sus uñas nacaradas; ella lo miraba fijamente, aunque no tanto a él como a su camisa a cuadros y sus voluminosas botas semejantes a vainas con suela de goma. Él se sentó en el sofá de dos cuerpos y de inmediato se hundió en él como si hubiera caído sobre una montaña de malvaviscos, con las rodillas dobladas y las perneras levantadas dejando al descubierto unos gruesos calcetines rojos de leñador. Delante de él, sobre una elegante mesa baja, había un despliegue de revistas de negocios que daban consejos para sacar el máximo provecho a las inversiones en dólares. Eligió un ejemplar en el que aparecía un reportaje sobre fondos mutalistas; en sus grandes manos parecía un Kleenex. Ensortijaba los ojos como un novillo en desbandada.

—No tardaré mucho —le dije para tranquilizarlo. En realidad me demoré un poco más de lo que había pensado. Bueno, esos abogados cobran por minuto, como si fuesen putas baratas. Yo esperaba que llamasen a la puerta y una voz irritada dijera: «A ver ahí dentro, ¿qué esperan? ¡Venga, venga, entrar y salir!»

Cuando hube terminado con el abogado, regresamos al coche y Walter me invitó a comer en un sitio que conocía. Supongo que Myra lo había aleccionado.

«Por el amor de Dios, asegúrate de que coma algo, que a esta edad apenas si prueban bocado, ni siquiera cuando se quedan sin fuerzas; hasta podría morirse de hambre en el coche.» También es posible que él tuviera hambre; mientras yo dormía, se había zampado todos los bocadillos que Myra había preparado cuidadosamente, y también los bizcochos.

El sitio que conocía se llamaba el Pozo de Fuego. Había comido allí la última vez, unos dos o tres años antes, y le había parecido más o menos decente, teniendo en cuenta... ¿Teniendo en cuenta qué? Teniendo en cuenta que era Toronto. Se tomó una hamburguesa doble con queso y todas las guarniciones. También hacían costillas a la barbacoa, y carne asada en general, que era su especialidad.

Yo había estado en ese restaurante hacía más de diez años, cuando me dedicaba a vigilar a Sabrina, después de que se escapara por primera vez. Solía acercarme a su escuela al final del día y tomaba posición en uno de los bancos del parque o en cualquier sitio donde pudiera abordarla sin que ella me reconociera, aunque las posibilidades de esto último eran mínimas. Me escondía detrás de un periódico abierto, igual que un exhibicionista obsesionado y patético, im-

buida de anhelo sin esperanza por una chica que sin duda huiría de
mí como de la peste.

Sólo quería que Sabrina supiese que estaba ahí, que existía, que
distaba de ser la persona que le habían dicho que era. Que yo podía
convertirme en una suerte de refugio para ella. Sabía que necesitaba
protección, que llevaba tiempo necesitándola, porque conocía a Winifred, pero nunca me atreví. Jamás me vio, ni revelé mi presencia.
Cuando llegaba el momento, la cobardía me atenazaba.

Un día la seguí hasta el Pozo de Fuego. Por lo visto, se trataba de
un lugar que las chicas —de su edad, de su escuela— frecuentaban a
la hora de comer o cuando hacían novillos. El rótulo de la puerta era
rojo y los bordes de la ventana estaban decorados con festones de
plástico amarillo que parecían llamas. Me alarmaba la audacia mil-
toniana del nombre; ¿sabían realmente lo que invocaban?

> *Llamas que se precipitan del cielo etéreo*
> *provocando ruina y destrucción.*
> *... Avivado el feroz diluvio*
> *por el azufre ardiente que nunca se consume.*

No. No lo sabían. El Pozo de Fuego sólo constituía el infierno
para la carne.

Dentro, la atmósfera era muy años sesenta, con plantas veteadas
y fibrosas en tiestos de barro y lámparas colgantes con cristales mul-
ticolores. Me metí en el compartimento contiguo al que ocupaban
Sabrina y dos amigas suyas, las tres con el mismo incómodo uniforme, con aquellas faldas a cuadros escoceses que parecían mantas y
las corbatas a juego que Winifred siempre consideró tan prestigio-
sas. Las tres chicas hacían todo lo posible por malograr el efecto: llevaban los calcetines caídos, la blusa por fuera, la corbata torcida.
Mascaban chicle religiosamente y hablaban en voz demasiado alta,
con ese deje de aburrimiento que las muchachas dominan tan bien a
esas edades.

Las tres eran guapas, como lo son todas las muchachas a esa edad.
Es una clase de belleza que no puede evitarse, ni conservarse; una

frescura, una lozanía de las células temporal y no adquirida, irre-
producible. Sin embargo, ninguna de ellas estaba satisfecha con su
belleza; ya se depilaban y maquillaban intentando alterar su cara,
mejorarla, cambiarla o reducirla, meterse en un molde imposible e
imaginario. No se lo reprocho, yo hice lo mismo en su momento.

Me senté allí observando a Sabrina por debajo de mi sombrero
blanco y escuchando la cháchara trivial que salía camuflada de sus
bocas. Ninguna de ellas decía lo que pensaba, ninguna confiaba en
las demás..., y con bastante razón, porque cuando se tiene esa edad
la traición despreocupada es algo cotidiano. Las otras dos eran rubias; sólo Sabrina era morena y reluciente como una mora. No prestaba atención a lo que decían sus amigas, ni siquiera las miraba. Tras
la estudiada ausencia de expresividad de su mirada, debía de estar a
punto de estallar la revolución. Reconocí esa hosquedad, esa tozudez, esa indignación de princesa cautiva que se ve obligada a ocultarla hasta haber reunido las armas suficientes. «Ándate con cuidado, Winifred», pensé con satisfacción.

Sabrina no me vio. O me vio pero no supo quién era. Las tres me
echaron algunas miradas, murmuraron y rieron; suelo recordar esta clase de cosas. «Un vejestorio apergaminado», o su versión moderna. Supongo que el objetivo de las chanzas era mi sombrero. No
estaba de moda en absoluto. Para Sabrina, yo no era más que una
vieja, una anciana anodina no tan decrépita todavía para llamar la
atención.

Cuando se fueron, me dirigí al lavabo. En la pared del retrete había un poema:

> *Quiero a Darren lo confieso*
> *Es para mí, no para ti*
> *Como intentes robármelo*
> *juro por Dios que te mato.*

Las jovencitas se han vuelto más directas que antes, aunque no
parece que pongan mejor los signos de puntuación.

Cuando Walter y yo localizamos por fin el Pozo de Fuego, que (según él) no estaba en el mismo lugar que la última vez que había ido por allí, vimos que las ventanas estaban condenadas con tablas de madera y había una especie de nota oficial pegada. Walter se acercó a la puerta cerrada olisqueando como un perro que ha perdido un hueso.

—Parece que está clausurado —dijo. Se quedó un rato callado con las manos en los bolsillos—. Siempre lo están cambiando todo —añadió—. Es imposible estar al día.

Después de unas cuantas vueltas y unos cuantos intentos fallidos, nos decidimos por un mugriento comedero de Davenport, con asientos de vinilo y máquinas de discos en las mesas, con un montón de música *country* y algunas viejas canciones de los Beatles y Elvis Presley. Walter puso *Heartbreak Hotel* y escuchamos mientras nos comíamos las hamburguesas y nos bebíamos el café. Walter insistió en pagar; Myra de nuevo, sin duda: debió de darle un billete de veinte para la comida.

Yo sólo di cuenta de la mitad de la hamburguesa. Me fue imposible acabármela. Walter se zampó lo que restaba metiéndoselo de golpe en la boca como si lo echase al buzón.

Cuando salíamos de la ciudad, le pedí a Walter que pasara por mi vieja casa, la que habité durante un tiempo con Richard. Aunque me acordaba perfectamente del camino, cuando llegamos no la reconocí de inmediato. Seguía siendo sencilla y sin gracia, de ventanas pequeñas, maciza y de un color marrón oscuro, como de té cargado, pero tenía las paredes cubiertas de enredaderas. Las tablas de madera que cubrían aquellas hasta la mitad, en otro tiempo de color crema, estaban pintadas de verde manzana, al igual que la recia puerta principal.

Richard era contrario a las enredaderas. Cuando nos mudamos había algunas, pero las arrancó. Decía que se comían el enladrillado, que se metían en las chimeneas y atraían a las ratas. Eso era cuando aún aducía razones de cuanto pensaba y hacía y las presentaba como razones de lo que yo misma debía pensar y hacer. Antes de que dejara de dar razones de lo que fuera.

Me asaltó una imagen de mí misma en aquel tiempo, con un vestido amarillo pálido de algodón, por el calor. Era a finales de verano, el año anterior a mi boda; la tierra estaba seca como un ladrillo. A instancias de Winifred, que dijo que me hacía falta encontrar una afición, había empezado a ocuparme del jardín. Decidió que lo mejor para mí era empezar con el jardín rocoso porque, por muchas plantas que matase, las piedras seguirían allí. «Da igual lo que hagas, es difícil matar una piedra», dijo en broma. Me enviaría lo que llamó «tres hombres fiables», que se encargarían de cavar y colocar las piedras para que yo pudiera plantar lo que quisiese.

Winifred ya había pedido algunas piedras para el jardín; unas eran grandes, otras como losas. Estaban esparcidas como al descuido o apiladas igual que fichas de dominó. Nos encontrábamos los cuatro allí parados, los tres hombres fiables y yo, mirando aquel montón de pedruscos. Ellos, que llevaban gorra, se quitaron la chaqueta y se arremangaron, dejando sus músculos al descubierto; esperaban instrucciones, pero yo no sabía qué decirles.

En aquel tiempo yo aún quería introducir algunos cambios, hacer algo por mí misma, con cualquier material, por poco prometedor que fuese. Todavía me creía capaz de hacerlo. Pero no había aprendido absolutamente nada de jardinería. Tenía ganas de echarme a llorar, pero si te echas a llorar estás perdida; si lloras, los hombres fiables te desprecian y dejan de ser fiables para siempre.

Walter me ayudó a salir del coche y luego esperó en silencio, un poco detrás de mí, dispuesto a acudir en mi ayuda si me caía. Me detuve en la acera y miré la casa. El jardín rocoso todavía estaba allí, aunque muy abandonado. Claro que era invierno y no había forma de saberlo con certeza, pero dudé de que creciera algo en él, excepto, tal vez, algunas palmeras, que crecen en cualquier parte.

En la avenida de entrada había un gran contenedor lleno de astillas de madera y pedazos de yeso; estaban efectuando reparaciones. Eso, o se había declarado un incendio; en la planta superior vi una ventana rota. De acuerdo con Myra, cuando la gente que vive en la calle ve una casa vacía, como es el caso, se mete en ella de inmediato y celebra sus fiestas de drogas o lo que sea, al menos en Toronto. Según le dijeron, se trata de cultos satánicos. Encienden hogueras sobre el entarimado, obturan la taza del váter y el lavabo, roban los grifos, los pomos de las puertas, todo lo que puede venderse. Aunque a veces sólo se trata de niños que rompen cosas, por jugar. Los jóvenes tienen un talento particular para ello.

La casa parecía transitoria, sin amos, como una foto en el folleto de una firma inmobiliaria. Intenté recordar el ruido que producía la suela de mis botas de invierno sobre la nieve, cuando me dirigía rápidamente hacia la casa, a última hora, imaginando excusas; la valla impenetrable de la entrada; el reflejo de la luz de las farolas de la calle sobre los montones de nieve, azulado en los bordes y punteado con el braille amarillo del orín de los perros. Las sombras, entonces, eran diferentes. Mi corazón estaba intranquilo, mi aliento despedía vapor blanco en el aire helado. La frenética calidez de mis dedos; la humedad de mi boca bajo el pintalabios fresco.

En la sala de estar había una chimenea. Yo solía sentarme delante de ella, con Richard, cada uno con su posavasos para proteger la madera mientras la luz parpadeaba sobre nosotros y nuestras copas. A las seis de la tarde, hora del martini. A Richard le gustaba hacer lo que él llamaba «resumen del día». En tales ocasiones tenía el hábito de posar una mano en mi nuca, suavemente. Antes de dejar un caso en manos del jurado, los jueces hacían una recapitulación. ¿Es así como se veía él? Tal vez, pero sus pensamientos íntimos, sus motivos, solían ser oscuros para mí.

Mi imposibilidad de entenderlo, de anticiparme a sus deseos, que él adjudicaba a una falta de atención deliberada, e incluso agresiva, por mi parte, constituía una fuente de tensión entre nosotros. En realidad, también se trataba de perplejidad y, más tarde, de temor. Con el tiempo, cada vez me parecía menos un hombre, formado de piel y una serie de órganos, y más un gigantesco lío de cuerdas que el destino me obligaba, como por ensalmo, a intentar deshacer todos los días. Nunca lo conseguí.

Me quedé fuera de la casa, de mi antigua casa, a la espera de sentir alguna emoción, de la clase que fuera. Nada. He experimentado tanto sentimientos intensos como la ausencia de ellos, y no sé qué es peor.

Del castaño que crecía en el jardín colgaba un par de piernas, piernas de mujer. Por un instante pensé que eran de verdad, que alguien bajaba del árbol para escapar, hasta que miré con más atención. Era un par de medias, rellenas de algo —papel higiénico o ropa interior—, que debían de haber tirado por la ventana de arriba durante la celebración de algún rito satánico, para divertirse o por hacer una travesura. Estaban enganchadas entre las ramas.

Seguramente habían tirado aquellas piernas sin cuerpo desde mi propia ventana. Mi antigua ventana. Me vi a mí misma mirando por ella, mucho tiempo atrás, maquinando la manera de escaparme a través de allí sin que me vieran, de subirme al árbol: quitándome los zapatos, balanceándome en el alféizar, bajando un pie y después el otro, agarrada a los barrotes. Pero no llegué a hacerlo.

Mirando por la ventana. Vacilando. Pensando: «Me veo perdida.»

Postales desde Europa

Los días son más oscuros, los árboles están cabizbajos, el sol va bajando hacia el solsticio de invierno, pero éste aún no ha llegado. No hay nieve, no hay aguanieve, no hay vientos huracanados. Es horrible, este retraso. Un silencio de color pardo nos invade.

Ayer me acerqué andando hasta el puente del Jubileo. Dicen que tiene óxido, corrosión, debilidad estructural, incluso hablan de derruirlo. Según Myra, algún promotor inmobiliario sin nombre ni cara está deseoso de construir apartamentos en los terrenos públicos adyacentes, que tienen una vista extraordinaria. En la actualidad las vistas están más valoradas que las patatas, aunque no es que haya patatas en ese sitio en concreto. Se rumorea que alguien ha deslizado un fajo de dinero negro por debajo de la mesa para facilitar el negocio, tal como debió de ocurrir en su momento cuando lo construyeron con el ostensible motivo de honrar a la reina Victoria. Algún que otro contratista debió de sobornar a los representantes elegidos de Su Majestad para que le dieran el trabajo, y en esta ciudad seguimos respetando las viejas tradiciones. «Gana dinero no importa cómo.» Así eran las cosas antes.

Se hace extraño pensar que, en otro tiempo, señoras con volantes y miriñaque recorrían este puente y se inclinaban sobre la afiligranada baranda para contemplar la costosa vista que pronto será privada: el tumulto del agua abajo, las pintorescas colinas de piedra caliza al oeste, a un lado las fábricas que funcionaban catorce horas al día, llenas de palurdos serviles y cabizbajos, y parpadeando en la oscuridad como casinos iluminados con gas.

Me quedé en el puente y miré a un lado, hacia la corriente de agua que descendía, suave como caramelo, oscura, silenciosa y amenazadora. Al otro lado estaban las cascadas, los remolinos, el estruendo blanco. Hay mucha distancia hasta abajo. Tomé conciencia de mi corazón, del mareo. También de que me faltaba el aire, como si tuviese la cabeza cubierta; pero ¿cubierta de qué? De agua no, sino de algo más denso. De tiempo: de viejos tiempos fríos, de viejo dolor que se va asentando en capas, como el cieno en un estanque.

Por ejemplo:

Richard y yo hace sesenta años, bajando por la pasarela del *Berengeria* en la lejana orilla del océano Atlántico, con el sombrero en un ángulo garboso, mi mano enguantada sobre su brazo: la pareja de recién casados en su luna de miel.

¿Por qué se llama luna de miel? Luna de miel —como si la propia Luna no fuese una esfera fría, sin aire y estéril, de piedra marcada de viruela pero blanda, dorada, cautivadora—, una ciruela confitada luminosa, de esas amarillas, que se funden en la boca y son tan pegajosas como el deseo, tan dulces que los dientes duelen al comerlas. Un foco de luz flotante, no en el cielo, sino en tu propio cuerpo.

Conozco todo eso. Lo recuerdo muy bien. Pero no de mi luna de miel.

La emoción que más claramente recuerdo de aquellas ocho semanas —¿fueron nueve?— es la ansiedad. Me preocupaba que Richard encontrara tan decepcionante como yo la experiencia de nuestro matrimonio, y con ello me refiero a la parte que tenía lugar a oscuras y no podía expresarse. Aunque no parecía ser así: al principio se mostraba bastante afable conmigo, al menos a la luz del día. Yo ocultaba mi ansiedad como podía y tomaba baños con frecuencia; tenía la sensación de que estaba pudriéndome por dentro, como un huevo.

Después de atracar en Southampton, Richard y yo viajamos a Londres en tren y nos alojamos en el hotel Brown's. Nos sirvieron el desayuno en la suite, para lo cual me puse un *negligé*, uno de los tres que había elegido Winifred para mí, todos de colores pálidos y deslavazados que suavizaban la expresión de mi cara por la mañana: rosa ceniza, hueso con encaje gris paloma, lila y aguamarina. Cada uno de ellos tenía unas pantuflas de satén a juego, forradas de piel o de pluma de ganso. Yo creía que eso era lo que las mujeres adultas llevaban por las mañanas. Había visto ilustraciones de esos conjuntos (pero ¿dónde? ¿Acaso eran anuncios de marcas de café?): el hombre con traje y corbata, el pelo peinado hacia atrás y mojado, la mujer con su *negligé* y el mismo aspecto acicalado, la mano levantada sosteniendo la jarra plateada de café con su pitorro curvado, ambos sonriendo como tontos ante el plato de mantequilla.

Laura habría desdeñado semejante indumentaria. Ya se había burlado al verlos en la caja en que venían. En realidad no se trataba exactamente de desdén, ya que a Laura le faltaba la crueldad necesaria. (Es decir, la crueldad deliberada necesaria. Sus crueldades eran accidentales, producto secundario de las grandes ideas que debían de llenarle la cabeza.) Su reacción había sido más bien de sorpresa, de incredulidad. Pasé la mano por el satén con un leve estremecimiento y sentí el tacto frío y como aceitoso, lo resbaladizo de la tela, en las yemas de los dedos. Me recordó la piel de las lagartijas. «¿Piensas ponértelos?», me preguntó.

Aquellas mañanas de verano en Londres —porque entonces ya era verano— desayunábamos con las cortinas medio corridas contra la claridad del sol. Richard tomaba dos huevos duros, otras tantas lonchas gruesas de beicon y un tomate a la parrilla, además de una tostada con mermelada, quebradiza tras enfriarse en un portatostadas. Yo tomaba medio pomelo. El té era tánico oscuro como agua estancada. Se trataba de la manera correcta de servirlo, a la inglesa, me explicó Richard.

No decíamos gran cosa, aparte del obligado «¿Has dormido bien, querida?», y «Psé, ¿y tú?». Richard recibía los periódicos junto con los telegramas, de los que siempre había varios. Echaba una ojeada a los periódicos, luego abría los telegramas y los leía; a continuación los doblaba cuidadosamente varias veces y se los metía en el bolsillo, o los rompía en pedazos. Nunca los arrugaba y los tiraba a la papelera, y si lo hubiera hecho yo no los habría cogido para leerlos, al menos en aquel periodo de mi vida.

Yo daba por supuesto que todos estaban dirigidos a él; a mí nadie me había mandado nunca un telegrama, y no veía razón para que lo hicieran.

Richard tenía varios compromisos durante el día, que yo imaginaba estaban relacionados con negocios. Alquiló un coche para mí y le dio órdenes al chófer de que me llevara a ver lo que él creía que debía ser visto. En su mayor parte eran edificios o parques. También contemplé las estatuas erigidas fuera de los edificios o dentro de los parques: estadistas con la barriga metida y sacando pecho, una pierna hacia delante y un pergamino en la mano; militares a caballo; Nelson en su columna; el príncipe Alberto en su trono con un cuarteto de exóticas mujeres revolcándose a sus pies, escupiendo fruta y trigo. Éstas representaban los continentes sobre los que, aunque muerto, el príncipe Alberto todavía reinaba, pero sin prestarles atención; severo y silencioso bajo su ornamentada cúpula dorada miraba a la distancia, con la mente puesta en cuestiones más altas.

—¿Qué has visto hoy?—me preguntaba Richard a la hora de comer, y yo le recitaba, obediente, la lista de edificios, parques o estatuas: la Torre de Londres, el Palacio de Buckingham, Kensington, la abadía de Westminster, las Cámaras del Parlamento. No me animaba a visitar museos, excepto el de Historia Natural. Ahora me pregunto por qué le parecía que la visión de tantos animales inmensos disecados contribuiría a mi educación, porque estaba claro que ésta era el objeto de todas aquellas visitas. ¿Por qué los animales disecados eran mejores para mí, o para su idea de lo que yo debía llegar a ser, que una sala llena de cuadros, por ejemplo? Creo que lo sé, pero a lo mejor me equivoco. Me parece que los animales disecados eran algo así como un zoo, el sitio al que llevar a los niños de excursión.

Sin embargo, fui a la National Gallery. El conserje del hotel me lo sugirió cuando ya no me quedaban edificios por ver. Encontré la visita agotadora —era como unos grandes almacenes, tantos cuerpos colgados de la pared, tanto brillo— pero al mismo tiempo emocionante. Nunca había visto esa cantidad de mujeres desnudas en un mismo sitio. También había hombres desnudos, pero no iban tan absolutamente desnudos. Y unos cuantos disfraces. A lo mejor son categorías primarias, como la de hombres y mujeres: desnudos y vestidos. Bueno, Dios así lo creía. (Laura, de pequeña: «¿Cómo va vestido Dios?»)

En todos esos sitios, el chófer se quedaba esperándome en el coche, y yo entraba con premura, por la puerta que fuese, tratando de mostrar determinación, de no parecer solitaria y vacía. Miraba con atención para tener algo que decir después, pero en realidad no entendía lo que veía. Los edificios no son más que edificios. No aportan gran cosa a menos que sepas algo de arquitectura, o lo que ocurrió en ellos, y yo no lo sabía. Me faltaba talento para la visión de conjunto; era como si mis ojos se enfrentaran a lo que mirasen y lo único que vieran fuese la textura: la aspereza del ladrillo o la piedra, la suavidad de los balaústres de madera encerada, la aspereza de la piel raída, las estrías de los cuernos, el cálido resplandor del mármol. Ojos de vidrio.

Además de esas excursiones educativas, Richard me animaba a ir de compras; pero las dependientas me intimidaban, por lo que compraba muy poco. En otras ocasiones iba a la peluquería. Como él no quería que me cortase el pelo ni me lo rizara, no lo hice. En su opinión, lo que me sentaba mejor era un estilo sencillo, que realzase mi juventud.

A veces me limitaba a pasear o me sentaba en un banco del parque a esperar a que llegase la hora de volver. En ocasiones algún hombre se sentaba a mi lado e intentaba entablar conversación. Entonces, me levantaba y me iba.

Pasaba muchas horas cambiándome de ropa, peleándome con cintas y hebillas, con la inclinación del sombrero o las costuras de las medias. Me preocupaba la adecuación de esto o de aquello, para tal hora del día o para tal otra. No tenía a nadie que me abrochara el corchete del escote o me dijera cómo me quedaba el traje por detrás y si estaba bien ceñido. Reenie solía hacerlo, o Laura. Las echaba de menos, pero intentaba no pensar en ello.

Era obligado ir bien arreglada y sin los cabellos erizados; me limaba las uñas, ponía los pies en remojo, me arrancaba o me afeitaba los pelos. Una topografía como la arcilla húmeda, una superficie por la que las manos pudieran deslizarse.

Dicen que la luna de miel sirve para que los recién casados se conozcan mejor, pero cuanto más tiempo pasaba menos me parecía conocer a Richard. ¿Trataba de pasar inadvertido o era mera ocultación, la retirada a una posición estratégica? Yo, de todos modos, iba tomando forma: la forma que él pretendía. Cada vez que me miraba en el espejo, advertía que otro pedazo de mí había sido embellecido.

Después de Londres fuimos a París: cruzamos el Canal en barco y luego subimos a un tren. Los días transcurrieron en París de forma muy parecida a como lo hicieron en Londres, aunque los desayunos eran diferentes: un panecillo, mermelada de fresa, café con leche caliente. Las comidas eran suculentas; Richard no paraba de hacer aspavientos, sobre todo con el vino, ni de decirme que aquello no era Toronto, algo evidente para mí.

Vi la torre Eiffel, pero no subí porque no me gustan las alturas. Vi el Panteón y la tumba de Napoleón. No vi Notre-Dame porque Richard no era partidario de las iglesias, al menos de las católicas; las consideraba deprimentes. El incienso, en particular, le parecía que reblandecía el cerebro.

El hotel francés tenía bidet, y cuando me sorprendió lavándome los pies en él, Richard me explicó, con una sonrisa afectada, para qué servía. Pensé que ellos entienden cosas que los demás no entienden, me refiero a los franceses. Entienden la ansiedad corporal. O al menos admiten que existe.

Nos alojamos en el Lutetia, que durante la guerra sería el cuartel general de los nazis, pero ¿cómo íbamos a saberlo? Me quedaba toda la mañana sentada en el café del hotel, porque me daba miedo ir a otra parte. Se me había metido en la cabeza que si perdía de vista el hotel sería incapaz de encontrarlo de nuevo. Ya me había dado cuenta de que el francés que me había enseñado el señor Erskine era prácticamente inútil: lo de *Le coeur a ses raisons, que la raison ne connaît point* no servía para que me trajeran un poco más de leche.

Me atendía un camarero viejo con cara de morsa. Poseía una habilidad extraordinaria para verter el café y la leche caliente de sendas jarras que sostenía en alto, y yo lo encontraba fascinante, como si de un truco de magia se tratara. Un día me dijo (sabía un poco de inglés):

—¿Por qué está triste?

—No estoy triste —respondí, y me eché a llorar. La amabilidad de un desconocido puede resultar ruinosa.

—No debería estar triste —me dijo mirándome con sus melancólicos ojos de morsa—. Sin duda es el amor. Pero usted es joven y guapa; ya tendrá tiempo de estar triste más tarde. —Los franceses conocen la tristeza, en todas sus facetas. Por eso tienen bidets—. El amor es criminal —añadió, dándome una palmada en el hombro—. Aunque peor es no tener amor.

El efecto se malogró un poco al día siguiente, cuando me hizo una proposición, o me pareció que me la hacía —mi francés no era tan bueno como para estar segura—. Tampoco era tan viejo, después de todo: cuarenta y cinco, quizá. Debería haber aceptado. Aunque se equivocaba en lo de la tristeza: es mucho mejor tenerla de joven. Una chica guapa triste inspira la necesidad de consolarla, a diferencia de una vieja triste. Pero olvidémonos de eso.

Luego fuimos a Roma. Roma me pareció familiar; al menos tenía el contexto que el señor Erskine me había proporcionado en sus clases de latín. Vi el Foro, o lo que quedaba de él, y la Vía Apia, y el Coliseo, que parecía un queso mordido por ratones. Varios puentes, varios ángeles desgastados, graves y pensativos. Vi las aguas del Tíber, amarillas como la ictericia. Vi San Pedro, aunque sólo por fuera. Era muy grande. Supongo que también debería haber visto a los

soldados fascistas de Mussolini con sus oscuros uniformes mar-
chando y dando palizas a la gente —¿ya estaban en ello por entonces?—, pero no los vi. Esta clase de cosas, a menos que uno mismo
acabe involucrado en ellas, suelen ser invisibles. Te das cuenta más
tarde, en las noticias, o en películas muy posteriores a la época en
que los hechos han tenido lugar.

Por las tardes pedía una taza de té; estaba acostumbrándome a
pedir cosas, calculaba el tono que debía usar con los camareros para mantenerlos a una distancia segura. Mientras me tomaba el té, escribía postales.

Las postales eran para Laura y para Reenie, y algunas para padre.
Eran fotografías de los edificios que había visitado y presentaban, en
color sepia, los detalles que yo debería haber visto. Ponía frases ne-
cias. A Reenie: «Hace un tiempo magnífico. Me lo paso muy bien.»
A Laura: «Hoy he visto el Coliseo, que es donde echaban a los cristianos a los leones. Te habría gustado.» A padre: «Espero que estés
bien de salud. Richard te manda recuerdos.» (Eso no era verdad, pero ya empezaba a aprender a decir las mentiras que se esperan de una
esposa.)

Hacia el final del periodo destinado a nuestra luna de miel, estuvimos una semana en Berlín. Richard tenía allí algunos negocios relacionados con mangos de palas. Una de sus empresas los fabricaba,
y los alemanes andaban escasos de madera. Había mucho por cavar,
y más todavía en proyecto, y Richard podía suministrar los mangos
de pala a un precio mucho más bajo que sus competidores.

Como solía decir Reenie: «Hasta un grano de arena sirve de ayuda.» Y, como también solía decir: «Lo primero es el negocio; luego
ya veremos.» Pero yo no sabía nada de negocios. Mi tarea consistía
en sonreír.

He de reconocer que Berlín me gustó. En ninguna parte me había sentido tan rubia. Los hombres se comportaban con extraordinaria cortesía, aunque no solían mirar atrás cuando franqueaban una
puerta de vaivén.

Los besos en la mano ocultaban multitud de pecados. Fue en
Berlín donde aprendí a perfumarme las muñecas.

Me acordaba de las ciudades según sus hoteles, y de los hoteles según sus cuartos de baño. Vestirme, desvestirme, darme un baño. Pero basta ya de esas notas de viaje.

Volvimos a Toronto vía Nueva York, a mediados de agosto, en medio de una ola de calor. Después de Europa y Nueva York, Toronto me parecía pequeño y achaparrado. A la salida de Union Station, nos recibió una niebla de gases bituminosos que se elevaba de los baches que estaban reparando. Pasó a recogernos un coche alquilado que nos llevó por calles llenas de polvo y estruendo, pasó por delante de lujosos bancos y grandes almacenes y subió hasta Rosedale a la sombra de castaños y arces.

Nos detuvimos frente a la casa que Richard había comprado por telegrama. Me explicó que la había conseguido por una bicoca cuando el propietario anterior por fin había ido a la bancarrota. A Richard le encantaba decir que adquiría las cosas por una bicoca, como si el precio tuviese importancia para él.

La casa era oscura por fuera, cubierta de enredaderas, con unas ventanas altas y estrechas muy hundidas en el muro. La llave estaba debajo de la alfombrilla, el recibidor olía a productos químicos. Winifred la había decorado en nuestra ausencia, y no estaba del todo terminada: todavía había ropas de los pintores en las habitaciones de delante, de las que habían arrancado el viejo papel victoriano. Los nuevos colores eran perlados y pálidos: colores de indiferencia lujosa, de frío distanciamiento. Nubes teñidas por una tenue puesta de sol vagaban por encima de la vulgar intensidad de los pájaros, de las flores, etcétera. Tal era el escenario que se me proponía, el aire enrarecido en el que tendría que desenvolverme.

A Reenie le pareció ridícula aquella decoración, su resplandeciente vacuidad, su palidez. «Toda la casa parece un cuarto de baño», decía. Pero al mismo tiempo le daba miedo, como a mí. Evoqué a la abuela Adelia; seguro que ella habría sabido qué decir, habría reconocido la impronta del dinero nuevo, habría sido cortés pero desdeñosa. «Bueno, moderna sí que lo es», habría comentado. Me dije que también habría hecho trizas a Winifred, pero no me sirvió de consuelo, puesto que yo ya pertenecía a la tribu de la propia Winifred, al menos en parte.

¿Y Laura? Laura vendría con sus lápices de colores y sus tubos de pigmentos. Los derramaría por la casa, rompería cosas y pintarrajearía los rincones. Dejaría su señal.

Había una nota de Winifred junto al teléfono de la sala: «¡Hola chicos! ¡Bienvenidos! ¡Les dije que terminaran primero el dormitorio! Espero que os guste. ¡Es tan elegante! Freddie.»

—No sabía que Winifred iba a encargarse de esto —dije.

—Quería darte una sorpresa —repuso Richard—. Nos pareció mejor no cargarte a ti con los detalles.

No era la primera vez que me sentía como un niño excluido por sus padres, unos padres geniales, brutales, en la más extrema connivencia, dispuestos a tomar todas las decisiones correctas. Ahí me di cuenta de que Richard nunca me regalaría por mi cumpleaños algo que me hiciera ilusión.

A sugerencia de Richard subí a la planta superior. Supongo que mi aspecto evidenciaba que lo necesitaba. Desde luego, me sentía pegajosa y marchita. («La rosa se ha quedado sin rocío», fue su comentario.) Tenía el sombrero arrugadísimo; lo tiré sobre el tocador. Me lavé la cara con agua y me la sequé con una de las toallas blancas con monograma que Winifred había encargado. El dormitorio daba al jardín trasero, todavía sin tocar. Me quité los zapatos y me tumbé en la enorme cama de color crema. Tenía un dosel circular de muselina, como si estuviese en un safari. Aquel era el lugar en el que tendría que poner al mal viento buena cara: una cama que yo no había deseado pero en la que tendría que yacer. Y aquel sería el techo que miraría de vez en cuando a través de la niebla de muselina cuando me viera obligada a transigir con los asuntos terrenales.

El teléfono junto a la cama era blanco. Sonó. Levanté el auricular. Era Laura, llorando.

—¿Dónde has estado? —gimoteó—. ¿Por qué no volviste?

—¿Qué quieres decir? —pregunté—. ¡Hoy es el día que teníamos que volver! Cálmate, no te oigo bien.

—¡No me contestaste! —exclamó.

—¿De qué demonios hablas?

—¡Padre ha muerto! ¡Ha muerto, muerto! ¡Te enviamos cinco telegramas! ¡Reenie te los envió!

—Aguarda un momento. Cálmate. ¿Cuándo fue eso?

—Una semana después de que te fueras. Intentamos llamarte. Llamamos a los hoteles. ¡Prometieron que te lo dirían! ¿Lo hicieron?

—Iré mañana —anuncié—. No lo sabía. Nadie me dijo nada. No vi los telegramas. Nunca los recibí.

No podía creérmelo. ¿Qué había pasado, qué se había torcido, por qué había muerto padre, por qué no me lo habían comunicado? Me vi en el suelo, sobre la alfombra color gris hueso, agachada sobre el teléfono, arrullándolo como si fuera algo precioso y frágil. Pensé en las postales que envié desde Europa y que debieron de llegar a Avilion con sus mensajes alegres y triviales. Probablemente estuvieran todavía en la mesa de la sala. «Espero que te encuentres bien de salud.»

—¡Pero salió en los periódicos!

—Donde yo estaba, no —dije—. No en aquellos periódicos. —No añadí que ni siquiera había mirado un periódico. Estaba demasiado estupefacta.

Era Richard quien recogía los telegramas, en el barco y en todos nuestros hoteles. Yo había visto cómo los abría meticulosamente con los dedos, los leía, los doblaba en cuatro y los guardaba. No podía acusarlo de mentir —no pronunció una sola palabra sobre ellos, sobre los telegramas—, pero era como mentir, ¿no es cierto?

En los hoteles debió de dar instrucciones en el sentido de que no nos pasasen ninguna llamada. Ni a mí, aunque estuviera allí. Me había mantenido deliberadamente en la inopia.

Me pareció que iba a vomitar, pero no lo hice. Al cabo de un rato bajé por las escaleras: «Si pierdes los nervios, pierdes la batalla», solía decir Reenie. Richard estaba sentado en la galería bebiendo una ginebra con agua tónica. «Qué oportuno por parte de Winifred acordarse de dejar una provisión de ginebra», había dicho él por dos veces ya. Sobre la mesa baja de cristal con patas de hierro forjado pintadas de blanco, había un vaso esperándome. Lo cogí. El hielo tintineó en el cristal. Era como me hubiera gustado que sonara mi voz.

—Dios mío —Richard me miró fijamente—. Creí que habías ido a arreglarte. ¿Qué te ha pasado en los ojos? —Debía de tenerlos rojos.

—Padre ha muerto —dije—. Enviaron cinco telegramas. No me avisaste.

—*Mea culpa* —repuso Richard—. Ya sé que debería de habértelo dicho, pero no quería que te preocuparas, querida. No se podía hacer nada y era imposible llegar a tiempo para el funeral. No quería amargarte el viaje. Supongo que también fue por egoísmo; te quería toda para mí, aunque sólo fuera por unos días. Ahora siéntate, anímate y perdóname. Hablaremos de eso mañana por la mañana.

Hacía un calor asfixiante; el césped resplandecía bajo los rayos del sol. Las sombras bajo los árboles eran densas como el alquitrán. La voz de Richard me llegaba a ráfagas, igual que el código Morse; sólo oí determinadas palabras.

Preocupación. Tiempo. Amargarte. Egoísmo. Perdóname.

¿Qué podía contestarle?

La *cloche*

La Navidad vino y se fue. Intenté pasarla por alto, pero Myra no podía consentirlo. Me trajo un pequeño pastel de ciruela que había preparado ella misma, decorado con cerezas al marrasquino rojo brillante, y un gato de madera con aureola y alas de ángel. Según explicó, esos gatos habían causado furor en su tienda, le parecían monísimos y sólo le quedaba uno; era una maravilla mirarlo, seguro que quedaría precioso en la pared encima del horno.

El lugar ideal, dije. El ángel arriba, y carnívoro, además —¡por fin la cosa quedaba clara!—, y debajo el horno, como se cuenta en los relatos más fiables. Luego, todos los demás estamos en el medio, estancados en la Tierra Media, al nivel de la sartén. La pobre Myra estaba perpleja, como siempre que me da por el discurso teológico. Le gusta que su Dios sea sencillo; sencillo y algo tosco.

El invierno que estábamos esperando llegó la víspera de Año Nuevo; comenzó a soplar un viento helado, seguido de una copiosa nevada al día siguiente. Al otro lado de la ventana la nieve se iba arremolinando como si Dios lanzara cubo tras cubo de copos en la apoteosis final de una fiesta infantil. Puse el canal del tiempo para hacerme una idea del panorama: calles cerradas, coches sepultados, postes de la luz caídos, mercancías paralizadas, trabajadores vestidos con voluminosos trajes que andaban como patos y parecían niños demasiado mayores que se habían abrigado para salir a jugar. A lo largo de la presentación de lo que eufemísticamente llamaron «condiciones actuales», el joven presentador conservó un optimismo desenfadado, como suelen hacer cuando ocurre un desastre natural. Con la despreocupación libre de compromisos de los trovadores o gitanos de feria, los vendedores de seguros o los gurús de la bolsa, hacen predicciones rimbombantes con el pleno conocimiento de que nada de lo que dicen se vuelve realidad.

Myra me llamó para preguntarme si me encontraba bien. En cuanto dejase de nevar, dijo, me enviaría a Walter para que despejase la nieve.

—No seas tonta, Myra —repuse—. Soy perfectamente capaz de quitarla yo. (Era mentira; no tenía intención de mover un dedo. Estaba bien provista de mantequilla de cacahuete, de modo que podía esperar. Pero andaba con ganas de compañía, y las amenazas de acción por mi parte solían acelerar la llegada de Walter.)

—¡Ni se te ocurra tocar la pala! —exclamó Myra—. ¡Todos los años cientos de viejos..., de personas de tu edad mueren de infarto cuando se ponen a retirar la nieve con la pala! Y si se va la luz, ¡ten cuidado con el lugar donde pones las velas!

—No estoy senil —le espeté—. Si se me quema la casa, será a propósito.

Walter se presentó y retiró la nieve. Trajo una bolsa de papel llena de rosquillas que nos comimos sentados a la mesa de la cocina, yo con cautela, Walter a conciencia, aunque con aire contemplativo. Es de ésos para los que masticar es una forma de pensar.

Me vino entonces a la cabeza el cartel que había en el escaparate de la tienda de rosquillas del parque de atracciones de Sunnyside, en —¿cuándo era?— el verano de 1935:

Mientras pasees por la vida,
sea cual sea tu objetivo,
mira siempre el círculo de la rosquilla,
nunca el agujero.

Una paradoja, el agujero de la rosquilla. Antes era un espacio vacío, pero han encontrado la manera de comercializar incluso eso. Una cantidad negativa, «nada», devenida comestible. Me preguntaba si podía servir —metafóricamente, claro— para demostrar la existencia de Dios. El hecho de nombrar una esfera de nada, ¿la transmuta y le confiere existencia?

Al día siguiente me aventuré a salir entre las dunas frías y magníficas. Era una locura, pero quería participar: la nieve es atractiva hasta que se vuelve porosa y se pone negra como el hollín. Mi jardín delantero era un alud brillante con un túnel alpino en el medio. Salí hasta la acera, que ya era mucho, pero unas casas más arriba, hacia el norte, los vecinos no habían sido tan diligentes como Walter y me vi sumergida en un montón de nieve. Luché por conservar el equilibrio, resbalé y me caí. No me rompí nada ni me hice ningún esguince —estaba convencida de ello—, pero no conseguí levantarme. Me quedé tumbada en la nieve, moviendo los brazos y las piernas, como una tortuga puesta del revés. Es lo que hacen los niños, pero deliberadamente: agitan las manos como los pájaros las alas, hacen de ángeles. Para ellos es divertido.

Estaba empezando a preocuparme la posibilidad de una hipotermia cuando dos desconocidos me levantaron y me llevaron hasta la puerta de mi casa. Entré en la sala y me dejé caer en el sofá, con los zapatos para la nieve y el abrigo todavía puestos. Intuyendo el desastre, como siempre, llegó Myra con media docena de indigestas magdalenas que debían de haber sobrado de alguna comilona familiar a base de fécula. Me preparó una botella de agua caliente y un poco de té, y llamó al médico. Entre los dos montaron bastante escándalo y me soltaron una retahíla de consejos útiles y de sustanciosas advertencias e intimidaciones que los dejó sumamente satisfechos de sí mismos.

Ahora no puedo salir. Y estoy enfadada conmigo misma. O no conmigo misma, sino con la mala pasada que me ha jugado mi cuerpo. Después de haberse impuesto siempre sobre mí como el maníaco egoísta que es, de clamar a gritos sus propias necesidades, de endilgarme sus propios deseos sórdidos y peligrosos, la última trastada que hace es, sencillamente, ausentarse. Justo cuando lo necesitas, justo cuando un brazo o una pierna podría serte útil, el cuerpo tiene otras cosas que hacer. Se tambalea, se dobla, se funde como si fuera de nieve, y no queda nada. Dos trozos de carbón, un sombrero viejo, una mueca de piedra, los huesos como palos secos, quebradizos.

Todo eso es una afrenta. Las rodillas débiles, los nudillos artríticos, las venas varicosas, las enfermedades, las indignidades..., nada es nuestro, nunca lo quisimos ni lo reclamamos. Mentalmente, nos vemos perfeccionados: a nuestra mejor edad, y bajo la mejor luz, también, jamás pillados en un renuncio, con una pierna fuera del coche y la otra dentro, o escarbándonos los dientes, repantigados o rascándonos la nariz o el culo. Si estamos desnudos, nos vemos graciosamente acostados a través de una niebla de gasa, gracias a la intervención de las estrellas de cine, que adoptan esas posturas para nosotros. Ellas se convierten en nuestro ego más joven, resplandecen, se vuelven míticos.

De niña, Laura decía: «En el cielo, ¿qué edad tendré?»

Laura estaba en las escaleras frontales de Avilion, de pie entre las dos urnas de piedra sin flores, esperándonos. A pesar de su estatura, se la veía muy joven, muy frágil y sola. También parecía una campesina, una indigente. Llevaba una bata azul pálido con un descolorido estampado de mariposas malvas —que tres veranos antes había sido mía— e iba descalza. (¿Se debía a una nueva forma de mortificación de la carne, a simple excentricidad o sencillamente se había olvidado de ponerse los zapatos?) Se había recogido el cabello en una trenza que le caía sobre el hombro, como a la ninfa de piedra de nuestro estanque de azucenas.

Dios sabe cuánto tiempo llevaba allí. No le habíamos sabido decir a qué hora llegaríamos exactamente, porque íbamos en coche, lo cual era factible en aquella época del año, las carreteras no estaban inundadas ni cubiertas de barro, y ya entonces incluso había algunas asfaltadas.

Digo «habíamos» porque Richard vino conmigo. Dijo que ni hablar de enviarme sola para enfrentarme a una cosa así, en un momento como aquél. Su preocupación era sincera.

Conducía su cupé azul, uno de sus nuevos juguetes. En el portaequipajes llevábamos nuestras dos maletas, las pequeñas, porque era sólo para una noche —la suya de cuero granate, la mía de amarillo sorbete de limón—. Yo llevaba un traje de lino —sé que suena a frivolidad pero era de París y me encantaba—, y sabía que para cuando llegáramos estaría arrugado por detrás. Los zapatos también de lino, con lazos de tela rígida y puntas caladas. La *cloche* hacía juego con la falda como si de un delicado regalo se tratara.

Richard era un conductor nervioso. Como no le gustaba que le hablasen —según él perdía la concentración—, hicimos el viaje más o menos en silencio. Tardamos más de cuatro horas en recorrer un trayecto que ahora se hace en dos. El cielo estaba claro, brillante y despejado; el sol caía como lava. Del asfalto subían oleadas de calor, las pequeñas ciudades permanecían cerradas para protegerse del sol, con las cortinas corridas. Recuerdo los jardines quemados y los porches con columnas blancas, las gasolineras solitarias, los surtidores como robots cilíndricos de un solo brazo, con los remates de cristal como bombines sin ala, y los cementerios con aspecto de que nadie sería enterrado en ellos jamás. De vez en cuando pasábamos junto a un lago que olía a peces muertos y plantas acuáticas calientes.

Cuando nos acercamos, Laura no saludó con la mano. Se quedó esperando a que Richard detuviera el coche, se apeara y abriese la puerta de mi lado. Yo estaba ladeando las piernas, con las rodillas pegadas como me habían enseñado, y tomando la mano que Richard tendía hacia mí, cuando Laura volvió súbitamente a la vida. Bajó corriendo por la escalera, cogió mi otra mano, me sacó del coche, sin hacer el menor caso de Richard, me rodeó con los brazos y apretó como si le fuera la vida en ello. No dejó escapar ni una lágrima, sólo aquel abrazo con el que parecía que iba a romperme los huesos.

Mi *cloche* cayó al suelo de grava y Laura la pisó. Se oyó un crujido y Richard emitió un suspiro ronco. Yo no dije nada; en aquel instante el sombrero no me preocupaba.

Tomadas de la cintura, Laura y yo subimos por las escaleras de la casa. Reenie estaba junto a la puerta de la cocina, en el extremo opuesto del vestíbulo, pero prefirió dejarnos solas un rato. Supongo que dirigió su atención a Richard, distrayéndolo con una bebida o algo así. Bueno, a éste seguramente le gustaría inspeccionar la propiedad y darse una vuelta por ella ahora que efectivamente la había heredado. Fuimos directas a la habitación de Laura y nos sentamos en su cama. No nos soltamos las manos: la izquierda con la derecha, la derecha con la izquierda. Laura no lloraba como lo había hecho al hablar por teléfono. Estaba tan tranquila que parecía de madera.

—Se encerró en el torreón —dijo Laura.

—Siempre lo hacía —observé.

—Pero esta vez no salió. Reenie le dejaba las bandejas con la comida junto a la puerta, como siempre, pero no probaba bocado, ni bebía nada..., al menos que nosotras supiésemos. Al final tuvimos que derribar la puerta.

—¿Tú y Reenie?

—Vino el novio de Reenie, Ron Hincks, con el que se va a casar. La echó abajo de una patada. Padre estaba tendido en el suelo. Debía de llevar al menos dos días, de acuerdo con el médico. Tenía un aspecto horrible.

No me había enterado de que Ron Hincks fuese el novio de Reenie; su prometido, más exactamente. ¿Cuánto tiempo llevaban saliendo? Y ¿cómo era posible que me lo hubiese perdido?

—¿Estaba muerto, es lo que pretendes decir?

—Al principio pensé que no, porque tenía los ojos abiertos. Pero sí, estaba muerto. Parecía... No puedo decirte qué parecía. Se lo veía... atento, como si estuviera escuchando algo que le había sorprendido.

—¿Le dispararon? —No sé por qué pregunté esto.

—No. Sólo estaba muerto. En los periódicos escribieron que fue por causas naturales («muerte súbita por causas naturales», es lo que pusieron), y Reenie le dijo a la señora Hillcoate que desde luego que había sido por causas naturales, ya que para padre el hecho de beber era lo más natural del mundo, y a juzgar por el número de botellas había bebido lo suficiente para ahogar a un caballo.

—Bebió hasta morir —dije. No era una pregunta—. ¿Cuándo fue eso?

—Justo cuando anunciaron el cierre definitivo de las fábricas. Eso lo mató, estoy segura.

—¿Qué? ¿Qué cierre definitivo? —inquirí—. ¿Qué fábricas?

—Todas —repuso Laura—. Todas las nuestras. Todo lo que teníamos en la ciudad. Creía que te habías enterado.

—No lo sabía —confesé.

—Las nuestras se han fusionado con las de Richard y han sido trasladadas a Toronto. Ahora todo es Griffen-Chase Royal Consolidated. —En resumen, se había acabado lo de Hijos. Richard había arramblado con todo.

—O sea, que eso significa que no hay trabajo —dije—. Nada. Se acabó. Aniquilado.

—El problema, argumentaron, eran los costes. Después de que se quemara la fábrica de botones, al parecer resultaba demasiado caro reconstruirla.

—¿Quiénes?

—No lo sé —respondió Laura—. ¿No es Richard?

—Ése no era el trato —señalé. Pobre padre, que confiaba en los apretones de manos, las palabras de honor y las presunciones no expresadas. Para mí estaba claro que las cosas ya no funcionaban de ese modo. Quizá nunca lo habían hecho.

—¿Qué trato? —preguntó Laura.

—No te preocupes.

Me casé con Richard para nada; no había servido para salvar las fábricas y, ciertamente, no había salvado a padre. Pero todavía estaba Laura; no había quedado en la calle. Tenía que pensar en ello.

—¿Dejó algo, una carta, una nota?

—No.

—¿Buscasteis?

—Reenie lo hizo —repuso Laura en voz baja, lo que significaba que ella no se había visto con ánimos.

«Claro —pensé—. Seguro que si encontró algo Reenie lo quemó de inmediato.»

Embobado

Seguro que padre no había dejado ninguna nota. Debía de ser consciente de las implicaciones. No le interesaba que creyesen que se había suicidado porque, como supimos después, tenía un seguro de vida. Hacía años que lo pagaba, de modo que nadie pudo acusarlo de haberlo arreglado en el último minuto. El dinero estaba inmovilizado y pasaría directamente a un fideicomiso con el fin de que sólo Laura pudiese tocarlo, y eso después de que cumpliera veintiún años. Ya entonces debía de desconfiar de Richard, y sin duda había llegado a la conclusión de que dejármelo a mí no sería nada conveniente. Yo todavía era menor de edad, y la esposa de Richard, además. En aquel tiempo las leyes eran diferentes. En la práctica, todo lo que me pertenecía también le pertenecía a él.

Como he dicho, heredé las medallas de padre. ¿Por qué se las habían dado? Por su valentía. Por su bravura bajo el fuego. Gestos nobles de sacrificio personal. Supongo que esperaba que yo estuviese a la altura.

—Todo el mundo en la ciudad vino al funeral —dijo Reenie.

Bueno, casi todo el mundo, porque en algunos sitios la amargura era considerable; a pesar de todo, se trataba de un hombre respetado, y ya se sabía que no había sido él quien había cerrado las fábricas definitivamente. Se habían enterado de que no había tenido nada que ver con ello, que sencillamente no había podido impedirlo. Los grandes intereses habían acabado con él.

Reenie me dijo que en la ciudad todo el mundo sentía lástima de Laura. (Pero no de mí, aunque eso no llegó a decirlo. Desde su punto de vista, yo me había quedado con el botín. Las cosas como eran.)

He aquí las disposiciones que hizo Richard:

Mi hermana vendría a vivir con nosotros. Bien, estaba claro que tenía que hacerlo, ya que no podía quedarse en Avilion sola porque apenas si tenía quince años.

—Podría quedarme con Reenie —aventuró Laura, pero Richard señaló que eso era imposible. Reenie iba a casarse y no tenía tiempo de cuidarla. Laura replicó que ella no necesitaba que la cuidasen, pero Richard se limitó a sonreír.

—Reenie podría venir a Toronto —propuso Laura, pero Richard dijo que Reenie no quería hacerlo. (En realidad era él quien no deseaba que viniese. Junto con Winifred había contratado al personal que ambos consideraban adecuado para llevar la casa; gente que sabía de qué iban las cosas, es decir, que sabían de qué iban Richard y Winifred.)

Richard explicó que ya había hablado del asunto con Reenie y que habían llegado a un acuerdo satisfactorio. Reenie y su nuevo marido trabajarían de guardianes para nosotros y supervisarían la restauración —Avilion se estaba cayendo a trozos, por lo que había que hacer muchas reparaciones, empezando por el techo—, y de ese modo podrían prepararnos la casa cada vez que se lo pidiésemos, porque la usaríamos como residencia de verano. Vendríamos a Avilion para salir en barca y cosas así, añadió en tono de tío indulgente. De ese modo, Laura y yo no nos veríamos privadas de nuestra casa ancestral. Pronunció la frase «casa ancestral» con una sonrisa. ¿No nos gustaría?

Laura no le dio las gracias. Se quedó mirándolo a los ojos con esa falta de expresividad que en otros tiempos cultivaba con el señor Erskine y que yo sabía que no presagiaba nada bueno.

Richard y yo volveríamos a Toronto en coche, prosiguió él, una vez que todo volviera a su cauce. Primero tenía que reunirse con los abogados de padre, ocasión en la que era mejor obviar nuestra presencia; teniendo en cuenta lo ocurrido, nos produciría demasiada angustia, y quería ahorrarnos pasar por un trago tan amargo. Uno de esos abogados era pariente político de la familia de mi madre, dijo Reenie en privado —marido de una prima segunda— por lo que seguramente estaría ojo avizor.

Laura se quedaría en Avilion hasta que Reenie y ella hicieran las maletas, luego viajaría a la ciudad en tren e iríamos a buscarla a la estación. Viviría con nosotros; en casa teníamos una habitación libre que serviría a la perfección una vez que la decoráramos. Y, por fin, podría ir a una escuela de verdad, la St. Cecilia, que fue la que eligió Richard tras consultarlo con Winifred, quien sabía de esas cosas. Laura quizá necesitase algunas clases extra, pero él estaba seguro de que con el tiempo todo iría bien. Además, sacaría provecho de los beneficios, de las ventajas...

—¿De las ventajas de qué? —preguntó Laura.

—De tu posición —respondió Richard.

—No veo que tenga posición alguna —dijo Laura.

—¿Qué quieres decir exactamente? —inquirió Richard, menos complaciente.

—Es Iris quien disfruta de una posición —señaló Laura—. Ella es la señora Griffen. Yo estoy de más.

—Entiendo que dadas las desgraciadas circunstancias, que han sido difíciles para todos, te sientas preocupada —dijo Richard en tono áspero—, pero no hay ninguna necesidad de ser desagradable. No es fácil para Iris, ni tampoco para mí. Sólo intento hacerlo lo mejor que puedo.

—Tiene miedo de que me entrometa —me dijo Laura por la noche, en la cocina, donde habíamos ido a refugiarnos de Richard. Era ofensivo para las dos ver cómo confeccionaba sus listas: qué iba a descartar, qué iba a reparar, qué iba a sustituir. Verlo, y quedarnos calladas. «Se comporta como si la casa fuese suya», había dicho Reenie indignada. «Pero es que lo es», había contestado yo.

—¿Que te entrometas en qué? —pregunté—. Estoy segura de que no quería decir eso.

—En su camino —puntualizó Laura—. Entre vosotros dos.

—Todo irá bien —dijo Reenie, pero su voz sonaba carente de convicción, y comprendí que ya no podíamos contar con su ayuda. En la cocina, aquella noche, se la veía vieja y un poco gorda, y también derrotada. Como supimos poco después, ya estaba embarazada de Myra. Se había dejado llevar. «La que se deja llevar —solía decir—, se convierte en basura y su destino es el cubo», pero había violado sus propias máximas. Debía de tener otras cosas en la cabeza, por ejemplo si conseguiría llegar al altar o qué haría de lo contrario. Eran malos tiempos, sin duda. Entonces no había muros entre tener lo suficiente y el desastre: si resbalabas, caías, y, si caías, te debatías, te retorcías y te hundías. Las posibilidades de que tuviese una segunda oportunidad eran escasas, porque aunque se fuese a tener el niño a otra parte y luego lo regalara, correría la voz y la gente nunca se lo perdonaría. Sería como llevar un cartel colgado; la cola de gente llegaría hasta la esquina. En cuanto una mujer caía, ellos mismos se ocupaban de impedirle que se levantara. «¿Por qué comprar la vaca si ya tienes leche fresca?», debía de pensar ella.

Y así nos había abandonado, nos había traspasado. Durante años había hecho lo que había podido, y ya no tenía poder ninguno.

De regreso en Toronto, esperé a que llegase Laura. Continuaba la ola de calor. Tiempo sofocante, frente húmeda y una ducha antes de la ginebra con tónica en la terraza, con vistas al jardín. El aire era como fuego húmedo, todo estaba apagado o amarillo. En la habitación había un ventilador que sonaba como un viejo que bajase por las escaleras con un bastón: un jadeo, un golpe, un jadeo. Durante las noches pesadas y sin estrellas, yo miraba el techo mientras Richard seguía con sus cosas.

Yo lo tenía embobado, decía. Embobado..., como si se hubiera drogado, como si estando sobrio y con la mente despejada no pudiera sentir nada por mí.

Yo me miraba en el espejo, pensativa. «¿Qué tendré? ¿Qué debe de ser lo que lo emboba?» El espejo era de cuerpo entero; intentaba verme por detrás, pero era imposible, claro. Es imposible verte como te ve otra persona —un hombre que te mira, desde detrás, cuando no lo sabes— porque, en el espejo, la cabeza está siempre vuelta sobre el hombro en una pose tímida, invitadora. Una posibilidad es sostener otro espejo para ver la parte de atrás, pero entonces se ve lo que muchos pintores han querido pintar: «Mujer mirándose en el espejo», lo cual, afirman, constituye una alegoría de la vanidad. Aunque es improbable que se trate de vanidad, sino más bien de lo contrario: una búsqueda de defectos. «¿Qué tendré?» puede interpretarse fácilmente. «¿Qué tendré que está mal?»

Richard decía que podía dividirse a las mujeres en manzanas y peras según la forma de su trasero. Yo era una pera, aseguraba, pero verde. Eso es lo que le gustaba de mí: mi verdor, mi dureza. Creo que se refería a la parte de atrás, pero es posible que fuera todo.

Después de ducharme, depilarme, cepillarme y peinarme, me cuidaba de retirar todos los pelos del suelo. Recogía los pelos del sumidero de la bañera o el lavabo y los tiraba a la taza del váter, porque Richard había comentado como si no le diese mayor importancia que las mujeres siempre dejaban pelos por todas partes. Como los animales cuando mudan de piel, era lo que implicaba.

¿Cómo lo sabía? ¿Cómo sabía lo de las peras, las manzanas y los pelos por el suelo? ¿Quiénes eran esas mujeres, esas otras mujeres? Aparte de provocarme una curiosidad superficial, no me importaba demasiado.

Intentaba evitar pensar en padre y en su muerte, en lo que debió de hacer antes del final, en cómo debió de sentirse y en todo lo que Richard había considerado inadecuado decirme.

Winifred siempre estaba muy atareada. A pesar del calor, se la veía fresca, bañada en luz y con trajes etéreos que parecían parodiar los de un hada madrina. Richard no se cansaba de decir lo maravillosa que era y la cantidad de trabajo y preocupaciones que me ahorraba, pero a mí me ponía cada día más nerviosa. Entraba y salía de la casa constantemente, nunca sabía cuándo vería asomar su cabeza por la puerta con una enérgica sonrisa. Mi único refugio era el cuarto de baño, porque allí podía hacer girar la llave sin aparentar excesiva rudeza. Estaba supervisando el resto de la decoración, pidiendo los muebles para el dormitorio de mi hermana. (Un tocador con faldeta de volantes, un estampado floral rosa, con cortinas y cubrecama a juego. Espejo de marco blanco de arabescos con resaltes de oro. Era lo más adecuado para Laura; ¿no me parecía? No me lo parecía, pero no tenía ningún sentido decirlo.)

También estaba planificando el jardín. Ya había trazado varios diseños, sólo unas pequeñas ideas, decía, acercándome los trozos de papel y retirándolos luego para meterlos cuidadosamente en el archivador lleno ya de pequeñas ideas. Sería fantástico poner un manantial, dijo, algo francés, pero tenía que ser auténtico. ¿No me parecía?

Me moría de ganas de ver a Laura. Ya había retrasado por tres veces la fecha de su llegada; aún tenía que preparar unas cuantas cosas, estaba resfriada, había perdido el billete... Yo hablaba con ella por el teléfono blanco; su voz sonaba contenida, lejana.

Los dos sirvientes ya se habían instalado: una cocinera cascarrabias y un hombre grande y jovial al que hacían pasar por jardinero y chófer. Se llamaban Murgatroyd y decían ser marido y mujer, pero parecían hermanos. Me miraban con desconfianza, como yo a ellos. Durante el día, cuando Richard estaba en la oficina y Winifred en todas partes, yo intentaba pasar fuera de casa todo el tiempo posible. Decía que iba al centro, a comprar, que era un modo aceptable de pasar el tiempo. Le pedía al chófer que me dejara en los almacenes Simpson y le decía que tomaría un taxi para volver a casa. Entonces entraba y compraba rápidamente algo: medias y guantes constituían siempre pruebas convincentes. Luego recorría la tienda hasta el extremo opuesto y salía por la puerta contraria.

Retomé mis viejos hábitos: los paseos sin objetivo, la inspección de los escaparates, la contemplación de los carteles del teatro. Incluso iba al cine sola. Los hombres al acecho ya no me daban miedo;

ahora que sabía lo que querían habían perdido su aura de magia demoníaca. No tenía ningún interés en más de lo mismo: la misma obsesión por agarrar y apretar; «Quítame las manos de encima o grito» funcionaba siempre que una estuviera dispuesta a cumplir lo que prometía. Ellos parecían darse cuenta de que yo lo estaba. Joan Crawford era mi estrella de cine favorita en aquella época. Ojos heridos, boca letal.

A veces iba al Museo Real de Ontario. Observaba las armaduras, los animales disecados, los instrumentos de música antiguos. No me tomaba mucho tiempo. También iba a la Confitería Diana a tomar un refresco o una taza de café. Se trataba de un agradable salón de té al otro lado de los almacenes, muy frecuentado por señoras, en el que era poco probable ver a un hombre. Otras veces atravesaba el Queen's Park a paso ligero y sin propósito. Si iba demasiado despacio, seguro que aparecía un hombre. Reenie decía que algunas mujeres eran como papel matamoscas, que tenían que arrancárselos de encima. Una vez, un hombre se exhibió ante mí, justo a la altura de los ojos. (Había cometido el error de sentarme en un banco apartado, en el recinto de la universidad.) No sólo no era un vagabundo, sino que, además, iba bastante bien vestido. «Lo siento —le dije—. No me interesa.» Su decepción fue evidente. Seguro que había pensado que me desmayaría.

En teoría, podía ir adonde quisiera; en la práctica, existían barreras invisibles. Me ceñía a las calles principales, las zonas más prósperas, y la verdad es que dentro de esos confines no había muchos sitios en los que me sintiera verdaderamente libre de ataduras. Miraba a la gente, no tanto a los hombres como a las mujeres. ¿Estaban casadas? ¿Adónde iban? ¿Trabajaban? No había forma de adivinar mucho, excepto si atendías a la calidad de sus zapatos.

Me sentía como si me hubieran depositado en un país extranjero donde todo el mundo hablaba una lengua diferente.

A veces veía parejas, tomadas del brazo, que reían felices, cariñosas. Yo las sentía víctimas y al mismo tiempo perpetradoras de un fraude enorme. Las miraba fijamente sin rencor.

Entonces, un día —era jueves— vi a Alex Thomas. Estaba al otro lado de la calle, esperando que el semáforo cambiara a verde. Era en el cruce de Queen con Yonge. Iba muy mal vestido —llevaba una camisa azul de trabajador y una gorra desgastada— pero sin duda era él. Se le veía iluminado, como si un rayo de luz, procedente de un punto invisible, cayera sobre él. ¡Seguro que en la calle todo el mundo lo miraba... seguro que sabían quién era! De un momento a otro lo reconocerían, gritarían, correrían tras él.

Mi primer impulso fue avisarle, pero entonces me di cuenta de que el aviso podría ser para los dos, porque fuera cual fuere el lío en el que él anduviera metido, yo también me vería involucrada.

Podría no haberle prestado atención. Podría haber dado media vuelta y seguido mi camino. Habría sido lo más sabio, pero entonces esa sabiduría no estaba a mi alcance.

Bajé de la acera y empecé a cruzar la calle en dirección a él. El semáforo volvió a cambiar, por lo que tuve que detenerme en medio de la calzada. Los coches hacían sonar la bocina, se oían gritos, el tráfico aumentaba peligrosamente. No sabía si ir hacia delante o hacia atrás.

Entonces él se volvió, y en un primer instante no supe con certeza si me veía. Alargué el brazo como alguien que se ahoga y suplica ayuda. En aquel momento, mi corazón ya había cometido una traición.

¿Fue una traición o un acto de valentía? Acaso ni lo uno ni lo otro. No existió premeditación; esas cosas ocurren en un instante, en el tiempo que se tarda en parpadear. Sólo puede ser así porque ya las hemos ensayado una y otra vez, en silencio y en la oscuridad; tan en silencio y a oscuras que nosotros mismos las ignoramos. Ciegos, pero con seguridad, dimos un paso adelante como si escenificáramos un baile recordado.

Sunnyside

Tres días después de eso, tenía que llegar Laura. Me hice llevar a Union Station para recogerla, pero no bajó del tren. Tampoco estaba en Avilion; llamé a Reenie para preguntarle por ella y provoqué un arrebato de furia; tal como era Laura, estaba segura de que pasaría algo así. La había acompañado al tren, había facturado el baúl, le había dado las instrucciones necesarias, sin olvidar ni una, y había tomado todas las precauciones posibles. ¡Debería haberla acompañado durante todo el trayecto! Seguro que la había secuestrado algún tratante de blancas.

El baúl apareció a la hora prevista, pero Laura parecía haberse evaporado. Richard se mostraba más preocupado de lo que yo habría pensado. Le daba miedo que la desaparición se debiera a la acción de fuerzas desconocidas, a gente que se la había jurado. Podía ser obra de los rojos, o de algún competidor sin escrúpulos; había hombres así de retorcidos. Criminales, sugirió, confabulados con toda clase de gente... que no se detendría ante nada para ejercer la máxima influencia sobre él debido a sus crecientes relaciones políticas. Seguro que no tardaba en llegar una nota de chantaje.

Richard sospechaba de muchos elementos, aquel agosto; según él teníamos que permanecer alerta. En julio había habido una gran manifestación en Ottawa: miles, decenas de miles de hombres que afirmaban estar en el paro y exigían trabajo y un sueldo justo, incitados por subversivos que pretendían derrocar al gobierno.

—Estoy seguro de que aquel joven cuyo nombre no recuerdo se halla mezclado en ello —dijo Richard.

—¿Qué joven? —pregunté mirando por la ventana.

—Presta atención, cuando te hablo. El amigo de Laura. El moreno. El que quemó la fábrica de tu padre.

—No llegó a quemarse —puntualicé—. Apagaron el fuego a tiempo. Además, nunca se demostró que hubiese sido él.

—Salió por piernas —dijo Richard—. Huyó como un conejo. Para mí es una prueba bastante concluyente.

La marcha hacia Ottawa fue abortada por la inteligente estratagema que sugirió el propio Richard —o eso afirmaba él—, que en aquellos días se movía en las altas esferas. Con el señuelo de entablar «conversaciones oficiales», los cabecillas se desplazaron a Ottawa mientras el grueso de los manifestantes quedaba bloqueado en Regina. Como estaba previsto, las conversaciones no dieron fruto, pero entonces empezaron los disturbios; los subversivos sembraron la agitación, la multitud se descontroló y hubo varios heridos y muertos. Quienes estaban detrás de todo eran los comunistas, como siempre, y ¿cómo podíamos descartar que no estuviesen también detrás de la desaparición de Laura?

Me pareció que Richard se lo tomaba demasiado a la tremenda. Yo estaba preocupada, pero también segura de que se trataba de un despiste de mi hermana, quien por algún motivo debía de haberse distraído. Era muy propio de ella. Seguramente se había equivocado de estación, no llevaba el número de teléfono y se había perdido.

Winifred propuso llamar a los hospitales; quizás hubiera enfermado o hubiese sufrido un accidente. Pero no estaba en ningún hospital.

Tras dos días de intranquilidad, informamos a la policía y, poco después, a pesar de las precauciones que había tomado Richard, la historia llegó a los periódicos. Los reporteros ocuparon la acera de delante de nuestra casa. Tomaban fotografías, aunque sólo de las puertas y ventanas; llamaban por teléfono; nos suplicaban que les concediésemos entrevistas. Querían un escándalo. «Prominente colegiala de la alta sociedad en un nido de amor.» «Visión espeluznante en Union Station.» Querían oír que Laura se había fugado con un hombre casado, que la habían secuestrado unos anarquistas o que la habían encontrado muerta dentro de una maleta a cuadros en la consigna de la estación. Sexo o muerte, o ambos a la vez; eso es lo que tenían en mente.

Richard dijo que teníamos que ser corteses pero aportar la mínima información. Añadió que no era aconsejable ponerse a la prensa en contra porque los reporteros eran más vengativos que las alimañas, te guardaban rencor durante años y te lo hacían pagar más tarde, cuando menos lo esperabas. Él se encargaría de todo.

En primer lugar manifestó que yo estaba al borde del colapso y pidió que se respetara mi intimidad y mi delicado estado de salud. Eso hizo que los periodistas se moderaran un poco; sin duda entendieron que estaba embarazada, lo cual en aquel tiempo aún tenía cierto valor, y además se creía que era una condición que embotaba la mente de la mujer. Luego hizo saber que recompensaría cualquier información, aunque no habló de cantidades. El octavo día recibimos una llamada anónima; Laura no estaba muerta, sino que trabajaba en el puesto de gofres del Parque de Atracciones de Sunnyside. El informador declaró haberla reconocido por la descripción de los periódicos.

Se decidió que iríamos a buscarla Richard y yo. Winifred dijo que lo más probable era que Laura se encontrase en estado de confusión a causa de la muerte de su padre y el hecho de que fuese ella quien había descubierto el cadáver. Cualquier persona se vería perturbada por una experiencia tan penosa como esa, y Laura era una chica de temperamento nervioso. Lo más probable era que no fuese consciente de lo que hacía o decía. En cuanto llegase a casa le daríamos un sedante y la llevaríamos al médico.

Sin embargo, lo más importante, según Winifred, era que no se filtrase una sola palabra a la prensa. El que una niña de quince años se fugara de casa como ella lo había hecho no era bueno para la reputación de la familia. Podrían insinuar que la habían maltratado, lo que supondría un grave impedimento. Para Richard y sus perspectivas políticas, quería decir.

Por entonces Sunnyside era el lugar donde la gente iba en verano. No la gente como Richard y Winifred, para quienes había demasiado tumulto, demasiado sudor —tiovivos, refrescos, galerías de tiro, concursos de belleza, baños públicos; en una palabra, diversiones vulgares—. Richard y Winifred no deseaban tanta proximidad con los sobacos de la gente, o con personas que contaban el dinero por centavos. Aunque no sé por qué lo digo en ese tono de superioridad moral, porque yo tampoco lo deseaba.

Sunnyside ya ha desaparecido... arrollado en algún momento de la década de los cincuenta por doce carriles de autopista. Desmantelado hace tiempo, como tantas cosas más. Pero aquel agosto estaba todavía en pleno apogeo. Fuimos en el cupé de Richard, pero tuvimos que dejarlo a cierta distancia a causa del tráfico y las muchedumbres que se aglomeraban en las cunetas y los caminos polvorientos.

Era un día horrible, tórrido y brumoso, más ardiente que las bisagras del Hades, como diría ahora Walter. Sobre la orilla del lago flotaba una niebla invisible pero casi palpable compuesta de perfume rancio y aceite bronceador de hombros al descubierto, mezclada con el humo de las frituras y el olor penetrante del caramelo hilado. Adentrarse entre la multitud era como sumergirse en una olla hirviendo: uno se convertía en ingrediente, se empapaba de cierto aroma. Hasta Richard tenía la frente húmeda debajo de su panamá.

Procedente de las alturas se oía un rechinar de hierros y un estruendo que no presagiaba nada bueno, acompañados de un coro de gritos femeninos: la montaña rusa. Nunca había subido a una atracción como aquella y quedé boquiabierta hasta que Richard me dijo: «Cierra la boca, querida, o te entrarán moscas.» Más tarde me enteré de una extraña historia —¿quién la contó? Winifred, sin duda; era la clase de anécdota que solía referir para demostrar que sabía realmente lo que ocurría en la vida del pueblo, detrás del escenario—. La historia era que dos chicas que se habían metido en problemas —frase típica de Winifred, como si lo hubieran hecho adrede—, se subieron a la montaña rusa en Sunnyside con la esperanza de provocarse un aborto. Winifred rió; «Menos mal que no funcionó —dijo—, porque, si llega a funcionar, ¿qué habrían hecho? Con toda esa sangre allí arriba, ¡imagínatelo!»

Al oírlo me imaginé las serpentinas rojas que se lanzaban por la borda de los transatlánticos en el momento de zarpar y caían en cascada sobre los que estaban abajo; o una serie de largos y gruesos hilos rojos que se deshilvanaban desde la montaña rusa, como si las chicas vertieran un cubo de pintura. Como largos garabatos de una nube bermellón. Como escribir en el cielo.

Pero si era como escribir, pienso ahora, ¿de qué clase de género se trataba? ¿Diario, novela, autobiografía? O sencillamente un grafito: «Mary quiere a John.» Pero John no quiere a Mary, o no la quiere lo suficiente para ahorrarle el que se vacíe de aquel modo, salpicando a todo el mundo con aquellas letras rojas, rojas.

Es una vieja historia.

Aquel día de agosto de 1935, sin embargo, todavía no había oído hablar de abortos. Si alguien hubiera pronunciado la palabra en mi presencia, que no era el caso, no habría sabido qué significaba. Ni siquiera Reenie la había mencionado; lo máximo que hizo al respecto fue una oscura insinuación sobre carniceros que operaban en la mesa de la cocina, palabras que Laura y yo —escondidas en las escaleras de detrás, escuchando— tomamos como un ejemplo de canibalismo que nos intrigó sobremanera.

De la montaña rusa seguían llegando gritos y, procedente de la galería de tiro, se oía un ruido como de rosetas de maíz al reventar. La gente reía. Yo estaba muerta de hambre, pero no podía sugerir que tomásemos algo pues no era el momento adecuado y la comida resultaba intolerable. Richard fruncía el ceño con cara de pocos amigos y, por el codo, me guiaba entre la multitud. Llevaba la otra mano en el bolsillo; aquel sitio, dijo, debía de estar repleto de ladrones.

Por fin llegamos al puesto de gofres. No vimos a mi hermana por ninguna parte, pero Richard tenía claro que no era con ella con quien debía hablar en primer lugar. Le gustaba arreglar las cosas de arriba abajo, siempre que fuese posible. Por eso le dijo al propietario del puesto, un hombre de barbilla oscura que olía a mantequilla rancia, que quería hablar un momento con él en privado. El hombre comprendió enseguida qué hacía Richard allí. Se alejó del tenderete echando una mirada furtiva por encima del hombro.

¿Era consciente de que había dado refugio a una fugitiva menor de edad?, le preguntó Richard. ¡Dios nos libre!, repuso el hombre, horrorizado. Laura lo había engañado; le había dicho que tenía diecinueve años. Era muy trabajadora, lo tenía todo muy limpio y echaba una mano con los gofres cuando había mucho trabajo. ¿Dónde dormía? El hombre contestó con vaguedades. Alguien de por allí, que no era él, le había prestado un cuarto. No había ninguna historia extraña, aclaró, al menos que él supiese. Ella era una buena chica y él un hombre felizmente casado, a diferencia de mucha gente de por allí. Le había dado pena, pues parecía estar en alguna clase de aprieto. Las muchachas agradables como ella le podían. En realidad, era él quien había efectuado la llamada, y no sólo por la recompensa; había llegado a la conclusión de que la chica estaría mejor con su familia.

En este punto miró a Richard con expectación. Richard le entregó el dinero, que, deduje, era menos de lo que el hombre esperaba. A continuación llamó a Laura, que no protestó. Nos echó una mirada y decidió que era mejor callarse.

—Gracias por todo, de todas formas —le dijo al hombre de los gofres al tiempo que le daba la mano. No era consciente de que había cambiado a mi hermana por dinero.

Richard y yo la tomamos cada uno por un codo y así atravesamos Sunnyside. Me sentía una traidora. Richard la instaló en el coche, entre los dos, y yo le pasé un brazo por los hombros. Estaba enfadada con ella, pero tenía que consolarla. Olía a vainilla, a jarabe dulce caliente y a cabellos sin lavar.

En cuanto la tuvimos en casa, Richard llamó a la señora Murgatroyd y le pidió una taza de té frío para Laura, que no se lo bebió. Estaba sentada en el centro del sofá, con las rodillas juntas, rígida, el rostro inexpresivo y la mirada impasible.

¿Tenía idea de la ansiedad y la conmoción que había provocado?, preguntó Richard. No. ¿Le importaba? Sin respuesta. Él, desde luego, esperaba que no volviera a intentar nada parecido. Sin comentarios. Porque en aquel momento su papel era *in loco parentis*, por decirlo así, tenía responsabilidades para con ella y estaba decidido a asumirlas fuera cual fuere el coste. Y como ningún camino tenía una sola dirección, confiaba en que ella se diese cuenta de que también tenía una responsabilidad para con él —para con nosotros, añadió—, que consistía en comportarse y hacer lo que se le exigía dentro de los límites de la razón. ¿Lo entendía?

—Sí —respondió Laura—. Entiendo lo que quieres decir.

—Pues así lo espero —dijo Richard—. Desde luego, así lo espero, señorita.

Lo de «señorita» me ponía nerviosa. Me parecía un reproche, como si estuviese mal ser joven, o ser mujer. Y en este caso el reproche también me incluía.

—¿Qué has comido? —le pregunté para cambiar de tema.

—Manzanas acarameladas —contestó—, y rosquillas, que el segundo día eran más baratas. Había una gente encantadora. Y pimientos.

—Oh, Dios mío —dije, mirando a Richard con una débil sonrisa de complicidad.

—Es lo que come la gente en la vida real —señaló Laura, y empecé a comprender, al menos en parte, el atractivo que debía de tener Sunnyside para ella. Se trataba de «otra» gente, la que siempre había sido y seguiría siéndolo por lo que a Laura atañía. Mi hermana anhelaba servir a esa otra gente. Anhelaba, en cierto modo, unirse a ella. Pero nunca podría. Volvía a ser como lo del comedor de beneficencia en Port Ticonderoga.

—¿Por qué lo hiciste, Laura? —le pregunté en cuanto estuvimos a solas. (La respuesta a «cómo lo había hecho» era sencilla: se había apeado en London y había cambiado el billete para el siguiente tren. Al menos no había ido a otra ciudad, pues en ese caso jamás la habríamos encontrado.)

—Richard mató a padre —dijo—. No puedo vivir en esta casa. Sería un error.

—Esto no es justo —repliqué—. Padre murió por culpa de una desgraciada combinación de circunstancias. —Me avergonzaba pronunciar aquellas palabras: sonaba a Richard.

—Puede que no sea justo, pero es cierto. En el fondo, lo es —puntualizó ella—. Además, quería trabajar.

—Pero ¿por qué?

—Para demostrar que nosotras..., que puedo hacerlo. Que yo, que nosotras, no tenemos... —Apartó la vista y se mordió el dedo.

—¿Que no tenemos el qué?

—Ya lo sabes —repuso—. Todo esto. —Abarcó con un gesto de la mano el tocador con volantes y las cortinas floreadas—. Primero fui al convento de la Estrella del Mar.

«Oh Dios mío —pensé—, las monjas otra vez no.» Creía que era agua pasada.

—¿Y qué te dijeron? —inquirí en un tono amablemente desinteresado.

—No sirvió de nada —contestó—. Fueron muy amables, pero me rechazaron, y no sólo por no ser católica. Dijeron que mi vocación no era verdadera, que sólo pretendía eludir mis obligaciones, y que si quería servir a Dios, lo hiciera en la vida que me había correspondido. —Hizo una pausa y añadió—: Pero ¿qué vida? ¡Yo no tengo vida!

Se echó a llorar y la abracé, un gesto olvidado de cuando era pequeña. «Deja de llorar.» Si hubiera tenido un poco de azúcar se lo habría dado, pero las dos habíamos superado hacía tiempo esa etapa. El azúcar no ayudaba.

—¿Cómo saldremos de aquí? —se lamentaba—. Hemos de hacerlo antes de que sea demasiado tarde. —Al menos ella era lo bastante sensata para estar asustada; tuvo más juicio que yo. A mí me parecía que estaba comportándose como una adolescente melodramática.

—¿Demasiado tarde para qué? —pregunté amablemente. Lo importante era respirar hondo, respirar hondo, un poco de calma, un poco de equilibrio. No había necesidad de asustarse.

Yo pensaba que podía manejarme con Richard y con Winifred. Pensaba que podía vivir como un ratón en el castillo de los tigres desapareciendo de la vista dentro de las paredes, quedándome quieta, manteniendo la cabeza baja. No: me atribuyo un mérito excesivo. No vislumbré el peligro. Ni siquiera sabía que eran tigres. Peor: no sabía que podía convertirme en tigre. No sabía que al igual que yo misma en las circunstancias adecuadas, Laura también podía hacerlo. Estaba al alcance de todo el mundo, en realidad.

—Mira el lado bueno —le dije a Laura en el tono más tranquilizador de que fui capaz. Le di una palmada en la espalda y añadí—: Te traeré un vaso de leche caliente y te meterás en la cama. Mañana te sentirás mejor. —Pero ella no paraba de llorar, desconsolada.

Xanadú

Anoche soñé que llevaba el traje de baile de Xanadú. Yo representaba a una doncella abisinia, la damisela del dulcémele. El traje, de satén verde, estaba formado por un bolero muy escotado, bordeado de lentejuelas doradas, que dejaba la barriga al aire, calzones verdes de raso y pantalones translúcidos. En torno a la frente llevaba una cadena con muchas monedas de oro engarzadas, y en la cabeza un pequeño y alegre turbante con un alfiler en forma de luna creciente. Un velo me cubría la nariz. Era la idea de Oriente de algún diseñador circense de relumbrón.

Estaba encantada con mi traje hasta que me di cuenta, al mirarme la barriga flácida, los extendidos nudos de venas azules, los brazos arrugados, que no tenía la edad de entonces sino la de ahora.

No me encontraba en el baile, además. Estaba sola, o eso me pareció al principio, en el destartalado invernadero de cristal de Avilion. Había tiestos vacíos esparcidos por todas partes; otros no estaban vacíos, sino llenos de tierra seca y plantas muertas. Una de las esfinges de piedra estaba en el suelo, de lado; con un rotulador habían pintarrajeado nombres, iniciales, dibujos obscenos. Había un agujero en el techo de vidrio. El lugar apestaba a gato.

Detrás de mí, la casa permanecía a oscuras, desierta. Todo el mundo se había fugado. Me habían dejado sola con aquel ridículo vestido. Era de noche y la luna tenía forma de uña. A su luz vi que ciertamente había una sola planta viva: una especie de matorral satinado con una flor blanca. «Laura», dije. De las sombras surgió la risa de un hombre.

No es una pesadilla tan horrible, pensaréis. Esperad a tenerla. Desperté desolada.

¿Por qué la mente hace esas cosas? Se vuelve contra nosotros, nos clava las zarpas. Dicen que el hambre puede llevarte a devorar tu propio corazón. Acaso sea lo mismo.

Tonterías. Es todo química. Necesito tomar medidas, por lo de los sueños. Tiene que haber alguna pastilla.

Hoy ha seguido nevando. Sólo de mirar por la ventana me duelen los dedos. Escribo sentada a la mesa de la cocina, con la misma lentitud que si estuviera esculpiendo. La pluma me pesa, cuesta empujarla, parece una uña rascando el cemento.

Otoño de 1935. Disminuía el calor y aumentaba el frío. Primero, hielo en las hojas caídas, luego, en las hojas que seguían en las ramas. Después, en las ventanas. En aquel tiempo me complacía esa clase de detalles. Me gustaba respirar. El espacio dentro de mis pulmones me pertenecía por completo.

Mientras tanto, la vida continuaba.

Lo que Winifred había pasado a denominar la «pequeña escapada de Laura» se encubrió al máximo. Richard le dijo a Laura que si hablaba de ello con quien fuera, sobre todo en la escuela, él se enteraría y lo consideraría una afrenta personal, además de un intento de sabotaje. Había arreglado las cosas con la prensa: los Newton-Dobbses, un matrimonio de amigos muy bien situado —él ocupaba un alto cargo en los ferrocarriles—, le habían proporcionado una coartada y se habían comprometido a jurar que Laura había estado en su casa de Muskoka todo el tiempo. En el último momento habían decidido que pasase unas breves vacaciones con ellos, y mientras Laura pensaba que los Newton-Dobbses nos lo habían comunicado, éstos creían que ella se había ocupado de llamarnos; todo fue un simple malentendido. No se habían enterado de que temíamos que mi hermana hubiese desaparecido, porque durante las vacaciones no solían prestar atención a las noticias.

La historia sonaba verosímil. La gente se la creyó, o simuló creérsela. Supongo que los Newton-Dobbses debieron de explicar la verdad a una veintena de amigos íntimos —en secreto y tras hacerles prometer que no se lo dirían a nadie—, tal como habría hecho Winifred en su lugar, dado que el cotilleo era un bien como cualquier otro. Pero al menos no llegó a la prensa.

Disfrazaron a Laura con una áspera falda escocesa y una corbata a cuadros y la enviaron al St. Cecilia. Ella no intentó disimular lo mucho que detestaba el lugar. Dijo que no tenía por qué ir, que ahora que sabía lo que era trabajar quería seguir haciéndolo. Para decir estas cosas se dirigía a mí aunque Richard estuviera presente. Nunca le hablaba directamente a él.

Se mordía los dedos, prácticamente no comía nada, estaba en los huesos. Empecé a preocuparme por ella, que era lo que se esperaba de mí y lo que, en justicia, debía hacer. Pero Richard dijo que se estaba hartando de sus tonterías histéricas y que en lo que al trabajo se refería, no quería oír ni una palabra más. Laura era demasiado joven para salir sola, podía verse envuelta en problemas, porque los bosques estaban llenos de personas que se dedicaban a abusar de muchachas tontas como ella. Si no le gustaba la escuela, la mandaría a otra, más lejos, en una ciudad diferente, y si se fugaba de esa otra, la enviaría a una casa donde se ocupaban de jóvenes descarriadas y demás delincuentes morales, y si eso tampoco servía, conocía una clínica privada con barrotes en las ventanas; si lo que quería era ponerse hábito de penitencia y cubrirse la cabeza de cenizas, desde luego lo conseguiría. Era menor de edad, él tenía autoridad sobre ella y, no fuéramos a equivocarnos, haría exactamente lo que le indicase. Como ella sabía —al igual que todo el mundo—, él era hombre de palabra.

Cuando se enfadaba, los ojos de Richard amenazaban con salírsele de las órbitas. En aquel momento los tenía hinchados, pero dijo todo eso en un tono calmado y creíble que intimidó a Laura y la obligó a tomárselo en serio. Yo intenté intervenir —esas amenazas eran excesivas, él no entendía a Laura ni su manera de tomarse las cosas literalmente—, pero me dijo que me callase. Lo que Laura necesitaba era mano dura. Ya la habíamos consentido demasiado. Había llegado el momento de cambiar.

A lo largo de las semanas, se fue estableciendo una especie de tregua incómoda. Intenté disponer las cosas en la casa de modo que ninguno de los dos coincidiera con el otro. Igual que extraños, pensaba yo.

Winifred había metido cuchara en el asunto, por supuesto. Debió de decirle a Richard que se mostrara firme porque Laura era la clase de muchacha capaz de morder la mano que le daba de comer, a menos que se le pusiera un bozal.

Richard se lo consultaba todo a Winifred, que velaba por él, lo apoyaba y lo animaba en general. Ella era su soporte y promovía sus intereses en lo que consideraba los sitios adecuados. ¿Cuándo tenía que presentar su candidatura al Parlamento? Todavía no, le susurraba ella al oído —no era el momento ideal—, pero pronto. Ambos habían decidido que Richard era el hombre del futuro y ella la mujer que había detrás de él —¿no había una mujer detrás de todo gran hombre?

Sin duda no era yo. Nuestras posiciones relativas —la suya y la mía— estaban claras; para ella siempre lo habían estado, y para mí lo estaban cada vez más. Richard la necesitaba, mientras que a mí siempre podía reemplazarme. Mi trabajo consistía en abrir las piernas y cerrar la boca.

Si suena brutal, es que lo era, aunque no constituye nada fuera de lo normal.

Winifred tenía que mantenerme ocupada durante las horas del día; no quería que me volviese loca de aburrimiento ni que me hundiera hasta el fondo. Ponía bastante empeño en buscarme tareas sin sentido, y a continuación me reordenaba el tiempo y el espacio a fin de que contase con libertad para realizarlas. No se trataba de tareas muy exigentes, porque no disimulaba su opinión de que yo era un poco tonta. Por mi parte, no hacía nada por desalentar este punto de vista.

Un ejemplo de ello fue el baile benéfico de la guardería infantil del centro, que se encargó de preparar. Me incluyó en la lista de organizadoras, no sólo para mantenerme activa, sino porque favorecía a Richard. Lo de «organizadoras» era un decir, porque ella no creía que yo fuese capaz de organizar nada; así pues, ¿qué trabajo de cenicienta podía encomendarme? Decidió que me encargara de poner las direcciones en los sobres. Acertó: eso sabía hacerlo. Incluso lo hice bien. No tenía que fijarme en nada y podía dedicarme a pensar en otros asuntos. («Gracias a Dios que tiene talento para una cosa», oí que decía en una ocasión a las Billies y Charlies en una partida de bridge. «Oh, lo olvidaba... ¡para dos!» Grandes risas.)

Aquella guardería infantil, creada para los niños de barrio, era lo mejor de Winifred, o al menos lo era el baile benéfico. Se trataba de una especie de mascarada, como casi todos los actos de esa clase, porque por entonces a la gente le gustaban los disfraces casi tanto como los uniformes. Los dos servían para el mismo propósito: evitar ser quien se es, pretender ser otra persona. Sólo con ponerte ropas exóticas podías volverte más grande y poderoso, o más atractivo y misterioso. Bueno, algo es algo.

Winifred tenía un comité organizador, pero todo el mundo sabía que no consultaba a nadie cuando se trataba de tomar decisiones importantes; sostenía los aros en alto y los demás saltaban a través de ellos. Fue ella quien eligió el tema para el baile de 1936: «Xanadú.» Poco antes, en el baile de Bellas Artes, que era la competencia, habían escenificado «Tamerlán en Samarcanda» con gran éxito. Los temas orientales no podían faltar, y como en la escuela todo el mundo había tenido que aprenderse de memoria el *Jublai Jan*, hasta los abogados y los banqueros —además de los médicos— sabían qué era Xanadú. Sus esposas lo recitaban de corrido.

En Xanadú construyó Jublai Jan
una majestuosa bóveda de placer,
bajo la cual fluía el sagrado Alf,
por cavernas inconmensurables para el hombre
hasta el mar sin sol.

Winifred mandó mecanografiar todo el poema, lo fotocopió, lo distribuyó entre los miembros del comité —para filtrar ideas— y nos dijo que aceptaría encantada cualquier sugerencia, aunque sabíamos que ya lo tenía todo planeado. El poema aparecía también en la invitación, impreso en letras de oro con un borde dorado y cerúleo de caracteres árabes. ¿Alguien sabía qué significaba? No, pero el efecto resultaba encantador.

A esas funciones sólo podía asistirse por invitación. Te invitaban y pagabas una fortuna, pero el círculo era muy reducido. Quién constaba en la lista o no se convertía en asunto de ansiosa expectación, aunque sólo para quienes dudaban de la posición que ocupaban. Esperar una invitación y no recibirla constituía un anticipo del Purgatorio. Supongo que se vertían muchas lágrimas por esa clase de cosas, pero en secreto; en aquel mundo jamás podía mostrarse la decepción que provocaba.

La belleza de Xanadú (dijo Winifred después de leer el poema con su voz áspera —y debo admitir que lo leyó perfectamente—), la belleza de los versos, radicaba en que el tema era al mismo tiempo revelador y encubridor. Los corpulentos podían envolverse en ricos brocados o las esbeltas convertirse en esclavas o bailarinas persas y cargar con la casa a cuestas. Faldas de gasa, esclavas, cadenas tintineantes en los tobillos: las posibilidades eran prácticamente infinitas y, desde luego, a los hombres les encantaba vestirse como pachás y simular que tenían harenes. Aunque no sabía si lograría convencer a alguien para que hiciera de eunuco, añadió, provocando algunas risitas de aprobación.

Laura era demasiado joven para asistir a ese baile. Winifred había planeado organizar una fiesta para presentarla en sociedad, un rito de paso que todavía no se había producido y sin el cual no reunía todos los requisitos para ser una candidata en toda regla. De todos modos, mostró cierto interés en el proceso. Supuso un gran alivio para mí ver que se interesaba por algo. Desde luego, la escuela le tenía sin cuidado; sus notas eran desastrosas.

Rectifico: no era el proceso lo que le interesaba, sino el poema. Yo ya me lo sabía de memoria, porque la Señorita Violencia nos lo había enseñado en Avilion, pero Laura no le había hecho mucho caso entonces. Ahora lo leía una y otra vez.

Quería saber qué era un amante endiablado. ¿Por qué un mar sin sol, por qué el océano no tenía vida? ¿Por qué había cavernas de hielo en la soleada bóveda de placer? ¿Qué era el monte Abora y por qué le cantaba la doncella abisinia? ¿Por qué las voces ancestrales profetizaban la guerra?

Yo no conocía la respuesta a ninguna de esas preguntas. Ahora las conozco todas. No son las respuestas de Samuel Taylor Coleridge —no estoy segura de que él las tuviese, porque en aquella época siempre andaba drogado— sino mis propias respuestas. Aquí están, por si sirven de algo.

El río sagrado está vivo. Fluyen hacia el océano sin vida porque es allí adonde va a parar todo lo que vive. El amante es endiablado porque no está presente. La bóveda de placer soleada tiene cavernas de hielo porque es lo que hay en las bóvedas de placer; con el tiempo se enfrían, después se funden, y ¿qué haces a continuación? Te mojas. El monte Abora era la casa de la doncella abisinia, y ella le canta porque no puede regresar. Las voces ancestrales profetizaban la guerra porque nunca callan y detestan equivocarse, y la guerra siempre llega, más tarde o más temprano.

Corregidme si me equivoco.

Caía la nieve, primero con suavidad, luego en duros copos que se clavaban en la piel como agujas. Al ponerse el sol, el cielo pasó del color de la sangre aguada al de la crema de leche. Las chimeneas despedían el humo de los hornos cargados de carbón. Los carros tirados por caballos que repartían el pan dejaban en la calle montones de humeantes bollos morenos que se helaban en un abrir y cerrar de ojos. Los niños se los arrojaban mutuamente. Los relojes daban la medianoche una y otra vez, y el cielo siempre era de un azul profundo tachonado de estrellas heladas, con la luna de blanco hueso. Yo miraba la acera por la ventana de mi habitación, a través de las ramas del castaño. Después apagaba la luz.

El baile de Xanadú tuvo lugar el segundo sábado de enero. Mi traje había llegado por la mañana, en una caja llena de papel de seda. Lo más elegante era alquilar el traje en Malabar, porque hacerse uno especial para la ocasión dejaba entrever un esfuerzo excesivo. Eran casi las seis de la tarde y estaba probándomelo. Laura se encontraba en mi habitación; a menudo iba allí a hacer los deberes, o a simular que los hacía.

—¿Quién se supone que eres? —preguntó.

—La doncella abisinia —respondí. Aún no sabía de dónde sacaría el dulcémele. Quizás un banjo, adornado con cintas... Entonces me acordé de que el único banjo que había visto en mi vida había pertenecido a mis tíos muertos y estaba en el desván de Avilion. Tendría que pasar sin dulcémele.

No esperaba que Laura me dijera que me sentaba perfecto, ni siquiera que me quedaba bien. No solía hacerlo; «perfecto» y «bien» no eran categorías de pensamiento para ella. Esta vez dijo:

—No pareces muy abisinia. Las abisinias no suelen ser rubias.

—No puedo cambiar de color de pelo —repuse—. Es culpa de Winifred. Podría haber escogido a los vikingos o algo así.

—¿Por qué le tienen tanto miedo? —inquirió Laura.

—¿Miedo a quién? —pregunté. (No había captado el miedo en ese poema, sólo el placer. La «bóveda de placer». En una bóveda de placer es donde vivía yo entonces, donde estaba mi propio ser, desconocido para quienes me rodeaban. Circundado de paredes y torres, inaccesible.)

—Escucha —dijo. Recitó, con los ojos cerrados:

Si pudiera revivir dentro de mí
su sinfonía y su canción,

mi placer sería tal
que con música fuerte y prolongada
construiría aquella bóveda en el aire,
¡aquella bóveda soleada, aquellas cavernas de hielo!
Y todos los que la oyeran las verían allí,
y todos gritarían: ¡Cuidado, cuidado!
¡Cómo parpadean sus ojos, cómo flotan sus cabellos!
Teje un círculo tres veces a su alrededor
y cierra los ojos con sagrado temor,
porque él se alimenta de rocío de miel
y la leche del Paraíso bebe.

—¿Lo ves? Le tienen miedo —añadió—, pero ¿por qué? ¿Por qué «cuidado»?

—Francamente, Laura, no tengo ni idea —contesté—. No es más que un poema. No siempre se puede saber qué significa un poema. A lo mejor creen que está loco.

—Se debe a que es demasiado feliz —apuntó—. Ha probado la miel del Paraíso. A la gente le asusta que uno sea demasiado feliz, ¿verdad?

—No insistas, Laura —dije—. No lo sé todo, no soy profesora.

Ella estaba sentada en el suelo, con el uniforme de la escuela. Se mordía un dedo y me miraba con atención, decepcionada. Últimamente la decepcionaba a menudo.

—El otro día vi a Alex Thomas —soltó.

Me volví rápidamente y me ajusté el velo delante del espejo. El raso verde producía un efecto más bien pobre, como una vampiresa de Hollywood en una película que transcurría en el desierto. Me consolé pensando que todo el mundo tendría el mismo aspecto falso.

—¿Alex Thomas? ¿En serio? —Debería haberme mostrado más sorprendida.

—Y bien, ¿no te alegras?

—¿Alegrarme de qué?

—De que esté vivo —repuso—. De que no lo hayan atrapado.

—Claro que me alegro —dije—. Pero no se lo cuentes a nadie. Será mejor que no sepan dónde está.

—No hace falta que me lo adviertas. No soy una niña. Por eso no lo saludé.

—¿Te vio? —pregunté.

—No. Me crucé con él en la calle. Llevaba el cuello subido y la bufanda hasta la barbilla, pero me di cuenta de que era él. Llevaba las manos en los bolsillos.

Al oír que mencionaba las manos, los bolsillos, sentí una punzada.

—¿En qué calle era?

—En la nuestra —contestó—. Estaba al otro lado, mirando las casas. Me parece que nos buscaba. Debe de saber que vivimos por aquí.

—Laura —dije—, ¿sigues chalada por Alex Thomas? Porque si es así, mejor olvídate de él.

—No estoy colada por él —replicó con sorna—. Nunca lo estuve. La palabra «chalada» me parece horrible. De hecho, apesta. —Desde que iba a la escuela era menos modosa y hablaba peor. «Apesta» había escalado posiciones.

—Llámalo como quieras, pero déjalo. No puede ser —dije amablemente—. Sólo conseguirías ser infeliz.

Laura se rodeó las rodillas con los brazos:

—Infeliz —repitió—. ¿Qué demonios sabes tú de la infelicidad?

VIII

VIII

El asesino ciego: Historias carnívoras

Él ha vuelto a cambiar de sitio, menos mal. Ella detestaba aquel lugar cerca del Cruce. No le gustaba ir allí; no sólo estaba muy lejos, sino que hacía mucho frío; cada vez que iba le castañeteaban los dientes. Detestaba aquella habitación estrecha y sombría, el olor a tabaco rancio, la ventana atascada, la ducha, sórdida y pequeña, en un rincón, la mujer aquella con que tropezaba en las escaleras, una especie de campesina oprimida de novela antigua que en cualquier momento podía aparecer con una gavilla a la espalda. La hosca e insolente mirada que le dirigía, como si se imaginara exactamente lo que ocurría detrás de la puerta cuando se cerraba, no sólo era de envidia, sino también de malicia.

Adiós a todo eso.

La nieve ya se ha fundido, aunque quedan algunas manchas grises en las sombras. El sol calienta, la tierra despide un olor húmedo de raíces revueltas y de los restos empapados de los periódicos desechados del invierno anterior, borrosos e ilegibles. En los mejores distritos de la ciudad han brotado los narcisos, y en algunos jardines soleados hay tulipanes, rojos y anaranjados. Es una señal prometedora, dice la columna de jardinería, aunque días atrás, a finales de abril, hubo una ventisca imprevista y cayeron grandes copos.

Se ha cubierto la cabeza con un pañuelo, lleva un abrigo azul marino, lo más sobrio que ha conseguido. Él le dijo que sería mejor así. En las esquinas y en los rincones de la calle, olor a gato y vómitos, hedor a pollos metidos en cajas. En el camino, excrementos de los caballos de la Policía Montada, cuyos jinetes patrullan ojo avizor, no en busca de ladrones sino de agitadores, de nidos de rojos extranjeros que susurran como ratas entre la paja, seis por cama, compartiendo sus mujeres, sin duda, tramando sus complejos y siniestros complots. Dicen que Emma Goldman, que se exilió de Estados Unidos, vive por aquí.

Sangre en la acera, un hombre con un cubo y un pincel. Ella esquiva, molesta, el charco rosado. Es una zona de carnicerías *kosher*; también de sastrerías, de peleterías al por mayor. Y de explotados, sin duda. Filas de mujeres inmigrantes inclinadas sobre máquinas, llenándose los pulmones de pelusa.

La ropa que llevas se la han quitado a otra persona, le dijo él una vez. Sí, repuso ella al instante, pero a mí me queda mejor. Luego añadió con cierta rabia: ¿Qué quieres que haga? ¿Crees de verdad que tengo algún poder?

Se para en una frutería y compra tres manzanas. No son muy buenas, de la temporada pasada, la piel está un poco arrugada, pero ella siente que necesita ofrecerle alguna clase de regalo para hacer las paces con él. La mujer le quita una de las manzanas de la mano, le señala un punto marrón en la piel y se la cambia por una en mejor estado. Todo eso sin hablar, con significativos gestos de asentimiento y sonrisas desdentadas.

Hombres con largos abrigos negros y sombreros de ala ancha del mismo color; mujeres pequeñas de ojos astutos. Chales, camisas largas. Verbos entrecortados.

No miran directamente a la gente, pero casi nada les pasa inadvertido. Ella no puede evitar llamar la atención: es una giganta, sus piernas desnudas la preceden.

La tienda de botones está justo donde él dijo. Se detiene un momento para mirar el escaparate. Botones bonitos, cintas de raso, trenzas, cintas en zigzag, lentejuelas..., materia prima para los adjetivos de ensueño de la publicidad de moda. Quizá los dedos de alguien de por aquí hayan cosido el adorno de armiño en su capa de noche de *chiffon* blanco. El contraste del delicado velo con la fétida piel del animal, eso es lo que atrae a los caballeros. Piel delicada, y luego matorrales.

Su nueva habitación está encima de la panadería. Pasa por delante de ésta, sube por las escaleras en medio de una neblina de aromas que la complacen. Pero son densos, sofocantes, a levadura en fermentación, y le van directos a la cabeza como el helio caliente. Llevaba mucho tiempo sin verla. ¿Por qué se ha mantenido alejada?

Está ahí, abre la puerta.

Te he traído unas manzanas, dice ella.

Al cabo de un rato, los objetos del mundo vuelven a tomar forma a su alrededor. En precario equilibrio sobre el pequeño lavabo hay una máquina de escribir. La maleta azul está al lado, y encima de ésta la jofaina. En el suelo, una camisa arrugada. ¿Por qué la ropa en el suelo siempre despierta el deseo? Con sus formas desgarradas, impetuosas, se parecen a las llamas de algunos cuadros: tela anaranjada, lanzada por los aires.

Yacen en la cama, una enorme y labrada estructura de caoba que ocupa casi toda la habitación. Muebles que en otros tiempos se regalaban en ocasión de las bodas, procedentes de países lejanos, que tenían que durar toda una vida. «Toda una vida»..., qué estupidez parece en este momento, y qué inútil la durabilidad. Ella corta la manzana con la navaja de él y le va dando pedazos.

Si no te conociera, pensaría que quieres seducirme.

No... me limito a mantenerte con vida. Te engordo para comerte más tarde.

Vaya pensamiento más perverso, señorita.

Sí. Es el tuyo. No me digas que te has olvidado de las mujeres muertas con los cabellos azul celeste y los ojos como pozos llenos de serpientes. Te comerían para desayunar.

Sólo si las dejase. Él alarga otra vez la mano. ¿Dónde has estado? Hace semanas.

Sí. Aguarda. Tengo que decirte algo.

¿Es urgente?, pregunta él.

Sí. No, en realidad, no.

Declina el día, las sombras de las cortinas se desplazan por la cama. En la calle suenan voces, lenguas desconocidas. Siempre recordaré este momento, se dice ella. A continuación: ¿Por qué pienso en el recuerdo? Todavía no es «entonces», sino ahora. No ha terminado.

He pensado en la historia, reflexiona. He pensado en la continuación.

¡Oh! ¿Tienes ideas propias?

Siempre he tenido ideas propias.

De acuerdo. Oigámoslas pues, dice él con una mueca.

Muy bien, responde ella. Lo último que supimos era que conducían a la chica y al ciego ante el Siervo del Regocijo, jefe de los invasores bárbaros llamados el Pueblo de la Desolación, porque sospechaban que ambos eran mensajeros divinos. Corrígeme si me equivoco.

¿De verdad prestas atención a todo eso?, pregunta él, sorprendido. ¿En serio te acuerdas?

Claro que me acuerdo. Me acuerdo de todas las palabras que pronuncias. Llegan al campamento bárbaro y el asesino ciego le dice al Siervo del Regocijo que tiene un mensaje para él de parte del Invencible, pero debe dárselo en privado y con la chica presente, porque no quiere perderla de vista.

No ve. Es ciego, ¿no lo recuerdas?

Ya me entiendes. Entonces el Siervo del Regocijo dice que muy bien.

Seguro que no dijo sólo «muy bien». Tenía que soltar un discurso.

No puedo encargarme de esas partes. Los tres entran en una tienda separada de las otras, y el asesino dice: Aquí está el plan. Les explicará cómo entrar en la ciudad de Sakiel-Norn sin llevar a cabo un asedio ni sufrir pérdidas de vida, me refiero a sus vidas. Tienen que enviar un par de hombres, él les dará la contraseña para que los dejen franquear la puerta —sabe las contraseñas, acuérdate— y, una vez dentro, irán al canal y soltarán una cuerda por debajo del arco. Atarán el extremo en algún sitio —una columna de piedra o algo así— y luego, por la noche, un grupo de soldados entrará en la ciudad agarrándose a la cuerda por debajo del agua, para reducir a los guardias y abrir las ocho puertas de la ciudad, tras lo cual... bingo.

¿Bingo?, dice él, riendo. No es una palabra muy zicroniana.

Qué más da. Después de eso, pueden matar hasta decir basta, si es lo que quieren.

Un ardid inteligente, reconoce él. Eres muy astuta.

Sí, dice ella, está en Herodoto, o algo así. Creo que se trataba de la caída de Babilonia.

Tienes una cantidad sorprendente de bagatelas en la cabeza, dice él. De todos modos, habrá alguna compensación, ¿no? Nuestros dos héroes no pueden hacerse pasar por mensajeros divinos. Es demasiado arriesgado. Tarde o temprano cometerán un error y los matarán. Deben irse.

Sí. Ya he pensado en eso. Antes de darles la contraseña y las direcciones, el ciego indica que deben llevarlos, a él y a la chica, al pie de las montañas occidentales, con buenas provisiones de víveres. Explicará que tienen que hacer una especie de peregrinación; en la cima de un monte recibirán más instrucciones divinas. Sólo entonces les entregará la mercancía, es decir, la contraseña. Así, si el ataque de los bárbaros fracasa, ellos dos estarán en un lugar donde a ningún ciudadano de Sakiel-Norn se le ocurriría buscarlos.

Pero los matarán los lobos, objeta él. Y si no son los lobos, las mujeres muertas con figuras curvilíneas y labios rojo rubí. O la matarán a ella y a él lo obligarán a satisfacer sus deseos antinaturales durante un tiempo indefinido, pobre chico.

No, replica ella. Eso no ocurrirá.

¿Ah no? ¿Quién lo dice?

Lo digo yo. Escucha..., es así. El asesino ciego se entera de todos los rumores, y por eso conoce la verdad sobre esas mujeres: no están muertas, sino que divulgan esas historias para que las dejen en paz. En realidad, algunas son esclavas fugitivas y otras sencillamente han huido para evitar que sus maridos o padres las vendieran. Además, no todas son mujeres; hay unos pocos hombres, aunque amables y amistosos. Todos ellos viven en cuevas, cuidan del ganado y cultivan su propio huerto. Se turnan para vigilar las tumbas y asustar a los viajeros (con aullidos y cosas así), pero lo hacen a fin de guardar las apariencias.

Además, los lobos no son lobos de verdad, sino ovejas que han recibido instrucciones para hacer de lobos. En realidad, son animales muy mansos y leales.

Así pues, esa gente acogerá a los dos fugitivos y, una vez que hayan oído su triste historia, los tratarán con verdadera cortesía. Entonces el asesino ciego y la chica sin lengua vivirán en una de las cuevas y tarde o temprano tendrán hijos capaces de ver y hablar, y serán felices.

Y entretanto, están matando a todos sus conciudadanos..., dice él con una mueca. ¿Acaso defiendes la traición al propio país? ¿Has cambiado el bien social general por la satisfacción individual?

Bueno, sus conciudadanos los matarían.

Sólo unos cuantos tenían esas intenciones, la elite, los peces gordos. ¿Condenarás con ellos a todos los demás? ¿Los convertirás en traidores? Me parece un poco egoísta por tu parte.

Es la historia, dice ella. Está en *La Conquista de México*..., ¿cómo se llamaba?..., Cortés. Es lo que hizo su amante azteca. También está en la Biblia. La ramera Rajab hizo lo mismo, cuando la caída de Jericó. Ayudó a los hombres de Josué y así salvó a su familia.

Aceptado, conviene él. Pero has violado las normas. No puedes cambiar sin más a las mujeres muertas por un grupo de pastoras folclóricas.

En realidad, tú nunca metiste a esas mujeres en la historia, señala ella. Al menos directamente. Sólo contabas rumores acerca de ellas. Rumores que quizá sean falsos.

Él se ríe. Es verdad. Ahora, aquí tienes mi versión. En el campamento del Pueblo de la Dicha, todo ocurre como has explicado, aunque con mejores discursos. Los bárbaros llevan a nuestros héroes hasta el pie de las montañas occidentales, los dejan allí, entre las tumbas. A continuación, siguiendo las instrucciones, consiguen entrar en la ciudad, donde saquean y destruyen cuanto encuentran a su paso. Nadie escapa con vida. Cuelgan al rey de un árbol, destripan a la gran sacerdotisa y el cortesano conspirador perece con el resto, incluidos los inocentes niños esclavos, los asesinos ciegos, las niñas criadas para ser sacrificadas en el Templo... Toda una cultura es borrada de la faz de la Tierra. No queda vivo nadie que sepa tejer las maravillosas alfombras, lo que tendrás que admitir que es una vergüenza.

Mientras tanto, los dos jóvenes pasean tomados de la mano por las montañas occidentales. Están convencidos de que pronto se encontrarán con amables agricultores que los aceptarán. Pero, como has señalado, los rumores no tienen por qué ser ciertos, y el que ha oído el asesino ciego es erróneo: las mujeres muertas están realmente muertas. Y no sólo eso, sino que los lobos son realmente lobos, y a las mujeres muertas les basta un silbido para llamarlos. Nuestros dos románticos héroes serán pasto de los lobos sin apenas enterarse.

Desde luego, eres un optimista incurable, dice ella.

No soy incurable, pero me gusta que mis historias suenen verdaderas, lo que significa que deben salir lobos, de una clase u otra.

¿Y por qué tiene que ser así? Ella desvía la vista, le da la espalda y se queda mirando el techo. Está molesta porque él le ha cambiado su versión de la historia.

Todas las historias tratan sobre lobos. Me refiero a las que vale la pena repetir, claro. Todo lo demás es pura tontería.

¿Todo?

Claro, responde él. Fíjate: huir de los lobos, luchar contra los lobos, capturar a los lobos, domesticar a los lobos, que te arrojen a los lobos o arrojar a otros a los lobos para que se los coman en lugar de a ti, correr con la manada de lobos, convertirse en lobo. Lo mejor, convertirse en el jefe de la manada. No hay más historias buenas.

Yo creo que sí, discrepa ella. Creo que en la historia en la que tú me cuentas la historia de los lobos no hay lobos.

No estés tan segura, le advierte él. Tengo un lobo a mi lado. Ven aquí.

Espera. He de preguntarte algo.

De acuerdo, dispara, dice él perezosamente. De nuevo ha cerrado los ojos, su mano descansa sobre ella.

¿Me has sido infiel alguna vez?

Infiel. Vaya palabra extraña.

Olvida mi elección del vocabulario. ¿Lo has sido?

No más que tú conmigo. Hace una pausa. No lo llamaría infidelidad.

¿Cómo lo llamarías?, pregunta ella en tono gélido.

Distracción por tu parte. Cierras los ojos y olvidas dónde estás.

¿Y por la tuya?

Digamos, sencillamente, que eres la primera entre iguales.

Cabrón...

No digo más que la verdad, se defiende él.

Pues a lo mejor no deberías.

No te enfades, dice él. Estoy bromeando. No soportaría la idea de tocar a otra mujer. Me darían arcadas.

Se produce una pausa. Ella le da un beso y se echa hacia atrás. Voy a irme, dice con cuidado. Necesitaba que lo supieses. No quería que te preocuparas preguntándote dónde estaba.

¿Ir? ¿Adónde? ¿Para qué?

Nos vamos de viaje inaugural. Todos, toda la comitiva. Dice que no nos lo podemos perder. Es el acontecimiento del siglo, según él.

El siglo sólo va por la tercera parte, y además yo hubiera dicho que ese título estaba reservado para la Gran Guerra. El champán a la luz de la luna apenas puede competir con los millones de muertos en las trincheras. O con la epidemia de gripe, o...

Se refiere al acontecimiento social.

Oh, perdone, señora. Acepto la corrección.

¿Qué pasa? Sólo estaré fuera un mes... Bueno, más o menos. Según lo que dispongan.

Él no dice nada.

No creas que me apetece ir.

No, supongo que no. Demasiadas comidas de siete platos y un exceso de bailes. Pobre chica.

No seas así.

¡No me digas cómo tengo que ser! No te unas al coro de personas que tiene grandes planes para mi mejora personal. Estoy harto. Soy quien soy.

Perdona, perdona, perdona, perdona.

No soporto que te humilles. Pero, Dios mío, mira que lo haces bien. Apuesto a que has adquirido práctica en el sector doméstico.

Será mejor que me vaya.

Vete si es lo que quieres. Él se vuelve de espaldas a ella. Haz lo que te dé la gana. No soy tu guardián. No tienes que quedarte aquí sentada suplicando, lamentándote y moviendo la cola para mí.

No me entiendes. Ni siquiera lo intentas. No entiendes en absoluto lo que es. Te aseguro que no disfruto lo más mínimo.

De acuerdo.

Mayfair, julio de 1936

EN BUSCA DE UN ADJETIVO
POR J. HERBERT HODGINS

[...] Jamás barco más bello surcó los mares. Su estructura exterior exhibe la belleza ágil y aerodinámica del galgo, en tanto que por dentro, presenta tal profusión de detalles y una decoración tan superior que lo convierten en una obra maestra del confort, la eficiencia y el lujo. El nuevo barco es como un hotel Waldorf-Astoria flotante.

He intentado encontrar el adjetivo adecuado. Lo han calificado de maravilloso, asombroso, magnífico, regio, fastuoso, majestuoso y soberbio. Todas esas palabras lo describen con cierto grado de precisión, pero cada una en sí misma apela tan sólo a un aspecto único del «mayor logro en la historia de la construcción naval».

No hay forma de describir al *Queen Mary*, hay que verlo y «sentirlo», y participar en su singular vida a bordo.

[...] Todas las noches se celebraban bailes, desde luego, en el salón principal, y resultaba difícil hacerse a la idea de qué ocurría en alta mar. La música, la pista de baile, el público elegantemente vestido, todo aquello era más propio de la sala de un hotel de cualquiera de la media docena de ciudades más importantes del mundo. Se lucían los más nuevos trajes impuestos por la moda de Londres y París, recién sacados de sus cajas, todavía nuevos, crujientes. También era posible contemplar las últimas tendencias en accesorios: encantadores bolsos de mano, capas de noche en todas sus elegantes versiones para resaltar las combinacio-nes de colores, lujosos chales y fulares de piel. El vestido ahuecado se llevó la palma, tanto en su versión de tafetán como de redecilla. Si el traje era ceñido para realzar la silueta, iba acompañado invariablemente de una elaborada túnica de tafetán o satén estampado. Se veían muchas y variadas capas de *chiffon*, pero todas con hombros al estilo militar. Una joven encantadora, con cutis de porcelana de Dresde bajo una *coiffure* de cabellos blancos, llevaba una capa lila de *chiffon* sobre un vaporoso traje gris. Una rubia esbelta con un traje color sandía lucía una capa blanca, también de *chiffon*, adornada con colas de armiño.

El asesino ciego: Las Mujeres Estupendas de Aa'A

Los bailes nocturnos se suceden, melosos y resplandecientes en un suelo resbaladizo. A ella le provoca hilaridad, no puede evitarlo. En todas partes estallan bombillas de flash: nunca sabes dónde enfocan, o cuándo aparecerá una fotografía tuya en el periódico, con la cabeza echada hacia atrás, enseñando todos los dientes.

Por la mañana, le duelen los pies.

Por las tardes, acostada en una tumbona, con gafas de sol, se refugia en el recuerdo. Se niega a ir a la piscina, a jugar al bádminton, a presenciar las inacabables partidas sin objeto. Los pasatiempos son para pasar el tiempo, y ella tiene su propia manera de pasarlo.

Los perros van de un lado a otro por cubierta hasta donde se lo permiten las cuerdas que los retienen. Detrás de ellos van sus amos. Ella simula leer.

En la biblioteca hay gente que escribe cartas. Para ella, no tiene sentido. Aunque le enviase una carta, él se traslada tan a menudo que seguramente no la recibiría, o la recibiría otra persona.

Los días de calma, las olas hacen lo que se les pide que hagan: arrullan. El aire del mar, dice la gente... Oh, es muy bueno para la salud. Respira hondo. Relájate. Suéltalo.

¿Por qué me cuentas historias tan tristes?, pregunta ella, meses atrás. Están tumbados y cubiertos con el abrigo de ella, que ha extendido el cabello en torno a su cabeza, a petición de él. El aire frío entra por la ventana rota, los tranvías que pasan producen un sonido metálico. Aguarda un momento, dice, se me clava un botón en la espalda.

Es la clase de historias que conozco. Tristes. De todos modos, llevada a su conclusión lógica, no hay historia que no sea triste, porque al final todo el mundo muere. Nacimiento, cópula y muerte... No hay excepciones, excepto, quizá, en lo de la cópula. Los hay que ni siquiera llegan a eso, los pobres.

Pero puede haber momentos felices en medio, dice ella. Entre el nacimiento y la muerte... ¿no? Aunque supongo que si crees en el Cielo ya tienes un poco de felicidad ganada... Al morir, digo. Con coros de ángeles cantando para tu descanso y todo eso.

Sí. Flaco consuelo para cuando te mueres. No, gracias.

Aun así, puede haber momentos felices, insiste ella. O más de los que tú mencionas jamás. No mencionas muchos.

¿Te refieres a la parte en que nos casamos, nos instalamos en un pequeño barracón y tenemos un par de niños?

No seas malicioso.

Muy bien, dice él. Quieres una historia feliz. Ya veo que no cejarás hasta conseguirla. Ahí la tienes.

Corría el año nonagésimo noveno de lo que se daría en llamar la guerra de los Cien Años, o guerras xenorianas. El planeta Xenor, localizado en otra dimensión del espacio, estaba poblado por una raza superinteligente pero supercruel de seres conocidos como hombres lagarto, aunque no era así como se designaban a sí mismos. Aparentemente medían más de dos metros de estatura, eran escamosos y grises. Sus ojos tenían hendiduras verticales, como los de los gatos o las serpientes, y su piel era tan dura que normalmente no se vestían, a excepción de unos pantalones cortos de *carchinal*, un metal rojo flexible desconocido en la Tierra, que les protegía las enormes, evidentemente escamosas y podría añadir vulnerables, partes vitales.

Bueno, doy gracias al Cielo que haya algo vulnerable, dijo ella entre risas.

Ya me parecía que te gustaría. En todo caso, habían planeado capturar a un gran número de mujeres de la Tierra y conseguir una superraza de seres medio humanos, medio xenorianos, que estarían mejor provistos para la vida en los distintos planetas habitables del universo de lo que lo están —serían capaces de adaptarse a atmósferas extrañas, comer mayor variedad de alimentos, resistir a enfermedades desconocidas y cosas así—, pero que también poseerían la fuerza y la inteligencia extraterrestre de los xenorianos. Esta superraza se esparciría por el universo hasta conquistarlo, y por el camino se comería a los habitantes de los distintos planetas, porque los hombres lagarto necesitaban espacio para expandirse y una nueva fuente de proteínas.

La nave espacial de los hombres lagarto de Xenor ha lanzado su primer ataque sobre la Tierra en el año 1967 y ha tenido un efecto devastador en ciudades importantes, provocando la muerte de millones de personas. En su propagación del pánico, los hombres lagarto han convertido partes de Eurasia y Suramérica en colonias de esclavos, apropiándose de las jóvenes mujeres para sus horrorosos experimentos de procreación y enterrando los cadáveres de los hombres en pozos enormes, después de comerse varias partes de ellos, mostrando especial preferencia por el cerebro, el corazón y el hígado, ligeramente tostado.

Sin embargo, las líneas de suministro xenorianas han quedado cortadas por los misiles lanzados desde las instalaciones ocultas en la Tierra, con lo que los hombres lagarto se han visto privados de los elementos vitales para sus mortíferas armas de rayos *zorch*. La Tierra ha contraatacado, no sólo con sus propias fuerzas de combate, sino también con nubes de gas extraído del veneno de la extraña rana *hortz* de Iridis, utilizado en otros tiempos por los nacrods de Ulinth para untar las puntas de sus flechas y al que los xenorianos eran particularmente vulnerables, como los científicos descubrieron. Así, las posibilidades se habían igualado.

Además, los pantalones de *carchinal* de los hombres lagarto eran inflamables si se les disparaba con un misil que estuviese lo bastante caliente. Los francotiradores de la Tierra, que disparaban proyectiles de fósforo con armas de largo alcance, eran considerados héroes y debían soportar represalias muy severas que incluían torturas terriblemente dolorosas desconocidas hasta entonces. A los hombres lagarto no les hacía ninguna gracia que les quemasen las partes íntimas, lo cual era comprensible.

Ahora, en el año 2066, los hombres lagarto extraterrestres han sido derrotados y enviados a otra dimensión del espacio, donde los pilotos de combate de la Tierra los someten a operaciones de hostigamiento con sus rápidos aparatos biplazas. Su objetivo final es eliminar por completo a los xenorianos, dejando acaso una docena para exhibirlos en zoos especialmente fortificados, con ventanas de cristal irrompible. Sin embargo, los xenorianos no van a rendirse sin luchar hasta la muerte. Aún conservan parte de su flota y se guardan algunas cartas en la manga.

¿Tenían mangas? Pensaba que iban desnudos de cintura para arriba.

Mira que eres quisquillosa. Ya me entiendes.

Will y Boyd eran dos viejos compañeros, pilotos veteranos cubiertos de cicatrices, que llevaban tres años combatiendo contra los xenorianos. Eso era mucho tiempo en el servicio de acciones de hostigamiento, donde se producían muchas pérdidas. Los que mandaban decían que su valor excedía su juicio, aunque hasta ahora habían salido ilesos ataque tras ataque a pesar de su comportamiento imprudente.

Justo cuando se abre nuestra historia, un aparato *zorch* de los xenorianos se cierne sobre ellos, sometiéndolos a un ataque infernal que soportan como pueden. Los rayos de *zorch* han abierto un agujero en el depósito de combustible, han roto su conexión con el control de Tierra y han fundido el cambio de marchas. Además, Boyd ha recibido un fuerte golpe en la cabeza, mientras que Will nota que sangra dentro del traje espacial en un punto indeterminado, cerca de la cintura.

Creo que se acabó, dijo Boyd. Jodidos, amoratados y tatuados. Esta cosa se va a ir al carajo en cualquier momento. Sólo lamento no haber tenido tiempo de enviar al otro barrio a un centenar más de esos hijos de puta cubiertos de escamas.

Amén. Bueno, salud, viejo amigo, dijo Will. Parece que te hayas bebido un litro de vino... Te gotea por los pies. Ja, ja.

Ja, ja. Boyd hizo una mueca de dolor. Vaya chiste. Siempre has tenido un sentido del humor elemental.

Antes de que Will tuviese tiempo de responder, la nave efectuó un giro, fuera de control, y cayó trazando una espiral vertiginosa. Habían entrado en la órbita de un planeta, pero ¿de cuál? No tenían ni idea de dónde estaban. Su sistema de gravedad artificial no funcionaba, y perdieron el conocimiento.

Cuando volvieron en sí, no podían creer lo que veían. Ya no se hallaban en la nave de hostigamiento ni llevaban puestos sus ceñidos trajes espaciales metálicos. Estaban cubiertos por unas holgadas túnicas verdes confeccionadas con algún material reluciente y reclinados en mullidos sofás de oro bajo una enramada frondosa. Sus heridas habían curado y a Will había vuelto a crecerle el tercer dedo de la mano izquierda, que había perdido en un ataque previo. Se sentían rebosantes de salud y bienestar.

Rebosantes, murmura ella. Vaya.

Sí, a nosotros los hombres nos gusta emplear de vez en cuando una palabra bonita, dice él, hablando por la comisura de la boca como un gángster de película. Confiere un poco de clase al conjunto.

Ya lo veo.

Sigamos. No lo entiendo, dijo Boyd. ¿Tú crees que estamos muertos?

Si estamos muertos, me apunto, repuso Will. Todo está perfecto.

Lo mismo digo.

De pronto Will soltó un breve silbido. Dos de las mujeres más hermosas que habían visto en su vida se acercaban a ellos. Ambas tenían el cabello del color de las ramas del sauce. Lucían sendos vestidos largos de un tono azul púrpura que caían formando pliegues y crujían con cada movimiento. A Will le recordaron las pequeñas faldas de papel que ponían alrededor de la fruta en las tiendas de comestibles sofisticadas. Llevaban los brazos y las piernas desnudos, y una extraña redecilla roja en la cabeza. Su piel era de un rosa dorado suculento. Caminaban con un movimiento ondulante, como si nadaran en jarabe.

Recibid nuestros saludos, hombres de la Tierra, dijo la primera.

Sí, saludos, repitió la segunda. Hace tiempo que os esperamos. Hemos visto vuestra llegada en nuestra telecámara interplanetaria.

¿Dónde estamos?

En el planeta Aa'A, respondió la primera. La palabra sonaba como un suspiro de saciedad, con un breve jadeo en medio, semejante al que hacen los niños cuando se revuelven en sueños. También sonaba como el último suspiro de un moribundo.

¿Cómo llegamos aquí?, quiso saber Will. Boyd permanecía callado, admirando las exhuberantes y perfectas curvas que se exhibían ante él. Me gustaría hincarle los dientes a alguna de éstas, pensaba.

Caísteis del cielo, con la nave, dijo la primera mujer. Por desgracia, ha quedado destrozada. Tendréis que quedaros con nosotras.

No será tan duro, apuntó Will.

Nos ocuparemos de vosotros. Os habéis ganado una recompensa, porque al proteger vuestro mundo de los xenorianos, también nos protegéis a nosotras.

El pudor obliga a correr un velo sobre lo que ocurrió después.

¿Seguro?

Te lo demostraré en un minuto. Sólo añadiré que en el planeta Aa'A, no había más hombres que Boyd y Will, por lo que esas mujeres eran vírgenes. Pero podían leer el pensamiento, y por tanto sabían de antemano lo que ellos deseaban. Muy pronto, pues, los dos amigos vieron cumplidas sus más atrevidas fantasías.

Después hubo una deliciosa comida a base de néctar, el cual, según explicaron las mujeres, servía para conjurar la edad y la muerte; a continuación dieron un paseo por los maravillosos jardines, donde crecían flores inimaginables, y luego los llevaron a una gran habitación llena de pipas y los invitaron a elegir las que quisieran.

¿Pipas? ¿De las de fumar?

De las que van con las pantuflas, que les dieron a continuación.

Creo que he metido la pata.

Seguro, dijo él con una mueca.

La cosa iba cada vez mejor. Una de las chicas era muy provocativa, la otra era más seria y capaz de hablar de arte, literatura y filosofía, por no mencionar la teología. Las chicas parecían adivinar lo que ellos se disponían a pedir en cada momento e iban cambiando según los deseos de Boyd y Will.

Y así el tiempo transcurría en armonía. A medida que iban pasando los días, por otra parte perfectos, los hombres aprendían más cosas sobre el planeta Aa'A. En primer lugar, no comían carne, y no había animales carnívoros, aunque abundaban las mariposas y los pájaros canoros. ¿Hace falta añadir que el dios al que veneraban en Aa'A tenía forma de gran calabaza?

Segundo, no existía el nacimiento como tal. Las mujeres crecían en los árboles, de un tallo que les entraba por la parte superior de la cabeza. Cuando estaba maduro, sus predecesoras las arrancaban. En tercer lugar, no existía la muerte como tal. Cuando llegaba el momento, cada una de las «Mujeres Estupendas» —para llamarlas con el nombre con que Boyd y Will se referían a ellas— tenía la capacidad de desorganizar fácilmente sus moléculas a fin de que los árboles las asimilasen para producir una mujer nueva y fresca. Así, la última de las mujeres era, tanto en sustancia como en forma, idéntica a la primera.

¿Cómo sabían cuándo había llegado el momento? De desorganizar sus moléculas, quiero decir.

En primer lugar, por las finas arrugas que aparecían en su cutis aterciopelado al llegar a la madurez. En segundo, por las moscas.

¿Las moscas?

Las moscas que revoloteaban en enjambre alrededor de la redecilla con que adornaban su cabeza.

¿Ésa es tu idea de una historia feliz?

Espera. Hay más.

Al cabo de un tiempo, Boyd y Will comenzaron a aburrirse de la vida que llevaban, a pesar de lo maravillosa que era. Para empezar, las mujeres se pasaban el día comprobando si realmente se sentían felices, lo que en ocasiones se hace pesado para un hombre. Además, aquellas muchachas estaban dispuestas a hacer lo que fuese. Una de dos: o eran absolutamente desvergonzadas o carecían por completo de vergüenza. En algunos momentos, se comportaban como verdaderas prostitutas. La palabra «guarras» no alcanzaba a definirlas. También sabían ser tímidas y hasta mojigatas, serviles y pudorosas; incluso era habitual que lloraran y gritaran.

Al principio Will y Boyd lo encontraban excitante, pero con el tiempo empezaron a mostrarse irritados.

Cuando pegaban a las mujeres, éstas no sangraban, sino que rezumaban una especie de jugo. Si les pegaban más fuerte, se disolvían en una masa blanda y dulce que poco después se convertía en otra mujer. El dolor como tal no parecía afectarlas, y Will y Boyd se preguntaban si sentirían placer. ¿Era posible que todo el éxtasis fuese puro teatro?

Cuando las interrogaban al respecto, las muchachas sonreían y contestaban con evasivas. Con ellas era imposible llegar al fondo de ningún asunto.

¿Sabes qué me gustaría ahora mismo?, dijo Will un buen día.

Lo mismo que a mí, seguro, repuso Boyd.

Un filete enorme a la brasa, poco hecho, con sangre, una parva de patatas fritas, y una cerveza bien fría.

Pues eso. Y luego una batalla apoteósica con aquellos hijos de puta escamosos de Xenor.

Has captado la idea.

Decidieron ir a explorar. A pesar de que les habían dicho que Aa'A era igual en todas las direcciones y que sólo encontrarían más árboles y enramadas, más pájaros y mariposas y más mujeres cautivadoras, se dirigieron hacia el oeste. Tras un largo tiempo sin vivir ninguna clase de aventura, llegaron a un muro invisible. Su superficie era resbaladiza, como si fuese vidrio, pero blanda; cedía a la menor presión y a continuación volvía a su estado original. Era tan alto que no podían saltarlo ni escalarlo. Semejaba una inmensa bombilla de cristal.

Creo que estamos atrapados dentro de una gigantesca teta transparente, observó Boyd.

Se sentaron junto al muro, vencidos por una profunda desesperación.

En este lugar todo es paz y abundancia, dijo Will. Por la noche hay una cama blanda y dulces sueños, hay tulipanes en la soleada mesa del desayuno y una mujercita que prepara el café. Posee el encanto que siempre has soñado, en todas sus formas y medidas. Es lo que los hombres creen que quieren cuando están allí, luchando en otra dimensión del espacio. Es por lo que tantos de ellos han dado la vida. ¿Tengo razón?

Un poco largo el discurso, apuntó Boyd.

Pero es demasiado bueno para ser verdad, señaló Will. Debe de tratarse de una trampa. Incluso podría ser una demoníaca estratagema mental de los xenorianos para alejarnos de la guerra. Es el Paraíso, pero no podemos salir de él, y si no puedes salir de un lugar, es que estás en el infierno.

Pero esto no es el infierno, sino la felicidad, dijo una de las Mujeres Estupendas, que se materializó en una rama del árbol cercano. Aquí no hay adonde ir. Tranquilos. Disfrutad. Os acostumbraréis.

Fin de la historia.

¿Ya está?, dice ella. ¿Vas a dejar a esos dos hombres encerrados allí dentro para siempre?

He hecho lo que querías. Querías felicidad. Pero puedo dejarlos dentro o sacarlos, depende de lo que prefieras.

Sácalos, pues.

Fuera está la muerte. ¿Te acuerdas?

Ya. Ella se vuelve hacia un lado, arrastrando el abrigo de piel; aparta el brazo que tiene alrededor de él. Debo decir que te equivocas con las Mujeres Estupendas. No son lo que tú piensas.

¿En qué me equivoco?

Te equivocas, sencillamente.

The Mail and Empire, 19 de septiembre de 1936

GRIFFEN ADVIERTE SOBRE LOS ROJOS EN ESPAÑA
ESPECIAL PARA *THE MAIL AND EMPIRE*

En un vehemente discurso en el Empire Club el jueves pasado, el prominente industrial Richard E. Griffen, de Griffen-Chase Royal Consolidated, advirtió sobre los peligros que amenazan el orden mundial y el manejo pacífico del comercio internacional debido al conflicto civil que se vive en España.

Los republicanos, dijo, estaban recibiendo órdenes de los rojos, como demostraron con sus ataques a la propiedad, el asesinato de civiles pacíficos y las atrocidades cometidas contra la religión. Muchas iglesias han sido profanadas e incendiadas, y el asesinato de monjas y curas se ha convertido en algo cotidiano.

La intervención de los nacionalistas encabezados por el general Franco ha constituido una reacción lógica. Españoles indignados y valientes de todas las clases se han unido para defender la tradición y el orden civil, y el mundo aguarda con ansiedad la evolución de los acontecimientos. Una victoria de los republicanos significaría una Rusia más agresiva, y muchos países pequeños podrían verse amenazados. De los países continentales, sólo Alemania y Francia, y hasta cierto punto Italia, son lo bastante fuertes para resistir.

El señor Griffen defendió con convencimiento que Canadá debe seguir el camino de Gran Bretaña, Francia y Estados Unidos y evitar implicarse en el conflicto. La política de no intervención es la más sensata y debe adoptarse de inmediato, pues no puede pedirse a los ciudadanos canadienses que arriesguen sus vidas en esta refriega extranjera.

Sin embargo, existe ya una corriente clandestina de comunistas acérrimos que se dirigen a España desde nuestro continente, lo cual debería estar prohibido por la ley. No obstante, nuestro país debe agradecer que haya surgido una oportunidad mediante la cual librarse de elementos perturbadores sin coste alguno para el ciudadano.

Las declaraciones del señor Griffen fueron acogidas con encendidos aplausos.

El asesino ciego: El restaurante Top Hat Grill

El restaurante Top Hat Grill tiene un rótulo de neón con una chistera roja y un guante azul que la levanta. La chistera siempre sube, nunca baja, aunque no hay cabeza debajo, sólo un ojo que guiña. Un ojo de hombre, que se abre y se cierra, un ojo de conjurador, un ojo gracioso, malicioso y acéfalo.

La chistera es lo más elegante del local. Con todo, aquí están, sentados en una de las cabinas, en público como la gente real, con un bocadillo de buey caliente, carne gris sobre pan blanco, blando e insípido como trasero de ángel y una salsa marrón de lo más harinosa. Guisantes enlatados a un lado, de un verde grisáceo, patatas fritas reblandecidas por la grasa. En las otras cabinas hay hombres desconsolados con ojos irritados y tristes, camisa ligeramente mugrienta y corbata brillante de contable, además de algunas parejas maltrechas armando el jolgorio típico de un viernes por la noche y algunos tríos de putas sin trabajo.

Me pregunto si va de putas, piensa ella. En mi ausencia. Luego: ¿Cómo sé que son putas?

Es lo mejor aquí, por el precio, dice. Se refiere al bocadillo de buey caliente.

¿Has probado otras cosas?

No, pero lo sé por instinto.

En su estilo es bastante bueno, en realidad.

Puedes ahorrarte los cumplidos típicos de fiesta, replica él, pero sin excesiva rudeza. No está de un humor que pueda calificarse de genial, pero parece alerta, nervioso por algo.

No solía comportarse así cuando ella volvía de sus viajes. Se mostraba taciturno y vengativo.

Tiempo sin vernos. ¿Vienes para lo de siempre?

¿Lo de siempre?

El polvo habitual.

¿Por qué sientes la necesidad de ser tan bruto?

Son las compañías con que me muevo.

Lo que a ella le gustaría saber en este momento es por qué están comiendo. Por qué no están en su habitación. Por qué está tirando todas las precauciones por la borda. De dónde ha sacado el dinero.

Él contesta en primer lugar la última pregunta, aunque ella no se la ha formulado.

El bocadillo de buey que ves ante ti, dice él, es cortesía de los hombres lagarto de Xenor. Por ellos, por esas asquerosas bestias escamosas y por todos los que navegan con ellos. Levanta el vaso de Coca-Cola; le ha echado un poco de ron, de la botella. (Me temo que no hay cócteles, le había dicho al abrirle la puerta. Este antro está más seco que el coño de una vieja.)

Ella levanta su vaso. ¿Los hombres lagarto de Xenor?, pregunta. ¿Los mismos?

Los mismos. Lo puse en papel, lo envié hace dos semanas y no lo dejaron escapar. El cheque me llegó ayer.

Él debe de haber ido a correos para cobrarlo; últimamente suele hacerlo. No tiene otro remedio, puesto que ella ha estado fuera mucho tiempo.

¿Estás contento? Lo pareces.

Sí, claro..., es una obra maestra. Mucha acción, mucha sangre, mujeres hermosas. Hace una mueca. ¿Quién puede resistirse?

¿Es sobre las Mujeres Estupendas?

No. Aquí no hay Mujeres Estupendas. Es un argumento completamente distinto.

¿Qué pasa si se lo digo?, piensa él. Se acaba el juego o hay juramentos eternos, y ¿qué es peor? Ella lleva un fular, de una tela tenue y vaporosa, de un tono entre naranja y rosado. Sandía es como llaman a ese color.

Carne líquida, crujiente y dulce. Recuerda la primera vez que la vio. Todo lo que entonces podía imaginarse debajo del vestido era una nebulosa.

¿Qué te pasa?, quiere saber ella. Pareces muy... ¿Has bebido?

No. No mucho, responde él. Empuja los guisantes grises a un lado del plato. Por fin ha ocurrido, añade. Estoy a punto de irme. Pasaporte y todo.

Oh, dice ella. Así de fácil. Intenta no sonar consternada.

Así de fácil, repite él. Los camaradas se han puesto en contacto conmigo. Deben de haber decidido que soy más útil allí que aquí. En todo caso, después de andar a vueltas conmigo, de repente no pueden esperar a perderme de vista. Un problema menos para ellos.

¿Estarás seguro, viajando? Pensaba...

Más seguro que quedándome aquí. Pero insisten en que ya no hay nadie que me busque en serio. Tengo la sensación de que el otro bando también quiere que me largue. Menos complicado para ellos. Pero no pienso decir a nadie en qué tren me voy. No me interesa que me echen con un agujero en la cabeza y un cuchillo clavado en la espalda.

¿Y lo de cruzar la frontera? Siempre decías...

Ahora mismo las fronteras son un colador, si pretendes salir, claro. Los de la aduana saben perfectamente lo que ocurre: hay una tubería directa de aquí a Nueva York, y luego a París. Está todo organizado y no hacen diferencias con nadie. Los policías han recibido órdenes. Mirad hacia otro lado, les han dicho. Son conscientes de lo que se cuece, y les importa un comino.

Ojalá pudiera irme contigo, dice ella.

Y éste era el motivo de la cita. Él quería explicárselo en un sitio donde ella no pudiese seguir hablando. Tiene esperanzas de que no

433

le haga una escena en público. Que no empiece a llorar, a lamentarse, a tirarse del pelo. Cuenta con ello.

Sí. A mí también me gustaría que pudieras hacerlo. Pero no puedes. Es difícil. Tararea mentalmente:

> *Tiempo tormentoso*
> *no sé por qué,*
> *no tengo botones en la bragueta*
> *sino una cremallera...*

Resiste, se dice a sí mismo. Siente una efervescencia en la cabeza, como el gas de un refresco. Sangre con gas. Es como si estuviera volando, mirándola desde el aire. Su bello y angustiado rostro tiembla como el reflejo en el agua; ya empieza a disolverse, pronto se convertirá en lágrimas. Pero, a pesar de su dolor, nunca le había parecido tan cautivadora. La envuelve un resplandor suave y lechoso; su brazo, sobre el que él apoya la mano, es firme y pleno. Le encantaría tomarla en brazos y llevársela a su habitación, follarla seis veces hasta el domingo. Como si eso le sirviera para quedarse con su imagen.

Te esperaré, promete ella. Cuando vuelvas, saldré de casa sin decir nada y nos iremos juntos.

¿De verdad te irías? ¿Lo dejarías?

Por ti, sí. Si quisieras. Lo dejaría todo.

Por la ventana que hay por encima de ellos entran astillas de luz de neón: rojas, azules, rojas. Ella se lo imagina herido, sería una manera de que se quedase. Le gustaría que estuviera encerrado, atado, reservado para ella sola.

Vete ahora, dice él.

¿Ahora?, pregunta ella, y abre los ojos como platos. ¿Ahora mismo? ¿Por qué?

Porque no soporto pensar que estás con él. No soporto la idea.

No significa nada para mí, asegura ella.

Pues para mí, sí. Sobre todo cuando me haya ido, cuando no pueda verte. Me vuelve loco; pensar en ello me hará perder la razón.

Pero entonces no tendría dinero, dice ella con voz dubitativa. ¿Dónde viviría? ¿En una habitación alquilada, yo sola? Como tú, piensa. ¿De qué viviría?

Podrías buscar un trabajo, responde él, indeciso. Podría enviarte dinero.

Tú no tienes dinero, ni un centavo. Y yo no sé hacer nada. No sé coser, no sé escribir a máquina. También hay otra razón, piensa ella, pero ¿cómo decírselo?

Debe de existir alguna manera. Sin embargo, no insiste. A lo mejor no era tan buena idea, ella sola en el ancho mundo, donde todo tipo de hombres de aquí a China podrían encapricharse con ella. Si ocurriera algo, él sería el único responsable.

Me parece que lo mejor es que me quede como ahora, ¿no crees? Hasta que regreses. Porque regresarás, ¿verdad? ¿Regresarás sano y salvo?

Claro, responde él.

De lo contrario, no sé qué voy a hacer. Si te matan o algo así, no lo soportaré. Estoy hablando como en una película, piensa; pero, ¿qué otra cosa puedo decir? He olvidado todo lo demás.

Mierda, piensa él. Está alterada. Ahora se echará a llorar. Se echará a llorar y se quedará ahí sentada como un bulto, y cuando las mujeres se ponen a llorar, no hay manera de hacerlas callar.

Venga, ponte el abrigo, dice en tono grave. No es broma. No tenemos mucho tiempo. Volvamos a la habitación.

IX

XI

La colada

Por fin marzo, con indicios mínimos de primavera. Los árboles todavía están desnudos, los capullos todavía arrebujados, empiezan a abrirse en los sitios donde da el sol. Los excrementos de los perros se descongelan, se encogen y forman un encaje, helado y amarillento, de orín viejo. Salen a la luz manchas de césped enlodado y ralo. El limbo debe de parecerse a eso.

Hoy he desayunado algo diferente. Un nuevo tipo de cereal que Myra me trajo para levantarme el ánimo; se cree todo lo que pone en el reverso de las cajas. Esos cereales, dice en cándidas letras del color de los pirulíes y de los chándales de algodón afelpados, no están hechos con trigo y maíz contaminado y altamente comercial, sino con una variedad de grano poco conocida cuyo nombre resulta difícil de pronunciar: arcaica, mística. Han redescubierto las semillas en tumbas precolombinas y en pirámides egipcias; todo un signo de autenticidad, aunque, pensándolo bien, no especialmente tranquilizador. Esos cereales no sólo te limpian como si te pasaran un estropajo, sino que hablan de vitalidad renovada, juventud inacabable e inmortalidad. Una especie de intestino rosado festonea el reverso de la caja, mientras que delante aparece una cara sin ojos hecha con mosaico de jade; los publicistas no se han dado cuenta de que se trata de una máscara funeraria azteca.

En honor de este nuevo cereal, me he obligado a sentarme ade-
cuadamente a la mesa de la cocina, con cubiertos y servilleta de papel. Los que vivimos solos caemos con facilidad en el hábito de comer en posición vertical: ¿por qué preocuparse por los detalles si no
hay nadie para compartirlos o censurarlos? Sin embargo, la lasitud
en un área puede conducirte al trastorno en todas.

Ayer decidí hacer la colada para, trabajando en domingo, burlarme de Dios. Desde luego, a él le importa un pimiento el día de la
semana que sea, ya que en el Cielo, como en el subconsciente —o
eso dicen—, el tiempo no existe. En realidad, pretendía burlarme de
Myra, quien no para de decir que no debería hacer la cama ni llevar
los cestos cargados de ropa sucia por los destartalados escalones que
conducen al sótano, donde se encuentra la frenética lavadora.

¿Quién hace la colada? Myra, por defecto. «Ya que estoy aquí,
voy a cargar una lavadora», me dice. Entonces las dos simulamos
que no lo ha hecho. Conspiramos en la ficción —o en lo que rápidamente va convirtiéndose en ficción— de que soy capaz de valer-
me por mí misma. Pero la tensión del fingimiento empieza a afec-
tarla.

Además, ahora le duele la espalda. Quiere buscarme una mujer,
contratar a una desconocida entrometida para que venga a hacerlo
todo. Su excusa es mi corazón. De algún modo lo ha descubierto, lo
del médico y sus panaceas y profecías; supongo que se lo habrá dicho la enfermera, una pelirroja teñida que no sabe mantener la boca
cerrada. Esta ciudad está llena de chismosos.

Le dije a Myra que lo que hago con mi ropa sucia es asunto mío:
pienso huir de la mujer genérica mientras me sea posible. ¿Cuánto
hay de vergüenza en ello? Bastante. No quiero que nadie meta la nariz en mis insuficiencias, mis manchas y mis olores. Está bien que lo
haga Myra, porque la conozco y ella me conoce. Yo soy la cruz que
debe soportar, lo que la hace buena a los ojos de los demás. Sólo
tiene que pronunciar mi nombre y poner los ojos en blanco para
quedar envuelta en un halo de indulgencia, si no por parte de los

ángeles, sí al menos por parte de los vecinos, a quienes no resulta nada fácil satisfacer.

Que no se me interprete mal. No me burlo de la bondad, que es mucho más difícil de explicar que la maldad, e igual de complicada; pero en ocasiones cuesta soportarla.

Una vez tomada la decisión —y previstas las quejas de Myra cuando descubriese la pila de toallas lavadas y dobladas y mi petulante mueca de triunfo—, me dispuse a aventurarme con la colada. Hurgué en el cesto de la ropa —en el que estuve en un tris de caer de cabeza— y saqué lo que me parecía que podía cargar, esforzándome por no sentir nostalgia de la ropa interior de antaño. (¡Qué bonita era! Ya no hacen cosas como aquéllas, con botones forrados, cosidas a mano. O a lo mejor las hacen pero yo no las veo; tampoco estoy en situación de permitírmelas y, además, no me cabrían. Esas prendas tienen cintura.)

Metí la ropa que hube elegido en el cesto de plástico y procedí a bajar las escaleras lentamente, de lado, como si fuese Caperucita Roja dirigiéndose a la casa de la abuelita por el infierno. Sólo que la abuelita soy yo, y tengo dentro de mí al lobo malo, roe que te roe.

La planta baja: hasta aquí, todo bien. Crucé el vestíbulo hasta la cocina y seguí la luz que conducía al sótano húmedo y frío. Casi de inmediato, me invadió la inquietud. Algunos detalles de esta casa, que en otro tiempo manejaba con facilidad, se han vuelto traidores: las ventanas de guillotina semejan trampas, a punto de caer sobre mis manos, la banqueta amenaza con derrumbarse, los estantes altos de los armarios están combados por el peso de la precaria cristalería. En mitad de la escalera, camino del sótano, me di cuenta de que no debería haberlo intentado. Los ángulos eran demasiado abruptos, las sombras demasiado densas, el olor demasiado siniestro, como el cemento recién vertido que sepulta a una esposa hábilmente envenenada. En el suelo del fondo había un charco de oscuridad, profundo, reluciente y líquido como una piscina. Quizá se tratara de una piscina, en efecto, quizás el río desbordado comenzaba a brotar, como he visto en el canal del tiempo que ocurría. Cualquiera de los cuatro elementos puede quedar desplazado cuando menos se piensa: el fuego puede surgir de la tierra, la tierra licuarse y llenarte los oídos, el aire golpearte como una piedra y hacer añicos el techo... ¿Por qué no una inundación, entonces?

Oí un gorgoteo, que acaso viniera, o no, de mi interior; el corazón me latía con fuerza a causa del pánico. Sabía que el agua era una anomalía, visual, auditiva o mental; a pesar de todo, mejor no bajar. Dejé la ropa en las escaleras del sótano y subí. Tal vez volviera a recogerla más tarde; tal vez no. Alguien lo haría. Myra, por ejemplo, con los labios apretados. Entonces sí que tendría motivos inapelables para endilgarme a la mujer. Di media vuelta, estuve a punto de caer, me agarré a la baranda; luego me incorporé y subí escalón a escalón hasta la sensatez de la desabrida luz del día que inundaba la cocina.

Al otro lado de la ventana el día era gris, de un gris uniforme e inanimado, al igual que el cielo, gris como nieve porosa y vieja. Enchufé la tetera eléctrica, que no tardó en emitir un silbido. Cuando empiezas a pensar que son tus aparatos los que cuidan de ti y no al revés, es que ya has llegado bastante lejos. Sin embargo, me sentía reconfortada.

Me preparé un té, me lo bebí y lavé la taza. Al menos, todavía soy capaz de lavar los platos que ensucio. Luego puse la taza en el estante junto con las otras, decoradas a mano por la abuela Adelia, azucenas con azucenas, violetas con violetas, cada oveja con su pareja. En mis armarios, al menos, todo está en orden. Pero la imagen del naufragio de la ropa en las escaleras del sótano me inquietaba. Todos aquellos andrajos, aquellos jirones arrugados, como pieles blancas después de la muda, aunque no del todo blancas, el testamento de algo: páginas en blanco que mi cuerpo ha ido garabateando para dejar su críptica evidencia mientras, lento pero seguro, se consume.

Quizá debiera hacer el esfuerzo de ir a recoger la ropa y meterla de nuevo en el cesto. De ese modo nadie se enteraría. «Nadie» quiere decir Myra.

Al parecer me ha vencido un ansia de limpieza.

«Más vale tarde que nunca», dice Reenie.

Oh, Reenie. Cómo me gustaría que estuvieras aquí. ¡Vuelve para ocuparte de mí!

Pero no lo hará. Tendré que ocuparme yo misma. De mí misma y de Laura, como prometí solemnemente.

Más vale tarde que nunca.

¿Dónde estoy? «Era invierno.» No, ya lo conté.

Era primavera. La primavera de 1936. Ése fue el año en que todo empezó a desmoronarse. Siguió desmoronándose, de hecho, con mayor gravedad que hasta entonces.

El rey Eduardo abdicó ese año; prefirió el amor a la ambición. No. Prefirió la ambición de la duquesa de Windsor a la suya propia. Es el acontecimiento que la gente recuerda. Y empezó la guerra civil en España. Pero todo eso no ocurrió hasta unos meses después. ¿Qué fue lo que distinguió a marzo? Algo. Richard sentado a la mesa a la hora del desayuno, hojeando el periódico y diciendo: «De manera que lo consiguió.»

Ese día sólo estábamos él y yo sentados a la mesa. Laura no solía desayunar con nosotros, excepto los fines de semana, y siempre que podía lo evitaba levantándose más tarde. Los demás días comía sola en la cocina, porque tenía que ir a la escuela. Bueno, sola no: la señora Murgatroyd estaba con ella. Luego el señor Murgatroyd la llevaba a la escuela y pasaba a recogerla, porque a Richard no le gustaba que viniese andando. Lo que en realidad no le gustaba era la posibilidad de que se perdiese.

Comía en la escuela, y los martes y jueves tenía clases de flauta, porque era obligatorio estudiar un instrumento musical. Había empezado piano, pero no había llegado a nada. Como con el violonchelo. Laura tenía aversión a practicar, nos dijeron, aunque a veces, por las noches, nos sometía al lamento afligido y desentonado de la flauta. Las notas falsas parecían deliberadas.

—Hablaré con ella —dijo Richard.

—No podemos quejarnos —apunté—. Hace todo lo que le mandas.

Laura ya no era abiertamente ruda con Richard, pero, en cuanto él entraba en una habitación, ella se iba.

Volvamos al periódico de la mañana. Como Richard lo tenía levantado delante de la cara, pude leer el titular. El que lo había conseguido era Hitler, que había entrado en Renania. Había quebrantado las normas, había cruzado la línea, había hecho lo prohibido. Bueno, dijo Richard, se veía venir hacía tiempo, pero los ha pillado a todos con los pantalones bajados. Se está burlando de ellos. Es un tipo listo. A la que ve una oportunidad, la aprovecha. Hay que reconocérselo.

Asentí, pero no lo escuchaba. Durante aquellos meses, no escucharlo era la única manera que encontraba de conservar mi equilibrio. Tenía que borrar el ruido ambiental; como el funámbulo que cruza las cataratas del Niágara, no podía permitirme mirar alrededor por miedo a resbalar.

¿Qué otra cosa puede hacer una cuando lo que piensa en cada momento del día está a mil años luz de la vida que supuestamente vive? A mil años luz de lo que está delante mismo sobre la mesa, que esa mañana era un jarro con un narciso blanco como el papel, extraído del ramo que había enviado Winifred. «Tan encantadores en esta época del año —había dicho ella—. Tan fragantes. Como un aliento de esperanza.»

Winifred me consideraba inocua. Dicho de otro modo: me tenía por loca. Más tarde —diez años después—, me diría por teléfono, porque ya no nos veíamos:

—Antes creía que eras estúpida, pero ahora sé que eres mala. Siempre nos has odiado, porque nos culpas de que tu padre fuera a la bancarrota y quemara su propia fábrica.

—Él no la quemó —repliqué—. Fue Richard. O al menos quien mandó hacerlo.

—Eso es una vil mentira. Tu padre estaba en la ruina, y de no haber sido por el dinero que el seguro le dio por el edificio, ¡se habría quedado sin un centavo! Os recogimos de la ciénaga, a ti y a la lela de tu hermana. Si no llega a ser por nosotros, os habríais visto haciendo la calle en lugar de plácidamente sentadas como cuando erais aquellas mocosas mimadas y remilgadas. Siempre has tenido todo lo que has querido, nunca te has visto obligada a hacer un esfuerzo ni has mostrado el menor signo de gratitud hacia Richard. Nunca moviste un dedo para ayudarlo, jamás.

—Hice lo que queríais. Mantuve la boca cerrada. Sonreía, hacía de escaparate. Pero con Laura se pasó de la raya. No debería haberse metido con ella.

—¡Todo eso es puro rencor, rencor, rencor! Nos lo debías todo, y te resultaba intolerable. ¡Tenías que hacérselo pagar! Lo matasteis vosotras dos, como si le hubieseis puesto una pistola en la cabeza y apretado el gatillo.

—¿Quién mató a Laura, entonces?

—Laura se mató sola, como sabes perfectamente.

—Lo mismo podría decir de Richard.

—Eso es una calumnia. En todo caso, Laura estaba más loca que una cabra. No sé cómo pudiste creerte jamás una palabra suya, sobre Richard o lo que fuera. ¡Nadie en sus cabales la hubiese creído!

Como no sabía qué más decir, colgué el auricular. Mi impotencia con respecto a ella era absoluta, porque entonces tenía un rehén: Aimee.

Sin embargo, en 1936 aún era bastante afable y yo continuaba siendo su protegida. Seguía arrastrándome de función en función —reuniones de la Liga Juvenil, recepciones de carácter político, comités para esto y aquello—, me aparcaba en una silla, preferentemente en un rincón, mientras ella saludaba a quien fuera necesario. Yo me daba cuenta de que, aunque en general Winifred no gustaba a la gente, la toleraban, por su dinero y su energía ilimitada; la mayoría de las mujeres que frecuentaban aquellos círculos estaban encantadas de dejar que se encargara de la mayor parte del trabajo.

De vez en cuando, una de ellas se acercaba furtivamente a mí y me decía que había conocido a mi abuela, o, si era más joven, que le habría gustado conocerla en aquellos tiempos dorados anteriores a la Gran Guerra, cuando todavía existía la verdadera elegancia. Ésta era la palabra clave: significaba que Winifred era una arribista —dinero nuevo, ostentoso y vulgar— y que yo debía defender otra clase de valores.

Yo esbozaba una sonrisa vaga y respondía que mi abuela había muerto muchos años antes de mi nacimiento. Es decir, que no debían esperar de mí ninguna clase de oposición a Winifred.

«¿Y cómo está tu inteligente marido?», me preguntaban. «¿Cuándo llegará el esperadísimo anuncio?» El anuncio tenía que ver con la carrera política de Richard, que aún no había empezado de manera formal pero se consideraba inminente.

«Oh —respondía yo con una sonrisa—, supongo que seré la primera en saberlo.» No era eso lo que pensaba; sería la última.

Nuestra vida —la de Richard y mía— seguía una pauta que yo entonces suponía permanente. O mejor dicho, había dos vidas, una durante el día y la otra por la noche; eran distintas, y también invariables. Placidez, orden y cada cosa en su sitio, con una violencia decorosa y sancionada que subyacía a todo, y que recordaba el zapato pesado y brutal que marca el paso en un suelo enmoquetado. Cada mañana tomaba una ducha para quitarme de encima la noche, para librarme de la sustancia que se ponía Richard en el pelo, alguna clase de costosa brillantina perfumada. Se me adhería a la piel.

¿Le importaba que sus actividades nocturnas me dejaran indiferente o incluso que me repelieran? En absoluto. Prefería la conquista a la cooperación en todos los aspectos de la vida.

En ocasiones —cada vez más a menudo— me aparecían morados, púrpuras, luego azules, después amarillos. Era notable la rapidez con que se me hacían morados, decía Richard, sonriendo. Sólo de tocarme. No había conocido mujer con semejante facilidad para cubrirse de morados. Lo atribuía a mi juventud y delicadeza.

Le gustaban las medias, pero que no se vieran en exceso. Cualquier cosa más atrevida podía interponerse en sus ambiciones.

A veces yo tenía la impresión de que aquellas marcas en mi cuerpo constituían una especie de código que brotaba y luego desaparecía, como la tinta invisible a la luz la vela; pero, si era un código, ¿quién tenía la clave?

Yo era arena, era nieve: escribían encima de mí, me reescribían, me pulían.

El cenicero

He ido otra vez al médico. Me ha llevado Myra en coche; ha dicho que a causa del hielo negro, producido por un deshielo seguido de helada, el suelo estaba demasiado resbaladizo para ir andando.

El médico me palpó las costillas y me auscultó, frunció el entrecejo, después dejó de fruncirlo y, a continuación —tras formarse una idea de mi estado—, me preguntó cómo me encontraba. Me parece que se ha hecho algo en el pelo; está claro que por arriba era más calvo. ¿Se encolará los pelos sobre el cráneo? O peor, ¿se habrá hecho un implante? Ajá, pensé. Por mucho que salgas a correr y por mucho pelo que tengas en las piernas, la horma del envejecimiento empieza a apretarte. Pronto te arrepentirás de tanto bronceado. Tu cara parecerá un testículo.

A pesar de todo, se mostró ofensivamente jocoso. Al menos no dijo: «¿Cómo estamos hoy?» Nunca me trata de nosotros, a diferencia de otros; él entiende la importancia de la primera persona del singular.

—No consigo pegar ojo —le expliqué—. Sueño demasiado.

—Pues si sueña, es que duerme —señaló intentando sonar gracioso.

—Ya sabe a qué me refiero —repliqué en tono áspero—. No es lo mismo. Los sueños me despiertan.

—¿Ha estado bebiendo café?

—No —mentí.

—Debe de ser la mala conciencia. —Estaba escribiendo una receta, sin duda de píldoras de azúcar. Río entre dientes; se creía de lo más chistoso. A partir de un momento determinado, los estragos de la experiencia se invierten: al llegar a viejos, nos revestimos de inocencia, al menos en el pensamiento de los demás. Lo que el médico ve cuando me mira es una inocente, y por lo tanto inútil, viejecita.

Mientras yo estaba en el santuario interior, Myra se quedó en la sala de espera leyendo revistas viejas. Recortó un artículo sobre la manera de superar el estrés y otro sobre los efectos beneficiosos de la col cruda. Eran para mí, me dijo, encantada con sus útiles *trouvailles*. Siempre me está diagnosticando. Para ella, mi salud corporal tiene casi tanto interés como la espiritual; se siente propietaria, especialmente, de mis intestinos.

Repuse que no tenía mucho sentido afirmar que sufría de estrés, porque no hay estrés alguno en el vacío. En cuanto a la col cruda, hace que me hinche como una vaca muerta, por lo que prefiero obviar los efectos beneficiosos. Añadí que no deseaba pasarme la vida, o lo que me queda de ella, oliendo como un barril de chucrut y sonando como la bocina de un camión.

Las referencias directas a las funciones corporales suelen hacer callar a Myra. El resto del camino hasta casa condujo en silencio, con una sonrisa congelada en el rostro.

A veces me avergüenzo de mí misma.

Vuelvo a poner manos a la obra. La expresión es apropiada: a veces me parece que es sólo mi mano la que escribe, no el resto de mí; que mi mano tiene vida propia y seguirá escribiendo aunque se separe del cuerpo, como un fetiche egipcio embalsamado o las patas de conejo secas que los hombres solían colgar de los retrovisores de sus coches a modo de amuleto. A pesar de la artritis que afecta mis dedos, últimamente mi mano ha mostrado una vivacidad inusual, como si diera tirones de la traílla de los perros. Desde luego, ha escrito una serie de cosas que yo no le habría permitido si las hubiese analizado con mayor cuidado.

Volvamos páginas. Retrocedamos en el tiempo. ¿Dónde estaba? Abril de 1936.

En abril recibimos una llamada de la directora de St. Cecilia, la escuela a la que asistía Laura. Dijo que se trataba de un asunto relacionado con la conducta de ésta, que no era algo para comentarlo por teléfono.

Richard se encontraba muy ocupado con asuntos del trabajo. Propuso que me acompañara Winifred, pero dije que no hacía falta, que estaba segura de que no sería nada; si se trataba de algo importante, ya lo pondría al corriente. Concerté una cita con la directora, cuyo nombre he olvidado. Me vestí de una manera que consideré que la intimidaría, o al menos que le recordaría la posición e influencia de Richard; creo que me decidí por un abrigo de cachemira con ribetes de glotón —demasiado grueso para la época del año, pero impresionante— y un sombrero con un faisán muerto, o partes del mismo, en lo alto: las alas, la cola y la cabeza, en la que había incrustados unos ojillos de vidrio rojo parecidos a dos gotas brillantes.

La directora era una mujer canosa con forma de perchero de madera: huesos quebradizos cubiertos de telas que parecían mojadas. Estaba sentada en su despacho, parapetada detrás de la mesa de roble, con los hombros encogidos, muerta de miedo. Un año antes, me habría asustado tanto como en ese momento yo a ella, o más bien lo que yo representaba: un buen fajo de billetes. De todos modos, yo ya había adquirido seguridad. Había observado a Winifred en acción, había practicado. Era capaz de enarcar una sola ceja.

Sonrió, nerviosa, dejando al descubierto unos dientes amarillos que semejaban los granos de una mazorca de maíz a medio comer. Me pregunté que habría hecho Laura para trastornarla hasta el punto de enfrentarse con el ausente Richard y su autoridad invisible. Tenía que ser algo importante.

—Creo que Laura no puede seguir aquí —declaró—. Hemos hecho todo lo posible y somos conscientes de que existen circunstancias atenuantes, pero, en resumidas cuentas, hemos de pensar en la totalidad de nuestros alumnos, y me temo que la influencia de Laura es, sencillamente, demasiado perturbadora.

A esas alturas, yo ya había aprendido lo valioso que era dejar que los demás se explicasen.

—Lo siento, pero no sé de qué me habla —dije sin apenas mover los labios—. ¿Qué circunstancias atenuantes? ¿Qué influencia perturbadora? —Seguía con las manos en la falda, la cabeza erguida y levemente inclinada, el mejor ángulo para el sombrero con el faisán. Aunque yo contaba con el beneficio de la riqueza, ella disponía del de la edad y la posición. En el despacho hacía calor. Yo había colgado el abrigo del respaldo de la silla, pero aún así sudaba a mares.

—Pone en cuestión a Dios —señaló—, en la clase de Religión, que debo decir que es la única asignatura por la que muestra un mínimo interés. Llegó al extremo de escribir un ensayo titulado ¿Miente Dios? Fue muy desconcertante para toda la clase.

—¿Y cuál fue la respuesta? —pregunté—. Acerca de Dios, me refiero. —Me sorprendió, aunque no lo manifesté; pensaba que Laura había cedido en la cuestión de Dios, pero por lo visto no era así.

—La respuesta fue afirmativa. —Bajó los ojos hacia la mesa, donde tenía esparcidas las hojas del ensayo de Laura—. Cita, está aquí mismo, capítulo veintidós del primer libro de los Reyes, el pasaje en el que Dios engaña al rey Ajab. «Ahora, pues, Yaveh ha puesto espíritu de mentira en la boca de todos estos profetas tuyos.» Señala que si Dios hizo eso una vez, ¿cómo sabemos que no lo hizo más de una, y cómo podemos distinguir las falsas profecías de las verdaderas?

—Bueno, es una conclusión lógica, en todo caso —repuse—. Laura conoce la Biblia.

—Es probable —dijo la directora, exasperada—; pero hasta el diablo puede citar las Escrituras para sus propios fines. Laura agrega que Dios, aunque mienta, no nos engaña, pues siempre envía también un profeta verdadero, al que la gente no escucha. En su opinión, Dios es como un locutor de radio y nosotros somos receptores defectuosos, una comparación que, cuando menos, me parece irrespetuosa.

—Laura no pretende ser irrespetuosa —afirmé—. No en cuanto a Dios, al menos.

La directora hizo caso omiso de mi comentario.

—No se trata tanto de los engañosos argumentos que esgrime como del hecho de que se atreva a plantear la cuestión.

—A Laura le gusta encontrar respuestas —dije—, en especial sobre temas importantes, y estará de acuerdo conmigo en que Dios es un asunto importante. No veo por qué hay que considerarlo perturbador.

—Los demás alumnos lo creen así. Les parece..., bueno, que quiere lucirse. Desafiar la autoridad establecida.

—Como hizo Cristo —apunté—. O al menos es lo que pensaba la gente en aquel tiempo.

No contrapuso el argumento evidente de que está muy bien que Cristo hiciese esas cosas, pero que no eran apropiadas para una niña de dieciséis años.

—Creo que no acaba de entenderlo —dijo ella. Se retorció literalmente las manos, un gesto que observé con interés porque nunca antes lo había visto—. Los demás creen que..., que lo hace para ser graciosa. O algunos lo creen; otros piensan que es bolchevique. El resto se limita a considerarla rara. En todo caso, atrae hacia ella una clase de atención equivocada.

Empezaba a entenderla.

—No creo que Laura pretenda ser graciosa —dije.

—¡Pero es tan difícil estar segura! —Nos miramos fijamente por un instante, en silencio—. Tiene bastantes seguidores, ¿sabe? —Había un deje de envidia en su voz. Esperó a que asimilara sus palabras, y añadió—: También está lo de las ausencias. Entiendo que sufra problemas de salud, pero...

—¿Qué problemas de salud? —inquirí—. Laura está perfectamente sana.

—Bueno, me pareció, teniendo en cuenta las citas con el médico...

—¿Qué citas con el médico?

—¿No las autorizaba usted? —Me acercó un montón de cartas. Reconocí el papel, era mío. Las miré una a una; yo no las había escrito, pero estaban firmadas por mí.

—Ya veo —musité recogiendo mi abrigo y mi bolso—. Hablaré con Laura. Gracias por dedicarme su tiempo. —Tendí hacia ella la punta de los dedos. Ya no hacía falta decir que Laura abandonaría la escuela.

—Hemos hecho todo lo posible —insistió la pobre mujer, que prácticamente estaba llorando. Otra Señorita Violencia. Una esclava contratada, bien intencionada pero ineficaz. No estaba a la altura de Laura.

Aquella noche, cuando Richard me preguntó cómo había ido la entrevista, le dije que Laura ejercía un efecto perturbador en sus compañeros de clase. En lugar de enfadarse, le hizo gracia y casi se mostró admirado. Dijo que Laura tenía agallas, que cierta dosis de rebeldía era una muestra de empuje. A él, personalmente, no le gustaba nada la escuela y les había hecho la vida imposible a sus maestros. Yo no creía que ése hubiera sido el motivo de Laura, pero me lo callé.

No mencioné los permisos falsos para ir al médico; habría sido como soltar un gato en un palomar. Ser motivo de preocupación para las maestras era una cosa; hacer novillos otra muy diferente. Olía a delincuencia.

—No me gusta que hayas falsificado mi firma —le dije a Laura en privado.

—No podía falsificar la de Richard. Es demasiado diferente de la nuestra. La tuya es mucho más fácil.

—La firma es algo personal. Lo que has hecho es como robar.

Por un instante pareció apenada.

—Lo siento. Sólo te la tomé prestada. Pensé que no te importaría.

—Supongo que no vale la pena preguntar por qué lo hiciste.

—Nunca pedí que me mandaran a esa escuela —dijo—. Yo no les gustaba a ellos y ellos no me gustaban a mí. Nadie me tomaba en serio. No son gente seria. Si tuviera que pasarme allí todo el día, me pondría enferma.

—¿Y qué hacías cuando no estabas en la escuela? —le pregunté—, ¿adónde ibas? —Me preocupaba que estuviera saliendo con alguien... con un hombre. Ya empezaba a tener edad para ello.

—Oh, aquí y allí —respondió—. Iba al centro, o me sentaba en parques y cosas así. Andaba de un lado a otro. Te vi en un par de ocasiones, pero no reparaste en mí. Supongo que ibas a hacer compras.

El pánico se apoderó de mí, y sentí que una mano invisible me oprimía el corazón.

—¿Qué te pasa? —preguntó Laura—. ¿No te encuentras bien?

Aquel mes de mayo fuimos a Inglaterra en el *Berengeria* y luego volvimos a Nueva York en el viaje inaugural del *Queen Mary*, el transatlántico más grande y lujoso que se había construido jamás, o al menos eso era lo que ponía en todos los folletos. Era el acontecimiento de la época, aseguraba Richard.

Winifred vino con nosotros. Laura también. Un viaje así le iría muy bien, señaló Richard, pues tenía mala cara y estaba muy débil, y desde que la habían echado súbitamente de la escuela no hacía nada. El viaje sería educativo, y por lo tanto, provechoso, para una niña como ella. De todos modos, tampoco podíamos dejarla sola.

La gente no se cansaba de admirar el *Queen Mary*. Fue descrito y fotografiado con lujo de detalle, así como decorado palmo a palmo con tubos fluorecentes, láminas de plástico, columnas aflautadas y costosos paneles de madera de arce. Pero se bamboleaba de lo lindo y la cubierta de segunda clase daba a la de primera, de modo que no podías caminar sin que una hilera de papamoscas que no tenían donde caerse muertos observaran cada uno de tus movimientos.

El primer día me sentí mareada, pero después se me pasó. Hubo muchos bailes. Por entonces yo ya sabía bailar bastante bien. («Nunca hagas nada demasiado bien —decía Winifred—, se ve demasiado que te esfuerzas.») Bailé con otros hombres además de Richard, hombres a los que él conocía porque había hecho negocios con ellos, hombres que me presentó. «Ocúpate de Iris por mí», les pedía, con una sonrisa y una palmada en el hombro. A veces él bailaba con otras mujeres, esposas de aquéllos. A veces salía a fumarse un cigarrillo o a dar una vuelta por la cubierta, o eso decía. A mí me parecía que estaba enfurruñado o inquieto. Le perdía la pista durante una hora seguida. Luego volvía, se sentaba a nuestra mesa, me miraba bailar, algo para lo que yo ya había adquirido cierta destreza, y no podía evitar preguntarme cuánto rato llevaba allí.

Decidí que estaba contrariado porque el viaje no marchaba como él había previsto. No consiguió reservas para la cena en la terraza del Grill, no coincidía con la gente que quería. En su propio terreno era un pez gordo, pero allí, en el *Queen Mary,* resultaba un pez francamente pequeño. De Winifred podía decirse otro tanto; su vivacidad no le servía de nada. Más de una vez la vi abordar a una mujer y que ésta no le hiciera caso. Volvía entonces a lo que ella llamaba «nuestra gente», con la esperanza de que nadie hubiera sido testigo del desplante.

Laura no bailaba. Ni sabía ni tenía el menor interés en aprender; además, era demasiado joven. Después de cenar, se encerraba en su camarote, según ella para leer. El tercer día de viaje, se presentó a desayunar con los ojos hinchados y rojos.

A media mañana fui a verla. La encontré en una silla de cubierta, tapada hasta el cuello con una manta escocesa, mirando una partida de tejos sin prestar atención. Me senté a su lado. Una mujer musculosa pasó por delante de nosotras con siete perros, cada uno con su traílla; a pesar del frío que hacía llevaba pantalón corto, y tenía las piernas morenas.

—Podría buscarme un trabajo como ése —comentó Laura.

—¿Un trabajo como cuál?

—Pasear perros —repuso—. Los perros de otra gente. Me gustan los perros.

—Los amos no te gustarían.

—No sacaría a pasear a los amos. —Llevaba gafas de sol, y estaba temblando.

—¿Te pasa algo? —le pregunté.

—No.

—Pareces aterida, como si estuvieses a punto de enfermar.

—No me pasa nada. No te preocupes.

—Claro que me preocupo.

—Pues no hace falta. Tengo dieciséis años. Soy capaz de saber si estoy enferma.

—Le prometí a padre que cuidaría de ti —dije en tono severo—; y a madre también.

—Pues fue una estupidez por tu parte.

—No hay duda. Pero era joven y no supe actuar de otro modo. Cuando se es joven suele ocurrir.

Laura se quitó las gafas pero no me miró.

—Yo no soy responsable de las promesas que hagan los demás —dijo—. Padre me endosó a ti. Nunca supo qué hacer conmigo..., con nosotras. Pero ya ha muerto, los dos han muerto, o sea que ya está. Te absuelvo. Quedas liberada.

—¿Qué te ocurre, Laura?

—Nada —contestó—. Pero cada vez que quiero pensar, analizar las cosas, tú decides que estoy enferma y empiezas a darme la lata. Me pone histérica.

—Eso es injusto —me quejé—. Lo he intentado, siempre te he concedido el beneficio de la duda, te he dedicado el...

—Dejémoslo —me interrumpió—. Mira qué juego más tonto. No sé por qué lo llaman tejo.

Atribuí su actitud al viejo dolor, el luto por Avilion y cuanto había sucedido allí. ¿Era posible que estuviese pensando en Alex Thomas? Debería de haberla interrogado más, debería de haber insistido, pero dudo que aun así me hubiera dicho cuál era su principal motivo de preocupación.

Lo que recuerdo con más claridad del viaje, aparte de Laura, es el saqueo que se produjo en el barco el día que llegamos a puerto. Todo lo que llevaba el nombre o el monograma del *Queen Mary* —papel de escribir, cubiertos, toallas, platos de sopa, cualquier cosa que no estuviese sujeta al suelo con cadena—, fue a parar a un bolso o maleta. Hubo gente que incluso quitó los grifos, los espejos más pequeños y los pomos de las puertas. Los peores en este sentido eran los pasajeros de primera clase, pero ya se sabe que los ricos siempre han sido cleptómanos.

¿Cuál era la razón de todo ese pillaje? Los *souvenirs*. Esa gente necesitaba algo que la hiciera acordarse de sí misma. Es raro, lo de la caza de *souvenirs*: el ahora se convierte en entonces mientras todavía estás allí. Como no te acabas de creer esto último, buscas algo que te sirva de prueba.

Yo me llevé un cenicero.

El hombre con la cabeza en llamas

Anoche tomé una de las píldoras que me prescribió el médico. Me dormí de inmediato, pero entonces tuve un sueño, que no representó ninguna mejora con respecto a los que ya tenía sin necesidad de medicación.

Me encontraba en el muelle de Avilion, el hielo roto y verdoso del río tintineaba como campanillas, pero yo no llevaba abrigo, sino un simple vestido de algodón con estampado de mariposas. También un sombrero con flores de plástico de colores chillones —rojo tomate, un lila espantoso—, dentro de las cuales había pequeñas bombillas encendidas.

«¿Dónde está el mío?», preguntaba Laura con su voz de niña de cinco años. La miré, pero entonces ya habíamos dejado de ser niñas. Laura había crecido, al igual que yo; sus ojos semejaban pequeñas pasas. Eso me horrorizó, y desperté.

Eran las tres de la mañana.

Esperé a que mi corazón dejara de protestar y emprendí el camino hacia abajo para tomarme un vaso de leche. Debería haber sabido que las píldoras no servirían de nada. No se puede comprar la inconsciencia a tan bajo precio.

Pero sigamos.

En cuanto descendimos del *Queen Mary*, nuestro grupo familiar pasó tres días en Nueva York. Richard tenía algunos negocios por cerrar; los demás podíamos hacer turismo, nos dijo.

Laura no quiso ir al Radio City Music Hall ni a lo alto de la Estatua de la Libertad ni del Empire State. Tampoco quería ir de compras. Sólo le apetecía recorrer las calles y mirar cuanto la rodeaba. Como Richard consideraba esto demasiado peligroso, yo fui con ella. No era una compañía muy divertida, lo que constituía un alivio después de Winifred, que por principio estaba decidida a mostrarse tan animada como le fuera humanamente posible.

Después pasamos varias semanas en Toronto, mientras Richard se ponía al día en los negocios. A continuación fuimos a Avilion. Richard anunció que saldríamos a navegar. Su tono implicaba que aquél era el único sitio donde se podía navegar; también que le hacía feliz sacrificarse para que nos diésemos nuestros caprichos. O, dicho de modo más amable, complacernos, a Laura tanto como a mí.

Tuve la impresión de que Richard contemplaba a mi hermana como si se tratara de un rompecabezas que debía resolver. Lo sorprendía mirándola en momentos raros, con la misma expresión con que estudiaba las páginas de la información bursátil: buscando su asidero, su peculiaridad, la brecha por la que acceder al camino de entrada. Según su visión de la vida, todo tenía su asidero y su peculiaridad. O en todo caso tenía un precio. Quería que Laura estuviese bajo su autoridad, quería ponerle el pie en el cuello, aunque fuera con delicadeza. Pero Laura no se dejaba. Por eso, después de cada uno de sus intentos, él se quedaba con la pierna en el aire igual que un cazador de osos posando en un cuadro del que hubiese desaparecido el cadáver del oso.

¿Cómo lo consiguió Laura? Dejando de oponerse a él, evitando los choques frontales. Se hacía a un lado, giraba sobre sus talones y lo desequilibraba. Él siempre embestía en una dirección, tratando de dominarla, sin conseguirlo.

Lo que él quería era su aprobación, su admiración incluso. O sencillamente su gratitud. Algo así. Con cualquier otra joven podría haberlo intentado valiéndose de regalos, como un collar de perlas o un jersey de cachemira, objetos que, en principio, gustan a cualquier muchacha de dieciséis años. Pero sabía que con Laura esa táctica no serviría de nada.

Era como pretender sacar sangre de una piedra, pensaba yo. Él nunca sería capaz de entenderla.

Y ella no tenía precio, porque nada de lo que él estaba en condiciones de dar le interesaba. En cualquier concurso de voluntades, con quien fuese, yo aún habría apostado por Laura. A su modo, era terca como una mula.

Yo pensaba que se pondría a dar saltos de alegría ante la posibilidad de pasar unos días en Avilion —le había costado mucho irse de allí— pero cuando se habló del plan se mostró indiferente. No estaba dispuesta a conceder nada a Richard, fue mi lectura.

—Al menos veremos a Reenie —es todo lo que comentó.

—Lo siento, pero Reenie ya no es empleada nuestra —repuso él—. Me dijo que quería irse.

¿Cuándo había sido eso? Tiempo atrás. ¿Un mes, varios meses? Richard se mostró vago. Según él, el problema era el marido de Reenie, que bebía demasiado. Las reparaciones de la casa dejaban mucho que desear y Richard no veía razón alguna para pagar por su pereza y por lo que sólo cabía calificar de insubordinación.

—No quería que ella coincidiera aquí con nosotras —dijo Laura—. Sabe que nos pondríamos de su lado.

Recorríamos la planta baja de Avilion. La casa parecía haber encogido: los muebles —lo que quedaba de ellos en realidad—, estaban cubiertos por telas, y Richard, o eso supongo, había ordenado retirar algunas de las piezas más voluminosas y oscuras. Ya me imaginaba a Winifred poniendo el grito en el cielo al ver el aparador adornado con gruesas y poco convincentes uvas de madera. Los libros con las tapas de piel todavía estaban en la biblioteca, pero tuve la sensación de que por poco tiempo. Habían eliminado también los retratos de los primeros ministros con el abuelo Benjamin; alguien

—sin duda Richard— debió de darse cuenta finalmente de que tenían la cara de color pastel.

En otra época, en Avilion se respiraba un aire de estabilidad que equivalía a intransigencia —una gran roca maciza plantificada en medio de la corriente del tiempo y negándose a que la desplazaran—, pero de pronto parecía tener orejas de burro, o disculparse como si estuviese a punto de derrumbarse sobre sí misma. Había perdido la valentía de sus propias pretensiones.

Qué desmoralizador, dijo Winifred, cuánto polvo en todas partes, ratones en la cocina —había visto los excrementos—, y lepismas. No obstante, los Murgatroyd iban a llegar más tarde, ese mismo día, en tren, junto con una pareja de criados nuevos que se habían añadido a nuestro séquito para que todo estuviera limpio y en orden, excepto el barco, claro (explicó entre risas), es decir, el *Water Nixie*. Justo en aquel momento Richard se hallaba en el cobertizo, supervisando el barco. Estaba previsto que lo rascasen y pintaran bajo la supervisión de Reenie y Ron Hincks, pero fue otra de las cosas que no llegaron a hacerse. Winifred no entendía qué pretendía sacar Richard de aquella especie de bañera vieja; si realmente quería navegar, lo mejor que podía hacer era librarse de semejante cascarón y comprar un barco.

—Supongo que le otorga un valor sentimental —aventuré—. Para nosotras, quiero decir, para Laura y para mí.

—¿Y lo tiene? —inquirió Winifred con aquella sonrisa suya.

—No —repuso Laura—. ¿Por qué iba a tenerlo? Padre nunca nos llevó a navegar. Sólo llevaba a Calie Fitzsimmons.

Estábamos en el comedor; al menos la mesa larga aún seguía allí. Me pregunté qué decisión tomaría Richard, o más bien Winifred, sobre Tristán e Isolda y su romance en la vieja vidriera.

—Calie Fitzsimmons vino al funeral —me informó Laura. Estábamos las dos solas; Winifred había subido a hacer la siesta. Se ponía trozos de algodón humedecidos con hamamélide de Virginia en los ojos y se cubría la cara con una preparación de carísimo barro verde.

—¿Ah, sí? No me lo habías dicho.

—Se me olvidó. Reenie estaba furiosa con ella.

—¿Por venir al funeral?

—Por no haber venido antes. La trató con rudeza. Le dijo: «A buenas horas mangas verdes.»

—¡Pero si odiaba a Calie! ¡Siempre detestó que viniera a quedarse! ¡La consideraba una fulana!

—Supongo que no era lo bastante fulana para complacer a Reenie. La pereza le impedía hacer bien su trabajo.

—¿Su trabajo de fulana?

—Bueno, Reenie creía que tendría que haber seguido con padre, o al menos debería de haberse quedado cuando él empezó a verse en dificultades. Para quitarle malas ideas de la cabeza.

—¿Reenie dijo eso?

—No exactamente, pero estaba claro que lo pensaba.

—¿Qué hizo Calie?

—Simular que no entendía de qué hablaba. Al fin y al cabo, hizo lo que hace todo el mundo en los funerales. Llorar y contar mentiras.

—¿Qué mentiras? —pregunté.

—Llegó a decir que, aunque no siempre estaban de acuerdo desde un punto de vista político, padre era muy buena persona. Reenie dijo que «anda ya con el punto de vista político», pero lo dijo a espaldas de ella.

—Yo creo que lo intentó —dije—. Ser bueno, me refiero.

—Pues no lo intentó lo bastante —replicó Laura—. ¿Te acuerdas de lo que solía decir? Que nos habían dejado en sus manos, como si fuéramos una especie de mancha.

—Hizo lo que pudo —dije.

—¿Te acuerdas de aquellas Navidades en que se disfrazó de Santa Claus? Fue antes de que madre muriera. Yo acababa de cumplir cinco años.

—Sí, a eso me refería —señalé—. Lo intentó.

—No me gustó nada —confesó Laura—. Esa clase de sorpresas nunca me gustaron.

Nos dijeron que esperáramos en el guardarropa. Las dobles puertas de la sala tenían por la parte interior unas cortinas de gasa que nos impedían mirar hacia el vestíbulo, que ostentaba una chimenea al estilo antiguo; ahí era donde habían ubicado el árbol de Navidad. Estábamos subidas en el sofá del guardarropa, detrás del cual se hallaba el espejo ovalado. En el perchero largo había varios abrigos —de padre, de madre, y también, por encima, sombreros—, el de ella con plumas grandes, el de él con plumas pequeñas. Olía a zapatos de goma y a la resina de pino y de cedro de las guirnaldas que adornaban la baranda de la escalera delantera, y a la cera con que habían abrillantado los cálidos suelos, porque el horno estaba encendido, como lo demostraban el silbido y el crepitar de los radiadores. Por debajo del alféizar entraba una corriente de aire frío y el implacable y edificante olor de la nieve.

Había una sola luz en la habitación, de un tono amarillo sedoso. Yo veía nuestro reflejo en las puertas de cristal: los vestidos de terciopelo azul marino con cuello de encaje, las caras pálidas, los cabellos claros peinados con raya en medio, nuestras blancas manos recortadas contra la falda, los calcetines blancos, los zapatos de charol negros. Nos habían enseñado que teníamos que sentarnos con un pie cruzado sobre el otro —nunca las piernas— y así es como estábamos sentadas. El espejo que se alzaba detrás de nosotras semejaba una bombilla de cristal que nos saliera de la cabeza. Oíamos nuestra respiración, inhalando y expirando: la respiración de la espera. Sonaba como si respirase otra persona, una grande pero invisible envuelta en un grueso abrigo.

De pronto las puertas dobles se abrieron de par en par. Apareció un hombre gigantesco vestido de rojo. Su silueta se recortaba contra la noche oscura y detrás de él se elevaba el fuego de una hoguera. Tenía la cara cubierta de humo blanco y la cabeza en llamas. Avanzó con los brazos extendidos. De su boca salió una especie de pitido o un grito.

Me asusté por un instante, pero era lo bastante mayor para saber de qué iba. El sonido pretendía ser una risa. Se trataba de padre, disfrazado de Santa Claus, y no estaba quemándose; lo que yo había tomado por fuego era el árbol iluminado a sus espaldas y la guirnalda de velas que llevaba en la cabeza. Se había puesto una túnica de brocado roja y una barba postiza hecha con tiras de algodón.

Madre solía decir que él no era consciente de su fuerza ni de su tamaño en relación con todos los demás. No sabía el miedo que podía llegar a provocar. Sin duda, a Laura la asustó.

—Te pusiste a gritar como una loca —le comenté tiempo después—. No entendiste que sólo estaba simulando.

—Peor que eso —replicó Laura—. Me pareció que cuando simulaba era el resto del tiempo.

—¿Qué quieres decir?

—Que así es como era realmente —repuso en tono paciente—. Que por dentro se estaba quemando todo el tiempo.

El *Water Nixie*

Esta mañana he dormido hasta tarde, agotada después de una noche de oscuros desvaríos. Tenía los pies hinchados, como si hubiera recorrido grandes distancias por un suelo duro, y sentía la cabeza porosa y apagada. Ha sido Myra, la llamada de Myra a la puerta, lo que me ha despertado. «Levántate y resplandece», gorjeó a través de la rendija del buzón. Por pura perversidad, no he contestado. A lo mejor se cree que estoy muerta: ¡que la he palmado durmiendo! Seguro que ya ha empezado a pensar con cuál de mis vestidos floreados me enterrará y a planear los platos que preparará para la recepción que seguirá al funeral. No lo llamará velatorio, pues suena demasiado bárbaro. Velar es permanecer despierto para asegurarse de que los muertos están realmente muertos antes de enterrarlos.

Sonreí ante la idea. Entonces recordé que Myra tenía llave. Pensé en cubrirme la cara con la sábana para permitirme el placer de al menos un minuto de horror, pero decidí que mejor no. Me incorporé, salí de la cama y me puse la bata.

—Un momentito —dije mientras bajaba por la escalera.

Myra, empero, ya estaba dentro, y con ella venía «la mujer»; es decir, la mujer de la limpieza. Era robusta, con pinta de portuguesa; debía de resultar imposible engañarla. Se puso a trabajar de inmediato con el aspirador de Myra —que había previsto cada detalle—

mientras yo la seguía por todas partes, exclamando: «¡No toques eso!; ¡Deja eso ahí!; ¡Puedo hacerlo yo misma!; ¡Nunca conseguiré encontrar nada!» Al menos llegué a la cocina antes que ellas y tuve tiempo de meter en el horno el montón de páginas escritas. Era poco probable que se dedicase al horno el primer día de limpieza. Por otra parte, como casi nunca lo usaba, no estaba muy sucio.

—Ya está —anunció Myra cuando la mujer hubo terminado—. Todo limpio y arreglado. ¿No te sientes mejor?

Se había presentado con un nuevo regalo de The Gingerbread House, una maceta de azafrán silvestre de color verde esmeralda, apenas desportillada, en forma de cabeza de niña que sonreía tímidamente. La idea es que las flores broten a través de los agujeros de la parte superior y formen un «halo de flores», según sus palabras exactas.

—Sólo tienes que regarlo —dijo Myra—, y verás qué bonito queda.

Dios opera maravillas de maneras misteriosas, como solía decir Reenie. ¿Era posible que Myra fuese el ángel guardián que me tenían designado? ¿O acaso se trata de un anticipo del Purgatorio? ¿Cómo conocer la diferencia?

En nuestro segundo día en Avilion, Laura y yo fuimos a ver a Reenie. No nos costó descubrir dónde vivía; de hecho, todo el mundo lo sabía, o al menos lo sabía la gente del restaurante Betty's, que era donde trabajaba entonces, tres días a la semana. No les dijimos a Richard y a Winifred adónde íbamos, porque ¿para qué empeorar el desagradable ambiente a la hora del desayuno? No tenían derecho a prohibírnoslo, pero sin duda se enfadarían y nos tratarían con desdén.

Llevábamos el osito de peluche que yo había comprado para el bebé de Reenie en los grandes almacenes Simpson de Toronto. No era un osito precisamente adorable; estaba serio, erguido y se habían excedido con el relleno. Parecía un funcionario menor, o un funcionario de la época en cualquier caso. Ignoro qué aspecto tienen ahora. Supongo que llevarán tejanos.

Reenie y su marido habitaban una de las pequeñas viviendas de piedra caliza construidas para los trabajadores de la fábrica —dos pisos, tejado a dos aguas, el excusado al fondo del estrecho jardín— no muy lejos de donde yo vivo ahora. No tenían teléfono, por lo que no pudimos avisar a Reenie de nuestra visita. Cuando abrió la puerta y nos vio a las dos allí de pie, esbozó una sonrisa y se echó a llorar. Un momento después, Laura hizo lo mismo. Yo me quedé con el osito en la mano y me sentí excluida por no llorar como ellas.

—Que Dios os bendiga —nos dijo Reenie—. Entrad a ver al bebé.

Atravesamos el pasillo con suelo de linóleo hasta la cocina. Reenie la había pintado de blanco y había puesto cortinas amarillas, del mismo amarillo de las de Avilion. Me fijé en una serie de botes, también blancos, con letras amarillas; eran para la harina, el azúcar, el café, el té. No hacía falta que nadie me dijera que la decoración había corrido a cargo de Reenie, incluidos los botes, las cortinas y cualquier otro objeto susceptible de ser mejorado. Siempre sacaba el máximo partido.

El bebé —que eras tú, Myra, acabas de entrar en la historia— estaba en un cesto de la ropa mirándonos con unos ojos redondos y fijos más azules de lo que suelen ser los ojos de los niños. Confieso que parecía un pastel de sebo, aunque es lo que parecen la mayoría de los niños.

Reenie insistió en prepararnos una taza de té. Puesto que ya éramos jovencitas, dijo, podíamos tomar té de verdad, no leche con un poco de té, como antes. Había ganado peso; el interior de sus antebrazos, antes tan firmes y fuertes, estaba algo flácido, y cuando se dirigió a la cocina anadeaba levemente. Tenía las manos hinchadas y los nudillos arrugados.

—Comes por dos y luego te olvidas de parar —dijo—. ¿Veis mi anillo de casada? Si no me lo cortan, no podré sacármelo. Tendrán que enterrarme con él. —Soltó un suspiro de complacencia. El bebé se puso a berrear, Reenie lo levantó, se lo puso en el regazo y nos dirigió una mirada casi desafiante. La mesa (sencilla, pequeña, cubierta con un hule de tulipanes amarillos) era como un gran abismo: a un lado nosotras dos, al otro, inmensamente lejos en aquel instante, Reenie y su bebé, sin indicio alguno de arrepentimiento.

¿Arrepentimiento de qué? De habernos abandonado. O eso era lo que me parecía.

Había algo extraño en la actitud de Reenie, no hacia el bebé sino hacia nosotras en relación con él, casi como si la hubiéramos pillado en un renuncio. Desde entonces me he preguntado —y me perdonarás que lo mencione, Myra, pero en realidad no deberías estar leyendo esto, ya sabes que la curiosidad mató al gato—, me he preguntado desde entonces si aquel crío no sería hijo de padre en lugar de serlo de Ron Hincks. Reenie vivía en casa, era la única sirvienta que quedaba en Avilion cuando yo me fui de luna de miel y, alrededor de la cabeza de padre se iba desmoronando una torre tras otra. ¿No se habría volcado a cuidarlo con diligencia, como si fuera una especie de cataplasma, con el mismo espíritu con que le llevaba un tazón de caldo o una botella de agua caliente? Alivio contra el frío y la oscuridad.

En este caso, Myra, serías mi hermana. O mi media hermana. Nunca lo sabremos, o yo no lo sabré. Supongo que podrías desenterrarme y tomar una muestra de pelo, hueso o lo que sea y mandarla a analizar. Pero dudo que llegaras tan lejos. La única otra prueba posible sería Sabrina; podríais reuniros y comparar datos de vosotras mismas. Para que eso ocurriera, sin embargo, Sabrina tendría que volver, y sólo Dios sabe si llegará a hacerlo. Puede estar en cualquier parte, incluso muerta, en el fondo del mar.

No sé si Laura sabía algo de lo de Reenie y padre, ni si en realidad había algo que saber. Ignoro si ésta es una de las cosas que sabía pero nunca contó. Sería más que probable.

Los días en Avilion pasaban lentamente. El calor aún apretaba y había todavía demasiada humedad. En ambos ríos el nivel de las aguas era bajo; hasta las cascadas del Louveteau bajaban con lentitud, y el Jogues despedía un olor desagradable.

Permanecí dentro de la casa la mayor parte del tiempo, sentada en el sillón de respaldo de cuero de la biblioteca del abuelo. Las cáscaras de las moscas muertas el último verano todavía cubrían los alféizares; la biblioteca no era la máxima prioridad para la señora Murgatroyd. El retrato de la abuela Adelia seguía presidiendo la estancia.

Pasaba las tardes con sus libros de notas, con sus recortes sobre los tés, las visitas de los fabianistas y los exploradores, con sus espectáculos de linterna mágica y sus relatos de las extrañas costumbres nativas. No sé por qué, pero a alguna gente le parecía extraño que decorasen los cráneos de sus antepasados. «Nosotros también lo hacemos», pensé.

Me ponía a hojear viejas revistas de sociedad y recordaba cómo en el pasado envidiaba a la gente que aparecía en ellas, o husmeaba en los libros de poesía, con sus finas páginas con borde dorado. Los poemas que me embelesaban en tiempos de la Señorita Violencia se me hacían de pronto exagerados y forzados. «¡Ay de mí!, pesada carga, vuestro ser, ahíto»; era el lenguaje arcaico del amor no correspondido. Me irritaban estas palabras, cuyo reflejo en los amantes infelices —me daba cuenta en aquel momento— era ligeramente ridículo, como en la alicaída Señorita Violencia. De contornos suaves, difuminada, pasada, como un panecillo empapado de agua. Algo que no apetece tocar.

Mi infancia se me antojaba ya muy lejana; una edad remota, apagada y agridulce, semejante a las flores secas. ¿Lamentaba su pérdida? ¿Quería volver a ella? Me parecía que no.

Laura apenas si paró en casa. Se dedicó a dar vueltas por la ciudad como hacía antes. Llevaba un vestido de algodón amarillo, que yo había usado el verano anterior, con sombrero a juego. Cuando la veía por detrás, me producía una sensación peculiar, como si me viera a mí misma.

Winifred no hacía nada por disimular su aburrimiento. Todos los días iba a la pequeña playa privada que había junto al cobertizo, aunque nunca se metía muy adentro; como máximo chapoteaba un poco en el agua, sin quitarse el enorme sombrero de culi color magenta. Nos dijo a Laura y a mí que fuéramos con ella, pero no quisimos. Ninguna de las dos era buena nadadora y además sabíamos qué clase de cosas solían tirar al río y que sin duda seguían allí. Cuando no estaba bañándose o tomando el sol, Winifred iba de un lado a otro de la casa tomando apuntes, haciendo dibujos y listas de imperfecciones —el papel de la pared de la sala de delante tenía que cambiarse de inmediato, había óxido debajo de las escaleras—, o hacía la siesta en su habitación. Avilion parecía absorber su energía. Era tranquilizador comprobar que algo podía con ella.

Richard hablaba mucho por teléfono; hacía llamadas a larga distancia, o en ocasiones se iba a Toronto durante el día. El resto del tiempo lo pasaba mirando el *Water Nixie*, supervisando las reparaciones. Decía que su objetivo era conseguir que aquel trasto flotase antes de que tuviéramos que irnos.

Todas las mañanas le enviaban los periódicos.

—Guerra civil en España —anunció un día a la hora del almuerzo—. Bueno, se veía venir desde hacía tiempo.

—Qué desagradable —dijo Winifred.

—No para nosotros —apuntó Richard—, al menos mientras nos mantengamos al margen. Que los comunistas y los nazis se maten entre ellos; verás como no tardan en participar todos en la refriega.

Laura no se había presentado a la hora de la comida. Estaba en el muelle, sola, y no tomó más que una taza de café. Iba allí a menudo, y siempre conseguía ponerme nerviosa. Se tumbaba en el muelle, metía un brazo en el agua y se ponía a mirar el río como si se le hubiese caído algo y lo buscara en el fondo. Pero el agua era demasiado oscura. No se veía casi nada. Sólo el puñado ocasional de peces plateados que se movían como los dedos de un carterista.

—A pesar de eso —dijo Winifred—. Ojalá no lo hicieran. Es muy desagradable.

—No nos iría mal una buena guerra —sentenció Richard—. A lo mejor consigue animar un poco las cosas y acaba con la Depresión. Conozco a más de uno que cuenta con ello. No serán pocos los que ganen mucho dinero.

Nunca supe nada de la posición financiera de Richard, pero había empezado a pensar —por varias indirectas e insinuaciones— que no tenía tanto dinero como yo había pensado. O que ya no lo tenía. La restauración de Avilion se había detenido —retrasado— porque él no estaba dispuesto a gastar un solo centavo más. Eso según Reenie.

—¿Por qué ganarán mucho dinero? —inquirí yo. Sabía perfectamente la respuesta, pero había adoptado el hábito de formular preguntas inocentes con el único fin de comprobar qué decían Richard y Winifred. Los principios morales altamente volubles que aplicaban a casi todas las áreas de la vida aún no habían dejado de llamarme la atención.

—Porque las cosas son así —repuso Winifred al instante—. Por cierto, han detenido a tu compinche.

—¿Qué compinche? —pregunté, demasiado rápido.

—Aquella tal Calista. El viejo amor de tu padre. La que se creía artista.

No me gustó el tono, pero no supe cómo contrarrestarlo.

—Fue muy buena con nosotras cuando éramos pequeñas —le dije.

—Claro que sí, ¿cómo no iba a serlo?

—Me gustaba —añadí.

—No me extraña. Me la encontré hace un par de meses; intentó venderme un cuadro espantoso, o quizá fuera un mural, que representaba a un grupo de mujeres horribles, con mono. Francamente, no creo que nadie en su sano juicio lo compre para decorar el comedor.

—¿Por qué la han arrestado?

—La Brigada Anticomunista, por participar en una fiesta rojilla o algo así. Ha llamado aquí; estaba bastante desesperada. Quería hablar contigo. Yo no veía motivo alguno para que te implicara, y por eso Richard fue a la ciudad y le pagó la fianza.

—¿Por qué lo ha hecho? —pregunté—. Apenas la conocía.

—Oh, por pura bondad —contestó Winifred sonriendo con dulzura—. Aunque él siempre ha dicho que esa gente tiene más problemas en la cárcel que fuera de ella, ¿no, Richard? No paran de soltar alaridos de protesta en la prensa. Justicia para esto, justicia para aquello. A lo mejor le ha hecho un favor al primer ministro.

—¿Queda café? —quiso saber Richard.

Eso significaba que instaba a Winifred a dejar el tema, pero ella siguió.

—O quizá le ha parecido que tenía que hacerlo por tu familia. Supongo que debe considerarla una especie de reliquia familiar, como una vasija de barro que pasa de mano en mano.

—Creo que voy a ir con Laura al muelle —dije—. Hace un día espléndido.

Richard no había dejado de leer el periódico durante toda mi conversación con Winifred, pero en ese instante levantó la vista.

—No —dijo—, quédate aquí. Le das demasiadas alas. Déjala sola y lo superará.

—¿Qué es lo que superará?

—Lo que sea que la reconcome —respondió Richard. Se volvió para mirarla por la ventana y observé, por primera vez, que tenía una calva en la parte posterior de la cabeza. A través del pelo castaño aparecía un trozo de cuero cabelludo rosado. Pronto tendría tonsura.

—El verano que viene iremos a Muskoka —anunció Winifred—. No me parece que estas pequeñas vacaciones hayan sido un gran éxito.

Hacia el final de nuestra estancia decidí hacer una visita al desván. Elegí un momento en que Richard hablaba por teléfono y Winifred estaba echada en una tumbona con un trapo húmedo sobre los ojos. Abrí la puerta de las escaleras que conducían al desván, la cerré a mis espaldas y subí lo más rápido que pude.

Laura ya se encontraba allí, sentada en uno de los baúles de cedro. Había abierto la ventana; un detalle por su parte, pues de otro modo el olor a ropa vieja y excrementos de ratón habría sido insoportable.

Volvió la cabeza, con calma. No la había asustado.

—Hola —me saludó—. Hay murciélagos.

—No me extraña —dije. A su lado había una gran bolsa de papel marrón—. ¿Qué tienes ahí?

Empezó a sacar toda clase de chismes, baratijas. La tetera de plata que había sido de mi abuela; tres tazas y otros tantos platos de porcelana, de Dresden, pintados a mano; unas cuantas cucharitas con iniciales; el cascanueces en forma de caimán; un solitario gemelo de perla; un peine de carey al que le faltaban varias púas; un mechero de plata roto; las angarillas sin vinagrera.

—¿Qué haces con estas cosas? —inquirí—. ¡No irás a llevártelas a Toronto!

—Estoy escondiéndolas. No pueden hacerse con todo.

—¿Quién?

—Richard y Winifred. Acaban de tirarlas. Les he oído comentar que eran cacharros sin valor. Un día u otro van a arrasar con todo. Por eso guardo unas cuantas cosas, para nosotras. Las dejaré aquí arriba, en uno de los baúles. Así estarán a salvo.

—¿Y si se dan cuenta?

—No se darán cuenta. No hay nada de gran valor. Mira —dijo—, he encontrado nuestros viejos cuadernos. Todavía están aquí, en el mismo sitio donde los dejamos. ¿Te acuerdas de que los subimos aquí, para él?

Laura no necesitaba darle nombre a Alex Thomas; siempre era «él». Yo tenía la impresión de que lo había olvidado, o que ya no ocupaba sus pensamientos, pero estaba claro que me equivocaba.

—Es difícil creer lo que hicimos —dije—. Que lo escondiéramos aquí y que no nos descubrieran.

—Fuimos con cuidado —puntualizó Laura. Meditó unos instantes y luego, con una sonrisa, añadió—: Nunca te creíste lo del señor Erskine, ¿verdad?

Supongo que debería haber mentido de entrada. En lugar de ello, busqué un subterfugio.

—A mí no me gustaba. Era horrible —dije.

—Reenie sí que me creyó. ¿Dónde piensas que está ahora?

—¿El señor Erskine?

—Ya sabes a quién me refiero. —Hizo una pausa y se volvió para mirar otra vez por la ventana—. ¿Todavía tienes tu fotografía?

—Laura, me parece que no deberías hablar de él —señalé—. En mi opinión no va a presentarse. No sale en las cartas.

—¿Por qué? ¿Crees que está muerto?

—¿Por qué va a estar muerto? —repliqué—. No, no lo creo. Sólo creo que se ha ido a otra parte.

—En todo caso no lo han atrapado, porque lo sabríamos. Habría salido en los periódicos —dijo Laura. Recogió los viejos cuadernos y los metió en la bolsa de papel marrón.

Nos quedamos en Avilion más tiempo del que pensábamos, y sin duda mucho más del que yo quería; me sentía encerrada, cercada, incapaz de moverme.

El día anterior al previsto para irnos, bajé a desayunar y no vi a Richard; Winifred estaba sola, comiéndose un huevo.

—Te has perdido la gran botadura —dijo.

—¿Qué gran botadura?

Con un ademán abarcó el paisaje, que incluía el Louveteau por un lado y el Jogues por el otro. Me sorprendió ver a Laura en el *Water Nixie* navegando río abajo. Estaba sentada en la proa, como un mascarón, de espaldas a nosotras. Richard iba al timón. Llevaba un horrible gorro blanco de marinero.

—Al menos no se han hundido —comentó Winifred con un deje de mordacidad.

—¿No has querido ir?

—En realidad, no. —Su tono de voz tenía un matiz que adjudiqué erróneamente a los celos; le encantaba estar al corriente de todos los proyectos de Richard.

Me sentí aliviada; a lo mejor Laura conseguía relajarse un poco y abandonaba su campaña de indiferencia. A lo mejor empezaba a tratar a Richard como si fuera un ser humano en lugar de algo salido de debajo de una piedra. Eso, sin duda, me haría la vida más fácil, pensé. Suavizaría el ambiente.

Pero no fue así, sino todo lo contrario; la tensión aumentó, aunque cambiaron las tornas: ahora era Richard el que salía de la habitación cuando entraba Laura. Me pregunté si no tendría miedo de ella.

—¿Qué le dijiste a Richard? —le pregunté una noche, de regreso ya en Toronto.

—¿A qué te refieres?

—Al día en que fuiste con él en el *Water Nixie*.

—No le dije nada —repuso—. ¿Qué querías que le dijera?

—No lo sé.

—Nunca le digo nada —añadió Laura—, porque no tengo nada que decirle.

El castaño

Releo lo que he escrito y sé que me equivoco, no en lo que escribo, sino en lo que omito. Lo que no está tiene presencia, como la ausencia de luz.

Vosotros queréis la verdad, claro. Queréis que vaya sumando dos y dos. Pero sumar dos y dos no conduce necesariamente a la verdad. Dos y dos es igual a la voz que suena al otro lado de la ventana. Dos y dos es igual al viento. El ave viva no es lo mismo que sus huesos etiquetados.

Anoche me desperté de golpe, con palpitaciones. Alguien estaba arrojando guijarros contra el cristal de la ventana. Me levanté de la cama y me acerqué a ésta, la levanté un poco más y me asomé. No llevaba las gafas, pero aun así veía bastante bien. Había luna casi llena, con telarañas de viejas cicatrices, y las farolas de la calle proyectaban hacia el cielo un resplandor anaranjado. Por debajo de mí estaba la acera, con sombras irregulares y parcialmente oculta por el castaño del jardín.

Era consciente de que allí no tenía que haber un castaño, que pertenecía a otro lugar, a varios kilómetros de distancia, al jardín de la casa donde viví en otro tiempo con Richard. Sin embargo, allí estaba el árbol, cuyas ramas se extendían como una red dura y gruesa con flores, semejantes a moscas blancas, que resplandecían vagamente.

Volví a oír un golpe en el cristal. Allí abajo había una forma, encorvada; era un hombre, que hurgaba en los contenedores de basura con la esperanza de encontrar una botella de vino que no estuviera totalmente vacía.

Un borracho callejero acuciado por el vacío y la sed. Sus movimientos eran sigilosos, invasores, pero no tanto como si fuese un cazador sino como si husmeara y seleccionase mi basura en busca de pruebas contra mí.

A continuación se enderezó, se desplazó de lado hasta la luz y miró hacia arriba. Le vi las cejas marrones, los agujeros de los ojos, la sonrisa como un trazo blanco que atravesaba su cara oscura. Debajo del cuello percibí una mancha clara: una camisa. Levantó la mano y señaló hacia un lado; un gesto de saludo, o de adiós.

Finalmente se marchó y no atiné a llamarlo. Él sabía que no podía hacerlo. Se fue.

Sentí una opresión asfixiante en el pecho. No, no, no, no, suplicó una voz. Resbalaban lágrimas por mi rostro.

Pero lo había dicho en voz alta —demasiado alta, porque Richard estaba despierto—. Se hallaba justo detrás de mí, a punto de ponerme las manos alrededor del cuello.

Fue entonces cuando desperté de verdad. Permanecí tumbada con los ojos muy abiertos, mirando la extensión gris del techo a la espera de que el corazón se me calmara.

Ya no suelo llorar cuando estoy despierta; sólo unos cuantos gimoteos sin lágrimas de vez en cuando. Es una sorpresa para mí descubrir que lloro.

Cuando eres pequeña, te crees que todo lo que haces es desechable. Vas de un instante al otro, arrugando el tiempo en tus manos, dejándolo de lado. Actúas como si fueras un coche lanzado a toda velocidad. Piensas que puedes librarte de las cosas y de las personas, dejarlas atrás. Todavía no sabes que tienen la costumbre de volver.

En los sueños, el tiempo está congelado. Nunca puedes huir de donde has estado.

Los golpes contra el cristal de la ventana eran reales. Me levanté de la cama —de mi cama real, de soltera— y me dirigí hacia la ventana. Dos mapaches hurgaban en el contenedor de los vecinos de delante y hacían chocar botellas y latas. Eran carroñeros, a gusto entre la basura. Me miraron, alerta, sin alarmarse; la luna iluminaba sus pequeñas máscaras negras de ladrones.

«Buena suerte —pensé—. Tomad lo que podáis mientras os sea posible. ¿Qué más da que sea vuestro o no? No dejéis que os pillen.»

Volví a la cama y me quedé tumbada en la oscuridad, oyendo el sonido de una respiración que sabía que no estaba presente.

X

X

El asesino ciego: Los hombres lagarto de Xenor

Durante unas semanas pasa las de Caín. Va a la tienda más cercana, compra limas o palitos de naranjo, algo de poca importancia, y luego pasa por delante de las revistas, sin tocarlas y con cuidado de que no vean que las mira, pero leyendo los titulares en busca de su nombre. De uno de sus nombres. A estas alturas ya los sabe todos, o la mayor parte: solía cobrar los cheques de él.

Historias insólitas. Sucesos raros. Asombrosos. Los mira todos.

Por fin localiza algo. Debe de ser eso: «Hombres lagarto de Xenor. Primer episodio escalofriante de los Anales de las Guerras Zicronianas.» En la portada, una rubia con atuendo casi babilónico: una túnica blanca estrechamente ceñida bajo unos pechos improbables por un cinturón con hebilla dorada, la garganta envuelta en joyas de azul de ultramar y una luna creciente de plata brotando de su cabeza. Tiene los labios húmedos, la boca abierta, los ojos grandes, y está en las garras de dos criaturas con tres zarpas cada una y ojos con pupilas verticales, que no llevan más que unos pantalones cortos rojos. Sus caras son discos planos, su piel está cubierta de escamas del tono del peltre. Brillan como si estuvieran cubiertas de sudor; bajo la piel azul verdosa destacan sus músculos resplandecientes. Los dientes de sus bocas sin labios son numerosos y afilados.

Ella los reconocería en cualquier sitio.

¿Cómo puedo conseguir un ejemplar? En esta tienda no, la conocen. No tendría sentido provocar rumores a causa de un comportamiento extraño, del tipo que sea. La siguiente vez que sale de compras, se acerca hasta la estación de tren y localiza la revista en el puesto de periódicos. Apenas diez centavos; paga sin quitarse los guantes, enrolla la revista rápidamente y la guarda en el bolso. El vendedor la mira de forma extraña, pero eso es normal tratándose de un hombre.

Aprieta la revista con fuerza durante todo el trayecto en el taxi, la esconde mientras sube por las escaleras y se encierra con ella en el baño. Sabe que le temblarán las manos cuando pase las páginas. Es una de esas historias que los vagabundos leen en los vagones de carga o los chicos en edad escolar a la luz de una linterna; o los vigilantes de las fábricas a medianoche, para mantenerse despiertos; o los viajantes en sus hoteles después de un día infructuoso, tras librarse de la corbata, con la camisa desabrochada, los pies en alto, un whisky en el vaso de los cepillos de dientes. O la policía, en una noche gris. Ninguno de ellos descubrirá el mensaje que sin duda se oculta en alguna parte. Será un mensaje sólo para ella.

El papel es tan fino que casi se le rompe en las manos.

En el cuarto de baño cerrado, expuesta sobre sus rodillas y a todo color está Sakiel-Norn, la ciudad de los mil esplendores: sus dioses, sus costumbres, sus maravillosas alfombras tejidas, sus niños esclavizados y maltratados, las doncellas a punto de ser sacrificadas. Sus siete mares, sus cinco lunas, sus tres soles; las montañas del oeste y sus tumbas siniestras, donde aúllan los lobos y acechan las bellas mujeres no muertas. El golpe de palacio extiende sus tentáculos, el rey espera su momento calculando las fuerzas desplegadas contra él; la gran sacerdotisa se embolsa sus sobornos.

Es la noche anterior al sacrificio; la elegida espera en el lecho fatal. Pero ¿dónde está el asesino ciego? ¿Qué se ha hecho de él y de su amor por la niña inocente? Seguramente ha dejado esta parte para más tarde, decide.

Entonces, antes de lo que esperaba, espoleados por su líder monomaníaco, los bárbaros, implacables, atacan. Ya han atravesado las puertas de la ciudad cuando se encuentran con una sorpresa: tres naves espaciales aterrizan en la llanura oriental. Tienen forma de huevos fritos, o de Saturno cortado por la mitad, y vienen de Xenor. De ellos salen los hombres lagarto, con sus músculos rizados y grises, sus trajes de baño metálicos y su sofisticado armamento. Tienen pistolas de rayos, lazos eléctricos, aparatos voladores monoplazas. Todo tipo de artilugios modernos.

La súbita invasión provoca que las circunstancias de los zicronitas cambien por completo. Bárbaros y ciudadanos, funcionarios y rebeldes, amos y esclavos, todos dejan de lado sus diferencias y hacen causa común. Las barreras de clase se desvanecen —los snilfardos se olvidan tanto de sus títulos antiguos como de sus máscaras, se arremangan y dirigen las barricadas junto con los ygnirods. Todos se saludan con el nombre de *tristok*, que significa (aproximadamente), «aquel con quien he intercambiado sangre», es decir, camarada o hermano. Las mujeres son llevadas al Templo y encerradas para su propia seguridad, al igual que los niños. El rey se pone al frente. Las fuerzas bárbaras son bien recibidas en la ciudad por su destreza en la batalla. El rey estrecha la mano del Siervo del Regocijo y deciden compartir el mando. «Un puño es más que la suma de los dedos que lo componen», dice el rey citando un antiguo proverbio. Justo a tiempo se cierran las ocho pesadas puertas de la ciudad.

Los hombres lagarto, favorecidos por el factor sorpresa, consiguen un éxito inicial en los campos distantes. Capturan a unas cuantas mujeres y las encierran en jaulas, donde docenas de babosos soldados lagarto las contemplan por entre los barrotes. Pero entonces el ejército xenoriano sufre un revés: por un lado, las pistolas de rayos en las que tanto confían no funcionan muy bien en el planeta de Zicrón a causa de una diferencia en las fuerzas gravitacionales; por otro, los lazos eléctricos sólo son eficaces de cerca, y los habitantes de Sakiel-Norn se encuentran al otro lado de gruesas murallas. Además, los hombres lagarto no tienen bastantes aparatos voladores monoplazas para tomar la ciudad. Llueven proyectiles desde las murallas sobre todo hombre lagarto que se acerque; los zicronitas han descubierto que los pantalones de metal de los xenorianos son inflamables a altas temperaturas, lo que los convierte en bombas incendiarias ambulantes.

El capitán de los hombres lagarto grita como un poseso y cinco científicos lagarto muerden el polvo; salta a la vista que Xenor no es una democracia.

Los que quedan vivos se ponen a trabajar para resolver los problemas técnicos. Insisten en que, con el tiempo suficiente y el equipo adecuado, pueden disolver los muros de Sakiel-Norn. También pueden conseguir un gas que hará que los zicronitas pierdan la conciencia, lo cual permitirá a los xenorianos cometer sus maldades a discreción.

Aquí acaba el episodio del puño; pero ¿qué ha ocurrido con la historia de amor? ¿Dónde están el asesino ciego y la niña sin lengua? Ella ha quedado prácticamente olvidada en la confusión —la última vez que salió estaba escondida debajo de una cama de brocado rojo— y él ni siquiera ha aparecido. Vuelve a hojear la revista; a lo mejor se ha dejado algo. Pero no, los dos se han esfumado.

Tal vez todo se resuelva satisfactoriamente en el siguiente episodio.

Tal vez ella envíe algunas palabras.

Sabe que hay algo demencial en sus expectativas —él no le mandará un mensaje, y si lo hace no le llegará así—, pero no consigue sacárselo de la cabeza. Es la esperanza lo que teje sus fantasías, y la añoranza lo que provoca esos espejismos: esperanza contra esperanza y añoranza en el vacío. Tal vez le falla la cabeza, tal vez está perdiendo el norte, tal vez está desquiciada. «Desquiciada», fuera de quicio, como una puerta derribada, como una caja fuerte oxidada. Cuando uno está desquiciado, le salen de dentro cosas que debería mantener en el interior y se le meten dentro cosas que deberían quedarse fuera. Las cerraduras pierden poder. Los guardias se van a dormir. Fallan las consignas.

A lo mejor me ha abandonado, piensa. La palabra es exagerada, pero describe su situación con exactitud. No costaba imaginárselo abandonándola. En un impulso, sería capaz de morir por ella, pero vivir para ella era algo muy diferente. No tiene talento para la rutina.

A pesar de ella misma, espera y observa, mes tras mes. Recorre las tiendas, la estación de tren, todos los quioscos que encuentra, pero el siguiente episodio emocionante nunca aparece.

Mayfair, mayo de 1937

COTILLEO EN TORONTO
A PLENA LUZ DEL DÍA
POR YORK

Este año el mes de abril se ha presentado igual que un cordero y, tomando ejemplo de su talante lleno de brío e impaciencia, la primavera se inauguraba con el alegre revoloteo de llegadas y partidas. El señor Henry Ridelle y su esposa han vuelto de pasar el invierno en México, el señor Johnson Reeves y su esposa han regresado de su refugio floridano de Palm Beach, y el señor T. Perry Grange y su esposa han retornado de su crucero por las soleadas islas caribeñas, mientras que la señora R. Westerfield y su hija Daphne han salido de viaje a Francia e Italia, «con la venia de Mussolini», y el señor W. McClelland y su esposa han zarpado rumbo a la fabulosa Grecia. Los Dumont Fletcher, tras una espléndida temporada en Londres, efectuaron una vez más su entrada en nuestro escenario local justo a tiempo para el Festival de Teatro de Dominion, de cuyo jurado el señor Fletcher es miembro.

Mientras tanto, hubo una presentación de otro tipo en el escenario lila y plateado de la Corte Arcádica, donde pudimos ver a la señora Griffen (Iris Chase, de soltera) en una fiesta que ofrecía su cuñada, la señora Winifred *Freddie* Griffen Prior. La joven señora Griffen, encantadora como siempre y una de las novias más importantes del último año, llevaba un elegante conjunto de seda azul cielo con un sombrero verde Nilo, y recibió las felicitaciones por el nacimiento de su hija Aimee Adelia.

Las Pléyades bullían de excitación por la llegada de la estrella del día, la señorita Frances Homer, la célebre actriz que volvió a presentar en el auditorio de Eaton su serie de monólogos llamada *Destino de mujer*, en la que traza retratos de mujeres de la historia y explica la influencia que ejercieron en la vida de figuras trascendentales como Napoleón, Fernando el Católico, el almirante Nelson y Shakespeare. La señorita Homer derrochó gracia e ingenio representando a Nell Gywn, alcanzó altas cotas de dramatismo como reina Isabel de España, presentó una viñeta encantadora de Josefina y conmovió a los presentes con su lady Emma Hamilton. En conjunto, fue un entretenimiento pintoresco y encantador.

La velada terminó con una cena fría para las Pléyades y sus invitados en la sala Redonda, ofrecida por la generosa anfitriona, la señora Winifred Griffen Prior.

Carta desde Bella Vista

Oficina del Director
Asilo Bella Vista
Arnprior, Ontario
12 de mayo de 1937

Sr. Richard E. Griffen
Presidente y Director del Comité de
Industrias Griffen-Chase Royal Consolidated
20, King Oeste
Toronto, Ontario

Querido Richard:

Fue un placer reunirme contigo en febrero —a pesar de las lamentables circunstancias— y volver a estrechar tu mano después de tantos años. Sin duda los caminos de nuestra vida han tomado direcciones diferentes desde aquellos «viejos tiempos llenos de normas».

Lamento comunicarte que la condición de tu joven cuñada, Laura Chase, no ha mejorado en absoluto; si acaso, ha empeorado un poco. Los delirios que padece se encuentran muy arraigados. En nuestra opinión, su estado entraña grave peligro para su salud y debe hallarse sometida a observación constante, con sedantes si hace falta. No ha roto más ventanas, aunque protagonizó un incidente relacionado con unas tijeras; huelga decir que hacemos todo lo que está en nuestra mano para impedir que algo semejante se repita.

Seguimos haciendo todo lo que podemos. Existen varios tratamientos nuevos de los que esperamos un resultado positivo, especialmente la «terapia de electrochoque», que estaremos en condiciones de aplicar en breve. Con tu permiso, combinaremos esta terapia con la administración de insulina. Tenemos grandes esperanzas de que mejore con el tiempo, aunque el pronóstico indica que la señorita Chase nunca será una mujer fuerte.

Aun sabiendo la angustia que seguramente os causa, debo pediros, a ti y a tu esposa, que os abstengáis de visitarla e incluso de enviarle cartas en estos momentos, ya que no hay duda de que semejantes contactos podrían perturbar el efecto del tratamiento. Como bien sabes, eres el objeto de las obsesiones más persistentes de la señorita Chase.

Esta semana estaré en Toronto a partir del miércoles, y espero mantener una conversación privada contigo, en tu oficina, ya que, dada su condición de madre reciente, es mejor que tu esposa no se vea afectada por un asunto tan perturbador. Cuando nos veamos te pediré que firmes los papeles de consentimiento con relación a los tratamientos que propongo.

Me tomo la libertad de adjuntar la factura del mes pasado para tu consideración.

Sinceramente,

Dr. Gerald P. Witherspoon, director

El asesino ciego: La torre

Se siente pesada y sucia, como una bolsa llena de ropa para lavar. Pero, al mismo tiempo, plana y sin sustancia. Papel en blanco sobre el que —apenas discernible— se ve la marca incolora de una firma que no es la de ella. Un detective la encontraría enseguida, pero ella no tiene ganas. No tiene ganas de mirar.

No ha perdido la esperanza, sólo la tiene guardada; no es para ponérsela todos los días. Mientras tanto, debe atender las necesidades de su cuerpo. No comer carece de sentido. Más vale conservar el ingenio, y los alimentos ayudan. Los pequeños placeres también: flores para echar mano de ellas, los primeros tulipanes, por ejemplo. De nada sirve andar distraído. Salir corriendo a la calle gritando «¡Fuego!». Seguro que todo el mundo se da cuenta de que no existe tal fuego.

La mejor manera de guardar un secreto es simular que no existe. «Muy amable —dice ella por teléfono—, pero lo siento, no podré ir. Estoy ocupada.»

Hay días —sobre todo los cálidos y claros— que se siente como si estuviese enterrada viva. El cielo es una cúpula de piedra azul, el sol un agujero redondo a través del que la luz del día brilla con socarronería. Las demás personas enterradas con ella ignoran qué ha ocurrido; sólo ella lo sabe. Si lo expresase, la encerrarían para siempre. La única opción que tiene es hacer como si todo fuera normal y seguir observando el cielo azul plano en espera de la gran fractura que sin duda acabará apareciendo, tras lo cual es posible que él baje por una escala de cuerda. Ella subirá al tejado y saltará para alcanzarla. La escala estará tendida y los dos colgarán de ella; pasarán por encima de torreones, torres y agujas, atravesarán la grieta del falso cielo y dejarán a los demás abajo, en el césped, mirando boquiabiertos.

¡Qué argumentos más omnipotentes e infantiles!

Bajo la cúpula de piedra azul, llueve, resplandece, sopla viento, aclara. La disposición de todos esos efectos naturales del clima resulta asombrosa.

Hay un bebé en el vecindario. Ella percibe sus gritos de forma intermitente, como si llegaran arrastrados por el viento. Se abren y se cierran puertas, el eco de su furia, diminuta y enorme a la vez, aumenta y disminuye. Es desconcertante cómo en ocasiones semeja un rugido. Su ruidosa respiración, un sonido áspero y blando que recuerda la seda al rasgarse, parece muy cerca a ratos.

Ella se echa en la cama; las sábanas por encima o por debajo, según la hora del día. Prefiere una almohada blanca, blanca como una enfermera y ligeramente almidonada. Varios almohadones para incorporarse, una taza de té en la mano para no dormirse. Si se le cae al suelo, despertará. No siempre necesita hacerlo; jamás ha sido perezosa.

De vez en cuando se pierde en ensoñaciones.

Se lo imagina imaginándosela, y eso constituye su salvación.

Su espíritu deambula por la ciudad, reconoce sus laberintos, sus lúgubres pasillos, cada piso asignado, cada encuentro, cada puerta, escalera y cama. Lo que él dijo, lo que ella dijo, lo que hicieron, lo que hicieron entonces. Incluso los momentos en que discutían, se peleaban, se separaban, sufrían, volvían a unirse. Cómo les gustaba cortarse el uno al otro, probar el sabor de su propia sangre. Estar juntos era una ruina, piensa ella, pero ¿de qué modo vivir, en estos tiempos, más que en la ruina?

A veces ella quiere encender una cerilla y acabar con él, con esa añoranza interminable e inútil. La luz del día y la entropía de su propio cuerpo, cuando menos, podrían ocuparse de ello: gastarla, agotarla, borrar ese lugar de su mente. Pero ningún exorcismo ha bastado, y la verdad es que tampoco lo ha intentado de verdad. No es un exorcismo lo que ella quiere, sino aquel éxtasis aterrorizado, como caer de un avión por error. Quiere ver su mirada famélica.

La última vez que lo vio, cuando volvieron a la habitación de él, fue como ahogarse; todo quedó a oscuras y se llenó de ruido, pero al mismo tiempo todo era de plata, lento y claro.

Estar subyugado significa eso.

A lo mejor siempre lleva una imagen de ella encima, como en un relicario; o no exactamente una imagen, sino una especie de diagrama. Un mapa, como si buscara un tesoro. Un lugar al que necesita volver.

Primero está la tierra, miles de kilómetros, con un círculo exterior de piedra y montañas, cubiertas de nieve, fracturadas y arrugadas; más allá el bosque enmarañado, donde las frutas caídas forman un grueso pellejo, madera pudriéndose bajo el musgo, luego algún claro extraño. A continuación, brezales y estepas barridas por el viento y montañas de un rojo árido donde la guerra sigue. Detrás de las rocas, agazapados entre los cañones calientes, se encuentran los defensores. Son francotiradores especialistas.

Después vienen los pueblos, con tugurios miserables, pilluelos con estrabismo y mujeres que arrastran haces de leña, caminos de tierra turbios a causa de los revolcones de los cerdos. Luego las vías del ferrocarril entran en las ciudades, con sus estaciones y terminales, sus fábricas y almacenes, sus iglesias y bancos de mármol. Luego las ciudades, grandes extensiones de luz y oscuridad, con torres firmemente enfundadas, una sobre otra. No: algo más moderno, más creíble. De cinc, nada, eso es para las bañeras de las mujeres pobres.

Las torres están enfundadas en acero. Allí se hacen bombas, y allí también caen éstas. Pero él ignora todo eso, atraviesa indemne el camino hasta esta ciudad, la que la contiene a ella, sentada en la torre más interior y central, que ni siquiera parece una torre. Está camuflada; sería fácil confundirla con una casa. Ella es el trémulo corazón de la totalidad, arropado en su cama blanca. Encerrada y alejada del peligro, pero aun así ocupando una posición central. El propósito de todo es protegerla. A eso es a lo que se dedican, a protegerla de cuanto la rodea. Mira por la ventana y nada puede alcanzarla, y ella no puede alcanzar nada.

Es un cero perfecto, el cero absoluto. Un espacio que se define a sí mismo por no existir. Es por eso por lo que no tienen forma de acceder a ella, de ponerle la mano encima. Es por eso por lo que no tienen forma de clavarle nada. Posee la sonrisa adecuada, pero no está detrás de ésta.

Él quiere creer que ella es invulnerable. Verla de pie ante su ventana iluminada, tras una puerta cerrada. Él quiere estar ahí, bajo el árbol, mirando hacia arriba. En un alarde de coraje, escala la pared, mano sobre mano por la enredadera y la cornisa, feliz con su pillería; se pone en cuclillas, levanta la ventana, entra. La radio suena suavemente, la música de baile se infla y desinfla, ahogando los pasos. No se dicen una sola palabra, y así empieza de nuevo el delicado y doloroso registro de la carne. Amortiguado, vacilante y oscuro, como si estuvieran bajo el agua.

Siempre has vivido muy protegida, le dijo él en una ocasión.

Es probable, repuso ella.

Pero ¿cómo iba a huir de esa vida si no era a través de él?

The Globe and Mail, 26 de mayo de 1937

VENDETTA ROJA EN BARCELONA
PARÍS, ESPECIAL PARA *THE GLOBE AND MAIL*

Aunque las noticias que llegan de Barcelona son motivo de fuerte censura, nuestro corresponsal en París ha oído rumores de enfrentamientos entre facciones rivales republicanas de esta ciudad. Según éstos, los comunistas, con el apoyo de Stalin y bien armados por Rusia, están llevando a cabo purgas contra el POUM rival y los trotskistas extremistas, que han hecho causa común con los anarquistas. Los vertiginosos primeros días de gobierno republicano han dado paso a un ambiente de sospecha y temor ante la acusación hecha por los comunistas contra el POUM de traición «quintacolumnista». Se han entablado luchas abiertas en la calle y la policía de la ciudad defiende a los comunistas. Se dice que hay muchos miembros del POUM en la cárcel o huidos. Es posible que entre las víctimas del fuego cruzado hubiera varios canadienses, pero de momento tales noticias no se han verificado.

En el resto de España, Madrid sigue en manos republicanas, pero las fuerzas nacionalistas a las órdenes del general Franco están ganando terreno de forma significativa.

El asesino ciego: Union Station

Ella inclina el cuello y apoya la frente en el borde de la mesa. Imagina la llegada de él.

Ha oscurecido, las luces de la estación están encendidas, y le ve el rostro demacrado. Cerca, en alguna parte, hay una costa, ultramarina; oye los gritos de las gaviotas. El tren traquetea entre nubes de vapor silbante, él deja su bolsa marinera en el portaequipajes y luego se hunde en su asiento, saca el bocadillo que ha comprado, lo desenvuelve y rompe el papel arrugado. Está tan cansado que apenas si tiene ganas de comer.

A su lado, una mujer mayor teje un jersey con lana roja. Sabe que se trata de un jersey porque se lo dice; estaría dispuesta a contárselo todo si él quisiera, acerca de sus hijos, de sus nietos; desde luego, tiene fotografías de ellos, pero él no desea escuchar su historia. Es incapaz de pensar en niños, ha visto demasiados muertos. Hay más niños ocupando sus pensamientos que mujeres y viejos. Siempre resultaban inesperados: sus ojos adormilados, sus manos de cera, los dedos relajados, el destartalado muñeco de trapo empapado de sangre. Aparta la vista, se mira la cara en la ventana oscura: ojos vacíos enmarcados por sus cabellos húmedos, piel negra verdosa, empañada de hollín y, tras ella, las formas oscuras de los árboles.

Pasa por encima de las rodillas de la vieja para salir al pasillo, se queda entre dos vagones, fuma, tira la colilla, mea al aire. Tiene la sensación de seguir el mismo camino... hacia la nada. Si cayese allí mismo, jamás lo encontrarían.

Tierra pantanosa, un horizonte difuminado. Vuelve a su sitio. El tren está frío y húmedo, o caliente y bochornoso. O bien suda, o bien tiembla, acaso ambas cosas; se quema o se hiela, como en el amor. La hirsuta tapicería del respaldo del asiento es mohosa e incómoda, y le rasca la mejilla. Por fin se duerme, con la boca abierta, la cabeza ladeada, apoyada contra el cristal sucio. En sus oídos resuena el choque metálico de las agujas de tejer y, por debajo de éste, el tableteo de las ruedas a lo largo de los raíles de hierro, semejante a un metrónomo implacable.

Ahora se lo imagina soñando. Se lo imagina soñando con ella mientras ella sueña con él. A través del cielo del color de la pizarra húmeda vuelan el uno hacia el otro con oscuras alas invisibles, buscando, buscando, volviendo atrás, atraídos por la esperanza y la añoranza, desconcertados de temor. En sus sueños, se tocan, se entrelazan, casi parece que chocasen, y ahí acaba el vuelo. Caen al suelo, paracaidistas engañados, ángeles grises de ceniza, de los que brota el amor como hilachas de seda. El fuego del enemigo se abre paso hacia ellos.

Pasa un día, una noche, un día. En una parada, él baja del tren, compra una manzana, una Coca-Cola, medio paquete de cigarrillos y un periódico. Debería haber comprado un poco de licor, incluso una botella entera, por la inconsciencia que procura. Mira a través de las ventanas borrosas de lluvia hacia los grupos de árboles y los campos largos y llanos que se despliegan como alfombras de rastrojos; los ojos se le nublan de sueño. Por la noche, la puesta de sol se demora y va retrocediendo hacia el oeste a medida que se acerca, pasando del rosado al violeta. Cae la noche con su intermitencia, sus puestas en marcha y sus paradas, los chirridos metálicos del tren. Al cerrar los ojos todo es rojo, del rojo de pequeñas hogueras, de explosiones en el aire.

Se despierta cuando el cielo empieza a aclarar; a un lado ve el agua, llana, sin límites y plateada, al menos el lago interior. Al otro lado de la vía hay pequeñas casas desanimadas, ropa tendida en los patios, más allá una chimenea de ladrillo, una fábrica con muro ciego y una chimenea alta; luego otra fábrica, con unas ventanas que reflejan el azul más pálido.

Ella se lo imagina bajando del tren a primera hora, atravesando la estación por el gran vestíbulo abovedado y con columnas, por el suelo de mármol. Flotan ecos en el aire, las voces difuminadas del megáfono, cuyo mensaje se oscurece. El aire huele a humo de cigarrillos, de trenes, de la ciudad en sí, que más que humo parece polvo. Ella también anda a través de ese polvo y ese humo, está preparada para abrir los brazos y dejar que él la levante en volandas. La alegría se le prende en la garganta, indistinguible del pánico. No puede verlo. Entra el sol del alba por las altas ventanas en arco, se enciende el aire lleno de humo, el suelo resplandece. Ahora está centrado, en el otro extremo; todos sus detalles —ojos, boca, manos— son claros, aunque temblorosos, igual que un reflejo en el agua de una piscina.

Sin embargo, no logra retenerlo en el pensamiento, no logra recordarlo tal como es. Es como si la brisa soplara sobre el agua y ésta se dispersase en colores quebrados, en olas; luego vuelve a formarse en otra parte, después de la siguiente columna, y recupera su cuerpo familiar. Hay un resplandor a su alrededor.

El resplandor es la ausencia de él, pero a ella le parece luz. Es la simple luz de día que ilumina cuanto la rodea. Toda mañana y toda noche, todo guante y todo zapato, toda silla y todo plato.

XI

IX

El cubículo

A partir de aquí, todo toma un cariz más sombrío. Pero, en realidad, ya lo sabíais. Lo sabíais porque ya sabéis qué le ocurrió a Laura.

La propia Laura lo ignoraba, desde luego. Jamás se le había ocurrido que su destino fuese el de heroína romántica. Se convirtió en eso más tarde, a resultas de su final y, por lo tanto, en la mente de sus admiradores. En la vida cotidiana, a menudo, era irritante, como todo el mundo. Estaba aburrida, o alegre, que también podía estarlo, y si se daban las condiciones correctas, cuyo secreto sólo ella conocía, era capaz de perderse en una especie de arrobamiento. Pero lo que hoy resulta más conmovedor son sus destellos de alegría.

Y así, en el recuerdo, realiza sus actividades mundanas sin que haya nada excesivamente extraño para el observador: una chica de cabellos brillantes que sube una montaña, absorta en sus propios pensamientos. Hay muchas de esas chicas encantadoras y pensativas, el paisaje está plagado de ellas, nace una a cada minuto. La mayor parte del tiempo no les ocurre nada extraordinario. Eso, aquello y lo otro, y luego envejecen. Sin embargo, Laura ha sido destacada, por vosotros, por mí. En un cuadro, saldría recogiendo flores, aunque en la vida real raramente hacía algo así. El dios con cara de tierra acecha detrás de ella, entre las sombras del bosque. Sólo nosotros podemos verlo. Sólo nosotros sabemos que saltará.

He repasado lo escrito hasta ahora y me parece inadecuado. Tal vez haya demasiada frivolidad, o demasiados detalles que podrían considerarse frívolos. Muchos trajes, de estilos y colores pasados de moda, alas caídas de mariposas. Muchas cenas, no siempre buenas. Desayunos, pícnics, viajes oceánicos, bailes de disfraces, periódicos, paseos en barco por el río. Esos detalles no casan bien con la tragedia. Pero en la vida una tragedia no es un gran grito que dura un instante. Incluye todo lo que conduce a ella. Hora tras hora de trivialidad, día tras día, año tras año y, luego, el momento repentino: la puñalada, el neumático que explota, la caída en picado desde el puente.

Ya es abril. Los copos de nieve cayeron y se fundieron, brotaron los azafranes de primavera. Pronto estaré en situación de instalarme en el porche trasero, sentada a mi pequeña y destartalada mesa de madera, al menos cuando haga sol. Como las aceras no están cubiertas de hielo, he reanudado mis paseos. La inactividad de los meses de invierno me ha debilitado, lo siento en las piernas. A pesar de ello, estoy decidida a reconquistar mis antiguos territorios, a volver a visitar mis abrevaderos.

Hoy, con la ayuda del bastón y varias pausas a lo largo del camino, he conseguido llegar al cementerio. Estaban los dos ángeles Chase, cuyo aspecto apenas se había visto afectado tras pasar el invierno bajo la nieve; estaban los nombres de la familia, sólo ligeramente más ilegibles, y eso por culpa sin duda de mi vista. He pasado los dedos por encima de esos nombres, por las letras que los componen; a pesar de su dureza, de su textura, parecen suavizarse a mi tacto, desaparecer, flaquear. El tiempo los ha mordisqueado con sus afilados dientes invisibles.

Alguien había quitado las últimas hojas empapadas de otoño de la tumba de Laura. Vi un pequeño ramo de narcisos blancos, ya marchitos, con los tallos envueltos en papel de aluminio. Lo arrojé al cubo de la basura más próximo. ¿Acaso los admiradores de Laura se creen que alguien aprecia esa clase de ofrendas? Más exactamente,

¿quién se piensan que los recoge después? Ellos y su escoria floral, que ensucian el recinto con las prendas de su dolor espurio.

«Así tendrás algo por lo que llorar», decía Reenie. Si hubiéramos sido niñas normales, nos habría pegado. Siendo como éramos, jamás lo hizo, por lo que nunca supimos qué era ese algo del que hablaba.

En el camino de regreso, me he parado en la tienda de rosquillas. Mi aspecto debía de reflejar el cansancio que sentía, porque de inmediato se acercó una camarera. Por lo general, no sirven en las mesas, tienes que hacer el pedido en el mostrador y llevarte tú misma las cosas, pero esa chica —de cara ovalada y cabellos oscuros, vestida con lo que parecía un uniforme negro— me preguntó qué deseaba. Le pedí un café y, para variar, un bollo de arándanos. Luego observé que hablaba con otra chica, la de detrás del mostrador, y caí en la cuenta de que no se trataba de una camarera, sino de una clienta, como yo; su uniforme negro no era ni siquiera un uniforme, sino una chaqueta y unos pantalones anchos. Emitía destellos plateados, quizás a causa de alguna cremallera, pero he sido incapaz de descubrirlo. Se marchó antes de que tuviese ocasión de darle las gracias como se merecía.

Es tan reconfortante encontrar cortesía y consideración en chicas de esa edad. Demasiado a menudo (he reflexionado pensando en Sabrina) sólo dan muestras de una ingratitud involuntaria. Pero la ingratitud involuntaria es la armadura de los jóvenes; sin ella, ¿cómo podrían ir por la vida? Los viejos desean lo mejor para los jóvenes, pero también lo peor; les gustaría comérselos y absorber su vitalidad a fin de ser inmortales. Sin la protección de la hosquedad y la frivolidad, todos los niños quedarían aplastados por el pasado de los demás. El egoísmo es su gracia salvadora.

Hasta cierto punto, claro.

La camarera, que vestía delantal azul, me trajo el café. También el bollo, aunque me arrepentí de haberlo pedido casi en el acto. No logré comer más que un pedazo. En los restaurantes todo se vuelve demasiado grande, demasiado pesado; el mundo material se manifiesta en grandes y húmedos pedazos de masa.

Tras tomar todo el café de que fui capaz, me dirigí al lavabo. En el cubículo central, vi que habían cubierto con pintura los grafitos que recordaba del otoño anterior, pero por suerte ya habían empezado los de la nueva estación. En el rincón superior de la derecha, una serie de iniciales declaraban tímidamente su amor por otra serie de iniciales, como es habitual. Debajo de ellas, bien escrito en azul, leí:

«El buen juicio procede de la experiencia. La experiencia procede del mal juicio.»

Debajo de eso habían escrito, en cursiva con bolígrafo púrpura de punta fina: «Si quieres una chica experimentada, llama a Anita, la de la boca enorme; te llevará al paraíso», y un número de teléfono.

Y debajo de eso, en letras mayúsculas y rotulador rojo: «El Juicio Final está cerca. Prepárate para encontrar tu destino, que es Anita.»

A veces pienso…, no, a veces juego con la idea de que esos grafitos son, en realidad, obra de Laura, que actúa como a larga distancia a través de los brazos y manos de los chicos que los escriben. Se trata de una idea tan estúpida como placentera, hasta que doy el siguiente paso y, dejándome llevar por la lógica, deduzco que de ser así todos deben de estar dirigidos a mí, porque ¿a quién más conoce Laura todavía en esta ciudad? Pero, si van dirigidos a mí, ¿qué quiere decir con ellos? Sin duda, no lo que dice.

En otros momentos siento una necesidad imperiosa de unirme a ellos, de colaborar, de unir mi propia voz temblorosa al coro anónimo de serenatas truncadas, cartas de amor garabateadas, anuncios lascivos, himnos y maldiciones.

> *El Dedo que se mueve escribe y, una vez ha escrito,*
> *sigue adelante; ni toda tu piedad e ingenio*
> *te servirán para cancelar media Línea*
> *ni todas tus Lágrimas borrarán una sola Palabra.*

Ja, pienso. Eso los hará pensar.

Algún día, cuando me encuentre mejor, volveré y lo escribiré.

Deberían alegrarse de ello, porque ¿no es lo que pretenden? Lo que pretendemos todos: dejar un mensaje que tenga efecto, aunque sea funesto; un mensaje imborrable.

Pero esos mensajes pueden ser peligrosos. Es mejor pensárselo dos veces antes de expresar un deseo y, sobre todo, antes de desear ponerse en manos del destino.

(«Piénsalo dos veces», decía Reenie; y Laura preguntaba: ¿«Por qué sólo dos?»)

El gatito

Llegó septiembre y luego octubre. Laura volvió a la escuela, una escuela diferente. Las faldas escocesas no eran a cuadros marrones y negros, sino grises y azules; por lo demás, era una escuela muy parecida a la primera, hasta donde yo alcanzaba a apreciar.

En noviembre, justo después de cumplir diecisiete años, Laura anunció que Richard estaba malgastando su dinero. Si él se lo exigía, seguiría asistiendo a la escuela y se sentaría ante el pupitre, pero no aprendía nada útil. Dijo todo eso con calma y sin rencor, y, para mi sorpresa, Richard acabó por ceder.

—En realidad, no le hace ninguna falta ir a la escuela —declaró—. No necesita trabajar para ganarse la vida.

Sin embargo, mi hermana tenía que ocuparse en algo, como yo. Se enroló en una de las causas de Winifred, una organización de voluntarias, llamada las Abigail, que se dedicaban a visitar enfermos en hospitales. Las Abigail era un grupo desenfadado formado por chicas de buena familia que se preparaban para ser futuras Winifreds. Se ponían un delantal de ordeñadora, con tulipanes bordados en la pechera, y recorrían las salas de hospital, donde tenían que hablar con los pacientes, leerles algo y animarlos..., aunque no estaba especificado cómo.

Laura se mostró muy hábil en la tarea. No le gustaban las demás integrantes de las Abigail, huelga decirlo, pero le encantaba el delantal. Como era de prever, solía frecuentar las salas de los pobres, las que las demás preferían evitar debido al hedor y la vergüenza que les producía. Esas salas estaban llenas de desechos humanos: ancianas dementes, veteranos arruinados, hombres sin nariz a causa de la sífilis y cosas así. Había pocas enfermeras en esos pagos y Laura no tardó en buscarse tareas que en rigor no eran asunto suyo. Por lo visto, los orinales y vómitos no la inmutaban, como tampoco los juramentos, desvaríos y barullo en general. No era ésa la situación que buscaba Winifred, pero en muy poco tiempo nos vimos atrapados en ella.

Las enfermeras pensaban que Laura era un ángel (o algunas lo pensaban; otras sencillamente creían que estorbaba). Según Winifred, que intentaba controlarlo todo y tenía sus espías, mi hermana parecía especialmente buena con los casos desesperados. Winifred decía que no parecía darse cuenta de que estaban muriéndose. Los trataba como si su condición fuese algo habitual, incluso normal, lo que, o al menos eso suponía Winifred, en cierto modo ellos debían de encontrar consolador, cosa que no ocurriría con la gente sana. Para Winifred, esta facilidad o talento de Laura era una señal más de su naturaleza fundamentalmente rara.

—Debe de tener unos nervios de hielo —dijo Winifred—. Yo, desde luego, no podría soportarlo. ¡Toda esa sordidez!

Mientras tanto, los planes para la presentación en sociedad de Laura seguían su curso. Ella aún no sabía nada, y yo le había advertido a Winifred que, cuando se enterara, lo más probable era que reaccionase mal. Winifred dijo que, en ese caso, lo mejor sería presentar las cosas como un *fait accompli*; o, mejor todavía, prescindir de cualquier ceremonia si se cumplía su principal objetivo, que era un matrimonio estratégico.

Estábamos almorzando en la Corte Arcádica; Winifred me había invitado, sólo a mí, para maquinar una estratagema con respecto a Laura, como dijo ella.

—¿Una estratagema? —inquirí.

—Ya me entiendes —repuso Winifred—. Para que no resulte una catástrofe. (Lo mejor que podía ocurrirle a Laura, bien mirado, siguió Winifred, era que algún rico amable mordiese el anzuelo, se le declarara y la condujera al altar. Mejor todavía, un rico amable y estúpido, que no advirtiese la existencia del anzuelo hasta que fuera demasiado tarde.)

—¿En qué anzuelo piensas? —quise saber. Me pregunté si habría sido ésa la estrategia que había seguido ella para cazar al escurridizo señor Prior. ¿Habría escondido su naturaleza de anzuelo hasta la luna de miel para mostrársela después repentinamente? ¿Era por eso por lo que nunca lo habían visto más que en fotografía?

—Tienes que admitir —dijo Winifred— que Laura es bastante rara. —Calló por un instante para dedicar una sonrisa a alguien por encima de mi hombro y mover los dedos a modo de saludo. Le sonaron los brazaletes; llevaba demasiados.

—¿Qué quieres decir? —pregunté en tono de ingenuidad. Había convertido en un hábito reprensible coleccionar explicaciones de Winifred sobre el significado de sus palabras.

Winifred apretó lo labios; los llevaba pintados de color anaranjado, y empezaban a mostrar arrugas. Hoy diríamos que había tomado demasiado sol, pero por entonces no se establecía esta clase de relaciones y a Winifred le gustaba estar bronceada, lucir una pátina metálica.

—No es del gusto de todos los hombres. Tiene cosas muy raras. Le falta..., le falta cautela.

Winifred calzaba unos zapatos verdes de cocodrilo, pero a mí ya no me parecían elegantes; más bien los consideraba chabacanos. Gran parte de lo que antes me había parecido misterioso y atractivo, con el paso del tiempo lo encontraba obvio, sencillamente porque sabía demasiado. Su gran lustre era esmalte machacado; su brillo, barniz. Después de haber mirado detrás del telón y haber visto las cuerdas y poleas, los alambres y corsés, yo había cultivado mis propios gustos.

—¿Cómo qué? —inquirí—. ¿Qué cosas raras?

—Ayer me dijo que lo importante no era el matrimonio, sino el amor. Añadió que Jesús estaba de acuerdo con ella —contestó Winifred.

—Bueno, es típico de ella —apunté—. No se anda con rodeos. Pero no se refiere al sexo, ¿sabes? Se refiere al *eros*.

Cuando no entendía algo, Winifred se echaba a reír o hacía caso omiso. Esta vez fue lo segundo.

—Todo el mundo se refiere al sexo, tanto si es consciente de ello como si no —replicó—. Semejante actitud puede crearle problemas a una chica como Laura.

—Ya se le pasará cuando llegue el momento —dije, aunque no lo creía.

—Pues ya es hora. Las chicas con la cabeza llena de pájaros son, sin duda, las peores; los hombres se aprovechan de ellas. Sólo hace falta que aparezca un pequeño Romeo adulador. Eso le servirá de lección.

—¿Qué sugieres, entonces? —Le dirigí una mirada inexpresiva, como hacía siempre que quería ocultar mi irritación, o incluso mi rabia, pero a Winifred pareció animarla.

—Como ya he dicho, casarla con un hombre amable que no sepa defenderse. Después ya tendrá tiempo de jugar con lo del amor, si eso es lo que quiere. Mientras sea a la chita callando, nadie dirá nada.

Yo me entretenía jugueteando con los restos de mi pastel de pollo. Últimamente, Winifred decía expresiones muy curiosas. Supongo que de ese modo creía que estaba a la moda; había llegado a una edad en que empezaba a preocuparle estar al día.

Era obvio que no conocía a Laura. La idea de ésta haciendo algo a la chita callando era difícil de captar. Era más normal imaginársela en medio de la calle y a plena luz del día, dispuesta a desafiarnos, restregarnos lo que fuera por las narices, fugarse o algo igualmente espectacular con lo que demostrarnos a todos los demás cuán hipócritas éramos.

—Laura tendrá dinero cuando cumpla veintiún años —señalé.

—No el suficiente —repuso Winifred.

—A lo mejor resulta suficiente para ella. A lo mejor quiere llevar su propia vida —dije.

—¡Su propia vida! —exclamó Winifred—. ¡Imagínate lo que puede hacer con ella!

No tenía sentido intentar convencer a Winifred. Era como gastar la pólvora en salvas.

—¿Tienes algún candidato? —quise saber.

—Nada firme, pero estoy en ello —respondió Winifred de inmediato—. Hay unas cuantas personas a las que no les importaría estar emparentadas con Richard.

—No te preocupes en exceso —murmuré.

—Si no lo hago yo —dijo Winifred en tono de alegría—, ¿quién lo hará?

—Me han contado que has estado provocando a Winifred —le dije a Laura—, que has estado pinchándola, tomándole el pelo con lo del amor libre.

—Yo no le hablé del amor libre —replicó Laura—. Sólo le dije que el matrimonio era una institución caduca que no tenía nada que ver con el amor, eso es todo. El amor es dar, mientras que el matrimonio es comprar y vender. No se puede poner el amor en un contrato. Después le dije que en el Cielo no existía el matrimonio.

—Esto no es el Cielo —puntualicé—. Por si no lo has notado. En todo caso, me parece que has conseguido hundirla.

—No hice más que decirle la verdad. —Estaba arreglándose las cutículas con mi palito de naranjo—. Supongo que ahora empezará a presentarme gente. Se mete en todo.

—Le da miedo la posibilidad de que eches a perder tu vida. Me refiero a si te enamoras.

—¿El hecho de casarte te salvó de arruinar tu vida? ¿O es demasiado pronto para decirlo?

No hice caso del tono de su voz.

—¿Tú qué crees?

—Llevas un perfume nuevo. ¿Te lo ha regalado Richard?

—De lo que hablo es de la idea del matrimonio.

—De eso nada. —En ese momento estaba peinándose la larga cabellera rubia, sentada al tocador. Cada vez ponía más atención en su aspecto, se vestía con cierto estilo, tanto con su ropa como con la mía.

—¿Debo entender que nunca has pensado en ello? —pregunté.

—No. No creo haber pensado en ello para nada.

—Pues quizá deberías hacerlo —dije—. Quizá deberías dedicar unos minutos a pensar en tu futuro. No puedes pasarte la vida de un lado a otro sin... —Quería decir sin hacer nada, pero habría sido un error.

—El futuro no existe —objetó Laura. Había adquirido el hábito de hablar conmigo como si fuera su hermana pequeña y tuviera que explicarme las cosas despacio. Luego dijo una de sus cosas raras—. Si tuvieras que atravesar las cataratas del Niágara caminando por la cuerda floja con los ojos vendados, ¿a qué prestarías más atención, a la gente que te contempla o a tus propios pies?

—A mis pies, supongo. Preferiría que no utilizaras mi cepillo. No es higiénico.

—Pero si prestaras demasiada atención a tus pies, te caerías. O si prestaras demasiada atención a la gente, también.

—Así pues, ¿cuál es la respuesta correcta?

—Si estuvieras muerta, ¿este cepillo seguiría siendo tuyo? —preguntó mirándose el perfil con el rabillo del ojo, lo que le confería una expresión tímida poco habitual en ella—. Los muertos, ¿pueden poseer cosas? Y, si no, ¿qué es lo que ahora hace que sea tuyo? ¿El que lleva tus iniciales, o tus gérmenes?

—¡Laura, para ya de tomarme el pelo!

—No te tomo el pelo —dijo Laura dejando el cepillo—. Estoy pensando. Eres incapaz de ver la diferencia. No sé por qué pierdes el tiempo escuchando a Winifred. Es como acercar el oído a una ratonera. Con un ratón dentro —agregó.

Últimamente había cambiado mucho: se había vuelto ligera, indiferente, como si poseyera una nueva insensatez. Ya no planteaba sus desafíos con franqueza. Yo sospechaba que había empezado a fumar, a mis espaldas, pues de vez en cuando olía a tabaco. A tabaco y a otra cosa, algo viejo, demasiado sabido. Tenía que prestar más atención a los cambios que se producían en ella, pero también tenía otras muchas cosas en qué pensar.

Esperé hasta finales de octubre para decirle a Richard que estaba embarazada. Le expliqué que había preferido asegurarme. Él expresó una alegría convencional y me besó en la frente.

—Buena chica —susurró. Era exactamente lo que se esperaba de mí.

Una ventaja de mi estado era que por las noches me dejaba escrupulosamente en paz. No quería dañar nada, se justificaba. Le dije que era muy atento por su parte.

—Y a partir de ahora tendrás que ser prudente con la ginebra. No permitiré travesura alguna —añadió, señalándome con el dedo de un modo que me pareció siniestro. Se me antojaba más alarmante en esos momentos en que se mostraba simpático que el resto del tiempo; era como ver retozar a un dragón—. Iremos al mejor médico —decidió—. Sin reparar en gastos.

Partir de una base comercial era tranquilizador para los dos. Cuando había dinero en juego, yo sabía en qué consistía mi posición: era portadora de un objeto muy caro, sencillamente.

Después de soltar su primer gritito de temor genuino, Winifred montó un alboroto poco sincero. Estaba verdaderamente alarmada. Adivinaba (y no se equivocaba) que ser la madre de un hijo y heredero, o incluso sólo heredero, me concedería ante Richard un estatus más alto que hasta el momento; y mucho más alto que aquel al que tenía derecho. Sería más para mí y menos para ella. Winifred se ocuparía de reducirme a mi justa medida; yo estaba convencida de que en cualquier momento aparecería con planes detallados para decorar la habitación del bebé.

—¿Para cuándo esperamos el bendito acontecimiento? —preguntó, y comprobé que me esperaba una dosis prolongada de lenguaje evasivo por su parte. Se pondría a hablar sin parar de la llegada inminente, del regalo de la cigüeña y del «pequeño forastero». Winifred solía ponerse melindrosa con los temas que la ponían nerviosa.

—Para abril, creo —respondí—. O para marzo. Todavía no he ido al médico.

—Pero debes estar segura —dijo, enarcando las cejas.

—La verdad es que es la primera vez que me ocurre —apunté enfadada—. No se puede decir que lo esperara. No prestaba atención.

Una noche fui a la habitación de Laura a comunicarle la noticia. Llamé a la puerta y, como no contestó, abrí suavemente pensando que debía de estar durmiendo. Pero no dormía. Estaba arrodillada junto a la cama, con su camisón azul, la cabeza gacha, la cabellera extendida como por efecto de un viento inmóvil, y los brazos extendidos como si la hubieran arrojado sobre la cama. Al principio pensé que debía de estar rezando, pero decidí que no, o al menos que no se oía que lo hiciese. Cuando por fin me hizo caso, se levantó, con la misma naturalidad que si hubiera estado quitando el polvo, y se sentó en el taburete con volantes de su tocador.

Como siempre, me causó extrañeza la relación entre el entorno que Winifred había elegido para ella —los delicados grabados, las cintas con capullos, los organdíes y volantes—, y la propia Laura. Para mí, existía una incongruencia casi surrealista. Laura era como pedernal en un nido hecho de vilanos.

Digo pedernal, no piedra: el pedernal tiene un corazón de fuego.

—Laura, quería que supieras que voy a tener un bebé —le comuniqué.

Se volvió hacia mí, la cara delgada y blanca como una vasija de porcelana, y no se mostró sorprendida. Tampoco me felicitó. En lugar de eso, dijo:

—¿Te acuerdas del gatito?

—¿Qué gatito? —pregunté.

—El que tuvo madre. El que la mató.

—No era un gatito, Laura.

—Ya lo sé —repuso.

Bella Vista

Reenie ha vuelto. No está muy contenta conmigo, la verdad. «Bueno, jovencita. ¿Qué puedes decir para defenderte? ¿Qué le hiciste a Laura? ¿No aprenderás nunca?»

No hay respuesta a estas preguntas. Las respuestas están tan entreveradas con las preguntas, tienen tantos nudos y ramificaciones, que no son respuestas en absoluto.

Sé que estoy sometida a juicio. Lo sé. Sé lo que pensaréis de aquí muy poco. Será muy parecido a lo que pienso yo misma: ¿debería haberme comportado de manera diferente? Sin duda creeréis que sí, pero ¿tenía otra opción? Ahora las tengo, pero ahora no es entonces.

¿Debería haber sido capaz de leer el pensamiento de Laura? ¿Debería haberme dado cuenta de lo que pasaba? ¿Debería haber visto lo que se avecinaba? ¿Era yo la guardiana de mi hermana?

«Debería haber» es una expresión fútil. Trata de lo que no ocurrió. Pertenece a un universo paralelo, a otra dimensión del espacio.

Un miércoles de febrero, bajé las escaleras después de la siesta del mediodía. En los últimos tiempos hacía la siesta a menudo: estaba de siete meses y me costaba dormir por la noche. Tenía algunos problemas con la tensión, se me hinchaban los tobillos y me habían dicho que pasara todo el tiempo posible con los pies en alto. Me sentía como un grano de uva inmenso, llena de azúcar y zumo a punto de explotar, fea y patosa.

Aquel día nevaba, lo recuerdo, caían copos grandes, blandos y líquidos; después de poner los pies en el suelo y encontrar la postura, miré por la ventana y vi el castaño, todo blanco, semejante a un coral gigantesco.

Winifred estaba allí, en la sala color de nube. No es que me pareciese insólito —iba y venía como si fuese propietaria de la casa—, pero también estaba Richard. Normalmente, a aquella hora del día solía estar en su despacho. Cada uno de ellos tenía una copa en la mano. Se los veía taciturnos.

—¿Qué pasa? —pregunté—. ¿Ha ocurrido algo malo?

—Siéntate —dijo Richard—. Aquí, a mi lado —añadió señalando el sofá.

—Es algo que te va a sorprender —apuntó Winifred—. Lamento que haya ocurrido en un momento tan delicado.

Fue ella quien habló. Richard me cogió la mano y permaneció con la vista fija en el suelo. De vez en cuando asentía con la cabeza, como si la historia que Winifred contaba le pareciese increíble o excesivamente cierta.

He aquí la esencia de lo que dijo:

Finalmente, Laura había caído. Caído, sí, como si fuera una manzana.

—Tarde o temprano íbamos a necesitar ayuda para la pobre niña, pero pensábamos que se estaba estabilizando —prosiguió. Sin embargo, aquel día, en el hospital donde realizaba sus visitas de beneficencia, había tenido un ataque de nervios. Por suerte había un médico presente, y llamaron a otro, un especialista. El resultado final era que habían decidido que Laura constituía un peligro para ella misma y para los demás y, lamentablemente, Richard se había visto obligado a internarla en una institución.

—Pero ¿qué dices? ¿Qué ha hecho?

Winifred adoptó su expresión de lástima.

—Ha amenazado con hacerse daño a sí misma. Ha dicho cosas que..., bueno, es evidente que sufre delirios.

—¿Qué ha dicho?

—No sé si debería contártelo.

—Laura es mi hermana. Tengo derecho a saberlo —exigí.

—Ha acusado a Richard de intentar matarte.

—¿Ha empleado esas palabras?

—Es lo que quería decir —repuso Winifred.

—No, por favor, dime qué ha dicho exactamente.

—Lo ha acusado de ser un negrero mentiroso y traidor, y un monstruo degenerado que adora al dios Mamón.

—Sé que a veces tiene puntos de vista extremos y que tiende a expresarse de manera un tanto brutal, pero no se puede enviar a alguien al manicomio por decir algo así.

—Hay más —puntualizó Winifred en tono grave.

Richard, para calmarme, dijo que no era una institución típica, de esas que aún se regían por normas victorianas, sino una clínica privada muy buena, una de las mejores, la clínica Bella Vista. Recibiría unos cuidados excelentes.

—¿Qué vista tiene? —pregunté.

—¿Disculpa?

—Bella Vista, ¿no? Pues, ¿qué vista tiene? ¿Qué verá Laura cuando mire por la ventana?

—Espero que no sea una broma —dijo Winifred.

—No. Es muy importante. ¿Es un jardín, una extensión de césped, una fuente o qué? ¿O es algún tipo de callejón miserable?

Ninguno de los dos supo qué responder. Richard dijo que estaba seguro de que era alguna clase de entorno natural. Bella Vista, añadió, estaba fuera de la ciudad. Había muchos parques.

—¿Has estado allí?

—Ya sé que te sientes preocupada, querida —dijo—. Será mejor que vayas a dormir la siesta.

—Acabo de hacerlo. Dímelo, por favor.

—No, no he estado. Claro que no.

—Entonces, ¿cómo lo sabes?

—Por Dios, Iris —dijo Winifred—. ¿Qué importa eso?

—Quiero verla. —Me costaba creer que Laura hubiera perdido los papeles de golpe, aunque es verdad que estaba tan acostumbrada a sus rarezas que ya no me parecían tales. Habría sido muy fácil para mí hacer caso omiso de sus deslices; de las señales delatoras de fragilidad mental, cualesquiera que fuesen.

Según Winifred, los médicos habían advertido que no debíamos ir a ver a Laura durante un tiempo. Se habían mostrado enfáticos al respecto. Estaba demasiado trastornada, y no sólo eso, sino violenta. Además, debíamos tener en cuenta mi estado.

Me eché a llorar. Richard me tendió su pañuelo. Estaba ligeramente almidonado y olía a colonia.

—Hay algo más que deberías saber —prosiguió Winifred—. Es de lo más penoso.

—Quizá sea mejor dejarlo para más tarde —sugirió Richard con voz contenida.

—Es muy doloroso —dijo Winifred con falsa reticencia.

Insistí en saberlo de inmediato, por supuesto.

—La pobre chica asegura que está embarazada —anunció Winifred—. Como tú.

Dejé de llorar.

—¿Sí? ¿Lo está?

—Claro que no —respondió Winifred—. ¿Cómo va a estarlo?

—¿Quién es el padre? —No podía imaginarme que Laura se inventara algo así—. Quiero decir, ¿quién cree ella que es?

—Se niega a decirlo —contestó Richard.

—Estaba histérica —apuntó Winifred—, hecha un lío. Por lo visto, se cree que el bebé que vas a tener en realidad es de ella, por algún motivo que es incapaz de explicar. Es evidente que delira.

Richard meneó la cabeza.

—Muy triste —murmuró en el tono de un director de funeraria, solemne y amortiguado como una gruesa alfombra granate.

—El especialista (el especialista en psiquiatría), explicó que Laura debe de tener unos celos insanos de ti —dijo Winifred—. Está celosa de todo lo tuyo; quiere vivir tu vida, quiere ser tú, y ésta es la forma en que pretende conseguirlo. Aconsejó que te mantuvieras a distancia. —Dio un pequeño sorbo de la bebida—. ¿Nunca has sospechado nada?

Ya veis lo inteligente que era esa mujer.

Aimee vino al mundo a principios de abril. Como en aquel tiempo utilizaban éter, no tuve conciencia del parto. Inhalé y perdí el conocimiento, para despertar más débil y plana. El bebé no estaba a mi lado, sino en la nursery, con el resto de los recién nacidos. Era una niña.

—No tiene nada malo, ¿verdad? —pregunté. Me daba mucho miedo.

—Diez dedos en las manos y diez en los pies —repuso de inmediato la enfermera—, y no tiene nada que no deba tener.

Por la tarde me trajeron a la niña, envuelta en una manta rosada. Yo ya la había bautizado, mentalmente. Aimee quería decir «amada», y yo confiaba en que la quisieran, que alguien la quisiera. Dudaba de mi propia capacidad para amarla, o para amarla todo lo necesario. Me había quedado demasiado vacía, no me parecía que quedase mucho de mí.

Aimee se parecía a cualquier recién nacido: tenía la cara aplastada, como si hubiera chocado contra una pared yendo a gran velocidad, y la cabeza cubierta de pelos largos y oscuros. Me miraba de reojo, entornando los párpados, con expresión de desconfianza. ¡Menuda paliza es eso de nacer!, pensé; el primer encuentro brusco con el aire exterior debe de ser una sorpresa horrible. Me dio pena la pobre criatura; juré hacer todo lo posible por ella.

Mientras nos examinábamos mutuamente, llegaron Winifred y Richard. La enfermera, de entrada, pensó que eran mis padres.

—No, él es el orgulloso papá —dijo Winifred, y todos se rieron.

Los dos me traían flores, además de una elaborada canastilla, toda ganchillo y lazos de raso blanco.

—¡Adorable! —exclamó Winifred—. Pero, por el amor de Dios, siempre pensé que sería rubia, y es absolutamente morena. ¡Mira qué pelo!

—Lo siento —me disculpé dirigiéndome a Richard—. Ya sé que querías un niño.

—La próxima vez, querida —dijo él. No parecía consternado en absoluto.

—Ese pelo lo tienen al nacer —le explicó la enfermera a Winifred—. Muchos nacen con él, a veces con melena y todo. Se les cae y luego les sale el pelo de verdad. Puede agradecer a los astros que no tenga dientes o cola, como otros.

—El abuelo Benjamin era moreno antes de que el pelo se le volviera blanco —apunté—, y la abuela Adelia también, y padre, desde luego, aunque no sé cómo eran sus dos hermanos. El lado rubio de la familia era el de mi madre. —Hice el comentario en un tono neutro, y me alivió notar que Richard no prestaba atención.

¿Me sentía agradecida de no tener a Laura conmigo, de que estuviera encerrada en alguna parte y yo no pudiera hablar con ella, de que ella no pudiera hablar conmigo, no pudiera sentarse junto a mi cama como el hada no invitada al bautizo para preguntarme: ¿«De qué hablas»?

Ella se habría dado cuenta, desde luego. Se habría dado cuenta al instante.

Resplandeciente estaba la luna

Anoche vi a una mujer que se prendía fuego a sí misma; era una mujer joven y delgada, vestida con telas de gasa inflamables. Lo hacía como acto de protesta por alguna injusticia, pero ¿por qué creía que convertirse en hoguera resolvería algo? «Oh, no lo hagas —deseé decirle—. No quemes tu vida. Sea cual sea la razón, no vale la pena.» Para ella, sin embargo, era evidente que valía la pena.

¿Qué las posee, a esas jóvenes de talento que se inmolan? ¿Lo hacen para demostrar que las chicas son valientes, que pueden hacer algo más que llorar y lamentarse, que también son capaces de enfrentarse a la muerte con brío? ¿De dónde surge esa necesidad? ¿Empieza como un desafío? Y si es así, ¿cuál es la causa? ¿El pesado y sofocante orden de las cosas, la gran cuadriga del centro de cuyas ruedas salen aguijones, los tiranos ciegos, los dioses ciegos? ¿Son esas chicas tan insensatas o arrogantes como para pensar que pueden detener la trayectoria de esas cosas ofreciendo su vida en un altar teórico, o se trata de una especie de testimonio? No deja de ser admirable, si uno siente admiración por la obsesión. Y denota bastante valentía, también. Pero es completamente inútil.

Me preocupa Sabrina, en este aspecto. ¿Qué estará haciendo en el otro extremo de la Tierra? ¿La habrán poseído los cristianos, o los budistas, o habitará en su campanario otra clase de murciélago? «Lo que hacéis al menor de mis hijos a mí me lo hacéis.» ¿Son ésas las palabras de su pasaporte a la futilidad? ¿Quiere expiar los pecados de su malvada y deplorable familia, cargada de dinero? Desde luego, confío que no.

Algo de eso había en el caso de Aimee, pero en ella adoptó una forma más lenta, con más rodeos. Laura saltó del puente cuando Aimee tenía ocho años, Richard murió cuando tenía diez. Era inevitable que esos acontecimientos la afectaran y, entonces, entre Winifred y yo la destrozamos. Ahora Winifred no habría ganado la batalla, pero entonces sí. Apartó a Aimee de mi lado, y por mucho que lo intenté, nunca logré recuperarla.

No es extraño que, al alcanzar la mayoría de edad y recibir el dinero que le había dejado Richard, Aimee desertara, se lanzara a la búsqueda de todo tipo de formas químicas de consuelo y se dejara arrancar la piel por un hombre tras otro. (¿Quién era, por ejemplo, el padre de Sabrina? Difícil de saber, Aimee nunca lo dijo. «Haz girar la rueda —decía—, y elige tú misma.»)

Intenté establecer contacto con ella. Confiaba en llegar a una reconciliación —al fin y al cabo se trataba de mi hija, me sentía culpable por ella y quería compensarla—, resarcirla por haber convertido su vida en un erial, pero entonces se volvió contra mí —y también contra Winifred, lo que al menos me consolaba un poco—. No dejaba que ninguna de las dos se acercara a ella, ni a Sabrina, sobre todo a Sabrina. No quería que la contamináramos.

Cambiaba de domicilio a menudo, sin tregua. Un par de veces la echaron por no pagar el alquiler; la arrestaron por provocar alboroto. Estuvo hospitalizada en varias ocasiones. Supongo que podría decirse que se había convertido en una alcohólica inveterada, aunque odio el término. Como contaba con dinero suficiente, nunca tuvo que buscar trabajo, y menos mal, porque habría sido incapaz de conservarlo. O quizá no, quizá todo habría sido distinto si no hubiera podido ir de un lado a otro, si hubiera tenido que concentrarse en ganarse el pan en lugar de dedicarse a hurgar en todas las heridas que sentía que le habían infligido. El hecho de vivir una circunstancia no merecida provoca que los que tienen tendencia a ello se compadezcan de sí mismos.

La última vez que fui a ver a Aimee vivía en una sórdida casa de la calle Parliament, en Toronto. Junto a la acera, agachada en un cuadro de tierra, había una niña, una pilluela mugrienta, con la cabeza como una fregona, pantalón corto y sin camiseta, que supuse era Sabrina. Tenía una vieja taza de metal en la mano y metía tierra en ella con una cuchara torcida. Era una criatura avispada: me pidió una moneda de un cuarto de dólar. ¿Se la di? Seguramente. «Soy tu abuela», le dije, y me miró boquiabierta, como si yo estuviera loca. Sin duda, jamás le habían hablado de la existencia de tal persona.

Aquella vez, hablé largo y tendido con una vecina. Parecían gente decente, o al menos lo bastante para dar de comer a Sabrina cuando Aimee se olvidaba de volver a casa. Creo recordar que su apellido era Kelly. Fueron los que llamaron a la policía cuando encontraron a Aimee al final de las escaleras con el cuello roto. Nunca sabremos si cayó, la empujaron o se tiró.

Aquel día debería haberme llevado a Sabrina y huir con ella a México. Lo habría hecho si hubiera sabido lo que iba a ocurrir, que Winifred se la llevaría y me impediría verla, como había hecho con Aimee.

¿Le habría ido mejor a Sabrina si se hubiera quedado conmigo en lugar de irse con Winifred? ¿Cómo debía de sentarle eso de vivir con una mujer mayor, rica, vengativa y enconada, en lugar de hacerlo con una mujer pobre, vengativa y enconada, es decir, conmigo? Pero yo la habría querido. Dudo que Winifred la quisiera. Sólo la quería para fastidiarme a mí, para castigarme, para demostrarme que había ganado.

Pero aquel día no me llevé a la niña. Llamé a la puerta y, al no recibir respuesta, abrí, entré y subí las estrechas y oscuras escaleras hasta el apartamento del primer piso. Aimee estaba en la cocina, sentada ante una mesa pequeña y redonda, mirándose las manos, que sujetaban una taza de café con el dibujo de una sonrisa. Tenía la taza cerca de los ojos y la movía a un lado y a otro. Estaba pálida, despeinada, muy poco atractiva, la verdad. Fumaba un cigarrillo y, seguramente, estaba bajo el influjo de alguna droga mezclada con el alcohol que se olía en el aire, junto con el humo antiguo, el fregadero sucio y el cubo de la basura sin lavar.

Intenté hablar con ella. Empecé con gentileza, pero no me escuchaba. Me dijo que estaba harta de nosotros. Que especialmente estaba harta de que se lo ocultáramos todo. La familia le había ocultado muchas cosas, nadie quería decirle la verdad, sólo abríamos la boca para emitir palabras que no conducían a nada.

A pesar de ello, se lo imaginaba, afirmó. Se sentía robada, privada de su herencia, porque yo no era su madre de verdad ni Richard su auténtico padre. Estaba todo en el libro de Laura, explicó.

Le pregunté qué demonios quería decir. Repuso que estaba claro, que su verdadera madre era Laura y su verdadero padre aquel hombre, el de *El asesino ciego*. La tía Laura se había enamorado de él y nosotros le habíamos arruinado la vida, ingeniándonoslas para hacer desaparecer a ese amante desconocido. Tuvo que huir asustado, comprado, perseguido, lo que fuera; ella había vivido en la casa de Winifred el tiempo suficiente para ver de qué modo hacía las cosas la gente como nosotros. Entonces, cuando Laura se quedó embarazada de él, la enviamos fuera para evitar el escándalo y, cuando mi propio bebé nació muerto, le robamos el suyo a Laura para adoptarlo y hacerlo pasar por nuestro.

El discurso distaba de ser coherente, pero lo que venía a decir, en esencia, era eso. Saltaba a la vista lo atractiva que debía de resultarle semejante fantasía; si estuviera en situación de elegir, ¿a quién no le gustaría tener como madre a un ser mítico, en lugar de a un ser real deteriorado?

Le dije que se equivocaba, pero no me escuchó. No le extrañaba no haberse sentido nunca feliz con Richard y conmigo. Jamás nos comportamos como sus verdaderos padres, porque en realidad no lo éramos. Y tampoco le extrañaba que la tía Laura se hubiera tirado de un puente; lo habría hecho porque le habíamos destrozado el corazón. Probablemente hubiese dejado una nota para Aimee explicándole todo eso, para que la leyera cuando fuese mayor, pero seguro que Richard y yo la destruimos.

No le extrañaba que yo hubiese sido una madre tan mala, añadió. Nunca la había querido de verdad. De lo contrario, la habría puesto por encima de todo lo demás. Habría tenido en cuenta sus sentimientos. No me habría separado de Richard.

—Es posible que no haya sido una madre perfecta —reconocí—. Estoy dispuesta a admitirlo, pero hice lo que pude dadas las circunstancias, algo sobre lo que en realidad sabes muy poco. —¿Qué estaba haciendo con Sabrina?, agregué. ¿Cómo dejaba que saliese de la casa sin ropa, sucia como una mendiga...? Era pura negligencia, la niña podía desaparecer en cualquier momento, siempre hay niños que desaparecen. Yo era la abuela de Sabrina, estaba dispuesta a llevármela y...

—Tú no eres su abuela —me interrumpió Aimee, llorando—. Su abuela es la tía Laura. O lo era, puesto que está muerta, ¡tú la mataste!

—No seas estúpida —le espeté. No era la reacción adecuada: cuanta más vehemencia se emplea en negar esa clase de cosas, más se las cree la gente; pero cuando alguien está asustado, a menudo da la peor respuesta, y Aimee me había asustado.

Al oír que la llamaba estúpida, se puso a chillarme. Yo era la estúpida, masculló. Peligrosamente estúpida, además; tan estúpida que ni siquiera sabía lo estúpida que era. Pronunció una serie de palabras que no pienso repetir aquí y luego cogió la taza con la sonrisa dibujada y me la arrojó. A continuación se acercó a mí, vacilante, berreando y emitiendo sollozos estremecedores. Estiraba los bra-zos en lo que me pareció una actitud amenazadora. Yo estaba perturbada, afectada, fui retrocediendo, sin soltar la baranda, esquivando objetos: un zapato, un plato. Cuando llegué a la puerta, eché a correr.

Quizá yo también debería haber alargado los brazos. Tendría que haberla abrazado, que haber llorado, y después, haberme sentado con ella para contarle la historia que os estoy contando ahora. Pero no lo hice. Perdí la oportunidad y lo lamento amargamente.

Fue sólo tres semanas después de eso cuando Aimee cayó por las escaleras. La lloré, desde luego, pues se trataba de mi hija, pero he de admitir que a quien lloré fue a la niña que había sido mucho tiempo atrás. Lloré por lo que habría podido ser, lloré por las posibilidades perdidas. Más que nada, lloré por mis propios fallos.

Cuando Aimee murió, Winifred se apoderó de Sabrina. La posesión constituye las nueve décimas partes de la ley, y ella llegó antes a la escena. Se llevó a Sabrina a su pequeña mansión remodelada de Rosedale y, en un abrir y cerrar de ojos, se declaró tutora oficial de la niña.

Yo pensé en pleitear, pero habría sido una repetición de la batalla por Aimee, y estaba destinada a perder.

Cuando Winifred se hizo cargo de Sabrina, yo aún no tenía sesenta años; aún podía conducir. De vez en cuando iba a Toronto y seguía a Sabrina como un sabueso en una vieja historia de detectives. Me quedaba fuera de la escuela primaria a la que asistía —su nueva escuela primaria, muy exclusiva— sólo para echarle un vistazo y asegurarme de que, a pesar de todo, estaba bien.

Me encontraba en Eaton's, por ejemplo, la mañana en que Winifred la llevó a comprarse unos zapatos de fiesta, pocos meses después de haberse quedado con ella. Es indudable que, fiel a su estilo, jamás consultaba a Sabrina a la hora de comprarle la ropa, pero los zapatos tenía que probárselos y, por alguna razón, Winifred no había confiado esa tarea a los criados.

Era Navidad —las columnas de los almacenes estaban engalanadas con falsas hojas de acebo, piñas espolvoreadas de purpurina dorada y una cinta de terciopelo rojo colgada sobre cada umbral— y Winifred, para su disgusto, se vio atrapada en medio de los villancicos. Me encontraba en el pasillo contiguo. Yo ya no vestía como antes —llevaba un viejo abrigo de tweed y un pañuelo en la cabeza que me tapaba la frente— y, aunque me miró, no me reconoció. Debió de pensar que era una mujer de la limpieza o una inmigrante en busca de ofertas. Ella iba de punta en blanco, como siempre, pero aun así se la veía un poco estropeada. Bueno, ya debía de rondar los setenta, y a partir de determinada edad la manera de maquillarse tiende a dar cierto aspecto de momia. No debería haber seguido pintándose los labios de naranja, era demasiado chillón para ella.

Observé los empolvados surcos de exasperación entre sus cejas, los músculos tensos de su mandíbula cubierta de colorete. Arrastraba a Sabrina por el brazo intentando abrirse camino entre el coro de compradoras voluminosas con abrigos de invierno; el entusiasmo y la espontaneidad de las canciones debieron de parecerle detestables. Por otro lado, Sabrina quería escuchar la música. Se rezagaba y se dejaba llevar igual que un peso muerto, como hacen los niños, resistiéndose involuntariamente. Tenía el brazo levantado, como una niña buena que se ofrece a responder a una pregunta en la escuela, pero fruncía el entrecejo con expresión de diablillo. Debía de dolerle lo que hacía, es decir adoptar una postura firme, expresar una convicción. Resistir.

La canción era *El buen rey Wenceslao*. Sabrina sabía la letra: la vi mover la boca. «Resplandecía la luna aquella noche, si bien la helada era cruel —cantaba—. Cuando un pobre hombre apareció en el bosque, en busca de leña para quemar.»

Es una canción sobre el hambre. Sabrina parecía entenderlo; todavía debía de recordar lo que era pasar hambre. Winifred tiraba de ella y miraba nerviosa alrededor. No me vio, pero me sintió, como una vaca percibe la presencia de un lobo detrás de la valla. Winifred era asustadiza, pero no tenía miedo. Si por casualidad alguna vez la asaltaba mi recuerdo, sin duda debía de pensar que, gracias a Dios, me encontraba lejos de su vista, en la oscuridad exterior a la que me había confinado. Sentí un impulso abrumador de arrancarle a Sabrina de las manos y huir corriendo. Podía imaginarme el grito tembloroso de Winifred mientras me abría paso entre el impasible coro que a voz en cuello cantaba cómodamente sobre la dureza del clima.

La agarraría con fuerza, no tropezaría, no se me caería. Pero tampoco llegaría muy lejos. Saldrían detrás de mí al instante.

Así pues, abandoné sola los grandes almacenes y caminé sin parar, cabizbaja, con el cuello del abrigo subido, por las aceras del centro. Soplaba el viento procedente del lago y la nieve se arremolinaba. Era de día, pero a causa de las nubes bajas y la nieve había poca luz, los coches circulaban lentamente por las calles y sus luces traseras rojas se alejaban de mí como los ojos de bestias jorobadas que anduviesen hacia atrás.

Llevaba un paquete en las manos —he olvidado qué había comprado— e iba sin guantes. Supongo que se me cayeron en la tienda, entre los pies de la gente. Apenas los echaba de menos. En otros tiempos había sido capaz de atravesar una tormenta de nieve con las manos desnudas sin darme ni cuenta. Es el amor, el odio o el terror, o la pura rabia, lo que hace esa clase de cosas por ti.

Durante el día, solía soñar despierta —todavía me ocurre, ahora que lo pienso—. Eran ensoñaciones bastante ridículas, aunque a menudo es a través de esta clase de imágenes como damos forma a nuestros destinos. (Os habréis dado cuenta de la rapidez con que me dejo llevar por un lenguaje exagerado, como lo de dar forma a nuestros destinos, en cuanto me desvío en esta dirección. Pero da igual.)

En esa ensoñación, Winifred y sus amigas, tocadas con coronas de dólares, están reunidas alrededor de la cama blanca con volantes mientras ella habla dormida de lo que le otorgarán. Ya le han ofrecido la copa de plata grabada de Birks, el papel del cuarto de los niños con el friso de osos domesticados, las primeras perlas para su collar y todos los demás regalos dorados, perfectamente *comme il faut*, que cuando salga el sol se convertirán en carbón. Están planeando la ortodoncia, las clases de tenis, de piano y de baile, y el exclusivo campamento de verano. ¿Qué esperanzas tiene?

En este momento, aparezco en un halo de luz sulfurosa, una nube de humo y un batir de alas de cuero tiznado, cual oveja negra madrina no invitada.

—Yo también quiero darle un regalo —grito—. ¡Tengo derecho!

Winifred y su grupo se echan a reír y me señalan.

—¿Tú? ¡Tú te desvaneciste hace ya tiempo! ¿Te has mirado en el espejo últimamente? Te has abandonado, parece que tengas más de cien años. ¡Vuelve a tu vieja cueva maloliente! ¿Qué puedes ofrecerle?

—Le ofrezco la verdad —respondo—. Soy la última que puede hacerlo. Es lo único que seguirá en esta habitación por la mañana.

El restaurante Betty's

Pasaron varias semanas, y Laura no volvía. Yo quería escribirle, llamarla, pero Richard me decía que no le haría ningún bien. Ninguna voz del pasado debía irrumpir en su vida. Tenía que concentrarse por completo en su situación inmediata, en el tratamiento a que estaba sometida. Eso le habían dicho. En cuanto a la naturaleza de ese tratamiento, él no era médico ni pretendía entender esas cosas. Sin duda era mejor dejarlo a los expertos.

Yo me torturaba con visiones de Laura debatiéndose o bien en una fantasía propia o bien en la de la gente que la rodeaba, ambas igualmente dolorosas. ¿Y cuando la una se convertía en la otra? ¿Dónde estaba el umbral que separaba el mundo interior del exterior? Todos atravesamos sin darnos cuenta ese umbral cada día, utilizamos las palabras clave de la gramática —«yo digo, tú dices; él y ella dicen; esto, por otro lado, no dice»— pagando el privilegio de la cordura con moneda común, con significados sobre los que estamos de acuerdo.

Pero, desde pequeña, Laura nunca estuvo del todo de acuerdo. ¿En eso consitía el problema, en que se aferraba al no cuando lo que se le exigía era un sí? No debía profundizar en ello, pues corría el riesgo de que me perturbara, y era importante que conservase las energías para ejercer de madre.

—En pocos días te tendremos otra vez recuperada —declaró Richard, acariciándome el brazo.

—En realidad, no estoy enferma —dije.

—Ya me entiendes —repuso—. Todo volverá a la normalidad. —Me dedicó una sonrisa amable y una mirada casi lasciva. Tenía los ojos cada vez más pequeños, o la piel que los rodeaba empezaba a ceder, lo que le confería una expresión de astucia. Estaría preguntándome cuándo podría volver al lugar que le correspondía: encima de mí. Yo pensaba en que me dejaría sin aliento. Estaba engordando, a menudo comía fuera, hacía menos discursos en clubes, en reuniones importantes, serias, aburridas, en las que hombres importantes y serios se encontraban para analizar la situación, porque —todo el mundo lo sospechaba— se avecinaban malos tiempos.

Tanto discurso en ocasiones llega a inflar a un hombre. He observado el proceso muchas veces. Es la clase de palabras empleadas en los discursos, que tienen un efecto de fermentación en el cerebro. Se ve en la televisión, en los programas de contenido político: las palabras les salen de la boca como si fueran burbujas de gas.

Decidí estar enferma todo el tiempo que me fuera posible.

Cada vez me sentía más inquieta por mi hermana. Analizaba de arriba abajo la historia que había contado Winifred, considerándola desde todos los ángulos. Me resultaba imposible creerla, pero también dejar de creerla.

Laura siempre había poseído un poder enorme: el de romper cosas sin tener intención de hacerlo. Tampoco había respetado los territorios, ni una sola vez. Lo que era mío era suyo: mi pluma, mi colonia, mi vestido de verano, mi sombrero, mi cepillo. ¿Había aumentado el catálogo para incluir a mi bebé por nacer? De todos modos, si sufría alucinaciones —si sólo inventaba cosas—, ¿por qué había inventado precisamente aquélla?

Pero supongamos, por otro lado, que Winifred mentía. Supongamos que Laura estaba en su sano juicio, como siempre. En tal caso, mi hermana habría dicho la verdad, y si lo había hecho, quería decir que estaba embarazada. Si realmente iba a tener un bebé, ¿qué sería de él? Y ¿por qué no me había dicho nada y sí se lo había dicho a un médico, a un extraño? ¿Por qué no me había pedido ayuda? Pensé en ello durante un tiempo. Podía tener múltiples razones. Mi delicado estado tal vez fuese una de ellas.

En cuanto al padre, tanto si era imaginado como real, sólo había un hombre posible. Tenía que ser Alex Thomas.

Pero era impensable, definitivamente.

Ya no sabía cómo habría respondido Laura a estas preguntas. Se había vuelto una desconocida para mí, tanto como desconocido es el interior del guante cuando tienes la mano dentro de él. Siempre estaba conmigo, pero yo no podía mirarla. Sólo podía sentir la forma de su presencia, una forma hueca, llena de mis propias figuraciones.

Pasaron los meses. Vino junio, luego julio, después agosto. Winifred comentó que se me veía pálida y agotada, que tenía que pasar más tiempo al aire libre. Si no quería apuntarme al tenis o al golf, como me había sugerido repetidas veces —no me iría mal para esa barriguita que me había quedado, de la que era mejor librarse antes de que se volviera crónica—, al menos podía trabajar en mi jardín rocoso. Se trataba de un pasatiempo muy compaginable con la maternidad.

A mí no me gustaba el jardín rocoso, que sólo era mío en teoría, como tantas cosas. (Como «mi» bebé, ahora que lo pienso; seguro que era un niño abandonado por los gitanos, seguro que a mi bebé de verdad —un bebé que lloraba menos y sonreía más, y no era tan cáustico— lo habían hecho desaparecer.) La resistencia del jardín rocoso a mis cuidados era similar; nada de lo que le hacía parecía complacerlo. Las piedras quedaban muy bien —había mucho granito rosado, junto con la piedra caliza—, pero no conseguía que creciera nada en él.

Me entretenía con mis libros: *Plantas perennes de jardín rocoso*, *Plantas carnosas para climas del norte*, y cosas así. Estudiaba los libros y hacía listas: de lo que podía plantar o de lo que ya había plantado; de lo que debería estar creciendo y no crecía. Tornasoles, dragos, siemprevivas. Los nombres me gustaban, pero las plantas me daban igual.

—No tengo mano para las plantas —le dije a Winifred—. Al contrario que tú. —Mi pretensión de incompetencia se había convertido en algo natural, apenas tenía que aparentarla. Winifred, por su parte, ya no encontraba conveniente mi irresponsabilidad.

—Si hicieras un esfuerzo... —dijo, y le presenté mis listas de plantas muertas.

—Las piedras son muy bonitas —comenté—. ¿No crees que podríamos considerar que se trata de una escultura?

Decidí ir a ver a Laura por mi cuenta. Pensé dejar a Aimee con la nueva institutriz, que para mí era otra señora Murgatroyd —todos nuestros sirvientes eran Murgatroyd, todos estaban confabulados—, pero la institutriz alertaría a Winifred. No podía desafiarlos a todos; quizá salir una mañana y llevarme a Aimee conmigo, en tren. Pero ¿adónde? No sabía dónde estaba Laura, dónde la habían escondido. Decían que la clínica Bella Vista estaba en el norte, pero el norte cubría mucho territorio. Escudriñé en la mesa del estudio de Richard, pero no encontré ninguna carta de la clínica. Debía de tenerla en la oficina.

Un día Richard llegó pronto a casa. Se le veía bastante preocupado. Me informó de que Laura ya no estaba en Bella Vista.

—¿Cómo es eso?

Explicó que había llegado un hombre que aseguraba ser el abogado de Laura, o que actuaba en su nombre. Era el administrador del fondo de fideicomiso de la señorita Chase. Había desafiado la autoridad mediante la cual había sido internada en Bella Vista, y amenazaba con interponer una acción legal. ¿Sabía yo algo de todo eso?

No, no sabía nada. (Mantenía las manos cruzadas en el regazo.

Expresé sorpresa y un leve interés. No expresé regocijo.) ¿Y qué pasó entonces?, pregunté.

El director de Bella Vista estaba ausente, el personal no sabía qué hacer. La dejaron salir bajo la custodia de aquel hombre. Pensaron que la familia preferiría evitar un escándalo. (El abogado había amenazado con ello.)

Bueno, dije, supongo que hicieron lo que tenían que hacer.

Sí, repuso Richard, sin duda, pero ¿estaba Laura *compos mentis*? Por su propio bien, por su propia seguridad, eso es lo primero que había que determinar. Aunque superficialmente había mantenido la calma, el personal de Bella Vista tenía sus dudas. ¿Quién sabía a qué peligros podía exponer a los demás, e incluso a sí misma, si se le permitía actuar a sus anchas?

¿Por casualidad sabía yo dónde estaba?

No lo sabía.

¿Había oído algo de ella?

No había oído nada.

¿No vacilaría en comunicárselo, de darse tal eventualidad?

No vacilaría. Ésas fueron exactamente mis palabras. Era una frase sin complemento, de modo que, técnicamente, no estaba mintiendo.

Dejé transcurrir un lapso prudencial de tiempo y fui a Port Ticonderoga, en tren, para hablar con Reenie. Inventé una llamada: le conté a Richard que Reenie no se encontraba bien y quería verme antes de que le pasara algo. Le di a entender que se hallaba a las puertas de la muerte y que le hacía ilusión ver una fotografía de Aimee y hablar de los viejos tiempos. Era lo mínimo que podía hacer por ella. Al fin y al cabo, prácticamente nos había criado. Me había criado, me corregí, para evitar que Richard se pusiera a pensar en Laura.

Quedé con Reenie en el restaurante Betty's. (A esas alturas ya tenía teléfono, estaba bien instalada en el mundo.) Dijo que le parecía lo mejor. Todavía trabajaba allí parte del tiempo, pero podíamos reunirnos cuando terminase su turno. Los propietarios de Betty's eran nuevos, me explicó; a los anteriores no les habría gustado que se sentara allí como una clienta, aunque pagara, pero los nuevos eran conscientes de que necesitaban a todos los clientes posibles.

Betty's se hallaba en franca decadencia. El toldo rayado había desaparecido, los oscuros compartimientos estaban cubiertos de arañazos y suciedad. Ya no olía a vainilla fresca, sino a grasa rancia. Yo iba excesivamente arreglada, me di cuenta enseguida. No debería haberme puesto el cuello de zorro blanco. ¿Qué sentido tenía alardear, en aquellas circunstancias?

No me gustó el aspecto de Reenie: estaba demasiado gorda, demasiado amarilla, su respiración era demasiado pesada. Quizá fuese verdad que no se encontraba bien de salud; dudaba si preguntárselo o no.

—Qué bien descansar un poco los pies —dijo mientras se sentaba delante de mí en el compartimiento.

Myra —¿cuantos años tenías entonces, Myra?; he perdido la cuenta, pero debían de ser tres o cuatro—, estaba con ella. Tenía las mejillas rojas de excitación, los ojos muy redondos y ligeramente salidos, como si estuvieran estrangulándola con amabilidad.

—Se lo he contado todo de ti —dijo Reenie afectuosamente—. De las dos.

Myra no se mostraba muy interesada en mí, he de admitirlo, aunque sí intrigada por los zorros que llevaba al cuello. A esas edades los niños suelen manifestar curiosidad por los animales con pelo, aunque estén muertos.

—¿Has visto a Laura o has hablado con ella? —le pregunté.

—Cuanto menos se habla, más fácil se enmienda —repuso Reenie echando una mirada alrededor, como si incluso allí las paredes pudieran tener oídos. A mí no me parecía necesaria tanta cautela.

—Supongo que fuiste tú quien llamó al abogado —le aventuré.

Reenie parecía al corriente del tema.

—Hice lo que tenía que hacer —dijo—. En todo caso, el abogado era primo segundo del marido de tu madre, pariente en cierto modo. Enseguida vio de qué iba, en cuanto me enteré de lo que ocurría, claro.

—¿Cómo te enteraste? —Me guardé el «de qué te enteraste» para más tarde.

—Me escribió —dijo Reenie—. Me explicó que te había escrito pero que no le contestabas. No tenía permiso para enviar cartas, pero la ayudó la cocinera. Laura le envió dinero más tarde, para agradecerle la ayuda.

—A mí no me llegó ninguna carta.

—Es lo que se imaginaba. Daba por supuesto que ellos las interceptarían.

Yo sabía muy bien a quién se refería.

—Supongo que vino aquí —dije .

—¿Adónde iba a ir la pobre criatura? —inquirió Reenie—. Después de todo lo que ha tenido que pasar.

—¿Lo que ha tenido que pasar? —Me moría de ganas de saberlo y, al mismo tiempo, me daba miedo. Me repetía a mí misma que Laura tal vez estuviera inventándose cosas, que quizá fuese víctima de delirios, lo que no podía descartarse.

Reenie, sin embargo, lo había descartado; le daba igual la historia que Laura le hubiese contado, creía en ella. Yo dudaba que se tratase de la misma historia que me habían referido. Dudaba sobre todo que hubiera bebé alguno.

—Como hay niños presentes, no entraré en detalles —dijo. Hizo un gesto de asentimiento hacia Myra, que estaba zampándose un pastel rosado espeluznante y me miraba fijamente como si fuera a lamerme—. Si te lo contara todo, no podrías dormir por la noche. El único consuelo es que tú no tuviste nada que ver con ello. Eso es lo que dijo Laura.

—¿Dijo eso? —Me aliviaba oírlo. Richard y Winifred habían sido calificados de monstruos y yo había sido excusada; sobre la base de debilidad moral, sin duda. De todos modos, me daba cuenta de que Reenie no me había perdonado por completo el que hubiera permitido que ocurriese todo eso. (Después de que Laura saltara del puente, aún me perdonó menos. Desde su punto de vista, era evidente que yo había tenido algo que ver. A partir de entonces se distanció de mí. Murió resentida.)

—No deberían haberla metido en un sitio así, a una niña como ella —prosiguió—. No hay excusa. Los hombres iban de un lado a otro con la bragueta abierta... ¡Era vergonzoso!

—¿Mordían? —preguntó Myra, tendiendo una mano hacia mis zorros.

—No toques eso —le advirtió Reenie—. Tienes los dedos pegajosos.

—No —dije—. No son de verdad. Mira, tienen ojos de cristal. Sólo se muerden la cola.

—Decía que, si te hubieras enterado, no la habrías dejado allí dentro —continuó Reenie—. Suponiendo que lo supieras. Dijo que, a pesar de todo, no eras cruel. —Frunció el entrecejo. Estaba claro que tenía sus dudas al respecto—. Prácticamente sólo comían patatas —añadió—. En puré y hervidas. Les escatimaban la comida, les quitaban el pan de la boca a los pobres locos y chiflados internados, para llenarse los bolsillos ellos, supongo.

—¿Adónde ha ido? ¿Dónde está ahora?

—Eso es entre tú y yo y no debe salir de aquí —musitó Reenie—. Me dijo que era mejor que no lo supieras.

—¿Parecía..., estaba...? —Quería preguntar si saltaba a la vista que estaba loca.

—Estaba exactamente como siempre. Ni más ni menos. No estaba chiflada, si te refieres a eso —repuso Reenie—. Más delgada, sí, tiene que engordarse un poco, y no habla tanto de Dios. Sólo espero que, para variar, él se mantenga al margen.

—Gracias, Reenie, por todo lo que has hecho —dije.

—No hace falta que me des las gracias —repuso Reenie—. Hice lo que tenía que hacer.

Con eso quería decir que yo no lo había hecho.

—¿Puedo escribirle? —Me puse a buscar el pañuelo.

Tenía ganas de llorar.

Me sentía como una criminal.

—Me dijo que mejor no. Pero quería que supieras que dejó un mensaje para ti.

—¿Un mensaje?

—Lo dejó antes de irse a ese sitio. Dijo que ya sabrías dónde buscarlo.

—¿Éste es tu pañuelo? ¿Estás resfriada? —inquirió Myra, observando con interés cómo me sorbía la nariz.

—Si haces demasiadas preguntas se te caerá la lengua —le reconvino Reenie.

—No es verdad —replicó Myra con suficiencia. Empezó a tararear desafinando y a golpearme las rodillas con sus gruesas piernas por debajo de la mesa. Era confiada y alegre, por lo visto, y no se asustaba fácilmente, cualidades que a menudo me han parecido irritantes pero que he llegado a agradecer. (Lo que quizá sea una noticia nueva para ti, Myra. Acéptalo como un cumplido, ahora que puedes. Ya sabes que a la ocasión la pintan calva.)

—Pensé que te gustaría ver una fotografía de Aimee —le dije a Reenie. Al menos tenía aquel trofeo para enseñar, para redimirme ante sus ojos.

Reenie tomó la foto.

—Cielos, qué morenita es, ¿no? —comentó—. Nunca se sabe a quién se parecerá un niño.

—Quiero verla —pidió Myra, cogiéndola con sus manos cubiertas de azúcar.

—Pues hazlo rápido. Hemos de irnos, o llegaremos tarde para recibir a tu padre.

—No —dijo Myra.

—Por humilde que sea, no hay nada como el hogar —canturreó Reenie quitando restos de helado de la nariz de Myra con una servilleta de papel.

—Quiero quedarme aquí —exigió Myra, pero su madre le puso el abrigo, le encasquetó el gorro de lana hasta las orejas y la sacó del compartimiento.

—Cuídate —dijo Reenie. No me besó.

Yo quería lanzarme a sus brazos y llorar sin parar. Quería sentirme consolada. Quería ser yo quien se iba con ella.

—No hay nada como el hogar —dijo un día Laura, cuando tenía once o doce años—. Reenie solía cantar eso. Me parece una estupidez.

—¿Qué quieres decir?

—Mira. —Lo escribió como una ecuación. «Si nada es igual a hogar, hogar es igual a nada. Por lo tanto, el hogar no existe.»

El hogar es donde está el corazón de uno, pensé entonces en el restaurante Betty's, mientras me recuperaba. Se me había roto el corazón, o sencillamente ya no estaba en su sitio. Me lo habían sacado limpiamente como la yema de un huevo duro y me habían dejado el cuerpo sin sangre, cuajado y hueco.

«No tengo corazón —pensé—. Por tanto, no tengo hogar.»

El mensaje

Ayer estaba demasiado cansada para hacer algo más que permanecer tendida en el sofá. Como ya está convirtiéndose en un hábito sin duda desdeñable, me he puesto a mirar un programa de entrevistas de ésos de cotilleo. Ahora está de moda eso de cotillear. La gente cotillea sobre sí misma y sobre los demás, cotillea sobre todo lo que se le pone a tiro y lo que no. Lo hacen guiados por un sentimiento de culpabilidad y angustia, y por su propio placer, pero sobre todo porque quieren exhibirse y los demás quieren ver cómo lo hacen. No me eximo de ello: me encantan esos pecaditos repugnantes, esos enredos familiares miserables, esos traumas tan preciados. Me gusta la esperanza con que se abre la tapa de la lata de gusanos como si fuera un sorprendente regalo de cumpleaños, y luego la expresión de anticlímax de los que observan: las lágrimas forzadas y escasas, el regodeo en la compasión, el aplauso provocado y obligado. «¿Eso es todo? —deben de pensar—. ¿No cree usted que esta herida suya en carne viva es menos normal y más sórdida, más épica y más verdaderamente espeluznante? ¡Cuéntenos más! Tal vez entre todos podamos arrancarle este dolor.»

No sé qué es mejor, si ir por la vida cargado de secretos hasta que explotas por la presión que ejercen, o que vayan arrancándotelos párrafo a párrafo, frase a frase, palabra a palabra, hasta que al final te quedas vacía de todo lo que en otro momento era para ti tan precioso como el oro en polvo, tan tuyo como tu propia piel —todo lo que considerabas de la mayor importancia, todo lo que te avergonzaba y deseabas ocultar, todo lo que sólo te pertenecía a ti— y tienes que pasar el resto de tus días como un saco vacío sacudido por el viento, un saco vacío con una etiqueta fluorescente para que todo el mundo sepa qué clase de secretos guardabas dentro de ti.

No abogo por ninguna opción, para bien o para mal.

«La indiscreción hunde el barco», rezaba un cartel en tiempos de la guerra. Claro que, más tarde o más temprano, el barco acaba hundiéndose de todos modos.

Tras permitirme este gusto, me fui a la cocina y me comí la mitad de un plátano medio negro y dos galletas saladas. Me pregunté si habría caído algo —comida de algún tipo— detrás del cubo de la basura —olía raro—, pero tras una rápida inspección comprobé que no había nada. Quizá fuese mi propio olor. No consigo sacarme de la cabeza la idea de que mi cuerpo huele como comida de gato, a pesar del perfume que me he echado por encima esta mañana: ¿Era Tosca o Ma Griffe, o acaso Je Reviens? Todavía me quedan unas cuantas muestras en alguna parte. Cuando las encuentres, Myra, arrójalas a la basura.

Richard solía regalarme perfume cuando le parecía que tenía que aplacarme un poco. Perfume, pañuelos de seda, pequeños broches en forma de animales domésticos, de aves enjauladas, de peces dorados. Del gusto de Winifred, pero no para ella sino para mí.

En el tren, de regreso de Port Ticonderoga, y después durante semanas, pensé en el mensaje que, según me había informado Reenie, Laura había dejado para mí. Cuando lo escribió ya debía de saber, que lo que pensaba decirle al médico desconocido del hospital seguramente tendría repercusiones. Debía de ser consciente de que corría un riesgo, y por eso había tomado precauciones. De algún modo, en alguna parte, había dejado unas palabras, una clave para mí, como el que deja caer un pañuelo o forma una hilera de piedras blancas en el bosque.

Me la imaginé componiendo ese mensaje, disponiéndose a escribir como era costumbre en ella. Sin duda a lápiz, un lápiz con el extremo mordido, como solía hacer siempre; de pequeña, la boca le olía a cedro, y si el lápiz era de color, sus labios se teñían de azul, de verde o de púrpura. Escribía lentamente, con letra infantil: vocales redondas y oes cerradas, y largos tallos flotantes en la ge y la y. Los puntos sobre la i y la jota eran circulares, colocados muy a la derecha, como si fueran pequeños globos negros atados a su tallo por un hilo invisible; el trazo horizontal de la te sobresalía hacia un solo lado. Me senté en espíritu junto a ella para imaginar qué debió de hacer a continuación.

Seguramente llegó al final del mensaje, lo metió en un sobre, cerró éste y luego lo escondió, como había escondido su atado de papeles y notas en Avilion; pero ¿dónde habría puesto el sobre? En Avilion desde luego que no; no estuvo por allí, al menos antes de que se la llevaran.

No, debía de estar en la casa de Toronto. En algún sitio donde nadie más miraría, ni Richard, ni Winifred, ni ninguno de los Murgatroyd. Busqué en varios lugares —en el fondo de los cajones, en la parte de atrás de las alacenas, en los bolsillos de mis abrigos, en mis bolsos, incluso en los mitones que usaba en invierno— pero no encontré nada.

Luego me acordé de que una vez, cuando tenía diez u once años, me la encontré en el estudio del abuelo. Tenía la Biblia de la familia, un mamotreto forrado en cuero, abierta delante de ella, y estaba cortando páginas con las viejas tijeras de coser de madre.

—Laura, ¿qué haces? —exclamé—. ¡Es la Biblia!

—Estoy quitando las partes que no me gustan.

Yo cogí las páginas que había tirado a la papelera y las alisé: unos párrafos de Crónicas, páginas y páginas del Levítico, algunos fragmentos de San Mateo en los que Jesús maldice a la higuera estéril. Me acuerdo de lo indignada que se mostraba Laura con lo de esa higuera en su época de la escuela dominical. La enfurecía que Jesús hubiera sido tan malo con un árbol. «Todos tenemos nuestros días malos», comentó Reenie mientras batía con brío las claras de los huevos en un cuenco amarillo.

—No está bien que hagas eso —le dije.

—Sólo es papel —repuso Laura sin dejar de cortar—. El papel no es importante. Lo importante son las palabras que hay en él.

—Te meterás en un lío.

—No, qué va —dijo—. Nadie la mira nunca. Sólo miran la tapa, en los bautizos, las bodas y los funerales.

Tenía razón. Nadie lo descubrió jamás.

Este recuerdo fue lo que me llevó a buscar el álbum de mi boda, donde estaban todas las fotografías del acontecimiento. Sin duda el interés de ese álbum para Winifred era nulo, y en cuanto a Richard, ni una vez lo vi hojeándolo satisfecho. Laura debía de saber que se trataba de un sitio seguro. Aunque, ¿qué me impulsaría a mirarlo?

Si me hubiese puesto a buscar a Laura, lo habría hecho, y ella lo sabía. En el álbum había muchas fotos en las que aparecía, prendidas a las páginas marrones mediante unos triángulos negros en las esquinas; imágenes de ella frunciendo el entrecejo y mirándose los pies, luciendo su vestido de dama de honor.

Encontré el mensaje, aunque no estaba en palabras. Laura había ido a mi boda con los materiales de teñir a mano, incluidos los pequeños tubos de pintura que había sisado en la oficina del periódico de Elwood Murray en Port Ticonderoga. Debió de dejarlos a buen recaudo desde entonces. A pesar del desdén que proclamaba hacia el mundo material, le costaba mucho tirar cosas.

Sólo había alterado dos de las fotografías. En la primera, una toma de grupo, las damas de honor y los amigos del novio habían sido cubiertos por una gruesa capa de índigo que los eliminaba por completo de la imagen. A mí me había dejado, y a Richard, y a ella misma, y a Winifred, que era la madrina. A ésta y a Richard los había pintado de un verde pálido. A mí me había dado una mano de azul. Ella aparecía de un azul brillante, no sólo el vestido sino también la cara y las manos. ¿Qué significaba aquel resplandor? Porque se trataba de resplandor, como si la luz le brotase de dentro, igual que una bombilla o que si fuese una niña hecha de fósforo. No miraba al frente, sino a un lado, como si el centro de su atención no estuviera en absoluto en la fotografía.

La segunda era la foto oficial de los novios, tomada delante de la iglesia. La cara de Richard estaba pintada de un gris tan oscuro que prácticamente ocultaba sus facciones. Sus manos eran rojas, como las llamas que se elevaban a su alrededor y de algún modo dentro de su cabeza, lo que hacía que pareciese que el cráneo se le estaba incendiando. Mi traje de boda, los guantes, el velo, las flores... Laura no se había entretenido con los adornos, sino que se había concentrado en mi cara; la había decolorado de tal modo que los ojos, la nariz y la boca se me veían empañados, como una ventana en un día fresco y húmedo. El fondo, e incluso los escalones de la iglesia bajo nuestros pies, estaba totalmente oscuro y nuestras dos figuras quedaban flotando, solas, en la noche más profunda y oscura.

XII

XII

The Globe and Mail, 7 de octubre de 1938

GRIFFEN ALABA EL ACUERDO
DE MÚNICH
ESPECIAL PARA *THE GLOBLE AND MAIL*

En un discurso rotundo e implacable titulado «Ocupémonos de nuestros asuntos», pronunciado el miércoles en la reunión del Empire Club de Toronto, el señor Richard E. Griffen, presidente y director de Industrias Griffen-Chase-Royal Consolidated, ensalzó los destacables esfuerzos del primer ministro británico, Neville Chamberlain, que dieron como resultado el Acuerdo de Múnich de la semana pasada. Era significativo, dijo el señor Griffen, que todos los partidos de la Casa de los Comunes británica hubieran celebrado la noticia, y confiaba en que también lo hiciesen todos los partidos de Canadá, ya que este acuerdo acabaría con la Depresión y nos conduciría a una nueva «edad dorada» de paz y prosperidad. También servía para demostrar el valor del arte de gobernar y la diplomacia, además del pensamiento positivo y el viejo sentido realista de los negocios. «Si todo el mundo cede un poco —dijo—, todo el mundo va a ganar mucho.»

En respuesta a las preguntas sobre el estatus de Checoslovaquia como producto del acuerdo, declaró que en su opinión se habían ofrecido suficientes garantías a los ciudadanos de aquel país. Una Alemania fuerte y saludable, dijo, favorecerá los intereses de Occidente, y en particular de los negocios, y servirá para «mantener el bolchevismo a raya y lejos de la calle Bay». Lo necesario a continuación era un tratado de comercio bilateral, idea que, según le habían asegurado, ya estaba en marcha. Ello permitía desplazar el centro de atención del peligro de enfrentamiento bélico a la provisión de bienes para el consumidor, creando así puestos de trabajo y una prosperidad extraordinariamente necesaria «en nuestro propio trasero». Declaró que a los siete años de vacas flacas seguirían siete de vacas gordas, y que ya podían vislumbrase las brillantes perspectivas que se abrían para la década de los cuarenta.

Se rumorea que el señor Griffen ha iniciado una ronda de consultas con importantes miembros del partido conservador y está considerando la posibilidad de ponerse al timón. Su discurso recibió una cerrada ovación.

Mayfair, junio de 1939

ESTILO REAL EN LA FIESTA DEL ROYAL GARDEN
POR CYNTHIA FERVIS

Los cinco mil honorables invitados de Sus Excelencias, lord y lady Tweedsmuir, pasearon embelesados por los jardines de la Casa de Gobierno de Ottawa, en ocasión de la fiesta de cumpleaños de Su Majestad, mientras Sus Majestades efectuaban graciosamente la ronda de saludos.

A las cuatro y media, salieron de la Casa de Gobierno por la Galería China. Mientras el rey vestía chaqué, la reina lucía un traje de color beige con pieles claras y perlas y un sombrero alto apenas inclinado, la cara deliberadamente sonrosada y una expresión sonriente en sus cálidos ojos azules. Su porte majestuoso fascinó a todos los presentes.

Detrás de Sus Majestades iban el gobernador general y lady Tweedsmuir: él, generoso y genial; ella, elegante y bella. En su conjunto blanco, realzado con pieles de zorro del Ártico canadiense, destacaba el toque turquesa de su sombrero. Saludaron a Sus Majestades el coronel F. Phelan y su esposa, de Montreal; ella llevaba un vestido de seda estampado con pequeños capullos de flores de colores vívidos y un elegante sombrero con ala de celofán transparente. Recibieron honores similares el general de brigada W. H. L. Elkins y su esposa, con su hija Joan Elkins, y el señor Gladstone Murray y su esposa.

Destacaron entre los invitados Richard Griffen y su esposa, quien llevaba una capa de zorro plateado, con las pieles colocadas sobre el *chiffon* negro en forma de rayos, y un traje con diseño de orquídeas. La esposa de Douglas Watts lucía *chiffon* del color del Chartreuse con una chaqueta de terciopelo marrón, en tanto que la esposa de F. Reid mostraba su esbeltez y encanto con su túnica de organdí y encaje de Valenciennes.

No se oyó ni el vuelo de una mosca hasta que el rey y la reina se despidieron de los invitados, las cámaras dejaron de disparar y callaron los vivas al rey. A continuación ocuparon el centro del escenario los pasteles de cumpleaños..., blancos, enormes, con hielo de nieve. El que se sirvió al rey en el interior estaba ornamentado con rosas, tréboles y cardos, además de bandadas de palomas de azúcar en miniatura que portaban en sus picos gallardetes blancos, símbolos dignos de paz y esperanza.

El asesino ciego: La Sala de Refrescos

Es mediodía, nublado y húmedo, todo está pegajoso; los guantes blancos de algodón se le han manchado sólo de apoyarlos en la verja. El mundo es pesado, un peso sólido; su corazón palpita contra él como si fuera de piedra. El aire, sofocante, ofrece resistencia. Nada se mueve.

Pero entonces llega el tren, y ella espera en la puerta como le corresponde y, como una promesa que se cumple, aparece él. La ve, se acerca a ella, se tocan brevemente y luego se dan la mano, igual que parientes lejanos. Ella le besa la mejilla, porque están en un lugar público y nunca se sabe, y suben la inclinada rampa hacia la estación de mármol. A su lado ella se siente nueva, nerviosa; apenas ha tenido oportunidad de echarle una mirada. Ha adelgazado, sin duda. ¿Qué más?

Me ha costado muchísimo volver. Apenas si tenía dinero. He hecho todo el viaje en barcos de vapor.

Habría podido enviarte algún dinero, dice ella.

Ya lo sé. Pero no tenía tu dirección.

Él deja la bolsa de lona en la consigna y sólo lleva consigo la pequeña maleta. Ya recogerá la bolsa más tarde, dice, no tiene ganas de cargar con ella. A su alrededor entra y sale gente, se oyen pasos y voces; están indecisos, no saben adónde ir. Ella tendría que haber previsto algo, porque es evidente que él todavía no ha conseguido habitación. Al menos lleva una petaca con whisky en el bolso. De eso sí se acordó.

Como han de ir a algún sitio, buscan un hotel, uno barato que él recuerda. Es la primera vez que hacen algo así, y supone un riesgo, pero en cuanto ve el hotel ella se da cuenta de que a nadie se le ocurriría pensar que estuvieran casados; o, en todo caso, el uno con el otro. Ella lleva el impermeable ligero de dos temporadas atrás y un pañuelo en la cabeza. El pañuelo es de seda, pero es el peor que pudo encontrar. Si se creen que él paga por sus servicios, mejor. Así no llamará la atención.

Delante del hotel la acera está cubierta de cristales rotos, vómitos, algo que semeja sangre seca. No lo pises, le advierte él.

En la planta baja hay un bar, aunque se llama Sala de Refrescos. Sólo Hombres, Damas y Acompañantes. Fuera hay un rótulo de neón rojo; las letras son verticales y la punta inclinada de una flecha roja señala la puerta. Como hay dos letras apagadas, se lee Sala de Re escos. Unas bombillas pequeñas semejantes a luces de Navidad se encienden y apagan bajando por el rótulo igual que hormigas que se colaran por el caño del desagüe.

A pesar de la hora, ya hay hombres aguardando a que abra el local. Él la coge del codo para pasar entre ellos y darle un poco de prisa. A sus espaldas, uno de los hombres suelta una especie de maullido.

Una puerta conduce a la parte del hotel. El mosaico de baldosas de la entrada rodea lo que en otro tiempo quizá fuera un león, y que ahora aparece carcomido como si estuviera lleno de gusanos o fuese una especie de pólipo destrozado. El suelo es de linóleo color ocre y hace tiempo que nadie lo ha barrido; las manchas de suciedad brotan como grises flores que alguien hubiese machacado.

Él firma en el registro y paga; mientras tanto, ella permanece quieta en la esperanza de parecer aburrida, con el rostro inexpresivo, mirando el reloj por encima del taciturno recepcionista. Es un reloj sencillo, sólido, sin pretensiones, utilitario como los de estación. «La hora es ésa —dice—. Una sola interpretación, no hay otra.»

Él ya tiene la llave. Primer piso. Hay un ascensor, pequeño como un ataúd, pero ella no soporta siquiera imaginar cómo olerá —a calcetines sucios y dientes podridos—, y no quiere estar cara a cara con él ahí dentro, tan cerca el uno del otro y en medio de semejante peste. Suben las escaleras. Una alfombra, en otro tiempo azul y roja. Un camino sembrado de flores, marchitas ya hasta la raíz.

Lo siento, se disculpa él. Podría haber sido mejor.

Lo que recibes está en concordancia con lo que pagas, intenta animarlo ella, pero se ha equivocado, él puede pensar que se refiere a su falta de dinero. Aunque no está mal como tapadera, añade para arreglarlo. No recibe respuesta. Está hablando demasiado, se da perfecta cuenta, y lo que dice no resulta para nada seductor. ¿Es diferente de como él la recuerda, habrá cambiado mucho?

El papel de la pared del pasillo ya ha perdido todo el color. Las puertas, de madera oscura, aparecen forzadas, corneadas y descascaradas. Él busca el número y hace girar la llave, vieja y larga como las de las cajas fuertes antiguas, en la cerradura. La habitación es peor que cualquiera de las habitaciones amuebladas en las que ha estado antes; las otras al menos tenían cierta pretensión superficial de limpieza. Contiene una cama de matrimonio cubierta con un edredón resbaladizo, hecho de raso de imitación, de un aburrido rosado amarillento como la planta de un pie. Una silla con el asiento agujereado cuyo relleno parece de polvo. Un cenicero de vidrio marrón desportillado. Huele a humo de cigarrillo, a cerveza derramada y, por debajo de eso, a ropa interior sucia o algo igualmente perturbador. Sobre el dintel de la puerta hay un cristal pintado de blanco.

Ella se quita los guantes, los deja sobre la silla junto con el abrigo y el pañuelo, y saca la petaca del bolso. No hay vasos a la vista, así que tendrán que beber a morro.

¿Se abre la ventana?, pregunta ella. Nos vendría bien un poco de aire fresco.

Él se acerca a la ventana y la sube. Entra una brisa densa. Fuera, se oye rechinar las ruedas de un coche. Se vuelve, todavía junto a la ventana, echado hacia atrás, con las manos sobre el alféizar. A causa de la luz que lo ilumina por detrás, sólo le ve el contorno. Podría ser cualquier persona.

Bueno, dice él. Aquí estamos de nuevo. Su voz revela agotamiento. A ella se le ocurre que, quizá, todo cuanto desea hacer en esa habitación es dormir.

Se acerca a él y le pone las manos en la cintura. Encontré la historia, dice.

¿Qué historia?

La de los hombres lagarto de Xenor. La busqué por todas partes. Tendrías que haberme visto fisgando las revistas en los quioscos; debían de creer que estaba loca. No paraba de mirar.

Ah, eso, dice él. ¿Leíste esas tonterías? Me había olvidado.

Ella no piensa dar muestras de consternación ni de excesiva urgencia. No le dirá que era la demostración de que él existía; una prueba, por absurda que fuese.

Claro que la leí. Aún estoy esperando el siguiente episodio.

No llegué a escribirlo, dice él. Demasiado ocupado con los tiros, por ambos lados. A nuestro grupo lo pillaron en medio. Yo huía de los buenos. Era un caos.

Aunque tarde, él la rodea con los brazos. Huele a malta. Apoya la cabeza en el hombro de ella, que siente en el cuello su mejilla como si fuese de papel de lija. Lo tiene a salvo, al menos por el momento.

Cielos, necesito un trago, dice él.

No te duermas, le pide ella. No te duermas todavía. Ven a la cama.

Él duerme durante tres horas. El sol va avanzando, la luz palidece. Ella sabe que tiene que irse, pero no soporta la idea, y tampoco quiere despertarlo. ¿Qué excusa les dará cuando vuelva? Se inventa a una vieja que cae por las escaleras y le pide que la ayude; se inventa un taxi, un viaje al hospital. ¿Cómo iba a dejarla para que se las arreglara sola, pobre mujer? Tendida en la acera sin un solo amigo en el mundo. Dirá que ya sabe que debería haber llamado por teléfono, pero que no había ninguno cerca, y la pobre anciana estaba muy mal. Se prepara para el discurso que le soltarán sobre lo de ocuparse de sus propios asuntos, para el gesto de «¿qué vamos a hacer con ella, cuándo aprenderá a no meterse donde no la llaman?».

Abajo, el reloj va marcando los minutos. Se oyen voces en el pasillo, ruido de zapatos que se mueven deprisa. Es un lugar para negocios rápidos.

Ella permanece despierta a su lado, escuchando cómo duerme, preguntándose dónde habrá estado. También, qué debería contarle..., si debería contarle todo lo que ha ocurrido. Si le pide que se vaya con él, entonces tendrá que confesárselo. De otro modo, quizá mejor no hacerlo. Al menos todavía.

Cuando despierta, quiere otra copa, y un cigarrillo.

Me parece que no deberíamos hacer eso, dice ella. Me refiero a fumar en la cama. Podríamos incendiarlo todo. Quemarnos.

Él no abre la boca.

¿Cómo era?, pregunta ella. Leí los periódicos, pero no es lo mismo.

No, admite. No es lo mismo.

¡Me daba tanto miedo que te mataran!

Estuvieron a punto, dice él. Lo curioso es que, a pesar de que era un infierno, me acostumbré, y ahora no puedo acostumbrarme a esto. Estás un poco más llenita.

Oh, ¿estoy demasiado gorda?

No. Estás muy bien. Tienes de donde agarrarse.

Ya es de noche. De debajo de la ventana, donde la gente de la Sala de Refrescos sale a la calle, llegan retazos de canciones desafinadas, gritos, risas; luego el sonido de cristal al romperse. Alguien ha roto una botella. Una mujer grita.

Deben de estar celebrando algo.

¿Qué celebran?

La guerra.

¡Pero si no hay guerra! Ha terminado.

Están celebrando la próxima, explica él. No tardará en estallar. Todo el mundo lo niega ahí arriba, en el nebuloso mundo de locos, pero aquí, en la superficie de la tierra, se huele su llegada. Después de las prácticas de tiro que tienen lugar en España, la cosa empezará en serio. Oyen truenos y se excitan. Por eso rompen las botellas. Quieren que comience de inmediato.

Es imposible, dice ella. No puede haber otra guerra. Han firmado pactos.

Así es como se entiende la paz hoy en día, dice él con sorna. Es todo una mierda. Lo que están esperando es que el tío Joe y Adolf se hagan trizas mutuamente y, de paso, los libren de los judíos mientras ellos se quedan tranquilamente sentados ganando dinero.

Eres tan cínico como siempre.

Y tú tan inocente.

Menos de lo que crees, replica ella. No discutamos. No podemos arreglarlo. Sin embargo, ahora se parece más a sí mismo, a cómo era antes, y ella se siente un poco mejor.

No, reconoce él. Tienes razón. Nosotros no podemos arreglarlo. Somos poca cosa.

Pero tú irás de todos modos, dice ella. Si vuelve a empezar. Tanto si eres poca cosa como si no.

Él la mira. ¿Qué quieres que haga?

Él no sabe por qué motivo ella se echa a llorar. Ella intenta contenerse. Ojalá te hubieran herido, dice ella. Así tendrías que quedarte.

Y ya me contarás lo bien que te iría, dice él. Ven aquí.

Al salir, ella apenas ve nada. Anda un rato para calmarse, pero, como está oscuro y hay demasiados hombres por la calle, toma un taxi. Sentada en el asiento trasero, se retoca el carmín y el maquillaje. Cuando paran, hurga en el bolso, paga el taxi, sube las escaleras de piedra, atraviesa el arco de la entrada y cierra la gruesa puerta de roble. Está ensayando mentalmente: «Lo siento, llego tarde, pero no os creeréis lo que me ha pasado. He tenido una pequeña aventura.»

El asesino ciego: Cortinas amarillas

¿Cómo estalla una guerra? ¿Cómo va alimentándose? ¿De qué está hecha? ¿De qué secretos, mentiras y traiciones? ¿De qué amores y odios? ¿De qué cantidades de dinero, de qué metales?

La esperanza lanza una pantalla de humo. El humo se te mete en los ojos y por lo tanto nadie se prepara para ello, pero de pronto está ahí, como una hoguera fuera de control; igual que el asesinato, sólo que multiplicado. Al rojo vivo.

La guerra ocurre en blanco y negro. Para los que están al margen, claro. Para los que participan realmente en ella tiene muchos colores, excesivos colores, demasiado brillantes, demasiado rojo y anaranjado, demasiado líquido e incandescente. Pero para los otros la guerra es como un noticiario: granuloso, difuminado, con estallidos entrecortados y grandes cantidades de personas de piel gris corriendo, arrastrándose o cayendo, todo en otra parte.

Ella ve los noticiarios en los cines. Lee los periódicos. Sabe que él está a merced de los acontecimientos, y a estas alturas ya sabe que los acontecimientos no tienen compasión.

Se ha decidido: lo sacrificará todo y a todos. Nada ni nadie se interpondrá en su camino.

Lo tiene todo planeado. Hará lo siguiente: saldrá de la casa un día como cualquier otro. Llevará el dinero, dinero de algún tipo. Ésta es la parte menos clara, pero seguro que conseguirá hacer algo. ¿Qué hacen los otros? Van al montepío, y eso es lo que hará ella también. Le darán dinero por lo empeñado: un reloj de oro, una cuchara de plata, un abrigo de piel. Varias cosas. Irá empeñándolas poco a poco para que no las echen de menos.

No supondrá mucho dinero, pero tendrá que bastar. Alquilará una habitación, barata pero no muy mugrienta, nada que no pueda adecentar con una mano de pintura. Escribirá una carta diciendo que no piensa volver. Enviarán emisarios, embajadores y abogados, la amenazarán, la penalizarán, se morirá de miedo, pero se mantendrá firme. Quemará todos los puentes excepto el que la une a él, por tenue que sea. Volveré, le dijo, pero ¿cómo podía estar tan seguro? Nadie está en condiciones de garantizar algo así.

Ella vivirá de manzanas y galletas saladas, té y leche. Botes de judías y estofado de buey. También de huevos fritos, cuando los haya, y tostadas, que comerá en el bar de la esquina donde comen los niños que venden periódicos y los borrachos. Los veteranos también comerán allí, cada vez más a medida que pasen los meses: hombres sin manos, brazos, piernas, orejas y ojos. Querrá hablar con ellos, pero no lo hará, porque si muestra el mínimo interés interpretarán mal su actitud. Como siempre, su cuerpo se interpondrá en el camino de la libertad de expresión. Por lo tanto, sólo escuchará.

En el café se hablará del fin de la guerra, que según todo el mundo está al caer. Sólo es cosa de tiempo, dirán, pronto se arreglará y los chicos regresarán a casa. Los hombres que lo afirmen serán desconocidos entre ellos, pero intercambiarán esos comentarios de todos modos, porque la perspectiva de la victoria hará que les dé ganas de hablar. Habrá una sensación diferente en el aire, en parte optimismo y en parte temor. Cualquier día llegará el barco, pero ¿cómo atreverse a decir quién vendrá en él?

Su apartamento estará encima de la tienda de comestibles; tendrá una cocina americana y un pequeño cuarto de baño. Comprará una planta, una begonia o un helecho. Se acordará de regarla para que no muera. La mujer de la tienda de comestibles será gordita, morena y maternal, y hablarán de su delgadez, de que debería comer más y de qué hacer cuando una se resfría. A lo mejor será griega, griega o algo así, con brazos grandes, peinada con raya en medio y moño atrás. Su marido y su hermano estarán en alta mar; tendrá fotografías de ellos, en marcos de madera, pintadas a mano, junto a la caja registradora.

Las dos —ella y esa mujer— dedicarán mucho tiempo a escuchar: pasos, el teléfono, una llamada a la puerta. Es difícil dormir en semejantes circunstancias; hablarán de los remedios para el insomnio. De vez en cuando la mujer le pondrá una manzana en la mano, o un caramelo verde del frasco que habrá sobre el mostrador. Esos regalos le darán más consuelo que el que sugiere su bajo precio.

¿Dónde la buscará él, ahora que ella ha quemado las naves? Lo sabrá de todos modos, lo descubrirá de alguna forma, porque los viajes terminan con el reencuentro de los amantes. Deberían terminar. Deben terminar.

Ella coserá unas cortinas para las ventanas, unas cortinas amarillas, del color de los canarios o de la yema de huevo. Alegres, como la luz del sol. No importa que no sepa coser, porque la mujer de abajo la ayudará. Le almidonará las cortinas y se las colgará. Se pondrá de rodillas y con una escobilla limpiará los excrementos de ratón de debajo de la pica de la cocina. Volverá a pintar una serie de botes que encontrará en una tienda de segunda mano y les pondrá un rótulo: Té, Café, Azúcar, Harina. Mientras lo haga, tarareará canciones. Comprará una toalla nueva, un juego nuevo de toallas. También sábanas, son importantes, y fundas de almohada. Se cepillará mucho el pelo.

Ésas son las cosas alegres que hará mientras lo espera.

En el montepío se comprará una radio, una radio pequeña, de segunda mano, y escuchará las noticias para mantenerse al corriente de lo que pasa. También tendrá teléfono, a la larga será necesario, aunque no la llamará nadie, por el momento. De vez en cuando descolgará el auricular sólo para oír el sonido de la línea. O quizás encuentre voces, mantenga una conversación en grupo. La mayoría serán mujeres, intercambiarán detalles de recetas, hablarán del tiempo, de las gangas y de los niños; y de los hombres que están en otra parte.

Nada de eso ocurre, desde luego. O acaso ocurre, pero no de un modo que pueda notarse. Ocurre en otra dimensión del espacio.

El asesino ciego: El telegrama

Le entregan el telegrama de la manera habitual: por intermedio de un hombre con uniforme oscuro cuya cara no augura buenas nuevas. Cuando los contratan para el trabajo, les enseñan a adoptar esta expresión, remota pero compungida, como un oscuro tañido inmutable. La mirada ante la tumba cerrada.

El telegrama llega en un sobre amarillo con una ventanita de papel traslúcido y dice lo mismo que todos los telegramas de este tipo: palabras distantes, palabras de un extraño, un intruso, de pie en el extremo opuesto de una larga sala vacía. No hay muchas palabras, pero cada una de ellas es destacable: «informarle», «pérdida», «lamentamos». Palabras neutrales, con una pregunta oculta tras ellas: «¿Qué esperabas?»

¿De qué va? ¿De quién habla?, pregunta ella. Oh, ya me acuerdo. Es él. Aquel hombre. Pero ¿por qué me lo mandan a mí? ¡Si no soy su pariente ni de lejos!

¿Pariente?, dice. ¡Si ni siquiera tenía! Pretendía ser graciosa.

Ella se ríe. Arruga el telegrama, que supone ellos han leído a hurtadillas antes de pasárselo. Leen todo su correo, no hace falta aclararlo. Se sienta, un poco demasiado abruptamente. Lo lamento, dice, de pronto me ha asaltado una sensación extraña.

Toma. Eso te levantará el ánimo. Bebételo, te hará bien.

Gracias. No tiene nada que ver conmigo, pero no deja de ser una conmoción. Es como si de pronto un muerto se echara a andar. Se estremece.

Calma. Estás un poco pálida. No te lo tomes como algo personal.

A lo mejor ha sido un error. A lo mejor se han equivocado de dirección.

Es probable. O a lo mejor lo hizo expresamente. A lo mejor se le ocurrió gastar una broma. Era un tipo raro, por lo que recuerdo.

Más raro de lo que pensabas. ¡Qué cosa más ruin! Si estuviera vivo, podrías demandarlo por daños y perjuicios.

A lo mejor quería que te sintieras culpable. Es lo que suele hacer esa gente.

Unos envidiosos, todos ellos. Muerden la mano que les da de comer. No permitas que te intranquilice.

No es muy agradable, la verdad, lo mires como lo mires.

¿Agradable? ¿Y por qué iba a ser agradable? Él nunca fue precisamente agradable.

Supongo que podría escribir a su superior y pedir una explicación.

¿Y qué va a saber? Seguro que no fue él, sino algún funcionario subalterno. Se limitan a poner lo que encuentran en los archivos. Te diría que se ha tratado de una metedura de pata, y no sería la primera, por lo que he oído.

De todos modos, no tiene sentido montar un número. Llamaría demasiado la atención y, hagas lo que hagas, nunca se descubrirá por qué lo hizo.

A no ser que los muertos anden. Todos la miran con expresión alerta. ¿Qué es lo que temen? ¿Qué les da miedo que haga?

Te agradecería que no empleases esa palabra, dice ella en tono de fastidio.

¿Qué palabra? Oh. Se refiere a los muertos. Es mejor llamar a las cosas por su nombre. Es una tontería disimular. No seas...

No me gusta hablar de muertos, se me aparecen los agujeros abiertos en la tierra...

No seas morbosa.

Dale un pañuelo. No es momento de atormentarla. Será mejor que suba a descansar un poco. Después estará fresca como una rosa.

No te preocupes mucho.

No te lo tomes muy a pecho.

Olvídalo.

El asesino ciego: La destrucción de Sakiel-Norn

Por la noche se despierta bruscamente, el corazón le late con fuerza. Se levanta y se dirige en silencio hacia la ventana, la sube un poco más y se asoma. La luna, casi llena, luce telarañas de viejas cicatrices y, debajo, las farolas de la calle proyectan hacia el cielo su resplandor anaranjado. La acera aparece cubierta de sombras y parcialmente oculta por el castaño del jardín, cuyas ramas extendidas forman una densa red con pequeñas flores blancas que emiten pálidos destellos.

Hay un hombre que mira hacia arriba. Ella ve sus cejas oscuras, las cuencas de los ojos, la sonrisa que atraviesa su cara ovalada. Debajo del cuello se aprecia cierta palidez: una camiseta. Él levanta la mano, se mueve; quiere que ella vaya con él, que salte al árbol desde la ventana y se deslice hasta el suelo. Pero a ella le da miedo. Teme caer.

Él ha subido hasta el alféizar, entra en la habitación. Las flores del castaño se encienden; bajo su blanca luz ella puede verle el rostro, la piel agrisada, en dos dimensiones, como una fotografía, pero borrosa. Se percibe cierto olor a beicon frito. Él no la mira a ella exactamente, sino a su sombra, como si ambas fuesen lo mismo. Ahí estarían sus ojos, si la sombra de ella fuese capaz de ver.

Ella quiere tocarlo, pero vacila: si lo abrazase, se difuminaría, se disolvería en jirones de tela, en humo, en moléculas, en átomos. Sus manos lo atraviesan.

Te dije que volvería.

¿Qué te ha pasado? ¿Qué pasa?

¿No lo sabes?

Ahora están fuera, en el techo, o eso parece, contemplando la ciudad, pero se trata de una ciudad que ella no ha visto nunca. Es como si una bomba enorme le hubiese caído encima: todo está en llamas, todo se quema al mismo tiempo —casas, calles, palacios, fuentes y templos—, todo explota igual que fuegos artificiales. No se oye ningún ruido. Arde en silencio como en una película: blanco, amarillo, rojo y anaranjado. No se oyen gritos. No hay nadie en la ciudad; todos deben de haber muerto. A su lado, él parpadeaba ante el resplandor de las llamas.

No quedará nada, dice él. Un cúmulo de piedras, algunas palabras viejas. Ha desaparecido, ha sido borrada del mapa. Nadie la recordará.

¡Pero es tan bello!, exclama ella. De pronto le parece que es un sitio que conoce, que conoce muy bien, como la palma de su mano. En el cielo han aparecido tres lunas. Zicrón, piensa. Amado planeta, tierra de mi corazón, donde una vez, hace mucho tiempo, fui feliz. Todo ha desaparecido, todo ha sido destruido. No podía soportar contemplar el fuego.

Bello para algunos, puntualiza él. Ése es siempre el problema.

¿Qué ocurrió? ¿Quién lo hizo?

La vieja.

¿Qué?

L'histoire, cette vieille dame exaltée et menteuse.

Él reluce como el metal. Sus ojos son rendijas verticales. No es lo que ella recuerda. Todo aquello que lo hacía singular se ha consumido. No importa, dice él. Lo construirán de nuevo. Siempre lo hacen.

Ahora tiene miedo de él. Has cambiado tanto, le dice.

La situación es crítica. Tuvimos que responder al fuego con fuego.

Pero ganasteis. ¡Sé que ganasteis!

Nadie ganó.

¿Acaso ella se equivoca? Sin duda llegaron noticias de victoria. Hubo un desfile, recuerda ella. Oí hablar de ello. Hubo una banda de música.

Mírame, dice él.

Pero ella no puede fijar la vista en él, que no se está quieto. Es indeterminado, oscila como la llama de una vela, pero carente de luz. No logra ver sus ojos.

Está muerto, claro. Claro que lo está, porque ¿no lo decía el telegrama que recibió? Pero todo eso es pura invención, otra dimensión del espacio. ¿Por qué, entonces, tanta desolación?

Él se aleja, y ella no puede llamarlo, su garganta no emite sonido alguno. Se ha ido.

Alrededor del corazón siente una presión que la ahoga. No, no, no, no, repite una voz dentro de su cabeza. Le resbalan las lágrimas por la cara.

Entonces es cuando despierta de verdad.

XIII

XIII

Guantes

Llueve; es la lluvia fina y moderada de principios de abril. Los jacintos azules empiezan a florecer, los narcisos asoman sobre la tierra y los nomeolvides empiezan a retoñar y se disponen a acaparar la luz. Se acerca un año más de actividad y empuje vegetativo. Las plantas no parecen cansarse nunca. Es porque no tienen memoria. No pueden recordar cuántas veces han hecho lo mismo.

Debo admitir que me sorprende encontrarme todavía aquí, hablando con vosotros. Me gusta más pensar que hablo, aunque, desde luego, no es así, pues no estoy diciendo nada y vosotros no oís nada. Lo único que hay entre nosotros es esta línea negra: un hilo lanzado sobre la página vacía, al aire vacío.

En el desfiladero del Louveteau el hielo del invierno casi ha desaparecido, incluso en las grietas de las montañas, resguardadas del sol. El agua, negra y después blanca, se precipita por los abismos de piedra caliza y sobre las rocas sin apenas esfuerzo, produciendo un sonido violento pero tranquilizador, seductor, casi. Es comprensible que la gente se sienta atraída por todo eso. Por las cascadas, los lugares altos, los desiertos y los lagos profundos, todos ellos lugares sin retorno.

Hasta ahora, este año sólo ha aparecido un cadáver en el río, una mujer joven de Toronto con problemas de drogas. Otra chica con prisas. Otra pérdida de tiempo, la suya. Tenía parientes aquí, una tía, un tío, que se han visto sometidos a miradas de reojo como si tuvieran algo que ver con ello y han tenido que mostrarse ofendidos e irritados como corresponde a quien se sabe inocente. No me cabe duda de que no son culpables, pero están vivos, y el que sobrevive carga con la culpa. Es la norma en esta clase de cosas. Injusto, pero cierto.

Ayer por la mañana vino Walter para ocuparse de la puesta a punto de primavera. Es como llama a las reparaciones de rutina que suele hacerme todos los años por estas fechas. Se trajo su caja de herramientas, la sierra de mano eléctrica, el destornillador eléctrico; no hay nada que le guste más que hacer ruido, como si fuera parte de un motor.

Dejó todas esas herramientas en el porche trasero y rodeó la casa a grandes zancadas. Cuando volvió, su rostro expresaba gratitud.

—A la puerta del jardín le falta una tablilla —dijo—. La pondré hoy y la pintaré cuando se seque.

—Oh, no te preocupes —lo tranquilicé, igual que todos los años—. Todo está hecho añicos, pero durará más que yo.

Walter no hizo caso del comentario, como siempre.

—Los escalones de la entrada también —dijo—. Necesitan una mano de pintura. Tendré que cambiar uno. Si no se barren, les entra agua y luego se pudren. Aunque a la madera del porche quizá le venga mejor un tinte. Podríamos pintar de un color vivo los bordes de los escalones, para que se vean mejor. Tal como están, uno puede perder pie fácilmente y hacerse daño. —Siempre habla en primera persona del plural por cortesía, y cuando emplea el impersonal se refiere a mí—. En unas horas tendré el nuevo escalón.

—Te mojarás —le advertí—. En el canal del tiempo han dicho que seguiremos igual.

—No, despejará. —Ni siquiera miró el cielo.

Walter se fue a buscar lo que necesitaba —tablillas, supongo— y yo me eché en el sofá de la sala como una vaporosa heroína de novela de la que el autor se ha olvidado y va quedando amarilla, enmohecida y reducida como el propio libro.

Una imagen morbosa, diría Myra.

¿Qué me sugerirías?, contestaría yo.

La verdad es que el corazón ha empezado a fastidiarme otra vez. «Fastidiar», una palabra peculiar. La gente la emplea para que su estado de salud no parezca tan grave. Implica que la parte afectada (el corazón, el estómago, el hígado, lo que sea) es una especie de mocoso rebelde que puede ser reconvenido con un bofetón o una expresión severa.

Implica también que esos síntomas —estos temblores y dolores, estas palpitaciones— son puro teatro y que el órgano en cuestión pronto dejará de dar brincos y hacer el ridículo para reanudar su plácida existencia fuera del escenario.

El médico no parece satisfecho. Se ha puesto a mascullar que si análisis y reconocimientos, que si viajes a Toronto para ver a determinados especialistas, los pocos que no han huido en busca de verdes prados. Me ha cambiado la medicación y ha añadido otra píldora al arsenal. Incluso me ha sugerido la posibilidad de una operación. Le he preguntado qué riesgos entrañaba y qué beneficios conseguiría. Demasiados por un lado, por lo visto, y no muchos por el otro. Sospecha que lo único que me salvaría sería una nueva unidad —eso fue lo que dijo, como si estuviera hablando de un lavavajillas—; además, tendría que ponerme en lista de espera hasta que llegase la unidad de otra persona, alguien que ya no la necesitase. En definitiva, el corazón de otra persona, arrancado a algún joven; no tendría sentido instalar uno viejo, destartalado y arrugado como el que se va a tirar. Lo que necesita es algo fresco y jugoso.

Pero quién sabe dónde se consiguen esas cosas. Supongo que de los niños de la calle, en Suramérica, o eso aseguran los rumores más paranoicos. Corazones robados, corazones obtenidos en el mercado negro, arrancados de entre costillas rotas, calientes y sangrantes, ofrecidos al falso dios. ¿Qué es el falso dios? Nosotros. Nosotros y nuestro dinero. Eso es lo que diría Laura. «No toques ese dinero —diría Reenie—. No sabes de dónde procede.»

¿Sería capaz de vivir conmigo misma sabiendo que llevo el corazón de un niño muerto?

Pero si no, ¿qué?

Os ruego que no toméis esas divagaciones, producto de la angustia, por estoicismo. Me tomo las píldoras, salgo a dar mi vacilante paseo, pero no puedo hacer nada contra el terror.

Después de comer —un trozo de queso duro, un vaso de leche casi agria, una zanahoria reblandecida, pues esta semana Myra ha fallado en la tarea que se autoimpuso de llenarme la nevera—, volvió Walter. Midió, serró, martilleó y luego llamó a la puerta trasera para decirme que lo disculpase por el ruido pero ya estaba todo limpio y arreglado.

—Te prepararé una taza de café —le dije. Es un ritual en esas ocasiones de abril. ¿Se me había quemado? No importaba. Estaba acostumbrado al de Myra.

—Acepto encantado. —Se quitó con cuidado las botas de goma y las dejó en el porche trasero (Myra lo tiene bien enseñado, no le permite pisar con las suelas embarradas lo que ella llama «sus» alfombras) y luego atravesó de puntillas el suelo de la cocina, resbaloso y traicionero como un glaciar debido a que la mujer de la limpieza que Myra ha contratado lo pule y lo abrillanta con energía. Antes estaba cubierto por una especie de película adhesiva compuesta por el polvo y la suciedad acumulados, pero eso es agua pasada. Tendré que echarle un poco de arena porque, si no, resbalaré y me haré daño.

Era fantástico ver a Walter andar de puntillas, parecía un elefante caminando sobre huevos. Llegó a la mesa de la cocina y dejó en ella sus guantes de trabajo, que eran de cuero amarillo y semejaban garras gigantes.

—Guantes nuevos —le dije. De hecho, casi resplandecían. No tenían ni un solo arañazo.

—Los compró Myra, a un tipo de tres calles más arriba que se cortó la punta de los dedos con una sierra de calar; se asustó tanto que teme que a mí me pase lo mismo o algo peor. Pero ese tipo es un chalado; vino de Toronto a instalarse aquí y, perdona que te lo diga, pero no debería permitírsele jugar con sierras, es capaz de cortarse la cabeza manejándolas, y la verdad es que no sería una gran pérdida para el mundo. Le dije a Myra que había que ser tonto de remate para hacer semejante cosa, y, además, no tengo sierra de calar. Pero aun así me obliga a llevar los malditos guantes encima. Cada vez que salgo por la puerta tengo que oírla decir: «Oye, oye, que te dejas los guantes.»

—Podrías perderlos —apunté.

—Me compraría otros —repuso, apesadumbrado.

—Déjalos aquí. Dile que te los has olvidado y que los recogerás más tarde. Y luego te olvidas de pasar a recogerlos.

En noches solitarias se me aparecía una imagen de mí misma agarrando una mano curtida y desocupada de Walter como si fuera la de una especie de compañero. Penoso. Tal vez sería mejor que me comprara un gato o un perro pequeño. Algo cálido, acrítico y peludo, una criatura viva que me ayude a vigilar por la noche. Los mamíferos necesitamos acurrucarnos; un exceso de soledad es malo para la vista. Pero, si me compro algo así, lo más probable es que me lo lleve por delante y me rompa la crisma.

Walter movió la boca y dejó al descubierto los extremos de los dientes superiores; era una mueca.

—Las grandes mentes se ponen de acuerdo con facilidad, ¿no es así? —dijo—. Después podrías tirar la bobada esa al cubo de la basura, accidentalmente adrede.

—Eres un pillo —musité.

Walter, cuya sonrisa se hizo más amplia, añadió cinco cucharadas de azúcar al café, se lo bebió, y luego colocó las manos sobre la mesa y se proyectó hacia arriba como un obelisco levantado por cuerdas. Merced a ese movimiento tuve un súbito presagio de cuál sería la última acción que ejecutaría en relación conmigo: cargaría un extremo de mi ataúd.

Él también lo sabe. Está a la espera. Sirve prácticamente para todo. No montará un número, no me dejará caer, se asegurará de que efectúe sana y salva, en posición horizontal, mi corto y último viaje. «Ya está», dirá. Y ya estará.

Lúgubre, lo sé, y sentimental; pero os ruego que me perdonéis. A los muertos se les permite cierta indisciplina, como a los niños el día de su cumpleaños.

Los fuegos del hogar

Ayer por la noche vi las noticias de la tele. No debería hacerlo, es malo para la digestión. Hay otra guerra en algún sitio, eso que llaman una guerra menor, aunque es evidente que para el que se ve atrapado en ella no tiene nada de menor. Hablan de las guerras desde un punto de vista genérico: hombres en traje de camuflaje con pañuelos que les cubren la boca y la nariz, columnas de humo, edificios destripados, civiles destrozados y llorando. Innúmeras madres con innúmeros niños cojos, caras salpicadas de sangre, innúmeros viejos desconcertados. Se llevan a los jóvenes y los matan para impedir la venganza, como hicieron los griegos en Troya. También fue la excusa que empleó Hitler para matar a los bebés judíos, si no recuerdo mal.

Las guerras se declaran y acaban, pero más tarde rebrotan en otra parte. Las casas quedan partidas como huevos, y su contenido es vengativamente quemado, robado o pisoteado; los refugiados son bombardeados desde los aviones. En un millón de sótanos, la familia real se enfrenta, con expresión de perplejidad, al pelotón de fusilamiento; ni siquiera los salvarán las perlas que llevan cosidas en los corsés. Los soldados de Herodes patrullan miles de calles; justo al lado, Napoleón se va con la cubertería. En la víspera de la invasión, de cualquier invasión, las zanjas se llenan de mujeres violadas. A de-

573

cir verdad, también de hombres violados. Niños violados, perros y gatos violados. Todo se descontrola.

Pero aquí no; no ocurre así en este páramo amable y tedioso llamado Port Ticonderoga, a pesar del par de drogadictos en los parques, a pesar del robo ocasional, a pesar del cuerpo que de vez en cuando aparece flotando cerca de los remolinos. Aquí permanecemos agazapados, nos bebemos nuestra copa antes de irnos a dormir, nos tomamos nuestros tentempiés y miramos el mundo a través de una ventana secreta, y cuando ya tenemos bastante, la apagamos. «Basta ya de siglo XX», decimos mientras subimos las escaleras. Pero se oye un rugido lejano, como la marea que avanza hacia la costa. Ahí viene el siglo XX, barriendo el espacio igual que una nave espacial llena de despiadados alienígenas con ojos de dragón o alas de metal. Más tarde o más temprano nos liquidarán, arrancarán los techos de nuestras endebles madrigueras con sus garras de hierro y nos dejarán tan desnudos, temblorosos, hambrientos, enfermos y desesperanzados como a los demás.

Excusadme la digresión. A mi edad, es fácil caer en semejantes visiones apocalípticas. Dices: «El fin del mundo está a la vuelta de la esquina.» Te mientes diciendo: «Suerte que ya no estaré aquí para verlo», cuando en realidad nada te gustaría más que verlo, siempre que pudieses hacerlo por la pequeña ventana secreta, siempre que no te implicaran.

Pero ¿por qué preocuparse por el fin del mundo? Todos los días es el fin del mundo para alguien. El tiempo va subiendo sin parar y, cuando te llega a la altura de los ojos, te ahogas.

¿Qué pasó a continuación? Por un instante he perdido el hilo; se me hace difícil recordar, pero sí, lo recuerdo. Era la guerra, claro. No estábamos preparados para ella, pero al mismo tiempo sabíamos que la habíamos vivido antes. Era el mismo escalofrío, aquel escalofrío que te empapaba como niebla, el escalofrío de cuando yo nací. Al igual que entonces, todo adquirió una ansiedad estremecedora: las sillas, las mesas, las calles y las farolas, el cielo, el aire. De la noche a la mañana, partes completas de lo que se había reconocido como realidad sencillamente desaparecieron. Eso es lo que pasa cuando hay guerra.

Pero sois demasiado jóvenes para recordar de qué guerra se trataba. Cualquier guerra es «la guerra» para quien la vive. Ésa a la que me refiero empezó en septiembre de 1939 y duró hasta... Bueno, está en los libros de historia. Podéis buscarlo.

«Que siga ardiendo el fuego del hogar», decía uno de los viejos eslóganes de guerra. Siempre que lo oía, me imaginaba una horda de mujeres con los cabellos al viento y los ojos luminosos abriéndose camino furtivamente, solas o en parejas, bajo la luz de la luna y prendiendo fuego a sus propias casas.

En los meses anteriores al comienzo de la guerra, mi matrimonio con Richard se estaba yendo a pique, aunque podría decirse que había empezado a irse a pique desde el principio. Tuve un aborto, y luego otro. Richard, por su parte, tuvo una amante y luego otra, o es lo que sospechaba yo. Era inevitable (diría Winifred más tarde) teniendo en cuenta mi frágil estado de salud y las necesidades de él. En aquel tiempo los hombres tenían necesidades, muchas necesidades; vivían sepultadas en los oscuros rincones y grietas del alma y, de vez en cuando, se agolpaban y salían como una plaga de ratas. Eran tan astutas y fuertes que, ¿cómo pretender que un hombre venciese de verdad en su lucha contra ellas? Ésa era la doctrina según Winifred y —para ser justa— según mucha gente.

Esas amantes de Richard (según me imaginaba) eran sus secretarias, siempre muy jóvenes, siempre guapas, siempre chicas decentes. Las contrataba de la academia que fuese. Durante un tiempo, cuando lo llamaba a la oficina, me trataban con condescendencia. También las enviaba a comprarme regalos y a encargar flores para mí. Le gustaba que tuvieran claras las prioridades: yo era la mujer oficial y no pensaba divorciarse de mí. En su país, los hombres divorciados no llegaban a convertirse en líderes, al menos en aquellos tiempos. Esa situación me otorgaba cierto poder, sólo si simulaba no enterarme de nada. La amenaza que pendía sobre él era que yo lo descubriese, que quedara revelado lo que constituía ya un secreto a voces y desencadenara toda clase de prejuicios.

¿Me importaba? Sí, en cierto modo. Pero media rebanada es mejor que nada, me decía, y Richard no era más que una especie de rebanada. Era el pan de cada día, tanto para Aimee como para mí. Intenté elevarme por encima de ellos, como solía aconsejar Reenie. Intenté mirarlo desde arriba, flotar en el cielo como un globo fugitivo, y parte del tiempo lo conseguí.

Había aprendido a ocupar mi tiempo. Me tomaba en serio la jardinería, conseguía algunos resultados. No se me moría todo. Tenía pensado cultivar plantas perennes.

Richard mantenía las apariencias. Yo también. Asistíamos a fiestas, cócteles y cenas, siempre entrábamos y salíamos juntos de los sitios tomados del brazo. Teníamos la costumbre de beber un par de copas antes de cenar; a mí empezaba a gustarme demasiado la ginebra, en cualquiera de sus muchas combinaciones, pero no llegaba a perder la conciencia hasta el punto de no notar el suelo bajo los pies y soltar la lengua. Todavía patinábamos en la superficie de las cosas, en el delgado hielo de la educación que oculta la oscura laguna de debajo; en cuanto se funde, te hundes.

Media vida es mejor que ninguna.

No he conseguido transmitir una imagen cabal de Richard. Lo he presentado como un recortable de cartón. Soy consciente de ello. Me resulta imposible describirlo como realmente era, no consigo enfocarlo con precisión: lo veo difuminado, igual que en la foto de un viejo periódico humedecido. Incluso cuando vivía a su lado, muchas veces lo veía reducido, aunque también ampliado. La causa era que tenía demasiado dinero, demasiada presencia en el mundo; tendías a esperar de él más de lo que estaba en condiciones de dar y, en consecuencia, siempre te decepcionaba. Era implacable, pero no como un león sino más bien como un gran roedor. Abría túneles bajo tierra, mataba masticando la raíz de las cosas.

Tenía medios para hacer grandes gestos, para dar muestras significativas de generosidad, pero no dio ninguna. Se había convertido en una estatua de sí mismo: inmenso, público, imponente, hueco.

No es que el papel que había elegido le fuese grande, es que él no era lo bastante grande para el papel. Tal era el quid de la cuestión.

Cuando estalló la guerra, Richard se vio en un aprieto. Se había mostrado demasiado amistoso con los alemanes al hacer negocios con ellos, había expresado demasiada admiración por sus discursos. Al igual que muchos de sus colegas, había cerrado los ojos ante su brutal violación de la democracia; una democracia, por cierto, que muchos de nuestros líderes defendían con ahínco después de haberla calificado de impracticable.

Richard empezó a perder mucho dinero porque se vio obligado a dejar de comerciar con quienes, de la noche a la mañana, se habían convertido en enemigos. Tuvo que andar a la rebatiña y adular a ciertas personas; no le gustaba, pero lo hizo. Consiguió salvar su posición y volver a una situación favorable —bueno, no era el único que tenía las manos sucias, por lo que mejor no señalarlo—. Pronto sus fábricas volvían a funcionar a pleno ritmo para contribuir al esfuerzo de guerra del país, y no había nadie más patriota que él. Así, no se le reprochó nada cuando Rusia se puso del lado de los aliados y Stalin se convirtió de pronto en el tío querido por todo el mundo. Es verdad que Richard había echado pestes de los comunistas, pero los tiempos habían cambiado y todos los problemas quedaban escondidos debajo de la alfombra, porque ¿no eran tus amigos los enemigos de tus enemigos?

Mientras tanto, yo iba trampeando, no del modo habitual —lo habitual se había alterado—, pero sí lo mejor posible. «Obstinada» es la palabra que emplearía ahora para describirme en aquella época. «Aturdida» también serviría. Ya no había fiestas que organizar en el jardín ni más medias de seda que las del mercado negro. La carne estaba racionada, así como la mantequilla y el azúcar; si querías más, es decir, más de lo que conseguían los demás, era de la mayor importancia que establecieses determinados contactos. Se acabaron los viajes en transatlánticos de lujo; el *Queen Mary* se convirtió en barco para transporte de tropas. La radio dejó de ser un aparato portátil para convertirse en un oráculo frenético; la ponía todas las noches para oír las noticias, que al principio siempre eran malas.

La guerra seguía su curso sin descanso, como un motor al ralentí. La gente estaba agotada; la tensión era constante, temible, como oír rechinar dientes en la oscuridad, antes del alba, cuando yaces despierta noche tras noche.

Sin embargo, la guerra tuvo algunos beneficios. El señor Murgatroyd nos dejó para alistarse en el ejército. Fue entonces cuando aprendí a conducir. Me quedé uno de los coches, creo que el Bentley, y Richard lo registró a mi nombre: así nos darían más gasolina. (La gasolina estaba racionada, desde luego, si bien no tanto para la gente como Richard.) También me dio más libertad, aunque ya no me servía de mucho.

Tuve un resfriado que derivó en bronquitis; aquel verano se resfrió todo el mundo. Tardé meses en quitármelo de encima. Pasaba mucho tiempo en cama, triste, tosiendo sin parar. Ya no escuchaba las noticias: los discursos, las batallas, los bombardeos y la devastación, las victorias, ni siquiera las invasiones. Eran tiempos de grandes cambios, decían, pero yo había perdido el interés.

Se aproximaba el final de la guerra. Cada vez estaba más cerca. Por fin llegó. Yo recordaba el silencio de cuando terminó la última guerra, y luego el tañido de las campanas. Entonces era noviembre, los charcos estaban helados; en esta ocasión era primavera. Hubo desfiles. Hubo proclamaciones. Sonaron las trompetas.

Pero no fue tan fácil terminar la guerra. Una guerra es como una hoguera inmensa, las cenizas se alejan volando y se posan lentamente a la distancia.

Confitería Diana

Hoy fui andando hasta el puente del Jubileo y seguí hasta la tienda de rosquillas, donde me comí casi un tercio de rosquilla de naranja, una buena cantidad de harina y grasa que se extiende por mis arterias como si fuese cieno.

A continuación me dirigí al lavabo. Como el compartimiento del centro estaba ocupado, esperé un rato cuidando de no mirarme en el espejo. La edad reduce el espesor de la piel, a través de la cual se ven las venas y los tendones. También confiere mayor densidad. Es difícil volver a ser como antes, cuando la piel no existía.

Finalmente se abrió la puerta del compartimiento y salió una chica; era morena, vestía ropas sombrías y llevaba los ojos rodeados de hollín. Dejó escapar un grito ahogado y a continuación soltó una risita.

—Lo siento —dijo—. No la había visto, me he asustado.

Tenía acento extranjero, pero era de aquí; su nacionalidad era la de los jóvenes. Ahora soy yo la extranjera.

El mensaje más reciente estaba escrito con rotulador dorado: «No se puede alcanzar el Cielo sin Jesús.» Los correctores ya habían intervenido: «Jesús» estaba tachado y encima, en negro, ponía «morir».

Y debajo, en verde: «El Cielo en un grano de arena. Blake.»

Y debajo, en naranja: «El Cielo está en el planeta Xenor. Laura Chase.»

Otra cita incorrecta.

La guerra terminó oficialmente la primera semana de mayo; me refiero a la guerra en Europa, que es la única que preocupaba a Laura.

Una semana después, me llamó por teléfono. Lo hizo por la mañana, una hora después del desayuno, cuando sabía que Richard no estaba en casa. Ya no esperaba que me llamase, y no reconocí su voz. Al principio, pensé que se trataba de la empleada de mi modista.

—Soy yo —dijo.

—¿Quién eres tú? —pregunté con cautela. Me permito recordaros que, en aquella época, Laura era para mí una incógnita, quizás a causa de su dudosa estabilidad emotiva.

—Estoy aquí —repuso—. En la ciudad. —No quiso decirme dónde se hospedaba, pero nos citamos en una esquina, aquella misma tarde. Podemos ir a tomar un té, apunté. Tenía la intención de llevarla a la Confitería Diana. Era un sitio seguro, aislado, frecuentado sobre todo por mujeres; me conocían. Le dije que iría en coche.

—Oh, ¿ahora tienes coche?

—Más o menos —contesté.

—Lo dices como si fuera un carro de caballos. —El tono de su voz era ligeramente alegre.

Laura estaba en la esquina de King y Spadina, exactamente donde había dicho que me esperaría. No era de los distritos más recomendables, pero no parecía incomodada en absoluto. Hice sonar la bocina, me saludó con la mano, se acercó y subió al coche. Me incliné y la besé en la mejilla. De inmediato tuve la sensación de haberla traicionado.

—No puedo creerme que estés aquí de verdad.

—Pues aquí estoy.

Creí que me echaría a llorar; ella parecía indiferente. Pero le había notado la mejilla fría. Fría y descarnada.

—Supongo que no le habrás dicho a Richard que estoy aquí —comentó—. Ni a Winifred —añadió—, porque es lo mismo.

—¿Cómo se te ocurre? —dije. Ella no contestó.

Estaba conduciendo, de modo que no podía mirarla a los ojos. Tuve que esperar hasta después de aparcar, entrar en la Confitería Diana y sentarnos la una delante de la otra. Por fin pude observarla bien, de arriba abajo.

Era y no era la Laura que yo recordaba. Se la veía mayor, claro —las dos lo éramos—, pero había algo más. Iba vestida con pulcritud, casi con austeridad: llevaba un vestido camisero azul con peto plisado y pequeños botones delante, los cabellos peinados hacia atrás y recogidos en un severo moño. Parecía encogida, encerrada en sí misma, desteñida, pero al mismo tiempo translúcida, como si tuviera clavadas pequeñas puntas de luz debajo de la piel, como si le brotaran espinas de luz para formar una especie de halo con púas, como un cardo expuesto al sol. Es difícil describir el efecto. (Tampoco hay que darle mucho valor a la descripción; mi vista empezaba a deformarlo todo, ya necesitaba gafas, aunque todavía no lo sabía. La luz que envolvía a Laura bien podía ser un simple efecto óptico.)

Hicimos el pedido. Ella prefería el café al té. Le advertí que era malo; a causa de la guerra resultaba imposible conseguir buen café en un sitio como aquél.

—Estoy acostumbrada al mal café —dijo.

Permanecimos en silencio. Yo no sabía cómo empezar. Todavía no me veía con ánimos para preguntarle qué hacía en Toronto. Le pregunté dónde había estado durante todo ese tiempo, a qué se dedicaba.

—Al principio estuve en Avilion —me informó.

—¡Pero si estaba cerrado! —Estuvo cerrado durante toda la guerra. Hacía años que no íbamos—. ¿Cómo entraste?

—Oh, ya sabes —repuso—. Siempre conseguíamos entrar cuando nos lo proponíamos.

Me acordé de la tolva para el carbón, del cierre defectuoso de una de las puertas de la bodega. Pero lo habían reparado hacía tiempo.

—¿Rompiste una ventana?

—No hizo falta —contestó—. Reenie tenía una llave. Pero no se lo digas a nadie.

—La caldera no debía de funcionar. No habría forma de encender la calefacción —señalé.

—Así es —reconoció—, y había muchos ratones.

Nos sirvieron el café. Sabía a tostada quemada y achicoria torrada, lo que no era sorprendente teniendo en cuenta que se trataba, precisamente, de aquello con que lo habían hecho.

—¿Quieres un pastel o algo? —pregunté—. Aquí no son malos. —Estaba tan delgada que me pareció que le vendría bien comer.

—No, gracias.

—¿Qué hiciste después?

—Pues cumplí veintiún años y, como tenía un poco de dinero de padre, me fui a Halifax.

—¿A Halifax? ¿Por qué a Halifax?

—Era adonde llegaban los barcos.

No le seguí la corriente. Había un motivo oculto, siempre lo había tratándose de Laura, y preferí rehuirlo.

—Pero ¿qué hacías?

—Un poco de todo —respondió—. Procuraba ser útil. —Y eso fue todo lo que dijo al respecto. Me imaginé que se habría empleado en un centro de beneficencia o algo así, que limpiaba los lavabos de un hospital, esa clase de cosas—. Reenie me dijo que no recibiste las cartas que te envié desde Bella Vista.

—Así es. No recibí ninguna.

—Supongo que debían de quedárselas ellos. ¿Y no te dejaban llamarme o ir a verme?

—Me dijeron que era malo para ti.

Soltó una breve carcajada.

—Para ti habría sido malo —dijo—. No deberías seguir viviendo en esa casa. No deberías continuar al lado de él. Te aseguro que es muy malo.

—Ya sé que siempre lo has pensado, pero ¿qué quieres que haga? Nunca me concederá el divorcio. Y no tengo dinero.

—No es excusa.

—Quizá no lo sea para ti. Tú tienes lo que te dejó padre, pero yo no. Y además está Aimee.

—Puedes llevártela contigo.

—Es más fácil decirlo que hacerlo. A lo mejor no quiere venir. Por el momento, está muy unida a Richard, si quieres saberlo.

—¿Por qué? —preguntó Laura.

—Porque la mima. Le hace regalos.

—Te escribí desde Halifax —dijo Laura, cambiando con rapidez de tema.

—Pues tampoco recibí nada.

—Supongo que Richard lee tu correo —apuntó.

—Supongo que sí —reconocí. La conversación estaba tomando un cariz que no había previsto. Yo había pensado que tendría que consolar a mi hermana, que me compadecería de ella porque me contaría una historia triste, pero resultaba que era ella la que me estaba adoctrinando. ¡Con qué facilidad volvemos a representar nuestros viejos papeles!

—¿Qué te dijo de mí? —preguntó—. De lo de encerrarme en aquel sitio, quiero decir.

Ahí estaba, por fin, encima de la mesa. Me hallaba ante una encrucijada: o Laura se había vuelto loca o Richard me había mentido. No podía creer a los dos.

—Me contó una historia —repuse en tono evasivo.

—¿Qué clase de historia? No te preocupes, no me enfadaré. Sólo quiero saberlo.

—Me dijo que estabas..., bueno, mentalmente trastornada.

—Claro. Es normal. ¿Qué más te dijo?

—Que te creías que estabas embarazada, pero que era una idea delirante.

—Pues lo estaba —dijo Laura—. Fue la causa de todo, por eso me quitaron del medio con tantas prisas. Él y Winifred... estaban muertos de miedo. La desgracia, el escándalo... Ya puedes imaginarte el efecto que temían que tuviese en su gran carrera de hombre público.

—Sí. Me lo imagino. —Y me lo imaginaba; y no sólo eso, sino la llamada secreta del médico, el pánico, la apresurada reunión entre los dos, la improvisación inmediata del plan. Luego la otra versión de los hechos, la falsa, tramada sólo para mí. Yo solía ser bastante dócil, pero sabían que en algún momento quizá dijese basta. Seguramente les daba miedo lo que pudiese pasar si lo hacía.

—En todo caso, no tuve el bebé. Es una de las cosas que hacen en Bella Vista.

—¿Una de las cosas? —Me sentía francamente estúpida.

—Además de toda la comedia, de las pastillas y las máquinas. Hacen «extracciones» —añadió—. Te duermen con éter, como en el dentista, y a continuación te sacan el bebé de la barriga. Luego te dicen que lo has inventado todo, y si los acusas te sueltan que eres un peligro para ti misma y para los demás.

Estaba muy calmada, y sonaba convincente.

—Laura —dije—, ¿estás segura? De lo del bebé, quiero decir. ¿Estás segura de que estabas embarazada?

—Claro que estoy segura —respondió—. ¿Por qué iba a inventarme una cosa así?

Todavía quedaba lugar para la duda, pero esta vez la creí.

—¿Cómo fue? —susurré—. ¿Quién era el padre? —Una pregunta así exigía susurros.

—Si todavía no lo sabes, no creo que pueda decírtelo —contestó.

Supuse que debía de tratarse de Alex Thomas. Alex era el único hombre por el que Laura había mostrado interés, aparte de padre, claro, y de Dios. No me gustaba reconocer esa posibilidad, pero, desde luego, no había otra opción. Debían de reunirse cuando Laura hacía novillos, cuando nos pensábamos que estaba animando a pobres viejos decrépitos en el hospital, vestida con su remilgado delantal y haciendo de tripas corazón todo el tiempo. No era raro que a él le hubiera encantado lo del delantal, se trataba de la clase de toque estrafalario que tanto le atraía. Quizá fue por eso por lo que abandonó los estudios, para reunirse con Alex. ¿Qué edad tenía...; quince, dieciséis años? ¿Cómo había sido capaz?

—¿Estabas enamorada de él? —pregunté.

—¿Enamorada? ¿De quién?

—De..., ya lo sabes. —Me resultaba imposible pronunciar su nombre.

—Oh no —dijo Laura—, en absoluto. Fue horrible, pero tuve que hacerlo. Tuve que hacer el sacrificio. Tuve que asumir todo el dolor y el sufrimiento. Se lo había prometido a Dios. Sabía que, si lo hacía, salvaría a Alex.

—¿Qué demonios dices? —La confianza que acababa de recobrar en la salud mental de Laura se desmoronó de golpe; volvíamos al reino de la metafísica descabellada—. ¿Salvar a Alex? ¿De qué?

—De que lo detuvieran. Querían matarlo. Calie Fitzsimmons se enteró de dónde estaba y lo dijo. Se lo dijo a Richard.

—No puedo creerlo.

—Calie era una chivata. Es lo que dijo Richard. Dijo que Calie lo mantenía «informado». ¿Recuerdas que cuando la metieron en la cárcel fue Richard quien la sacó? Pues lo hizo por eso. Se lo debía.

Aquella reconstrucción de los acontecimientos me dejó sin aliento. Era monstruoso, aunque había una posibilidad, muy leve, de que fuese verdad. Pero, si lo era, estaba claro que Calie había mentido. ¿Cómo iba a saber dónde estaba Alex, si éste cambiaba constantemente de sitio?

Aunque era posible que él se mantuviera en contacto con Calie, que ella fuese una de las personas en que confiaba.

—Yo me limité a cumplir mi parte —dijo Laura—, y funcionó. Dios no engaña. Pero entonces Alex se fue a la guerra. Después de volver de España, quiero decir. Eso es lo que dijo Calie..., o al menos lo que me dijo a mí.

Eso no acabé de entenderlo. Estaba medio mareada.

—Laura, ¿por qué has venido? —inquirí.

—Porque ha terminado la guerra —respondió en tono paciente—, y es posible que Alex regrese pronto. Si no estoy aquí, no sabrá dónde buscarme. No sabe nada de Bella Vista, no sabe que estuve en Halifax. La única dirección que tiene es la tuya. De un modo u otro me mandará un mensaje. —Estaba imbuida de la férrea e insultante confianza del verdadero creyente.

Me dieron ganas de sacudirla. Cerré los ojos por un instante. Vi la piscina de Avilion, la ninfa de piedra con los dedos de los pies en el agua, el sol, demasiado caliente, resplandeciendo en las hojas verdes y gomosas el día después del funeral de madre. Yo tenía el estómago revuelto por el exceso de pasteles y azúcar. Laura estaba sentada a mi lado, al borde del estanque, tarareando complacida, segura en su convicción de que todo iba bien y los ángeles estaban de su parte porque había hecho algún pacto secreto y absurdo con Dios.

El rencor me hormigueaba en las yemas de los dedos. Recordé lo que había ocurrido después: la había empujado.

Ahora viene la parte que todavía me obsesiona. Debería haberme mordido la lengua, debería haber mantenido la boca cerrada. Por amor, debería haber mentido o dicho cualquier otra cosa, menos la verdad. «Nunca despiertes a un sonámbulo —solía decir Reenie—. El susto puede matarlo.»

—Laura, siento tener que decírtelo —comencé—, pero hicieras lo que hicieras, no salvaste a Alex. Alex ha muerto. Lo mataron en la guerra hace seis meses. En Holanda.

La luz que irradiaba se apagó. Se quedó blanca como la cera.

—¿Cómo lo sabes?

—Recibí un telegrama —respondí—. Me lo enviaron a mí. Había dado mi nombre como pariente más cercano. —Aún estaba a tiempo de cambiar de rumbo, de decirle que sin duda se trataba de un error, que seguramente iba dirigido a ella, pero no lo hice. En lugar de eso, añadí—: Fue una indiscreción por su parte. No me pareció correcto que lo hiciera, por consideración a Richard. Pero no tenía familia y, como fuimos amantes durante bastante tiempo, en secreto, ¿qué iba a hacer?

Laura permaneció en silencio. Se quedó mirándome fijamente,

como si viera a través de mí. Sabe Dios lo que vio: un barco hundido, una ciudad en llamas, una puñalada por la espalda. Sin embargo, reconocí la mirada: era la misma que tenía el día que estuvo a punto de ahogarse en el río Louveteau, cuando se hundía aterrorizada, helada, extasiada. Reluciente como el acero.

Un momento después se levantó, se inclinó sobre la mesa y cogió mi bolso, con rapidez y casi con delicadeza, como si contuviera algo frágil. Luego dio media vuelta y salió del local. Yo no hice nada por detenerla. Me tomó por sorpresa y, cuando alcancé a levantarme de la silla, ya había desaparecido.

Se produjo cierta confusión a la hora de pagar la cuenta: tenía todo el dinero en el bolso y mi hermana, expliqué, se había llevado éste por equivocación. Prometí que al día siguiente regresaría para pagar. Una vez resuelto eso, me dirigí casi corriendo al sitio donde había aparcado el coche. No estaba. Las llaves también estaban en el bolso. No sabía que Laura hubiera aprendido a conducir.

Anduve por muchas calles inventando excusas. No podía decirles a Richard y Winifred lo que me había ocurrido con el coche, pues lo utilizarían como una prueba más contra Laura. Les diría que había tenido una avería y la grúa se lo había llevado al taller, que me pidieron un taxi, me subí a él y, justo al llegar, vi que me había dejado el bolso en el coche. Les diría que no había de qué preocuparse. Lo resolvería al día siguiente a primera hora.

Richard no vino a cenar. Tenía una de aquellas comidas horribles en un club u otro, o debía pronunciar un discurso. Por entonces ya estaba apostando duro; tenía el objetivo al alcance de la mano. Este objetivo —ahora lo sé— no era sólo obtener poder o más dinero. Lo que él quería era respeto: respeto a pesar de su posición de nuevo rico. Lo anhelaba, estaba sediento de respeto, deseaba empuñar el respeto no sólo como un martillo sino también como un cetro. No es un deseo despreciable por sí mismo.

Aquel club en particular era sólo para hombres, de otro modo yo habría estado allí, sentada en segunda fila, sonriendo, aplaudiendo al final. En esas ocasiones le daba la noche libre a la institutriz de Aimee y me ocupaba personalmente de meterla en la cama. La ayudaba a bañarse, le leía algo y luego la arropaba. Aquella noche en particular, le costó mucho dormirse; debió de advertir mi preocupación. Me senté a su lado, le cogí la mano y le acaricié la frente sin dejar de mirar por la ventana hasta que se durmió.

¿Dónde había ido Laura, dónde estaba, qué había hecho con mi coche? ¿Cómo podía encontrarla, qué diría para arreglar las cosas?

Un abejorro golpeaba la ventana atraído por la luz. Chocaba contra el cristal como si fuera ciego. Parecía enfadado, frustrado, y también indefenso.

Escarpa

Hoy, de pronto, se me ha quedado la mente en blanco, completamente en blanco, como si hubiese una tormenta de nieve. Lo que había desaparecido no era el nombre de alguien —algo habitual en todo caso—, sino una palabra, que se ha dado la vuelta y se ha vaciado de sentido igual que una taza de cartón volcada.

La palabra era «escarpa». ¿Por qué se me había presentado? «Escarpa, escarpa», repetía, posiblemente en voz alta, pero no se me apareció imagen alguna. ¿Era un objeto, una actividad, un estado mental, un defecto corporal?

Nada. Vértigo. Estaba a punto de caer, daba manotazos al aire. Al final recurrí al diccionario. «Escarpa»: declive áspero del terreno. Plano inclinado que forma la muralla del cuerpo principal de una plaza.

Al principio fue el verbo, creíamos en otros tiempos. ¿Sabía Dios lo endeble que podía llegar a ser el verbo? ¿Sabía lo tenue que era, lo fácil que era que se borrase?

A lo mejor es lo que le ocurrió a Laura, lo que la empujó literalmente por el margen. Las palabras en las que ella había confiado y con las que había construido las murallas de una fortaleza que ella creía sólida se desmoronaron, dejaron al descubierto el hueco del centro y fueron alejándose de ella como tantos papeles arrojados a la papelera.

«Dios; Confianza; Sacrificio; Justicia.»

«Fe; Esperanza; Amor.»

Por no decir «hermana». Bueno, sí. Siempre queda eso.

La mañana después del té con Laura en la Confitería Diana anduve pendiente del teléfono. Pasaban las horas; nada. Tenía una cita para comer, con Winifred y dos miembros de su comité, en la Corte Arcádica. Siempre era mejor cumplir lo acordado con Winifred —si no, despertaste su curiosidad—, y por eso fui.

Fuimos informadas de la última empresa de Winifred, un cabaret en ayuda de los soldados mutilados. Habría cantos y bailes y unas cuantas chicas harían un número de cancan, por lo que ya podíamos empezar a vender entradas. ¿Sería capaz Winifred de ponerse a dar saltos con una enagua arrugada y medias negras? Para ser sincera, esperaba que no. A esas alturas, ya estaba de lo más escuálida.

—Te veo un poco pálida, Iris —observó Winifred, con la cabeza ladeada.

—¿Sí? —repuse, encantada. Últimamente no perdía oportunidad de señalarme que no estaba a la altura. Lo que quería decir era que no hacía todo lo que podía para apoyar a Richard, para impulsarlo hacia delante en su camino a la gloria.

—Sí, se te ve un poco decaída. ¿Será que Richard te deja agotada? ¡Este hombre tiene tanta energía! —Estaba de buen humor. Sus planes (sus planes para Richard) debían ir por buen camino, a pesar de mi desgana.

Pero no le presté mucha atención, me sentía demasiado preocupada por Laura. ¿Qué haría si no aparecía pronto? No podía decir que me habían robado el coche: no quería que la arrestaran. A Richard tampoco le hubiera gustado que lo hiciera. No favorecía a nadie.

Volví a casa y la señora Murgatroyd me dijo que Laura se había presentado en mi ausencia. Ni siquiera había tocado el timbre: la señora Murgatroyd se la encontró de pronto en el vestíbulo. Fue un golpe para ella ver a Laura, después de tantos años, como si hubiese topado con un fantasma. No, no había dejado dirección alguna. Pero le había dado un recado: «Dígale a Iris que la llamaré más tarde.» Algo así. Había dejado las llaves de la casa en la bandeja del correo; explicó que se las había llevado por error. Era un poco raro llevarse unas llaves por error, dijo la señora Murgatroyd, que se olía algo. Ya no se creía mi historia sobre el taller.

Sentí alivio; a lo mejor conseguía arreglarse todo. Laura aún estaba en la ciudad. Me llamaría más tarde.

Y lo hizo, claro, aunque, como suele ocurrir con los muertos, tiene tendencia a repetirse. Todos repiten las cosas que te decían en vida, raramente se les ocurre algo nuevo.

Estaba cambiándome después de la comida cuando llegó el policía con la noticia del accidente. Laura se había saltado la señal de peligro y se había precipitado por el puente de la avenida St. Clair hasta la quebrada del fondo. El golpe había sido terrible, añadió el policía meneando la cabeza con tristeza. Conducía mi coche: habían comprobado la licencia. Al principio, naturalmente, creyeron que era yo la mujer que habían encontrado quemada entre los restos.

Eso sí que habría sido una noticia.

En cuanto el policía se fue, intenté dejar de temblar. Necesitaba recuperar la calma, recomponerme. «Hay que seguir el ritmo de la música», solía decir Reenie, pero ¿a qué clase de música se refería? No era música de baile. Era una banda de música discordante, un desfile de algún tipo con multitudes a los lados, señalándome y riéndose. Un ejecutor al final del camino, pletórico de energía.

Desde luego, tendría que someterme a un pormenorizado examen por parte de Richard. La historia que había contado sobre el coche y el taller aún servía si añadía que había quedado con Laura para tomar el té pero que no se lo había dicho porque no quería preocuparlo innecesariamente justo antes de un discurso crucial. (En aquella época en que estaba a punto de alcanzar la meta.)

Diría que Laura iba conmigo en el coche cuando se estropeó, y que me acompañó al taller. Seguramente cogió el bolso que me había dejado y, a la mañana siguiente, fue tranquilamente a buscar el coche y falsificó un talón de mi chequera para pagar. Debería arrancar un cheque para dar mayor verosimilitud; si insistían en saber el nombre del taller, respondería que se me había olvidado. Si me presionaban más, me echaría a llorar. ¿Cómo podía pensar en un detalle tan trivial en un momento como aquél?, diría.

Subí a cambiarme. Para ir al depósito de cadáveres necesitaba un par de guantes y un sombrero con velo. Lo más probable era que ya estuvieran allí los periodistas y los fotógrafos. Pensé en ir en coche, pero enseguida me acordé de que el mío era un amasijo de hierros. Tendría que llamar un taxi.

También debía avisar a Richard, que estaba en su oficina; en cuanto la muerte de Laura se hiciera pública, se vería rodeado de una bandada de buitres. Se trataba de un hombre demasiado importante para que fuese de otro modo. Tal vez preparara una nota de pésame.

Efectué la llamada. Contestó la última joven secretaria de Richard. Le dije que era urgente y que no, no podía comunicarle la noticia a ella. Tenía que hablar con él en persona.

Se produjo una pausa mientras localizaba a Richard.

—¿Qué pasa? —preguntó. No le gustaba que lo llamase a la oficina.

—Ha habido un terrible accidente —repuse—. Laura... Se ha despeñado con el coche por un puente.

No dijo nada.

—Era mi coche —añadí.

No dijo nada.

—Me temo que está muerta —agregué.

—Dios mío. —Una pausa—. ¿Dónde ha estado todo este tiempo? ¿Cuándo volvió? ¿Qué hacía en tu coche?

—Me ha parecido que era mejor que lo supieses antes de que la noticia llegara a los periódicos —dije.

—Sí. Bien hecho.

—Ahora voy a ir al depósito.

—¿Al depósito? —dijo—. ¿Al depósito de la ciudad? ¿Para qué demonios...?

—Es donde la han llevado.

—Bueno, pues sácala de allí —indicó—. Llévala a un sitio decente. Un sitio más...

—Privado —dije yo—. Sí, lo haré. Será mejor que sepas que ha habido insinuaciones por parte de la policía. Uno de ellos acaba de irse; sugería...

—¿Qué? ¿Qué les has dicho? ¿Qué sugería? —Parecía bastante alarmado.

—Sólo que lo hizo a propósito.

—Tonterías —dijo—. Tiene que haber sido un accidente. Supongo que lo habrás dejado claro.

—Desde luego. Pero había testigos. Vieron...

—¿Ha dejado alguna nota? Si la ha dejado, quémala.

—Dos testigos, un abogado y un empleado de banco. Llevaba puestos los guantes blancos. La vieron dar un volantazo.

—Un espejismo —dijo él—. Quién sabe si iban borrachos. Llamaré a mi abogado. Yo me ocuparé.

Colgué el auricular y me fui al vestidor; necesitaba algo negro, y un pañuelo. Pensé que tenía que decírselo a Aimee. Le explicaría que el puente se había roto.

Abrí el cajón donde guardaba las medias y allí estaban las libretas de ejercicios de la época que teníamos como maestro al señor Erskine, cinco de ellas, atadas con un cordel de cocina. Encima aparecía el nombre de Laura, escrito a pluma, con su letra infantil. Debajo ponía: «Matemáticas.» Laura odiaba las matemáticas.

Viejos trabajos de la escuela, pensé. No: viejos deberes. ¿Por qué me los había dejado?

Podría haberlo dejado ahí. Podría haber elegido la ignorancia, pero hice lo que habríais hecho vosotros, lo que habéis hecho si habéis llegado hasta aquí. Quise saber.

Es lo que haría la mayoría de nosotros. Preferimos el conocimiento a pesar de todo, aunque nos mutile; estamos dispuestos a mantener las manos en las llamas si es necesario. La curiosidad no es nuestro único motivo: el amor, el dolor, la desesperación o el odio es lo que nos empuja hacia delante. No paramos de espiar a los muertos: abrimos sus cartas, leemos sus diarios e inspeccionamos sus cosas en espera de una indicación, una palabra definitiva de los que nos han abandonado... de los que nos hacen cargar con el muerto, a menudo mucho más vacío de lo que suponíamos.

Pero ¿y los que dejan estas pistas para que tropecemos con ellas? ¿Por qué se preocupan de hacerlo? ¿Por egoísmo? ¿Por lástima? ¿Por venganza? ¿Es una simple proclamación de su existencia, como garabatear las iniciales en la pared de un lavabo? La combinación de presencia y anonimato —confesión sin arrepentimiento, verdad sin consecuencias— posee sus atractivos. Es una manera de limpiarse la sangre de las manos.

Los que dejan esas pruebas apenas pueden quejarse si luego llegan unos desconocidos y husmean en todo lo que tuvo que ver con ellos. Y no sólo desconocidos, sino también amantes, amigos, parientes. Todos somos *voyeurs*. ¿Por qué damos por sentado que tenemos todo el pasado a nuestra disposición sencillamente por haberlo encontrado? Todos nos convertimos en profanadores de tumbas en cuanto abrimos las puertas que otros cerraron.

Bien es cierto que sólo las cerraron. Las habitaciones y lo que contienen están intactos. Si los que las dejaron hubieran pretendido el olvido, habrían optado por el fuego.

XIV

VIX

El mechón dorado

Tengo que darme prisa. Ya veo el final, resplandeciente ante mí como si se tratara de un motel de carretera en una noche oscura, bajo la lluvia. Un motel de posguerra que parece la última oportunidad, donde no hacen preguntas, los nombres del registro de recepción no son reales y se paga por adelantado. En la oficina hay viejas luces de árbol de Navidad; detrás un grupo de cabinas oscuras, con cojines que huelen a moho. Una bomba de gas, con la cara de la luna, pero sin gasolina: se acabó hace décadas. Ahí es donde te detienes.

«El fin», un refugio cálido y seguro. Un lugar de descanso. Pero todavía no he llegado, y estoy vieja y cansada, voy a pie y cojeo. Perdida en el bosque, sin piedras blancas para marcar el camino, el traicionero camino por recorrer.

¡Lobos, os invoco! ¡Mujeres muertas de cabellos azules y ojos como agujeros llenos de serpientes, os convoco! ¡Quedaos a mi lado ahora que nos acercamos al fin! Guiad mis temblorosos dedos artríticos, mi feo bolígrafo negro; mantened a flote el corazón que flaquea, aunque sólo sea por unos días más, hasta que lo haya dejado todo en orden. Sed mis compañeros, mis asistentes y mis amigos; una vez más, añado, ¿acaso no nos conocimos bien en el pasado?

Cada cosa tiene su lugar, solía decir Reenie; o, cuando estaba de peor humor, dirigiéndose a la señora Hillcoate: «No hay flores sin tierra.» El señor Erskine me enseñó unos cuantos trucos útiles. Una invocación a las Furias puede servir, en caso de necesidad. Sobre todo cuando de lo que se trata es de vengarse.

Al principio yo creía que sólo quería justicia. Creía que mi corazón era puro. Nos gusta tener buena opinión de nuestros motivos cuando estamos a punto de hacer algo dañino para otros. Pero, como también había señalado el señor Erskine, Eros con su arco y sus flechas no es el único dios ciego. La justicia es el otro. Torpes dioses ciegos con armas afiladas. La justicia lleva una espada que, unida a la venda de los ojos, acaba cortando a quien la esgrime.

Desde luego, querrás saber qué había en las libretas de Laura. Están como ella las dejó, atadas con una mugrienta cuerda marrón, y las he dejado en mi baúl junto con todo lo demás. No he cambiado nada. Puedes verlo por ti misma. Las páginas que faltan no las he arrancado yo.

¿Qué esperaba yo aquel día de mayo de 1945, en que reinaba el temor? ¿Confesiones, reproches? ¿O más bien un diario con los detalles de los encuentros amorosos entre Laura y Alex Thomas? Sin duda, sin duda. Estaba preparada para el dolor. Y lo tuve, pero no como lo imaginaba.

Corté la cuerda y hojeé las libretas. Había cinco: Matemáticas, Geografía, Francés, Historia y Latín. Los libros del conocimiento.

«Escribe como un ángel», dice de Laura la contracubierta de una de las ediciones de *El asesino ciego*. Por lo que recuerdo, es una edición estadounidense, con volutas en la portada; dan mucho valor a los ángeles por esos pagos. En realidad, los ángeles no escriben mucho. Registran los pecados y los nombres de los condenados y los salvados, o aparecen como manos incorpóreas y garabatean advertencias en las paredes. O entregan mensajes, de los que pocos son buenas noticias: «Que Dios te ayude» no es precisamente una bendición.

Teniendo en cuenta todo eso, sí: Laura escribía como un ángel. Es decir, no mucho, pero iba al grano.

La de Latín fue la primera libreta que abrí. La mayor parte de las páginas que quedaban estaban en blanco; había algunas páginas de antiguos ejercicios con trozos arrancados. Dejó un párrafo, una traducción que había hecho ella —con mi ayuda, y con la ayuda de la biblioteca de Avilion— de las líneas finales del libro cuarto de la *Eneida* de Virgilio. Dido se clava el cuchillo en la pira o altar que ha levantado con todos los objetos relacionados con su amor perdido, Eneas, que ha zarpado para cumplir su destino en la guerra. Aunque sangra cual cordero sacrificado, a Dido le cuesta morir. Se retuerce de dolor. Al señor Erskine, lo recuerdo, le encantaba esta parte.

Me acordé del día que lo escribió. La luz de la tarde entraba por la ventana de mi habitación. Laura estaba tendida en el suelo, con los pies descalzos, transcribiendo laboriosamente nuestra colaboración en su libreta. Olía a jabón y a virutas de lápiz.

El poderoso Juno sintió entonces pesar por sus prolongados sufrimientos y su difícil viaje y envió a Iris al Olimpo para separar al alma agonizante del cuerpo que seguía unido a ella. Tuvo que hacerlo porque Dido no podía morir de muerte natural ni a manos de otras personas, sino en la desesperación, conducida a ella por un loco impulso. En todo caso, Proserpina todavía no había cortado el mechón de oro de sus cabellos ni la había enviado al mundo de los muertos.

Entonces, llorosa, con las alas amarillas como el azafrán de primavera, arrastrando miles de colores que lanzaban destellos a la luz del sol, Iris voló y, flotando sobre Dido, le dijo: «Como me ordenaron, tomo esta cosa sagrada que pertenece al Dios de la Muerte, y te libero de tu cuerpo.» Al instante se apagó su calidez y su vida se desvaneció en el aire.

—¿Por qué tenían que cortarle un mechón, Iris? —preguntó Laura.

Yo no tenía ni idea.

—Era una especie de ofrenda —repuse. Me había complacido descubrir que mi nombre pertenecía a un personaje de la historia y no era sólo el de una flor, como había pensado siempre. En la familia de mi madre, para las chicas siempre habían primado los motivos botánicos.

—Era una ayuda para que Dido saliese de su cuerpo —señaló Laura—. No quería vivir más. La libraba del sufrimiento, así que era lo mejor que podía ocurrir. ¿No te parece?

—Supongo —contesté. A mí no me interesaban especialmente los detalles éticos. En los poemas ocurrían cosas peculiares. No tenía sentido tratar de entenderlo todo. Sin embargo, me preguntaba si Dido habría sido rubia; en el resto de la historia me parecía más bien morena.

—¿Quién es el Dios de la Muerte? ¿Por qué quiere un mechón de ella?

—Basta ya de mechones —dije—. Ya hemos terminado el latín. Ahora terminemos el francés. El señor Erskine nos ha puesto demasiados deberes, como siempre. A ver: *Il ne faut pas toucher aux idoles: la dorure en reste aux mains.*

—Qué tal: mejor no tocar a los dioses falsos para no quedarte con la pintura en las manos.

—No pone nada de pintura.

—Pero es lo que quiere decir.

—Ya sabes cómo es el señor Erskine. Lo que quiere decir le tiene sin cuidado.

—Odio al señor Erskine. Me encantaría que volviera la Señorita Violencia.

—A mí también. Me encantaría que volviera madre.

—A mí también.

Al señor Erskine no le había gustado mucho esa traducción del latín de Laura. Estaba llena de correcciones en rojo.

¿Cómo describir el pozo de dolor en el que estaba hundiéndome? Dado que es imposible, no pienso intentarlo.

Hojeé las demás libretas. La de Historia estaba en blanco; sólo tenía la fotografía que Laura había pegado, en la que ella y Alex Thomas aparecían en el pícnic de la fábrica de botones, los dos coloreados de amarillo claro, con mi mano azul acercándose a ellos por el césped. La de Geografía no contenía más que una corta descripción de Port Ticonderoga que nos había pedido el señor Erskine. «Esta ciudad, de dimensiones medianas, está situada en el cruce del río Louveteau con el Jogues y es famosa, entre otras cosas, por sus piedras», era la primera frase de Laura. En la libreta de Francés no había nada de francés. En lugar de ello, había la lista de palabras raras que Alex Thomas se había dejado en el desván y que —ahora lo descubría— finalmente Laura no había quemado. «Ancorin; berel; carchinal; diamita, ebono...» Una lengua extranjera, cierto, pero una lengua que yo había aprendido mejor de lo que entendí jamás el francés.

En la de Matemáticas aparecía una larga columna de números, con palabras a un lado y a otro. Me costó unos minutos caer en la cuenta de qué clase de números se trataba. Eran fechas. La primera coincidía con mi regreso de Europa y la última era de tres meses antes de que enviasen a Laura a Bella Vista. Las palabras eran:

Avilion, no. No. No. Sunnyside. No. Xanadú, no. No. *Queen Mary*, no no. Nueva York, no. Avilion. Al principio no.
Water Nixie, X. «Embobado.»
Otra vez Toronto. X.
X.X.X.X.
O.

Ésa era toda la historia. No quedaba nada por saber. La había tenido allí todo el tiempo, delante de mis ojos. ¿Cómo había sido tan ciega?

No era Alex Thomas. Nunca lo había sido. Para Laura, Alex pertenecía a otra dimensión del espacio.

La victoria llega y se va

Después de mirar las libretas de Laura, volví a dejarlas en mi cajón de las medias. Lo sabía todo, pero no estaba en condiciones de demostrar nada. Eso era evidente.

Pero, como solía decir Reenie, siempre hay más de una manera de desollar a un gato. Si no puedes hacerlo directamente, abórdalo dando un rodeo.

Esperé hasta después del funeral, y luego otra semana. No quería actuar con precipitación. Más vale cautela que lamentaciones, como también solía decir Reenie. Sin embargo, un axioma cuestionable: muchas veces se producen ambas cosas.

Richard se fue de viaje a Ottawa por un asunto importante. Me dejó entrever que los hombres que ocupaban puestos altos podrían hacer preguntas; si no de inmediato, pronto. Le dije, y así se lo repetí a Winifred, que aprovecharía la ocasión para ir a Port Ticonderoga con las cenizas de Laura en su urna plateada. Expliqué que quería esparcirlas y encargar la inscripción en el cubo monumental de la familia Chase. Todo correcto.

—No te sientas culpable —dijo Winifred con la esperanza de que lo hiciera; si me culpaba a mí misma, no culparía a los demás—. Hay cosas en las que es mejor no pensar. —Sin embargo, las piensas de todos modos, es inevitable.

Después de despedir a Richard, di la tarde libre a la servidumbre. Dije que yo me encargaría del trabajo. En los últimos tiempos lo había hecho a menudo: me gustaba estar sola en casa con Aimee, cuando dormía, por lo que ni siquiera a la señora Murgatroyd le pareció sospechoso. Cuando todos se hubieron marchado, actué con rapidez. Ya había empezado a empaquetar subrepticiamente cosas —mi joyero, las fotografías, *Plantas perennes para el jardín rocoso*— y acabé con lo que me quedaba. Mi ropa, aunque no toda: unas cuantas cosas para Aimee, pero tampoco todo, desde luego. Metí lo que pude en el baúl, el mismo que en otro tiempo había contenido mi ajuar, y en la maleta a juego. Al día siguiente, llamé un taxi y me fui a Union Station con Aimee, con una muda para cada una y en ayunas.

Le dejé una carta a Richard. Le dije que en vista de lo que había hecho —de lo que acababa de enterarme que había hecho— no quería verlo nunca más. En consideración a sus ambiciones políticas, no pediría el divorcio, aunque tenía pruebas fehacientes de su insidiosa conducta en las libretas de Laura, que —mentí— estaban guardadas en una caja de seguridad. Si por casualidad intentaba poner sus sucias manos sobre Aimee, añadí, montaría un escándalo en toda regla, como lo haría si no cumplía con mis exigencias financieras. No eran muchas: lo único que quería era dinero suficiente para comprar una casita en Port Ticonderoga y para que no le faltase de nada a Aimee. Yo me encargaría de satisfacer mis propias necesidades.

Firmé la carta poniendo, «Sinceramente tuya», y, mientras cerraba el sobre, me pregunté si había escrito bien la palabra «insidiosa».

Varios días antes de abandonar Toronto, busqué a Calista Fitzsimmons. Había dejado la escultura y se dedicaba a pintar murales. La encontré en una compañía de seguros —la oficina central—, donde había colocado un encargo. El tema era la contribución de las mujeres al esfuerzo de guerra, un poco pasado de moda teniendo en cuenta que la guerra había acabado (aunque nadie lo sabía entonces, tiempo después lo cubrirían con una capa de pintura marrón tranquilizadoramente anodina). Ocupaba toda una pared y representaba a tres obreras con mono de trabajo y una sonrisa valerosa, fabri-

cando bombas; una chica conduciendo una ambulancia; dos jorna-
leras con sendas azadas y cestas llenas de tomates; una mujer con
uniforme ante una máquina de escribir; en un rincón, una madre con
delantal que sacaba del horno una hogaza de pan mientras dos niños
la miraban con cara de satisfacción.

Calie se sorprendió al verme. No le había anunciado mi visita,
pues no quería que intentase eludirme. Estaba supervisando el trabajo de los pintores con un pañuelo en la cabeza, pantalones anchos
y zapatillas de deporte, e iba de un lado a otro con las manos en los
bolsillos y un cigarrillo entre los labios.

Se había enterado de la muerte de Laura, lo había leído en el periódico; una chica tan encantadora, tan especial de pequeña, qué lástima. Después de esos preliminares, le expliqué lo que me había dicho Laura y le pregunté si era verdad.

Calie reaccionó con indignación. Pronunció la palabra «estupidez» varias veces. Era verdad que Richard la había ayudado cuando
la policía la había detenido por agitación, pero según ella sólo lo había hecho por ayudar a los amigos de la familia y por los viejos tiempos. Negó haber dicho jamás nada a Richard ni de Alex ni de ningún otro compañero de viaje comunistoide. ¡Qué estupidez! ¡Eran
sus amigos! En cuanto a Alex, sí, al principio lo ayudó, cuando se
metió en aquel lío, pero luego desapareció, sin pagarle lo que le debía, en realidad; y luego se enteró de que estaba en España. ¿Cómo
podía haber dicho dónde estaba si ni siquiera lo sabía?

No conseguí nada. Quizá Richard hubiese engañado a Laura en
eso, como me había engañado a mí en tantas cosas. Por otro lado, tal
vez fuese Calie la que mentía, pero ¿qué iba a decirme ella?

A Aimee no le gustaba Port Ticonderoga. Quería a su padre. Quería lo que le resultaba familiar, como es propio de los niños. Quería volver a su habitación. Bueno, es lo que queremos
todos.

Le expliqué que teníamos que quedarnos un tiempo allí. No debería decir que se lo expliqué porque no hubo ninguna explicación.

¿Qué podía decirle que tuviera el mínimo sentido para una niña de ocho años?

Port Ticonderoga había cambiado mucho; la guerra había propiciado avances. Durante el conflicto habían vuelto a abrir varias fábricas —mujeres con mono producían espoletas—, pero estaban volviendo a cerrar. Posiblemente habría una reconversión para producir artículos propios de tiempos de paz una vez se viese claro qué deseaban comprar exactamente los soldados que volvían, para las casas que adquirían y las familias que formarían. Mientras tanto, mucha gente estaba sin trabajo, a la espera.

Había vacantes. Elwood Murray ya no dirigía el periódico; en poco tiempo su nombre aparecería, reluciente, en el Monumento a los Caídos, ya que se había alistado en la Marina y había volado por los aires. Era interesante comprobar qué hombres de la ciudad habían muerto a manos de otros y cuáles habían volado por los aires, como si hubieran hecho algo mal o fuera incluso un acto deliberado, casi pretendido, como cortarse el pelo. «Le tocó el pastel», era la manera local de decirlo, sobre todo por parte de los hombres. No había modo de saber a qué clase de pastel se referían.

El marido de Reenie, Ron Hincks, no estaba clasificado entre esos compradores casuales de la muerte. Se comunicó solemnemente que lo habían matado en Sicilia, junto con un grupo de hombres de Port Ticonderoga que se habían alistado en el Real Regimiento Canadiense. Reenie tenía la pensión, pero no mucho más, y me alquiló una habitación de su casa; también trabajaba en el restaurante Betty's, aunque se quejaba de que la espalda estaba matándola.

No era la espalda, como no tardaría en descubrir yo misma, sino los riñones, que dejaron de funcionar seis meses después de mi regreso. Si estás leyendo eso, Myra, me gustaría que supieras que fue un golpe muy duro. Yo contaba con su presencia —¿no había estado siempre presente?— y, de pronto, dejó de estar.

Aunque estaba cada vez más, porque ¿de quién era la voz que oía yo cuando necesitaba un comentario sentencioso?

Fui a Avilion, claro. No fue una visita fácil. La casa estaba poco menos que en ruinas, los jardines cubiertos de maleza; el invernadero era una ruina, con los cristales rotos y las plantas secas aún en sus macetas. Bueno, también había algunas así en nuestro tiempo. Las esfinges guardianas tenían varias inscripciones del tipo «John ama a Mary»; una de ellas estaba en el suelo. El estanque de la ninfa de piedra estaba lleno de hierbas y hierbajos. La ninfa aún se sostenía en pie, aunque le faltaban algunos dedos. Su sonrisa, sin embargo, era la misma: remota, secreta, despreocupada.

No tuve que forzar la puerta para entrar: Reenie, que entonces vivía, todavía guardaba la llave. La casa estaba en un estado penoso: había polvo y excrementos de ratones por todas partes, y el suelo de parquet estaba cubierto de manchas. Tristán e Isolda seguían allí, presidiendo el comedor vacío, aunque Isolda había sufrido una lesión en el arpa y sobre la ventana central había un par de nidos de golondrinas. No obstante, la casa no había sido víctima de actos vandálicos: llevaba el nombre de Chase y, por débil que fuera, debía despedir un halo de poder y dinero.

Recorrí toda la casa. Olía fuertemente a moho. Eché una ojeada a la biblioteca, donde la cabeza de la Medusa aún continuaba sobre la chimenea. La abuela Adelia también seguía en su sitio, aunque empezaba a combarse: su cara presentaba una expresión de astucia, reprimida pero gozosa. Estoy segura de que tuviste una vida secreta. Estoy segura de que eso te permitió seguir adelante.

Hurgué entre los libros, abrí los cajones de la mesa. En uno de ellos había una caja de botones de muestra de los tiempos del abuelo Benjamin; los círculos de hueso blanco que sus manos convirtieron en oro y que habían seguido siendo de oro durante tantos años, habían vuelto a sus orígenes de hueso.

En el desván encontré el nido que Laura debió de construirse allí cuando regresó procedente de Bella Vista: las mantas de los baúles, las sábanas de su cama de abajo. La hubieran delatado si alguien la hubiese buscado en la casa. Había varias pieles secas de naranja, unos restos de manzana. Como era normal, no se le había ocurrido limpiarlo. Escondida en el armario con revestimiento de madera estaba la bolsa que había metido allí el verano del *Water Nixie*; aún contenía la tetera de plata, las tazas y platos de porcelana, las cucharas con las iniciales, el cascanueces con forma de caimán, un gemelo solitario de madreperla, el mechero roto, las angarillas sin vinagrera.

«Volveré después —me dije—, y me llevaré algo más.»

Richard no apareció en persona, lo que (para mí) fue una señal de su culpabilidad. En lugar de eso, envió a Winifred.

—¿Te has vuelto loca? —fue lo primero que dijo. (Eso, en un reservado del Betty's; no quería que viniera a la casita que había alquilado, no quería que se acercara a Aimee.)

—No —repuse—, y Laura tampoco. O no tanto como pretendíais vosotros. Sé lo que Richard hizo.

—No sé de qué hablas —dijo Winifred. Llevaba una estola de visón compuesta de colas lustrosas e intentaba esforzadamente quitarse los guantes.

—Supongo que cuando se casó conmigo pensó que era una ganga: dos por el precio de una.

—No seas ridícula —espetó Winifred, aunque parecía agitada—. Richard tiene las manos absolutamente limpias, por mucho que haya dicho Laura. Es puro como la nieve. Has cometido un grave error de juicio. Quiere que te diga que pasará por alto toda esta aberración. Si vuelves, está dispuesto a olvidar y perdonarte.

—Pues yo no —repliqué—. Puede que sea puro como la nieve, pero no como la nieve que cae. Es otra clase de sustancia.

—Baja la voz —murmuró—. La gente nos mira.

—Nos mirarán de todos modos —dije—, vas vestida como el caballo de Lady Astor. La verdad es que ese tono de verde te queda fatal, sobre todo a tu edad. Nunca te ha sentado bien, en realidad. Te da un aire nauseabundo.

Eso la hirió. Winifred no sabía cómo actuar: no estaba acostumbrada a ese nuevo aire viperino mío.

—¿Qué quieres, exactamente? —inquirió—. No es que Richard sea culpable de nada, pero no quiere un escándalo.

—Ya se lo dije exactamente —respondí—. Lo expuse todo. Y ahora me gustaría recibir el cheque.

—Quiere ver a Aimee.

—Es imposible que se lo permita —repuse—. Tiene debilidad por las jovencitas, ya lo sabes; siempre lo has sabido. Yo, a los dieciocho, ya casi le parecía demasiado vieja. Tener a Laura en la misma casa era una tentación excesiva para él, ahora me doy cuenta. Tenía que ponerle las manos encima. Pero no va a hacer lo mismo con Aimee.

—No seas desagradable —dijo Winifred. A esas alturas ya estaba fuera de sí: le habían salido manchas bajo el maquillaje—. Aimee es su hija.

Estuve a punto de decir: «No, no lo es», pero habría sido un error táctico, y lo sabía. Legalmente era su hija; no tenía manera de demostrar lo contrario, aún no habían inventado eso de los genes. Si Richard hubiese sabido la verdad, se habría muerto de ganas de arrancarme a Aimee de los brazos. Se la habría quedado como rehén y yo habría perdido la ventaja conseguida hasta el momento. Era una partida de ajedrez inmunda.

—Nada lo detendría —dije—, ni siquiera Aimee. Después la obligaría a abortar, como hizo con Laura.

—Veo que no tiene sentido seguir discutiendo —masculló Winifred al tiempo que recogía los guantes, la estola y el bolso de reptil.

Después de la guerra, las cosas cambiaron. Y con ellas nuestro aspecto. Pasado un tiempo, los grises apagados y los medios tonos desaparecieron para dar paso al pleno resplandor de la luna: colores chillones, primarios, sin sombras. Rosados fuertes, azules violentos, pelotas de playa rojas y blancas, el verde fluorescente del plástico, el sol resplandeciente como un foco.

En los alrededores de pueblos y ciudades, los bulldozers arrasaban el terreno, cortaban árboles y abrían agujeros en el suelo, tan grandes como si hubiese caído una bomba. Las calles eran de grava y barro. Aparecieron parcelas de tierra desnuda en las que se habían

El asesino ciego

plantado árboles jóvenes altos y débiles; los sauces llorones eran los más populares. El cielo era demasiado ancho.

En los escaparates de las carnicerías había grandes y relucientes trozos de carne. Había naranjas y limones que brillaban como una sonrisa, montones de azúcar y montañas de mantequilla amarilla. Todo el mundo comía sin parar. Se cebaban de carne y de toda la comida en tecnicolor que tenían a mano, como si el mañana no existiera.

Yo tenía entonces bastante dinero, tanto de Richard como del legado de Laura. Me había comprado mi casita; Aimee todavía estaba resentida conmigo por haberla arrancado de su vida anterior, bastante más lujosa, pero parecía más calmada, aunque de vez en cuando notaba que me dirigía una mirada gélida: ya empezaba a decidir que yo era una madre insatisfactoria. Richard, por otro lado, había cosechado los beneficios que otorga la distancia, y ahora que no estaba presente Aimee lo veía con mayor brillo. Sin embargo, como el flujo de regalos había ido reduciéndose a nada, no tenía muchas opciones. Me temo que yo esperaba que fuese más estoica de lo que era.

Mientras tanto, Richard se preparaba para asumir el cargo que, según los periódicos, ya tenía al alcance de la mano. Es cierto que yo constituía un impedimento, pero se habían desmentido los rumores de una separación. Yo me encontraba «en el campo», lo que en parte era verdad, siempre que estuviese dispuesta a quedarme allí.

Sin que yo lo supiera, habían corrido otros rumores: que era emotivamente inestable, que Richard me mantenía económicamente a pesar de mi chaladura, lo cual demostraba que era un santo. Si se maneja bien, tener una mujer loca no es tan grave: granjea la simpatía de las esposas de los poderosos.

En Port Ticonderoga vivía con bastante tranquilidad. Siempre que salía, provocaba una oleada de murmullos respetuosos; cuando me acercaba, las voces callaban, para seguir más tarde. Decidieron que fuera lo que fuera lo que había pasado con Richard, yo era la parte perjudicada, pero como no había justicia y muy poca compasión, no podía hacerse nada por mí. Eso fue antes de que apareciese el libro, claro.

Pasó el tiempo. Me dedicaba al jardín, leía y cosas así. Ya había empezado el negocio de venta de artefactos de segunda mano —con modestia, con unas cuantas joyas de animales de Richard—, que me resultó muy útil en las décadas siguientes. Se había establecido una especie de normalidad.

Pero a menudo las lágrimas no derramadas se vuelven amargas. Como el recuerdo. Como morderse la lengua. Entonces empezaron las malas noches, el insomnio.

Oficialmente, lo de Laura se había tapado. Unos años más y sería como si nunca hubiera existido, o casi. Una y otra vez me decía que no debería haber hecho un voto de silencio. ¿Qué quería? No mucho. Sólo un memorial. Pero ¿qué es un memorial si lo piensas bien sino una conmemoración de las heridas soportadas? Soportadas y motivo de resentimiento. Sin memoria no puede haber venganza.

«Para no olvidar. Acuérdate de mí. A ti venimos con las manos vacías.» Gritos de fantasmas sedientos.

He descubierto que no hay nada más difícil que entender a los muertos, pero nada es más peligroso que no hacer caso de ellos.

El montón de escombros

Envié el libro. A su debido tiempo, recibí una carta. La contesté. Los acontecimientos siguieron su curso.

Los ejemplares de la autora llegaron antes de que saliera a la calle. En la solapa de la cubierta, había una conmovedora nota biográfica:

> Laura Chase escribió *El asesino ciego* antes de los veintiún años. Era su primera novela; por desgracia, también será la última, pues murió en un trágico accidente automovilístico en 1945. Nos enorgullecemos de presentar esta obra sorprendente de una escritora de talento.

Encima aparecía la foto de Laura, una mala reproducción en la que se la veía llena de motas. A pesar de todo, algo era algo.

Al principio, el libro no recibió comentario alguno. Al fin y al cabo, no podía aspirar a convertirse en un best-séller, y aunque tuvo buenas críticas en círculos de Nueva York y Londres, aquí no causó gran impresión. De pronto, los moralistas lo descubrieron, los mamporreros del púlpito y los viejos de la zona entraron en acción y empezó el alboroto. En cuanto los buitres hicieron la conexión —Laura era la cuñada muerta de Richard Griffen— se lanzaron como locos sobre la historia. En aquel tiempo Richard ya tenía un número de enemigos políticos. Empezaron a publicarse insinuaciones.

La historia de que Laura se había suicidado, encubierta con tanta eficiencia en su momento, volvió nuevamente a primer plano. Todo el mundo hablaba de ello, no sólo en Port Ticonderoga, sino en los círculos que importaban. Si era así, ¿cuál había sido la razón? Alguien efectuó una llamada anónima —¿quién podía haber sido?— y la clínica Bella Vista entró en escena. El testimonio de un antiguo empleado (bien pagado, se decía, por uno de los periódicos) condujo a una investigación exhaustiva de las sórdidas prácticas que se llevaban a cabo y, como resultado, excavaron el patio y cerraron el lugar para siempre. Yo estudiaba las imágenes con interés; antes de convertirse en clínica psiquiátrica había sido la mansión de uno de los magnates de la madera, y decían que tenía unas vidrieras de colores bastante buenas, aunque no tanto como las de Avilion.

Se encontró determinada correspondencia entre Richard y el director que resultó particularmente dañina.

De vez en cuando se me aparece Richard; su imagen me asalta de pronto o sueño con él. Es gris, pero tiene un lustre iridiscente alrededor, como aceite en un charco. Me dirige una mirada suspicaz. Otro fantasma que me reprocha algo.

Poco antes de que los periódicos anunciaran su retirada de la política oficial, recibí una llamada suya, la primera desde que me había marchado. Estaba rabioso, y frenético. Le habían comunicado que, debido al escándalo, no podían seguir considerándolo candidato a un puesto de liderazgo, y los peces gordos ya no respondían a sus llamadas. Lo había hecho, según él, para arruinarlo.

—¿Para qué? —le dije—. No estás arruinado. Sigues siendo muy rico.

—¡Ese libro! —exclamó—. ¡Es un sabotaje! ¿Cuánto pagaste para que lo publicaran? ¡No puedo creer que Laura escribiera ese horrible..., esa basura!

—No quieres creerlo —puntualicé—, porque estabas enamorado de ella. No soportas la posibilidad de que mientras tú tenías una aventura con ella, ella se metiese en la cama con otro hombre, con el hombre que amaba, que no eras tú. Porque supongo que eso es lo que quiere decir el libro, ¿no?

—Era aquel comunista, ¿verdad? ¡Aquel cabrón del pícnic! —Richard debía de estar muy agitado, ya que no solía decir palabrotas.

—¿Cómo quieres que lo sepa? —inquirí—. Yo no la espiaba. Pero estoy de acuerdo contigo, debió de empezar en el pícnic. —No le dije que eran dos los pícnics en que estaba involucrado Alex: uno con Laura, y el segundo, un año más tarde, sin ella, después de topar con él aquel día en la calle Queen. El pícnic de los huevos duros.

—Lo hacía por despecho —apuntó Richard—. Sólo quería vengarse de mí.

—No me extrañaría —dije—. Debía de odiarte. ¿Qué esperabas? Prácticamente la violaste.

—¡Eso no es cierto! ¡No hice nada sin su consentimiento!

—¿Consentimiento? ¿Así lo llamas? Yo lo llamaría chantaje.

Colgó el auricular. Era una característica de la familia. Antes me había llamado Winifred para recriminarme, y había hecho lo mismo.

Entonces Richard desapareció, y lo encontraron en el *Water Nixie*... bueno, todo eso ya lo sabes. Debió de acercarse sigilosamente a la ciudad, al recinto de Avilion, hasta el barco, que, por cierto, no estaba en el malecón, como publicaron erróneamente los periódicos, sino en el cobertizo. Fue una maniobra: mientras que encontrar un cadáver en un barco que está en el agua es bastante normal, si el barco está en un cobertizo es sumamente extraño. Winifred no quería que la gente pensase que Richard había perdido la razón.

¿Qué pasó entonces realmente? No estoy segura. En cuanto lo localizaron, Winifred se encargó de todo y puso su mejor cara. Un infarto, explicó. Lo encontraron con el libro en las manos, sin embargo. Eso lo sé porque Winifred me llamó, completamente histérica, y me lo contó.

—¿Cómo has podido hacerle esto? —dijo—. Destruiste su carrera política y ahora has destruido sus recuerdos de Laura. ¡Él la quería! ¡La adoraba! ¡No soportó su muerte!

—Me alegra oír que sintió remordimientos —repliqué con frialdad—. No puedo decir que lo notara en su momento.

Winifred me echaba la culpa, desde luego. Después de eso, fue guerra abierta. Me hizo lo peor que podía hacerme. Me quitó a Aimee.

Supongo que te contaron la historia tal como la veía Winifred. En su versión, yo debía de ser una borracha, una vagabunda, una fulana y una mala madre. Con el paso del tiempo, estoy segura de que en su boca me convertí en una vieja bruja que había perdido la chaveta, una vendedora ambulante de cachivaches y harapos. Pero dudo que te haya dicho alguna vez que yo maté a Richard. Si te lo hubiera dicho, también habría tenido que decirte qué razón había tenido para ello.

Lo de los cachivaches era una difamación. Es verdad que compraba barato y vendía caro —¿quién no lo hace, en el negocio de las antigüedades?—, pero tenía buen ojo y nunca he estafado a nadie. Hubo una época en que bebía demasiado, lo admito, pero fue después de que Aimee se marchara. En cuanto a los hombres, algunos hubo, también. Nunca se trató de amor, era más bien una especie de cura periódica. Estaba alejada de todo lo que me rodeaba, era incapaz de dar, de tocar; al mismo tiempo, sentía una urgencia salvaje. Necesitaba el consuelo de otro cuerpo.

Evitaba a los hombres de mi antiguo círculo social, aunque aparecieron algunos, como moscas a la fruta, en cuanto tuvieron noticia de mi condición solitaria y posiblemente miserable. Eran hombres que muy bien habría podido enviar Winifred, y sin duda envió algunos. Me limitaba a desconocidos que encontraba en mis salidas a pueblos y ciudades cercanos en busca de lo que ahora llamaría «objetos de coleccionista». Nunca decía mi nombre verdadero. Pero, al final, Winifred fue demasiado persistente. Sólo necesitaba un hombre, y lo consiguió. Las fotografías a la entrada y la salida de la habitación del motel, las firmas falsas en el registro, el testimonio del propietario, que recibió encantado el dinero. «Podría defenderse en los tribunales —me dijo el abogado—, pero no se lo aconsejo. Intentaremos conseguir derecho de visita, es todo lo que se puede hacer. Les proveyó de munición, y la han utilizado.» Hasta él me miraba con malos ojos, no por mi bajeza moral, sino por mi torpeza.

Richard había nombrado a Winifred tutora de Aimee en su testamento, y también única administradora de su nada despreciable fondo de fideicomiso, por lo que también tenía eso a su favor.

En cuanto al libro, Laura no escribió una sola palabra, pero seguramente ya lo sabes desde hace tiempo. Lo escribí yo, durante las largas veladas que pasaba a solas, cuando esperaba que Alex volviera y, más tarde, cuando sabía que ya no volvería. No pensaba que lo que hacía fuese escribir; tenía la sensación de anotar y nada más. Lo que recordaba, y también lo que imaginaba, que también es la verdad. Era como si lo estuviese grabando, como si una mano incorpórea lo garabatease en una pared.

Yo quería un memorial. Así es como empecé. Para Alex, pero también para mí.

Poner a Laura como autora no supuso un gran salto. Tú decidirás si lo que me inspiró fue cobardía o falta de coraje; en cualquier caso, nunca me ha gustado estar bajo los focos. O quizás haya sido simple prudencia: poner mi propio nombre me habría garantizado la pérdida de Aimee, a quien perdí de todos modos. Pero, bien pensado, me limité a hacer justicia, porque no puedo decir que Laura no escribiera una sola palabra. Técnicamente es así, pero en otro sentido —en lo que Laura llamaría sentido espiritual—, de algún modo fue mi colaboradora. La autora real, sin embargo, no fue ninguna de las dos; un puño es más que la suma de los dedos que lo componen.

Me acuerdo de Laura cuando tenía diez u once años, sentada a la mesa del abuelo, en la biblioteca de Avilion. Tenía una hoja de papel delante y estaba enfrascada con la disposición de los asientos en el Cielo.

—Si Jesús se sienta a mano derecha de Dios —dijo—, ¿quién se sienta a la izquierda de Dios?

—A lo mejor Dios no tiene mano izquierda —repuse, tomándole el pelo—. Como la mano izquierda suele ser la mala, pues quizá no tenga. O quizá se la hayan cortado en una guerra.

—Estamos hechos a imagen de Dios —dijo Laura— y tenemos mano izquierda, por lo que Dios también debe de tenerla. —Estudiaba su esquema masticando la punta del lápiz—. ¡Ya lo sé! —exclamó—. ¡Debe de ser una mesa redonda! Así todo el mundo está sentado a la derecha del otro, dando toda la vuelta.

—Y viceversa.

Laura era mi mano izquierda, y yo era la suya. Escribimos el libro juntas. Es un libro escrito con la izquierda. Por eso una de las dos siempre está fuera del campo de visión, se mire como se mire.

Cuando empecé a escribir este relato de la vida de Laura —de mi propia vida— no tenía ni idea de por qué lo hacía, o quién imaginaba que lo leería. Pero ahora está claro. Lo escribía para ti, Sabrina, querida Sabrina, porque ahora tú eres la única que lo necesita.

Como Laura ya no es quien tú creías que era, también tú has dejado de ser quien crees que eres. Tal vez sea un golpe, pero también puede ser un alivio. Por ejemplo, no tienes ningún parentesco con Winifred ni con Richard. No hay una sola mota de Griffen en ti; en este sentido tienes las manos limpias. Tu verdadero abuelo fue Alex Thomas y, en cuanto a quién fue tu padre, bueno, el límite es el cielo. Hombre rico, hombre pobre, mendigo, santo, un puñado de países de origen, una docena de mapas cancelados, un centenar de pueblos arrasados; elige lo que quieras. El legado que has recibido de él es el reino de la especulación infinita. Eres libre de reinventarte como te plazca.

XV

El asesino ciego
Epílogo: La otra mano

Tiene una sola fotografía de él, en blanco y negro. La guarda celosamente porque es casi lo único que le queda de él. La fotografía es de los dos, de ella y de su hombre en un pícnic.

Detrás pone «pícnic». No el nombre de él o el de ella, sólo «pícnic». Sabe los nombres, no le hace falta escribirlos.

Están sentados debajo de un árbol, posiblemente un manzano. Ella lleva una falda holgada, hasta las rodillas. Era un día caluroso. Si pone la mano sobre la fotografía, todavía nota el calor que emite.

El hombre lleva un sombrero ladeado de color claro que le oculta parcialmente la cara. Ella está medio vuelta hacia él y sonríe, sonríe como no recuerda haber sonreído nunca a nadie desde entonces. En la fotografía parece muy joven. Él también sonríe, pero levanta la mano, como si quisiera protegerse. Como si quisiera impedir que ella, en el futuro, lo mirase. Como para protegerla. Entre sus dedos hay un cigarrillo.

Cuando está a solas, saca la fotografía, la pone sobre la mesa y la mira fijamente. Examina cada detalle: los dedos amarillentos, los pliegues descoloridos de las ropas, las manzanas verdes que cuelgan del árbol, la hierba moribunda en primer plano. Su rostro sonriente.

La foto ha sido cortada; le falta un tercio. En el extremo inferior izquierdo aparece una mano, cortada por el margen, como con tijeras, hasta la muñeca, que se apoya sobre la hierba. Es la mano de la otra, la que siempre está en la imagen tanto si se ve como si no. La mano que lo apuntará todo.

¿Cómo pude ser tan ignorante?, piensa ella. Tan estúpida, tan ciega, tan increíblemente despreocupada. Pero sin esa ignorancia, sin esa despreocupación, ¿cómo es posible vivir? Si supieses lo que va a ocurrir, si supieses todo lo que va a ocurrir a continuación —si supieses por adelantado las consecuencias de tus propias acciones—, estarías sentenciada. Serías una ruina. Serías como una piedra. Nunca comerías ni beberías ni reirías ni te levantarías por las mañanas. Nunca querrías a nadie, nunca más. No te atreverías.

Olvidado, ahora, el árbol también, el cielo, el viento, las nubes. Lo único que ha dejado es la fotografía. Y también su historia.

La fotografía refleja felicidad, pero la historia no. La felicidad es un jardín con muros de cristal del que no se puede entrar ni salir. En el Paraíso no hay historias, porque no hay viajes. Es la pérdida, el arrepentimiento, el sufrimiento y el anhelo lo que empuja la historia hacia adelante por su retorcido camino.

The Port Ticonderoga Herald and Banner, 29 de mayo de 1999

IRIS CHASE GRIFFEN,
UNA DAMA MEMORABLE
POR MYRA STURGESS

La señora Iris Chase Griffen murió súbitamente el miércoles pasado a la edad de ochenta y tres años en su casa de Port Ticonderoga. «Nos dejó con gran paz cuando se encontraba sentada en el jardín», dijo la amiga de la familia, Myra Sturgess. «Su muerte no fue inesperada, pues padecía una enfermedad coronaria. Ha sido una importante personalidad y un hito de la historia local, y ha muerto en plenas facultades a su avanzada edad. La echaremos de menos y su recuerdo seguirá entre nosotros largo tiempo.»

La señora Griffen era hermana de la famosa autora Laura Chase. Además, era hija del capitán Norval Chase, de grato y eterno recuerdo en esta ciudad, y nieta de Benjamin Chase, fundador de Industrias Chase, que promovió la Fábrica de Botones y otros negocios. Fue también esposa del difunto Richard E. Griffen, el prominente industrial y político, y cuñada de Winifred Griffen Prior, la filántropa de Toronto que murió el año pasando dejando un generoso legado a nuestro colegio universitario. Le sobrevive su nieta Sabrina Griffen, que acaba de regresar del extranjero y cuya visita se espera en breve para ocuparse de los asuntos de su abuela. Estoy segura de que recibirá nuestra calurosa acogida y toda la ayuda que podamos brindarle.

Por deseo de la señora Griffen, el funeral será privado y las cenizas se depositarán en el panteón familiar Chase en el cementerio Mount Hope. Se celebrará una misa en su memoria en la capilla del tanatorio Jordan el próximo martes a las tres de la tarde, en reconocimiento del sinfín de contribuciones de la familia Chase a lo largo de los años y a continuación, se servirá un refrigerio en casa de Myra y Walter Sturgess. Todo el mundo está invitado.

El umbral

Cae una lluvia cálida de primavera que confiere al aire una especie de opalescencia. Arrecia el ruido de las cascadas y sobre la montaña; llueve a cántaros, pero con indiferencia, como las olas que dejan su marca sobre la arena.

Estoy sentada a la mesa de madera del porche trasero de mi casa, al refugio del alero, contemplando el jardín largo tiempo abandonado. Casi es de noche.

El polemonio silvestre está en flor, o creo que es un polemonio; no lo veo claramente. Algo azul, que resplandece al fondo del jardín, la fosforescencia de la nieve a la sombra. En los arriates, los brotes alargan sus formas de lápiz púrpura, azul, rojo. Me invade el aroma de la tierra húmeda y la hierba nueva, acuoso, resbaladizo, con un sabor ácido como la corteza de un árbol. Huele a juventud, huele a desengaño.

Me he puesto un chal sobre los hombros; es una noche cálida para la época, pero no siento calor, sólo ausencia de frío. Desde aquí veo el mundo claramente: éste es el paisaje que se vislumbra desde lo alto de una ola, justo antes de que la siguiente te hunda. Qué azul es el cielo, qué verde el mar, qué definitiva la perspectiva.

Junto a mi codo está el montón de papeles que he ido acumulando tan laboriosamente mes tras mes. Cuando acabe —cuando haya escrito la última página— me levantaré de la silla y me abriré camino hasta la cocina, buscaré una goma elástica, un trozo de cuerda o un lazo viejo. Ataré los papeles, levantaré la tapa de mi baúl y meteré este fajo encima de todo lo demás. Allí estará hasta que vuelvas de tus viajes, si es que vuelves. El abogado tiene la llave, y las órdenes.

Debo admitir que tengo una imagen recurrente de ti.

Una noche llamarán a la puerta y serás tú. Irás vestida de negro, llevarás una de esas mochilas que se usan ahora en lugar de bolsos. Estará lloviendo, como esta noche, pero no llevarás paraguas, los desprecias —a los jóvenes les gusta que los elementos los fustiguen, se sienten afirmados—. Te pararás en el porche, bajo una neblina de luz húmeda, con tus cabellos, negros y brillantes, chorreando, tu abrigo negro empapado, las gotas de lluvia relucientes en tu cara y en tu ropa como lentejuelas.

Llamarás. Yo te oiré, arrastraré los pies por el pasillo, abriré la puerta. Mi corazón dará un brinco y palpitará con fuerza; te miraré, luego te reconoceré: mi deseo más preciado, el último que me queda. Pensaré sin decirlo que nunca he visto persona más bella, pero no lo diré; no me gustaría que pensaras que estoy chalada. Luego te daré la bienvenida, te ofreceré mis brazos, te besaré en la mejilla, ligeramente, porque sería impropio que me dejara ir. Derramaré unas pocas lágrimas, sólo unas pocas, porque los ojos de los viejos son áridos.

Te invitaré a entrar. Entrarás. No recomendaría a una chica joven que cruzara el umbral de una casa como la mía, con una persona como yo dentro: una vieja, una anciana que vive sola en una cueva fosilizada, con los cabellos como telarañas quemadas y un jardín con hierbajos y lleno de Dios sabe qué. Esta clase de criaturas emiten un tufillo de azufre; hasta podría darte miedo. Pero tú también estarás un poco inquieta, como todas las mujeres de nuestra familia, y entrarás de todos modos. «Abuela», me dirás, y gracias a esa palabra dejaré de sentirme repudiada.

Te invitaré a sentarte a mi mesa entre las cucharas de madera y las ramas entretejidas, y la vela que nunca está encendida. Temblarás, te daré una toalla, te envolveré en una manta, te prepararé chocolate.

Luego te contaré una historia. Te contaré esta historia: la historia de cómo llegaste a estar aquí, sentada en mi cocina, escuchando la historia que te he estado contando. Si se diese el milagro de que fuera así, este montón de papeles resultaría innecesario.

¿Qué es lo que querré de ti? Amor no; sería pedir demasiado. Perdón tampoco, no puedes concedérmelo. Acaso sólo alguien que me escuche, alguien que me mire. Pero, hagas lo que hagas, no me embellezcas, que no deseo convertirme en una calavera decorada.

No obstante, quedo en tus manos. ¿Qué otra opción tengo? Cuando llegues a esta última página, éste será el único lugar en el que estaré, si es que estoy en alguno.

Agradecimientos

Quiero expresar mi agradecimiento a las siguientes personas: a mi valiosa ayudante Sarah Cooper; a mis investigadoras April Hall y Sarah Webster; al profesor Tim Stanley; a Sharon Maxwell, archivera de Cunard Line Ltd. de la St. James Library de Londres; a Dorothy Duncan, directora ejecutiva de la Sociedad Histórica de Ontario; a los Archivos Hudson's Bay/Simpsons de Winnipeg; a Fiona Lucas, de Spadina House, Heritage Toronto; a Fred Kerner; a Terrance Cox; a Katherine Ashenberg; a Jonathan F. Vance; a Mary Sims; a Joan Gale; a Don Hutchinson; a Ron Bernstein; a Lorna Toolis y su personal de la Colección Merrill de Ciencia Ficción, Especulación y Fantasía de la Biblioteca Pública de Toronto, y a Janet Inksetter de Annex Books. También a los primeros lectores Eleanor Cook, Ramsay Cook, Xandra Bingley, Jess A. Gibson y Rosalie Abella. También a mis agentes, Phoebe Larmore, Vivienne Schuster y Diana Mackay; y a mis editoras, Ellen Seligman, Heather Sangster, Nan A. Talese y Liz Calder. También a Arthur Gelgoot, Michael Bradley, Bob Clark, Gene Goldberg y Rose Tornato. Y, como siempre, a Graeme Gibson y mi familia.

Quiero hacer extensivo mi agradecimiento a quienes han dado su permiso para reproducir material ya publicado:

Epígrafes:

Ryszard Kapuscinski, *Shah of Shah:* © 1982, Ryszard Kapuscinski, traducido por William R. Brand y Katarzyna Mroczowska-Brand. Harcourt Brace Jovanovich, 1985. Reproducido con permiso del autor.

La inscripción de la urna cartaginesa atribuida a Zashtar, una mujer perteneciente a la baja nobleza (*c.*210-185 a.C.), aparece citada por el doctor Emil F. Swardsward en «Carthaginian Shard Epitaphs», *Cryptic: The Journal of Ancient Inscrptions,* vol. VIII, n° 9, 1963.

Las particulares versiones de las canciones están basadas en:

The Smoke Goes Up the Chimney Just the Same. Tradicional.

Smokey Moon. Letra de G. Damorda. Música de Crad Shelley. Copyright © 1934 Sticks Inc./Skylark Music. Copyright renovado en 1968 por Chaggas Music Corporation en nombre del autor y el compositor. Reproducido con permiso.

Stormy Weather. Letra de Ted Koehler. Música de Harold Arlen. Copyright © 1933 Mills Music Inc./S.A. Music Co./Ted Koehler Music/EMI Mills Music Inc./Redwood Music.Copyright renovado en 1961 por Arko Music Corp. Los derechos para Estados Unidos para plazos ampliados están administrados por Fred Ahlert Music Corporation en nombre de Ted Koehler Music. Los derechos para Estados Unidos administrados por S.A. Music en nombre de Harold Arlen Music. Derechos para fuera del territorio de Estados Unidos administrados por EMI Mills Music Inc. Todos los derechos relacionados con los intereses de Ted Koehler en Canadá y territorios reversibles están controlados por Bienstock Publishing Company en nombre de Redwood Music. Copyright internacional protegido. Todos los derechos reservados. Reproducido con permiso.

El informe del viaje inaugural del *Queen Mary* ha sido extraído de:

«In Search of an Adjective», por J. Herbert Hodgins. *Mayfair*, julio de 1936. (Mclean Hunter, Montreal.) Propietario del Copyright desconocido. Reproducido con permiso de Rogers Media and Southam Inc.

Índice

I

II

III

El tío Petros y la conjetura de Goldbach

APÓSTOLOS DOXIADIS

Toda familia tiene su oveja negra; en la nuestra era el tío Petros.»
Así lo afirma el sobrino favorito de Petros Papachristos —y narra-
dor de las peripecias de su tío—, al comienzo de la novela de
Apóstolos Doxiadis.

En efecto, el anciano tío Petros vive retirado de la vida social y
familiar, entregado al cuidado de su jardín y a la práctica regular del
ajedrez. Su sobrino, sin embargo, se entera un día por azar que tío
Petros fue un matemático eminente, profesor en Alemania e
Inglaterra, niño prodigio en esta disciplina y estudioso totalmente
absorto en sus investigaciones científicas. Como irá averiguando el
sobrino, y el lector con él, la vida de Petros Papachristos ha girado
durante años en torno a la comprobación de la famosa conjetura de
Goldbach, un problema de apariencia sencilla (todo número par superior a dos es la suma de dos números primos), pero que durante
más de dos siglos nadie ha podido demostrar científicamente.

Apóstolos Doxiadis nos abre las puertas de una extraordinaria aventura personal inscrita en el ámbito de las matemáticas, sus
personajes ficticios conversan con eminentes estudiosos como
Hardy, Ramanujan, Turing y Gödel; teorías, enunciados y axiomas
aparecen ante los ojos del lector como tesoros cuya existencia ya conocía, pero que acaba de descubrir. Las matemáticas adquieren en *El
tío Petros y la conjetura de Goldbach* una dimensión simbólica, y los
esfuerzos de un estudioso por resolver un enigma reflejan la lucha
prometeica del ser humano por conquistar lo imposible.

Noticias de la noche

PETROS MARKARIS

El hallazgo de los cadáveres de un matrimonio albanés y las observaciones que sobre el caso sugiere una intrépida y ambiciosa periodista pondrán al comisario Jaritos sobre la pista de un sórdido comercio clandestino que alimenta los intereses monetarios y sin escrúpulos de organizaciones griegas y albanesas. Dos nuevos homicidios sin resolver y aparentemente ajenos a la muerte de la pareja vendrán a sumarse al fardo que acarrea ese sabueso cínico, experimentado y algo canalla que, pese a haber lidiado largos años con el delito, no ha perdido interés por resolver los oscuros enigmas que se le plantean.

Noticias de la noche no se limita a presentar un cuadro contemporáneo de la capital griega y de las relaciones surgidas entre los países de la nueva Europa. Markaris esculpe con ironía y esmero el carácter del protagonista y consigue entretener enormemente al lector con escenas de la vida privada de este singular comisario, amante de la cocina tradicional griega y lector infatigable de diccionarios.